巴·利·佛·典·译·丛

Namo tassa Bhagavato Arahato Sammāsambuddhassa

④

中部经典（一）

根本五十经篇

主编 ◎ 光泉 副主编 ◎ 智圆

翻译 ◎◎ 慧音 慧观

校文 ◎ 本戒 演相 慧妙

宗教文化出版社

图书在版编目（ＣＩＰ）数据

中部经典.一，根本五十经篇／慧音，慧观译.--北京：宗教文化出版社，
2017.4（2023.11 重印）

（巴利佛典译丛／光泉主编）

ISBN 978-7-5188-0378-1

Ⅰ.①中… Ⅱ.①慧… ②慧… Ⅲ.①佛教-文集Ⅳ.①B948-53

中国版本图书馆 CIP 数据核字（2017）第 093302 号

中部经典（一） 根本五十经篇

光泉 主编 智圆 副主编 慧音 慧观 翻译

出版发行：	宗教文化出版社
地 址：	北京市西城区后海北沿 44 号 （100009）
电 话：	64095215（发行部） 64095265（编辑部）
责任编辑：	王志宏
版式设计：	陶 静
印 刷：	河北信瑞彩印刷有限公司

版权专有 不得翻印

版本记录： 880×1230 毫米 32 开本 18 印张 350 千字

　　　　　　2017 年 7 月第 1 版 2023 年 11 月第 2 次印刷

书 号： ISBN 978-7-5188-0378-1

定 价： 110.00 元

《巴利佛典译丛》序

　　法不孤起,仗缘所生。两千五百多年前,伟大的佛陀诞生于印度。他虽贵为释迦国王子,出于对人世间的悲悯而出家,经过六年的苦行探索,终于在菩提树下觉悟成道。为了开觉群迷,佛陀在随后的四十余年中,游化四方,随机设教,广说方便,度无量众生。佛陀于娑罗双树下般涅槃以后,佛弟子将其所说之法结集,或经口口相传,或经文字演化,广泛传播,绵延不断。

　　东汉明帝夜梦金人,派蔡中郎出使天竺,请来摄摩腾、竺法兰。白马驮经卷至洛阳,佛陀之教由此于中土弘演开来。其后来华传经者不绝如缕,若竺法护、鸠摩罗什、昙无谶、求那跋陀罗等。继而,中土亦有不畏艰难,穿越大漠西行求法者,若东晋之法显,大唐之玄奘、义净等。他们虽国别不同,种族不同,时代不同,但都怀揣着一颗以翻译佛教经典、传播佛法教义为己任的热忱之心。

　　与以上史称之北传佛教相对应,自印度阿育王时代起,佛教开始向现今的斯里兰卡、缅甸、泰国、印尼等南方国家弘

传,从而形成了另一条路径,即通常所说的南传佛教。与北传佛教相比,南传佛教在经典传承方面大体具有如下特征:

（一）所依据的经典原文为巴利语,而不是北传佛教所依据的梵文、西域文等。佛教作为世界性宗教,拥有着由梵、巴、汉、藏、日、韩等不同文字和不同语言记述的庞大经典体系。巴利语作为古印度语言之一,与其他佛典语言不同,只为记述佛陀教导的相关话语所用,故被称为"圣典语言"。

（二）南传佛教使用巴利语记载的藏经虽采用各自国家的文字,但是并未进行翻译。作为古印度的语言,巴利语以层次分明、语言表达朴素为特征,更多地保留着古印度本土的思维方式和相关文化,非常有利于我们从更加广阔的视野理解和把握佛陀的教义。

（三）经过历史上的六次结集,巴利藏经已逐步被整合成一套包含经、律、论三藏在内的完整系统。易言之,以巴利语记述的巴利藏经,经、律、论三藏完备,具足八万四千法蕴。尽管巴利语藏经中包含着不可胜数的独立经典,但是作为一个整体,则可全然视之为一大部藏经。

（四）就经典内容而言,巴利藏经以阐发原始佛教教义为主要线索,这一点恰好可以与以宣说大乘佛教教义为主的北传经典构成互补,二者相得益彰。

在南传佛教国家以外的地区最早关注巴利藏经的是欧美世界的学者。如英国巴利文本学会(PTS)从 19 世纪后叶便开始整理和校刊巴利藏经,在将其罗马字化的同时,陆续翻译成英文，于欧美世界广泛传播，坚持一百多年，此项工作今天仍在继续。继而是日本学界和僧团于上个世纪2、30年代开始联手展开的巴利藏经的日译工程。日本新一代巴利语专家片山一良先生自上世纪90年代开始依据缅甸第六次结集版着手巴利藏经的新译工作，历经二十余年孜孜不倦。

人能弘道，非道弘人。杭州佛学院自成立以来，一向秉承学修并重、诸宗并弘、兼容并包之办学宗旨，鼓励和支持各类佛学研究、讲经说法以及经典翻译活动的展开，成绩斐然，已为教界、学界所共睹。考虑到目前汉语世界尚缺少一部完整的汉译巴利藏经，故而积极推进此项计划便自然成为杭州佛学院责无旁贷的任务。

译经宏业，需妙达文荃，虔虔不懈。我们坚信，在我们不断精进下，在每一位发心者的不懈努力和悉心护持下，再现佛陀慈悲与智慧的汉译巴利佛典将一部接一部地呈现在华语世界的读者面前。佛法如莲花，播放智慧的芬芳。祝愿有缘遇到汉译巴利佛典的每一位读者，都可以在巴利藏经的经、律、论三藏中找到契机适己的法宝，畅饮法的甘露，体味法的喜悦。

云林光泉

2017 年吉月吉日

目　　录

《巴利佛典译丛》序 ／ 1

翻译说明 ／ 1

一、根本法门集 ／ 1

内容简介 ／ 1

第一、根本法门经 ／ 4

第二、一切烦恼经 ／ 38

第三、法继承者经 ／ 46

第四、恐惧经 ／ 54

第五、无垢经 ／ 64

第六、希望经 ／ 76

第七、布经 ／ 81

第八、削减经 ／ 87

第九、正见经 ／ 98

第十、大念处经 ／ 113

二、狮子吼集 ／ 143

内容简介 ／ 143

第一、小狮子吼经 ／ 145

第二、大狮子吼经 ／ 151

第三、大苦蕴经 ／ 173

第四、小苦蕴经 / 182

第五、推理经 / 191

第六、心荒芜经 / 203

第七、丛林经 / 209

第八、蜜丸经 / 219

第九、二种浅观经 / 230

第十、浅观形相经 / 238

三、譬喻集 / 243

内容简介 / 243

第一、锯譬喻经 / 246

第二、蛇譬喻经 / 257

第三、蚂蚁冢经 / 275

第四、中转车经 / 280

第五、食饵经 / 289

第六、圈套经 / 303

第七、小象足迹譬喻经 / 321

第八、大象足迹譬喻经 / 333

第九、大心材譬喻经 / 347

第十、小心材譬喻经 / 355

四、大对集 / 365

内容简介 / 365

第一、小牛角经 / 368

第二、大牛角经 / 378

第三、大牧牛者经 / 387

第四、小牧牛者经 / 394

第五、小萨遮迦经 ／ 397

第六、大萨遮迦经 ／ 410

第七、小渴爱灭尽经 ／ 431

第八、大渴爱灭尽经 ／ 437

第九、大马邑经 ／ 460

第十、小马邑经 ／ 473

五、小对集 ／ 479

内容简介 ／ 479

第一、萨罗婆罗门经 ／ 482

第二、鞞兰若经 ／ 489

第三、大方广经 ／ 497

第四、小方广经 ／ 506

第五、小法受持经 ／ 514

第六、大法受持经 ／ 519

第七、观察经 ／ 528

第八、憍赏弥经 ／ 532

第九、梵天招待经 ／ 538

第十、降魔经 ／ 549

翻译说明

　　巴利佛典《中部经典》分为三个部分，即《根本五十经篇》《中分五十经篇》和《后分五十经篇》。本中部经典（一）《根本五十经篇》是其第一部分，由五个集构成，即《根本法门集》《狮子吼集》《譬喻集》《大对集》和《小对集》，每集分别包含十部经，计五十部经。

　　本译本由灵隐寺住持^上光^下泉大和尚、法镜讲寺住持^上智^下圆尼和尚全面统筹，由杭州佛学院慧音、杭州灵隐寺慧观分别依据缅甸第六次结集版的巴利语本进行全文翻译。本《根本五十经篇》中的《根本法门集》全10经、《狮子吼集》全10经、《譬喻集》全10经、《大对集》全10经和《小对集》1-8经由慧音翻译，《小对集》9-10经由慧观翻译。初稿完成以后，由慧音、慧观参考日本驹泽大学荣休教授、曹洞宗花岳寺住持片山一良先生译《中部 根本五十经篇 I、II》进行斟酌和核对，然后由本戒、演相、慧妙对全文进行循环审读、校文和润色，最后再由慧音、慧观对全文进行汇总、定稿。

　　译本段首的阿拉伯数字如1、2、3等，为原文所有，予以保留。小标题的一、二等为译者所加。人名和地名等专有名词下面以下划线明示其性质。

关于翻译原则，我们承续《长部经典》所遵循的基本翻译原则，同时根据广大读者的反馈意见，适当吸纳一些古今中外翻译实践中的经验和技巧，尽量令译文易读、易懂。针对一些已经为世人普遍接受的专有名词，基于"顺古"原则，大都沿用原来的古译；对于一些已经改变原文性质的古译，则根据原文加以订正；对于一些古译中未出现或未得到普遍流行的名称，一般依照音译规则以现代汉语发音直接译出。此外，原经文中对于辗转反复叙述的部分一般进行了省略，译本基于对佛语的尊重和语言的有声性等考虑，对原经文中省略的部分适当加以补足，以使每部经文自成一个整体。

关于翻译过程，我们保留了《长部经典》初稿翻译、校对、校文、定稿等环节的同时，特别增加了全体翻译小组成员共同汇总、定稿环节，对于一些不顺或存在语义偏差的文句，经商议后加以修改，在充分尊重经文原义的基础上，尽量做到译文流畅、易读、易懂，从而让更多的读者愿意接触巴利藏经，并通过巴利藏经的学习加深对佛法的了解，如法生活、如法修行。

在本书即将付梓之际，我们要特别感谢多年来一直给予我们支持和鼓励的日本驹泽大学荣休教授、曹洞宗花岳寺住持片山一良先生。作为先行者，正是因为其榜样的感召力，才使得我们越过重重难关，一步步走到今天。在此，也要特别感谢灵隐寺住持^上光^下泉大和尚、法镜讲寺住持^上智^下圆尼和尚，恰是因为他们的慈悲，我们才有幸能够在天命之年步入佛教僧团的行列，在僧团生活中体味经文和佛法奥义。感谢杭州佛学院的本戒法师、演相法师、慧妙法师参与了整个校文工作。感谢杭州佛学院对丛书出版事业的支持以及宗教文化出版社王志宏编辑对编辑本书所付出的辛劳。

佛法如甘露，能够滋润世人的心田。佛法如莲花，祝愿有缘遇到巴利佛典的读者，都能够获得清净、圆满的智慧，与我们同沾法喜。

慧音 慧观合十

一、根本法门集（Mūlapariyāyavaggo）

内容简介

《根本法门集》共包括十部经,分别为《根本法门经》《一切烦恼经》《法继承者经》《恐惧经》《无垢经》《希望经》《布经》《削减经》《正见经》和《大念处经》。

第一部《根本法门经》中,佛陀分别阐述了凡夫、有学比丘、漏尽阿罗汉以及如来对于法的根本见解,阐明了佛教的基本立场。此经所阐述的佛教根本法门极为深奥,听完佛陀的讲法,比丘众并没有完全理解,没有显示法喜。

第二部《一切烦恼经》中,佛陀对所有烦恼进行了分类,指出有些烦恼应以见加以舍断,有些烦恼应以守护加以舍断,有些烦恼应以受用加以舍断,有些烦恼应以忍受加以舍断,有些烦恼应以回避加以舍断,有些烦恼应以除遣加以舍断,有些烦恼应以修行加以舍断。此是针对性非常强的一部经。

第三部《法继承者经》中,首先,佛陀简要教诫弟子不要为了名利而修行，而是要继承佛陀传承的法，成为法的继承者。继而，舍利弗尊者对比丘众作详细阐释，指出如果弟子不随学出世法，那么，导师和弟子就会受到世人的讥毁；如果弟子随学出世法，那么，导师和弟子就会受到世人的赞誉。

第四部《恐惧经》中，佛陀告诫弟子任何受用阿兰若、森林等远离、寂静的边地坐卧处的沙门、婆罗门，如果其身业、语业、意业、活命未遍净，为五盖所蔽，自赞毁他，怀有恐惧，渴望利得、尊敬、名声，懈怠，不精进，失念，非正知，无定，恶慧，则必常怀恐惧。

第五部《无垢经》为佛陀二大弟子舍利弗尊者和目犍连尊者之间的问答。舍利弗尊者指出此处的垢就是恶与不善的欲行。如果此恶与不善的欲行不断除，那么就不会受到同修行者的尊敬、尊重、恭敬、供养。只要此恶与不善的欲行断除，就会得到同修行者的尊敬、尊重、恭敬、供养。

第六部《希望经》中，佛陀告诫弟子戒具足者具足波罗提木叉，得到波罗提木叉防护之人具足正行和行处，于微罪中见恐怖，于学处受持学习。如果比丘希望获得各种利养，获得神通，获得禅定和解脱，就要做戒的充分行者，专修自心的寂止，不忽视禅，具足观，做各寂静处的增益者。

第七部《布经》中，佛陀告诫弟子贪和非理贪、嗔恚、愤怒、怨恨、伪善、恼害、嫉妒、悭吝、诳惑、谄曲、固执、激愤、慢心、过慢、骄慢、放逸都是心的染垢，远离这些心垢染者具足对佛、法、僧的净信，就可以如理实践诸佛之教导，获得清净。

第八部《削减经》中，摩诃纯陀尊者向佛陀询问如何对待与"我"和"世界"相关的观点。佛陀教导了削减法门、心生起法门、回避法门、上方法门和调伏法门，区分了圣人律中的现世乐住、寂静住和削减，指出真正的削减就是无害意，时刻关注自己，守住自己的念。

第九部《正见经》为舍利弗尊者所说。在本经中，舍利弗尊者深入浅出地指出了依据八正道如理实践，圣弟子就可以成为具有正见、正行之见，具足对法的绝对净信、通达正法之人。

第十部《大念处经》与长部（二）《摩诃篇》的《念处经》内容完全相同。

第一、根本法门经(Mūlapariyāyasuttaṃ)

一、凡夫部分

1　如是我闻。

一次,佛陀住在郁伽罗城附近的须婆迦树林的娑罗王树下。在此,佛陀对比丘众说道:"诸比丘。"

"尊师。"彼比丘众应诺佛陀。

佛陀如下说道:"诸比丘,我为你们说一切法的根本法门。你们仔细听,充分作意。我来说。"

"好,尊师。"彼比丘众应诺佛陀。

佛陀如下说道:

2　"诸比丘,在此,无闻的凡夫不见圣人,不熟知圣人法,没有于圣人法得到教导;不见善人,不熟知善人法,没有于善人法得到教导。

其从地理解地。从地理解地后,思考地,于地思考,从地思考,认为地是我的,欢喜地。此为何故? 我说:'因为其未遍知。'

其从水理解水。从水理解水后,思考水,于水思考,从水思考,认为水是我的,欢喜水。此为何故? 我说:'因为其未遍知。'

其从火理解火。从火理解火后，思考火，于火思考，从火思考，认为火是我的，欢喜火。此为何故？我说：'因为其未遍知。'

其从风理解风。从风理解风后，思考风，于风思考，从风思考，认为风是我的，欢喜风。此为何故？我说：'因为其未遍知。'"

3 "其从生命体理解生命体。从生命体理解生命体后，思考生命体，于生命体思考，从生命体思考，认为生命体是我的，欢喜生命体。此为何故？我说：'因为其未遍知。'

其从天神理解天神。从天神理解天神后，思考天神，于天神思考，从天神思考，认为天神是我的，欢喜天神。此为何故？我说：'因为其未遍知。'

其从造物主理解造物主。从造物主理解造物主后，思考造物主，于造物主思考，从造物主思考，认为造物主是我的，欢喜造物主。此为何故？我说：'因为其未遍知。'

其从梵天理解梵天。从梵天理解梵天后，思考梵天，于梵天思考，从梵天思考，认为梵天是我的，欢喜梵天。此为何故？我说：'因为其未遍知。'

其从光音天理解光音天。从光音天理解光音天后，思考光音天，于光音天思考，从光音天思考，认为光音天是我的，欢喜光音天。此为何故？我说：'因为其未遍知。'

其从遍净天理解遍净天。从遍净天理解遍净天后，思考遍净天，于遍净天思考，从遍净天思考，认为遍净天是我的，

欢喜<u>遍净天</u>。此为何故？我说：'因为其未遍知。'

其从<u>广果天</u>理解<u>广果天</u>。从<u>广果天</u>理解<u>广果天</u>后，思考<u>广果天</u>，于<u>广果天</u>思考，从<u>广果天</u>思考，认为<u>广果天</u>是我的，欢喜<u>广果天</u>。此为何故？我说：'因为其未遍知。'

其从<u>阿毗浮胜天</u>理解<u>阿毗浮胜天</u>。从<u>阿毗浮胜天</u>理解<u>阿毗浮胜天</u>后，思考<u>阿毗浮胜天</u>，于<u>阿毗浮胜天</u>思考，从<u>阿毗浮胜天</u>思考，认为<u>阿毗浮胜天</u>是我的，欢喜<u>阿毗浮胜天</u>。此为何故？我说：'因为其未遍知。'"

4 "其从空无边处理解空无边处。从空无边处理解空无边处后，思考空无边处，于空无边处思考，从空无边处思考，认为空无边处是我的，欢喜空无边处。此为何故？我说：'因为其未遍知。'

其从识无边处理解识无边处。从识无边处理解识无边处后，思考识无边处，于识无边处思考，从识无边处思考，认为识无边处是我的，欢喜识无边处。此为何故？我说：'因为其未遍知。'

其从无所有处理解无所有处。从无所有处理解无所有处后，思考无所有处，于无所有处思考，从无所有处思考，认为无所有处是我的，欢喜无所有处。此为何故？我说：'因为其未遍知。'

其从非想非非想处理解非想非非想处。从非想非非想处理解非想非非想处后，思考非想非非想处，于非想非非想处思考，从非想非非想处思考，认为非想非非想处是我的，欢喜非想非非想处。此为何故？我说：'因为其未遍知。'"

5 "其从所见理解所见。从所见理解所见后，思考所见，于所见思考，从所见思考，认为所见是我的，欢喜所见。此为何故？我说：'因为其未遍知。'

其从所闻理解所闻。从所闻理解所闻后，思考所闻，于所闻思考，从所闻思考，认为所闻是我的，欢喜所闻。此为何故？我说：'因为其未遍知。'

其从所思理解所思。从所思理解所思后，思考所思，于所思思考，从所思思考，认为所思是我的，欢喜所思。此为何故？我说：'因为其未遍知。'

其从所识理解所识。从所识理解所识后，思考所识，于所识思考，从所识思考，认为所识是我的，欢喜所识。此为何故？我说：'因为其未遍知。'"

6 "其从单一性理解单一性。从单一性理解单一性后，思考单一性，于单一性思考，从单一性思考，认为单一性是我的，欢喜单一性。此为何故？我说：'因为其未遍知。'

其从多样性理解多样性。从多样性理解多样性后，思考多样性，于多样性思考，从多样性思考，认为多样性是我的，欢喜多样性。此为何故？我说：'因为其未遍知。'

其从一切理解一切。从一切理解一切后，思考一切，于一切思考，从一切思考，认为一切是我的，欢喜一切。此为何故？我说：'因为其未遍知。'

其从涅槃理解涅槃。从涅槃理解涅槃后，思考涅槃，于涅槃思考，从涅槃思考，认为涅槃是我的，欢喜涅槃。此为何故？我说：'因为其未遍知。'"

凡夫部分完

二、有学部分

7　"诸比丘，彼比丘为有学，尚未达意，渴望无上安稳而住。其也从地证知地。从地证知地后，决不思考地，决不于地思考，决不从地思考，决不认为地是我的，决不欢喜地。此为何故？我说：'因为其需要遍知。'

其也从水证知水。从水证知水后，决不思考水，决不于水思考，决不从水思考，决不认为水是我的，决不欢喜水。此为何故？我说：'因为其需要遍知。'

其也从火证知火。从火证知火后，决不思考火，决不于火思考，决不从火思考，决不认为火是我的，决不欢喜火。此为何故？我说：'因为其需要遍知。'

其也从风证知风。从风证知风后，决不思考风，决不于风思考，决不从风思考，决不认为风是我的，决不欢喜风。此为何故？我说：'因为其需要遍知。'

其也从生命体证知生命体。从生命体证知生命体后，决不思考生命体，决不于生命体思考，决不从生命体思考，决不认为生命体是我的，决不欢喜生命体。此为何故？我说：'因为其需要遍知。'

其也从天神证知天神。从天神证知天神后，决不思考天

神，决不于天神思考，决不从天神思考，决不认为天神是我的，决不欢喜天神。此为何故？我说：'因为其需要遍知。'

其也从造物主证知造物主。从造物主证知造物主后，决不思考造物主，决不于造物主思考，决不从造物主思考，决不认为造物主是我的，决不欢喜造物主。此为何故？我说：'因为其需要遍知。'

其也从梵天证知梵天。从梵天证知梵天后，决不思考梵天，决不于梵天思考，决不从梵天思考，决不认为梵天是我的，决不欢喜梵天。此为何故？我说：'因为其需要遍知。'

其也从光音天证知光音天。从光音天证知光音天后，决不思考光音天，决不于光音天思考，决不从光音天思考，决不认为光音天是我的，决不欢喜光音天。此为何故？我说：'因为其需要遍知。'

其也从遍净天证知遍净天。从遍净天证知遍净天后，决不思考遍净天，决不于遍净天思考，决不从遍净天思考，决不认为遍净天是我的，决不欢喜遍净天。此为何故？我说：'因为其需要遍知。'

其也从广果天证知广果天。从广果天证知广果天后，决不思考广果天，决不于广果天思考，决不从广果天思考，决不认为广果天是我的，决不欢喜广果天。此为何故？我说：'因为其需要遍知。'

其也从阿毗浮胜天证知阿毗浮胜天。从阿毗浮胜天证知阿毗浮胜天后，决不思考阿毗浮胜天，决不于阿毗浮胜天思

考，决不从阿毗浮胜天思考，决不认为阿毗浮胜天是我的，决不欢喜阿毗浮胜天。此为何故？我说：'因为其需要遍知。'

其也从空无边处证知空无边处。从空无边处证知空无边处后，决不思考空无边处，决不于空无边处思考，决不从空无边处思考，决不认为空无边处是我的，决不欢喜空无边处。此为何故？我说：'因为其需要遍知。'

其也从识无边处证知识无边处。从识无边处证知识无边处后，决不思考识无边处，决不于识无边处思考，决不从识无边处思考，决不认为识无边处是我的，决不欢喜识无边处。此为何故？我说：'因为其需要遍知。'

其也从无所有处证知无所有处。从无所有处证知无所有处后，决不思考无所有处，决不于无所有处思考，决不从无所有处思考，决不认为无所有处是我的，决不欢喜无所有处。此为何故？我说：'因为其需要遍知。'

其也从非想非非想处证知非想非非想处。从非想非非想处证知非想非非想处后，决不思考非想非非想处，决不于非想非非想处思考，决不从非想非非想处思考，决不认为非想非非想处是我的，决不欢喜非想非非想处。此为何故？我说：'因为其需要遍知。'

其也从所见证知所见。从所见证知所见后，决不思考所见，决不于所见思考，决不从所见思考，决不认为所见是我的，决不欢喜所见。此为何故？我说：'因为其需要遍知。'

其也从所闻证知所闻。从所闻证知所闻后，决不思考所

闻,决不于所闻思考,决不从所闻思考,决不认为所闻是我的,决不欢喜所闻。此为何故？我说:'因为其需要遍知。'

其也从所思证知所思。从所思证知所思后,决不思考所思,决不于所思思考,决不从所思思考,决不认为所思是我的,决不欢喜所思。此为何故？我说:'因为其需要遍知。'

其也从所识证知所识。从所识证知所识后,决不思考所识,决不于所识思考,决不从所识思考,决不认为所识是我的,决不欢喜所识。此为何故？我说:'因为其需要遍知。'

其也从单一性证知单一性。从单一性证知单一性后,决不思考单一性,决不于单一性思考,决不从单一性思考,决不认为单一性是我的,决不欢喜单一性。此为何故？我说:'因为其需要遍知。'

其也从多样性证知多样性。从多样性证知多样性后,决不思考多样性,决不于多样性思考,决不从多样性思考,决不认为多样性是我的,决不欢喜多样性。此为何故？我说:'因为其需要遍知。'

其也从一切证知一切。从一切证知一切后,决不思考一切,决不于一切思考,决不从一切思考,决不认为一切是我的,决不欢喜一切。此为何故？我说:'因为其需要遍知。'

其也从涅槃证知涅槃。从涅槃证知涅槃后,决不思考涅槃,决不于涅槃思考,决不从涅槃思考,决不认为涅槃是我的,决不欢喜涅槃。此为何故？我说:'因为其需要遍知。'"

有学部分完

三、漏尽者部分（1）

8 "诸比丘，彼比丘作为阿罗汉、漏尽者、修行圆满、应作已作、重负已卸、已达己利、有结漏尽、完全了知的解脱者而住。其也从地证知地。从地证知地后，不思考地，不于地思考，不从地思考，不认为地是我的，不欢喜地。此为何故？我说：'因为其已遍知。'

其也从水证知水。从水证知水后，不思考水，不于水思考，不从水思考，不认为水是我的，不欢喜水。此为何故？我说：'因为其已遍知。'

其也从火证知火。从火证知火后，不思考火，不于火思考，不从火思考，不认为火是我的，不欢喜火。此为何故？我说：'因为其已遍知。'

其也从风证知风。从风证知风后，不思考风，不于风思考，不从风思考，不认为风是我的，不欢喜风。此为何故？我说：'因为其已遍知。'

其也从生命体证知生命体。从生命体证知生命体后，不思考生命体，不于生命体思考，不从生命体思考，不认为生命体是我的，不欢喜生命体。此为何故？我说：'因为其已遍知。'

其也从天神证知天神。从天神证知天神后，不思考天神，不于天神思考，不从天神思考，不认为天神是我的，不欢喜天神。此为何故？我说：'因为其已遍知。'

其也从造物主证知造物主。从造物主证知造物主后，不思考造物主，不于造物主思考，不从造物主思考，不认为造物主是我的，不欢喜造物主。此为何故？我说：'因为其已遍知。'

其也从梵天证知梵天。从梵天证知梵天后，不思考梵天，不于梵天思考，不从梵天思考，不认为梵天是我的，不欢喜梵天。此为何故？我说：'因为其已遍知。'

其也从光音天证知光音天。从光音天证知光音天后，不思考光音天，不于光音天思考，不从光音天思考，不认为光音天是我的，不欢喜光音天。此为何故？我说：'因为其已遍知。'

其也从遍净天证知遍净天。从遍净天证知遍净天后，不思考遍净天，不于遍净天思考，不从遍净天思考，不认为遍净天是我的，不欢喜遍净天。此为何故？我说：'因为其已遍知。'

其也从广果天证知广果天。从广果天证知广果天后，不思考广果天，不于广果天思考，不从广果天思考，不认为广果天是我的，不欢喜广果天。此为何故？我说：'因为其已遍知。'

其也从阿毗浮胜天证知阿毗浮胜天。从阿毗浮胜天证知阿毗浮胜天后，不思考阿毗浮胜天，不于阿毗浮胜天思考，不从阿毗浮胜天思考，不认为阿毗浮胜天是我的，不欢喜阿毗浮胜天。此为何故？我说：'因为其已遍知。'

其也从空无边处证知空无边处。从空无边处证知空无边处后，不思考空无边处，不于空无边处思考，不从空无边处思考，不认为空无边处是我的，不欢喜空无边处。此为何故？我说：'因为其已遍知。'

其也从识无边处证知识无边处。从识无边处证知识无边处后，不思考识无边处，不于识无边处思考，不从识无边处思考，不认为识无边处是我的，不欢喜识无边处。此为何故？我说：'因为其已遍知。'

其也从无所有处证知无所有处。从无所有处证知无所有处后，不思考无所有处，不于无所有处思考，不从无所有处思考，不认为无所有处是我的，不欢喜无所有处。此为何故？我说：'因为其已遍知。'

其也从非想非非想处证知非想非非想处。从非想非非想处证知非想非非想处后，不思考非想非非想处，不于非想非非想处思考，不从非想非非想处思考，不认为非想非非想处是我的，不欢喜非想非非想处。此为何故？我说：'因为其已遍知。'

其也从所见证知所见。从所见证知所见后，不思考所见，不于所见思考，不从所见思考，不认为所见是我的，不欢喜所见。此为何故？我说：'因为其已遍知。'

其也从所闻证知所闻。从所闻证知所闻后，不思考所闻，不于所闻思考，不从所闻思考，不认为所闻是我的，不欢喜所闻。此为何故？我说：'因为其已遍知。'

其也从所思证知所思。从所思证知所思后，不思考所思，不于所思思考，不从所思思考，不认为所思是我的，不欢喜所思。此为何故？我说：'因为其已遍知。'

其也从所识证知所识。从所识证知所识后，不思考所识，不于所识思考，不从所识思考，不认为所识是我的，不欢喜所识。此为何故？我说：'因为其已遍知。'

其也从单一性证知单一性。从单一性证知单一性后，不思考单一性，不于单一性思考，不从单一性思考，不认为单一性是我的，不欢喜单一性。此为何故？我说：'因为其已遍知。'

其也从多样性证知多样性。从多样性证知多样性后，不思考多样性，不于多样性思考，不从多样性思考，不认为多样性是我的，不欢喜多样性。此为何故？我说：'因为其已遍知。'

其也从一切证知一切。从一切证知一切后，不思考一切，不于一切思考，不从一切思考，不认为一切是我的，不欢喜一切。此为何故？我说：'因为其已遍知。'

其也从涅槃证知涅槃。从涅槃证知涅槃后，不思考涅槃，不于涅槃思考，不从涅槃思考，不认为涅槃是我的，不欢喜涅槃。此为何故？我说：'因为其已遍知。'"

漏尽者部分（1）完

四、漏尽者部分（2）

9 "诸比丘，彼比丘作为阿罗汉、漏尽者、修行圆满、应作已作、重负已卸、已达己利、有结漏尽、完全了知的解脱者而住。其也从地证知地。从地证知地后，不思考地，不于地思考，不从地思考，不认为地是我的，不欢喜地。此为何故？我说：'因为贪已灭尽，因为已离贪。'

其也从水证知水。从水证知水后，不思考水，不于水思考，不从水思考，不认为水是我的，不欢喜水。此为何故？我说：'因为贪已灭尽，因为已离贪。'

其也从火证知火。从火证知火后，不思考火，不于火思考，不从火思考，不认为火是我的，不欢喜火。此为何故？我说：'因为贪已灭尽，因为已离贪。'

其也从风证知风。从风证知风后，不思考风，不于风思考，不从风思考，不认为风是我的，不欢喜风。此为何故？我说：'因为贪已灭尽，因为已离贪。'

其也从生命体证知生命体。从生命体证知生命体后，不思考生命体，不于生命体思考，不从生命体思考，不认为生命体是我的，不欢喜生命体。此为何故？我说：'因为贪已灭尽，因为已离贪。'

其也从天神证知天神。从天神证知天神后，不思考天神，不于天神思考，不从天神思考，不认为天神是我的，不欢喜天神。此为何故？我说：'因为贪已灭尽，因为已离贪。'

其也从造物主证知造物主。从造物主证知造物主后，不思考造物主，不于造物主思考，不从造物主思考，不认为造物主是我的，不欢喜造物主。此为何故？我说：'因为贪已灭

尽，因为已离贪。'

其也从梵天证知梵天。从梵天证知梵天后，不思考梵天，不于梵天思考，不从梵天思考，不认为梵天是我的，不欢喜梵天。此为何故？我说：'因为贪已灭尽，因为已离贪。'

其也从光音天证知光音天。从光音天证知光音天后，不思考光音天，不于光音天思考，不从光音天思考，不认为光音天是我的，不欢喜光音天。此为何故？我说：'因为贪已灭尽，因为已离贪。'

其也从遍净天证知遍净天。从遍净天证知遍净天后，不思考遍净天，不于遍净天思考，不从遍净天思考，不认为遍净天是我的，不欢喜遍净天。此为何故？我说：'因为贪已灭尽，因为已离贪。'

其也从广果天证知广果天。从广果天证知广果天后，不思考广果天，不于广果天思考，不从广果天思考，不认为广果天是我的，不欢喜广果天。此为何故？我说：'因为贪已灭尽，因为已离贪。'

其也从阿毗浮胜天证知阿毗浮胜天。从阿毗浮胜天证知阿毗浮胜天后，不思考阿毗浮胜天，不于阿毗浮胜天思考，不从阿毗浮胜天思考，不认为阿毗浮胜天是我的，不欢喜阿毗浮胜天。此为何故？我说：'因为贪已灭尽，因为已离贪。'

其也从空无边处证知空无边处。从空无边处证知空无边处后，不思考空无边处，不于空无边处思考，不从空无边处

思考，不认为空无边处是我的，不欢喜空无边处。此为何故？我说：'因为贪已灭尽，因为已离贪。'

其也从识无边处证知识无边处。从识无边处证知识无边处后，不思考识无边处，不于识无边处思考，不从识无边处思考，不认为识无边处是我的，不欢喜识无边处。此为何故？我说：'因为贪已灭尽，因为已离贪。'

其也从无所有处证知无所有处。从无所有处证知无所有处后，不思考无所有处，不于无所有处思考，不从无所有处思考，不认为无所有处是我的，不欢喜无所有处。此为何故？我说：'因为贪已灭尽，因为已离贪。'

其也从非想非非想处证知非想非非想处。从非想非非想处证知非想非非想处后，不思考非想非非想处，不于非想非非想处思考，不从非想非非想处思考，不认为非想非非想处是我的，不欢喜非想非非想处。此为何故？我说：'因为贪已灭尽，因为已离贪。'

其也从所见证知所见。从所见证知所见后，不思考所见，不于所见思考，不从所见思考，不认为所见是我的，不欢喜所见。此为何故？我说：'因为贪已灭尽，因为已离贪。'

其也从所闻证知所闻。从所闻证知所闻后，不思考所闻，不于所闻思考，不从所闻思考，不认为所闻是我的，不欢喜所闻。此为何故？我说：'因为贪已灭尽，因为已离贪。'

其也从所思证知所思。从所思证知所思后，不思考所思，不于所思思考，不从所思思考，不认为所思是我的，不欢

喜所思。此为何故？我说：'因为贪已灭尽，因为已离贪。'

其也从所识证知所识。从所识证知所识后，不思考所识，不于所识思考，不从所识思考，不认为所识是我的，不欢喜所识。此为何故？我说：'因为贪已灭尽，因为已离贪。'

其也从单一性证知单一性。从单一性证知单一性后，不思考单一性，不于单一性思考，不从单一性思考，不认为单一性是我的，不欢喜单一性。此为何故？我说：'因为贪已灭尽，因为已离贪。'

其也从多样性证知多样性。从多样性证知多样性后，不思考多样性，不于多样性思考，不从多样性思考，不认为多样性是我的，不欢喜多样性。此为何故？我说：'因为贪已灭尽，因为已离贪。'

其也从一切证知一切。从一切证知一切后，不思考一切，不于一切思考，不从一切思考，不认为一切是我的，不欢喜一切。此为何故？我说：'因为贪已灭尽，因为已离贪。'

其也从涅槃证知涅槃。从涅槃证知涅槃后，不思考涅槃，不于涅槃思考，不从涅槃思考，不认为涅槃是我的，不欢喜涅槃。此为何故？我说：'因为贪已灭尽，因为已离贪。'"

漏尽者部分（2）完

五、漏尽者部分（3）

10 "诸比丘，彼比丘作为阿罗汉、漏尽者、修行圆满、应作已作、重负已卸、已达已利、有结漏尽、完全了知的解脱者而住。其也从地证知地。从地证知地后，不思考地，不于地思考，不从地思考，不认为地是我的，不欢喜地。此为何故？我说：'因为嗔已灭尽，因为已离嗔。'

其也从水证知水。从水证知水后，不思考水，不于水思考，不从水思考，不认为水是我的，不欢喜水。此为何故？我说：'因为嗔已灭尽，因为已离嗔。'

其也从火证知火。从火证知火后，不思考火，不于火思考，不从火思考，不认为火是我的，不欢喜火。此为何故？我说：'因为嗔已灭尽，因为已离嗔。'

其也从风证知风。从风证知风后，不思考风，不于风思考，不从风思考，不认为风是我的，不欢喜风。此为何故？我说：'因为嗔已灭尽，因为已离嗔。'

其也从生命体证知生命体。从生命体证知生命体后，不思考生命体，不于生命体思考，不从生命体思考，不认为生命体是我的，不欢喜生命体。此为何故？我说：'因为嗔已灭尽，因为已离嗔。'

其也从天神证知天神。从天神证知天神后，不思考天神，不于天神思考，不从天神思考，不认为天神是我的，不欢喜天神。此为何故？我说：'因为嗔已灭尽，因为已离嗔。'

其也从造物主证知造物主。从造物主证知造物主后，不思考造物主，不于造物主思考，不从造物主思考，不认为造物主是我的，不欢喜造物主。此为何故？我说：'因为嗔已灭尽，因为已离嗔。'

其也从梵天证知梵天。从梵天证知梵天后，不思考梵天，不于梵天思考，不从梵天思考，不认为梵天是我的，不欢喜梵天。此为何故？我说：'因为嗔已灭尽，因为已离嗔。'

其也从光音天证知光音天。从光音天证知光音天后，不思考光音天，不于光音天思考，不从光音天思考，不认为光音天是我的，不欢喜光音天。此为何故？我说：'因为嗔已灭尽，因为已离嗔。'

其也从遍净天证知遍净天。从遍净天证知遍净天后，不思考遍净天，不于遍净天思考，不从遍净天思考，不认为遍净天是我的，不欢喜遍净天。此为何故？我说：'因为嗔已灭尽，因为已离嗔。'

其也从广果天证知广果天。从广果天证知广果天后，不思考广果天，不于广果天思考，不从广果天思考，不认为广果天是我的，不欢喜广果天。此为何故？我说：'因为嗔已灭尽，因为已离嗔。'

其也从阿毗浮胜天证知阿毗浮胜天。从阿毗浮胜天证知阿毗浮胜天后，不思考阿毗浮胜天，不于阿毗浮胜天思考，不从阿毗浮胜天思考，不认为阿毗浮胜天是我的，不欢喜阿毗浮胜天。此为何故？我说：'因为嗔已灭尽，因为已离嗔。'

其也从空无边处证知空无边处。从空无边处证知空无边处后，不思考空无边处，不于空无边处思考，不从空无边处思考，不认为空无边处是我的，不欢喜空无边处。此为何故？

我说：'因为嗔已灭尽，因为已离嗔。'

其也从识无边处证知识无边处。从识无边处证知识无边处后，不思考识无边处，不于识无边处思考，不从识无边处思考，不认为识无边处是我的，不欢喜识无边处。此为何故？我说：'因为嗔已灭尽，因为已离嗔。'

其也从无所有处证知无所有处。从无所有处证知无所有处后，不思考无所有处，不于无所有处思考，不从无所有处思考，不认为无所有处是我的，不欢喜无所有处。此为何故？我说：'因为嗔已灭尽，因为已离嗔。'

其也从非想非非想处证知非想非非想处。从非想非非想处证知非想非非想处后，不思考非想非非想处，不于非想非非想处思考，不从非想非非想处思考，不认为非想非非想处是我的，不欢喜非想非非想处。此为何故？我说：'因为嗔已灭尽，因为已离嗔。'

其也从所见证知所见。从所见证知所见后，不思考所见，不于所见思考，不从所见思考，不认为所见是我的，不欢喜所见。此为何故？我说：'因为嗔已灭尽，因为已离嗔。'

其也从所闻证知所闻。从所闻证知所闻后，不思考所闻，不于所闻思考，不从所闻思考，不认为所闻是我的，不欢喜所闻。此为何故？我说：'因为嗔已灭尽，因为已离嗔。'

其也从所思证知所思。从所思证知所思后，不思考所思，不于所思思考，不从所思思考，不认为所思是我的，不欢喜所思。此为何故？我说：'因为嗔已灭尽，因为已离嗔。'

其也从所识证知所识。从所识证知所识后，不思考所识，不于所识思考，不从所识思考，不认为所识是我的，不欢喜所识。此为何故？我说：'因为嗔已灭尽，因为已离嗔。'

其也从单一性证知单一性。从单一性证知单一性后，不思考单一性，不于单一性思考，不从单一性思考，不认为单一性是我的，不欢喜单一性。此为何故？我说：'因为嗔已灭尽，因为已离嗔。'

其也从多样性证知多样性。从多样性证知多样性后，不思考多样性，不于多样性思考，不从多样性思考，不认为多样性是我的，不欢喜多样性。此为何故？我说：'因为嗔已灭尽，因为已离嗔。'

其也从一切证知一切。从一切证知一切后，不思考一切，不于一切思考，不从一切思考，不认为一切是我的，不欢喜一切。此为何故？我说：'因为嗔已灭尽，因为已离嗔。'

其也从涅槃证知涅槃。从涅槃证知涅槃后，不思考涅槃，不于涅槃思考，不从涅槃思考，不认为涅槃是我的，不欢喜涅槃。此为何故？我说：'因为嗔已灭尽，因为已离嗔。'"

漏尽者部分（3）完

六、漏尽者部分（4）

11 "诸比丘，彼比丘作为阿罗汉、漏尽者、修行圆满、应作已作、重负已卸、已达己利、有结漏尽、完全了知的解脱者而住。其也从地证知地。从地证知地后，不思考地，不于地

思考，不从地思考，不认为地是我的，不欢喜地。此为何故？我说：'因为痴已灭尽，因为已离痴。'

其也从水证知水。从水证知水后，不思考水，不于水思考，不从水思考，不认为水是我的，不欢喜水。此为何故？我说：'因为痴已灭尽，因为已离痴。'

其也从火证知火。从火证知火后，不思考火，不于火思考，不从火思考，不认为火是我的，不欢喜火。此为何故？我说：'因为痴已灭尽，因为已离痴。'

其也从风证知风。从风证知风后，不思考风，不于风思考，不从风思考，不认为风是我的，不欢喜风。此为何故？我说：'因为痴已灭尽，因为已离痴。'

其也从生命体证知生命体。从生命体证知生命体后，不思考生命体，不于生命体思考，不从生命体思考，不认为生命体是我的，不欢喜生命体。此为何故？我说：'因为痴已灭尽，因为已离痴。'

其也从天神证知天神。从天神证知天神后，不思考天神，不于天神思考，不从天神思考，不认为天神是我的，不欢喜天神。此为何故？我说：'因为痴已灭尽，因为已离痴。'

其也从造物主证知造物主。从造物主证知造物主后，不思考造物主，不于造物主思考，不从造物主思考，不认为造物主是我的，不欢喜造物主。此为何故？我说：'因为痴已灭尽，因为已离痴。'

其也从梵天证知梵天。从梵天证知梵天后，不思考梵

天,不于梵天思考,不从梵天思考,不认为梵天是我的,不欢喜梵天。此为何故？我说:'因为痴已灭尽,因为已离痴。'

其也从光音天证知光音天。从光音天证知光音天后,不思考光音天,不于光音天思考,不从光音天思考,不认为光音天是我的,不欢喜光音天。此为何故？我说:'因为痴已灭尽,因为已离痴。'

其也从遍净天证知遍净天。从遍净天证知遍净天后,不思考遍净天,不于遍净天思考,不从遍净天思考,不认为遍净天是我的,不欢喜遍净天。此为何故？我说:'因为痴已灭尽,因为已离痴。'

其也从广果天证知广果天。从广果天证知广果天后,不思考广果天,不于广果天思考,不从广果天思考,不认为广果天是我的,不欢喜广果天。此为何故？我说:'因为痴已灭尽,因为已离痴。'

其也从阿毗浮胜天证知阿毗浮胜天。从阿毗浮胜天证知阿毗浮胜天后,不思考阿毗浮胜天,不于阿毗浮胜天思考,不从阿毗浮胜天思考,不认为阿毗浮胜天是我的,不欢喜阿毗浮胜天。此为何故？我说:'因为痴已灭尽,因为已离痴。'

其也从空无边处证知空无边处。从空无边处证知空无边处后,不思考空无边处,不于空无边处思考,不从空无边处思考,不认为空无边处是我的,不欢喜空无边处。此为何故？我说:'因为痴已灭尽,因为已离痴。'

其也从识无边处证知识无边处。从识无边处证知识无边处后，不思考识无边处，不于识无边处思考，不从识无边处思考，不认为识无边处是我的，不欢喜识无边处。此为何故？我说：'因为痴已灭尽，因为已离痴。'

其也从无所有处证知无所有处。从无所有处证知无所有处后，不思考无所有处，不于无所有处思考，不从无所有处思考，不认为无所有处是我的，不欢喜无所有处。此为何故？我说：'因为痴已灭尽，因为已离痴。'

其也从非想非非想处证知非想非非想处。从非想非非想处证知非想非非想处后，不思考非想非非想处，不于非想非非想处思考，不从非想非非想处思考，不认为非想非非想处是我的，不欢喜非想非非想处。此为何故？我说：'因为痴已灭尽，因为已离痴。'

其也从所见证知所见。从所见证知所见后，不思考所见，不于所见思考，不从所见思考，不认为所见是我的，不欢喜所见。此为何故？我说：'因为痴已灭尽，因为已离痴。'

其也从所闻证知所闻。从所闻证知所闻后，不思考所闻，不于所闻思考，不从所闻思考，不认为所闻是我的，不欢喜所闻。此为何故？我说：'因为痴已灭尽，因为已离痴。'

其也从所思证知所思。从所思证知所思后，不思考所思，不于所思思考，不从所思思考，不认为所思是我的，不欢喜所思。此为何故？我说：'因为痴已灭尽，因为已离痴。'

其也从所识证知所识。从所识证知所识后，不思考所

识，不于所识思考，不从所识思考，不认为所识是我的，不欢喜所识。此为何故？我说：'因为痴已灭尽，因为已离痴。'

其也从单一性证知单一性。从单一性证知单一性后，不思考单一性，不于单一性思考，不从单一性思考，不认为单一性是我的，不欢喜单一性。此为何故？我说：'因为痴已灭尽，因为已离痴。'

其也从多样性证知多样性。从多样性证知多样性后，不思考多样性，不于多样性思考，不从多样性思考，不认为多样性是我的，不欢喜多样性。此为何故？我说：'因为痴已灭尽，因为已离痴。'

其也从一切证知一切。从一切证知一切后，不思考一切，不于一切思考，不从一切思考，不认为一切是我的，不欢喜一切。此为何故？我说：'因为痴已灭尽，因为已离痴。'

其也从涅槃证知涅槃。从涅槃证知涅槃后，不思考涅槃，不于涅槃思考，不从涅槃思考，不认为涅槃是我的，不欢喜涅槃。此为何故？我说：'因为痴已灭尽，因为已离痴。'"

漏尽者部分（4）完

七、如来部分（1）

12 "诸比丘，如来、阿罗汉、正等觉也从地证知地。从地证知地后，不思考地，不于地思考，不从地思考，不认为地是我的，不欢喜地。此为何故？我说：'因为如来已遍知。'

其也从水证知水。从水证知水后，不思考水，不于水思

考,不从水思考,不认为水是我的,不欢喜水。此为何故？我说:'因为如来已遍知。'

其也从火证知火。从火证知火后,不思考火,不于火思考,不从火思考,不认为火是我的,不欢喜火。此为何故？我说:'因为如来已遍知。'

其也从风证知风。从风证知风后,不思考风,不于风思考,不从风思考,不认为风是我的,不欢喜风。此为何故？我说:'因为如来已遍知。'

其也从生命体证知生命体。从生命体证知生命体后,不思考生命体,不于生命体思考,不从生命体思考,不认为生命体是我的,不欢喜生命体。此为何故？我说:'因为如来已遍知。'

其也从天神证知天神。从天神证知天神后,不思考天神,不于天神思考,不从天神思考,不认为天神是我的,不欢喜天神。此为何故？我说:'因为如来已遍知。'

其也从造物主证知造物主。从造物主证知造物主后,不思考造物主,不于造物主思考,不从造物主思考,不认为造物主是我的,不欢喜造物主。此为何故？我说:'因为如来已遍知。'

其也从梵天证知梵天。从梵天证知梵天后,不思考梵天,不于梵天思考,不从梵天思考,不认为梵天是我的,不欢喜梵天。此为何故？我说:'因为如来已遍知。'

其也从光音天证知光音天。从光音天证知光音天后,不

思考光音天，不于光音天思考，不从光音天思考，不认为光音天是我的，不欢喜光音天。此为何故？我说:'因为如来已遍知。'

其也从遍净天证知遍净天。从遍净天证知遍净天后，不思考遍净天，不于遍净天思考，不从遍净天思考，不认为遍净天是我的，不欢喜遍净天。此为何故？我说:'因为如来已遍知。'

其也从广果天证知广果天。从广果天证知广果天后，不思考广果天，不于广果天思考，不从广果天思考，不认为广果天是我的，不欢喜广果天。此为何故？我说:'因为如来已遍知。'

其也从阿毗浮胜天证知阿毗浮胜天。从阿毗浮胜天证知阿毗浮胜天后，不思考阿毗浮胜天，不于阿毗浮胜天思考，不从阿毗浮胜天思考，不认为阿毗浮胜天是我的，不欢喜阿毗浮胜天。此为何故？我说:'因为如来已遍知。'

其也从空无边处证知空无边处。从空无边处证知空无边处后，不思考空无边处，不于空无边处思考，不从空无边处思考，不认为空无边处是我的，不欢喜空无边处。此为何故？我说:'因为如来已遍知。'

其也从识无边处证知识无边处。从识无边处证知识无边处后，不思考识无边处，不于识无边处思考，不从识无边处思考，不认为识无边处是我的，不欢喜识无边处。此为何故？我说:'因为如来已遍知。'

其也从无所有处证知无所有处。从无所有处证知无所有处后，不思考无所有处，不于无所有处思考，不从无所有处思考，不认为无所有处是我的，不欢喜无所有处。此为何故？我说：'因为如来已遍知。'

其也从非想非非想处证知非想非非想处。从非想非非想处证知非想非非想处后，不思考非想非非想处，不于非想非非想处思考，不从非想非非想处思考，不认为非想非非想处是我的，不欢喜非想非非想处。此为何故？我说：'因为如来已遍知。'

其也从所见证知所见。从所见证知所见后，不思考所见，不于所见思考，不从所见思考，不认为所见是我的，不欢喜所见。此为何故？我说：'因为如来已遍知。'

其也从所闻证知所闻。从所闻证知所闻后，不思考所闻，不于所闻思考，不从所闻思考，不认为所闻是我的，不欢喜所闻。此为何故？我说：'因为如来已遍知。'

其也从所思证知所思。从所思证知所思后，不思考所思，不于所思思考，不从所思思考，不认为所思是我的，不欢喜所思。此为何故？我说：'因为如来已遍知。'

其也从所识证知所识。从所识证知所识后，不思考所识，不于所识思考，不从所识思考，不认为所识是我的，不欢喜所识。此为何故？我说：'因为如来已遍知。'

其也从单一性证知单一性。从单一性证知单一性后，不思考单一性，不于单一性思考，不从单一性思考，不认为单一

性是我的,不欢喜单一性。此为何故？我说:'因为如来已遍知。'

其也从多样性证知多样性。从多样性证知多样性后,不思考多样性,不于多样性思考,不从多样性思考,不认为多样性是我的,不欢喜多样性。此为何故？我说:'因为如来已遍知。'

其也从一切证知一切。从一切证知一切后,不思考一切,不于一切思考,不从一切思考,不认为一切是我的,不欢喜一切。此为何故？我说:'因为如来已遍知。'

其也从涅槃证知涅槃。从涅槃证知涅槃后,不思考涅槃,不于涅槃思考,不从涅槃思考,不认为涅槃是我的,不欢喜涅槃。此为何故？我说:'因为如来已遍知。'"

如来部分(1)完

八、如来部分(2)

13 "诸比丘,如来、阿罗汉、正等觉也从地证知地。从地证知地后,不思考地,不于地思考,不从地思考,不认为地是我的,不欢喜地。此为何故？因为了知'欢喜是苦的根本',因为了知'由于存在而有有情的生、老、死'。诸比丘,因此我说:'如来对于渴爱已经彻底灭尽、离贪、寂灭、舍断、舍弃,是现证无上正等觉者。'

其也从水证知水。从水证知水后,不思考水,不于水思考,不从水思考,不认为水是我的,不欢喜水。此为何故？因为了知'欢喜是苦的根本',因为了知'由于存在而有有情的生、老、死'。诸比丘,因此我说:'如来对于渴爱已经彻底灭尽、离贪、寂灭、舍断、舍弃,是现证无上正等觉者。'

其也从火证知火。从火证知火后,不思考火,不于火思考,不从火思考,不认为火是我的,不欢喜火。此为何故?因为了知'欢喜是苦的根本',因为了知'由于存在而有有情的生、老、死'。诸比丘,因此我说:'如来对于渴爱已经彻底灭尽、离贪、寂灭、舍断、舍弃,是现证无上正等觉者。'

其也从风证知风。从风证知风后,不思考风,不于风思考,不从风思考,不认为风是我的,不欢喜风。此为何故?因为了知'欢喜是苦的根本',因为了知'由于存在而有有情的生、老、死'。诸比丘,因此我说:'如来对于渴爱已经彻底灭尽、离贪、寂灭、舍断、舍弃,是现证无上正等觉者。'

其也从生命体证知生命体。从生命体证知生命体后,不思考生命体,不于生命体思考,不从生命体思考,不认为生命体是我的,不欢喜生命体。此为何故?因为了知'欢喜是苦的根本',因为了知'由于存在而有有情的生、老、死'。诸比丘,因此我说:'如来对于渴爱已经彻底灭尽、离贪、寂灭、舍断、舍弃,是现证无上正等觉者。'

其也从天神证知天神。从天神证知天神后,不思考天神,不于天神思考,不从天神思考,不认为天神是我的,不欢喜天神。此为何故?因为了知'欢喜是苦的根本',因为了知'由于存在而有有情的生、老、死'。诸比丘,因此我说:

'如来对于渴爱已经彻底灭尽、离贪、寂灭、舍断、舍弃,是现证无上正等觉者。'

其也从造物主证知造物主。从造物主证知造物主后,不思考造物主,不于造物主思考,不从造物主思考,不认为造物主是我的,不欢喜造物主。此为何故? 因为了知'欢喜是苦的根本',因为了知'由于存在而有有情的生、老、死'。诸比丘,因此我说:'如来对于渴爱已经彻底灭尽、离贪、寂灭、舍断、舍弃,是现证无上正等觉者。'

其也从梵天证知梵天。从梵天证知梵天后,不思考梵天,不于梵天思考,不从梵天思考,不认为梵天是我的,不欢喜梵天。此为何故? 因为了知'欢喜是苦的根本',因为了知'由于存在而有有情的生、老、死'。诸比丘,因此我说:'如来对于渴爱已经彻底灭尽、离贪、寂灭、舍断、舍弃,是现证无上正等觉者。'

其也从光音天证知光音天。从光音天证知光音天后,不思考光音天,不于光音天思考,不从光音天思考,不认为光音天是我的,不欢喜光音天。此为何故? 因为了知'欢喜是苦的根本',因为了知'由于存在而有有情的生、老、死'。诸比丘,因此我说:'如来对于渴爱已经彻底灭尽、离贪、寂灭、舍断、舍弃,是现证无上正等觉者。'

其也从遍净天证知遍净天。从遍净天证知遍净天后,不思考遍净天,不于遍净天思考,不从遍净天思考,不认为遍净天是我的,不欢喜遍净天。此为何故? 因为了知'欢喜是苦的根本',因为了知'由于存在而有有情的生、老、死'。诸比丘,因此我说:'如来对于渴爱已经彻底灭尽、离贪、寂灭、舍断、舍弃,是现证无上正等觉者。'

其也从广果天证知广果天。从广果天证知广果天后,不思考广果天,不于广果天思考,不从广果天思考,不认为广果天是我的,不欢喜广果天。此为何故?因为了知'欢喜是苦的根本',因为了知'由于存在而有有情的生、老、死'。诸比丘,因此我说:'如来对于渴爱已经彻底灭尽、离贪、寂灭、舍断、舍弃,是现证无上正等觉者。'

其也从阿毗浮胜天证知阿毗浮胜天。从阿毗浮胜天证知阿毗浮胜天后,不思考阿毗浮胜天,不于阿毗浮胜天思考,不从阿毗浮胜天思考,不认为阿毗浮胜天是我的,不欢喜阿毗浮胜天。此为何故?因为了知'欢喜是苦的根本',因为了知'由于存在而有有情的生、老、死'。诸比丘,因此我说:'如来对于渴爱已经彻底灭尽、离贪、寂灭、舍断、舍弃,是现证无上正等觉者。'

其也从空无边处证知空无边处。从空无边处证知空无边处后,不思考空无边处,不于空无边处思考,不从空无边处思考,不认为空无边处是我的,不欢喜空无边处。此为何故?因为了知'欢喜是苦的根本',因为了知'由于存在而有有情的生、老、死'。诸比丘,因此我说:'如来对于渴爱已经彻底灭尽、离贪、寂灭、舍断、舍弃,是现证无上正等觉者。'

其也从识无边处证知识无边处。从识无边处证知识无边处后，不思考识无边处，不于识无边处思考，不从识无边处思考，不认为识无边处是我的，不欢喜识无边处。此为何故？因为了知'欢喜是苦的根本'，因为了知'由于存在而有有情的生、老、死'。诸比丘，因此我说：'如来对于渴爱已经彻底灭尽、离贪、寂灭、舍断、舍弃，是现证无上正等觉者。'

其也从无所有处证知无所有处。从无所有处证知无所有处后，不思考无所有处，不于无所有处思考，不从无所有处思考，不认为无所有处是我的，不欢喜无所有处。此为何故？因为了知'欢喜是苦的根本'，因为了知'由于存在而有有情的生、老、死'。诸比丘，因此我说：'如来对于渴爱已经彻底灭尽、离贪、寂灭、舍断、舍弃，是现证无上正等觉者。'

其也从非想非非想处证知非想非非想处。从非想非非想处证知非想非非想处后，不思考非想非非想处，不于非想非非想处思考，不从非想非非想处思考，不认为非想非非想处是我的，不欢喜非想非非想处。此为何故？因为了知'欢喜是苦的根本'，因为了知'由于存在而有有情的生、老、死'。诸比丘，因此我说：'如来对于渴爱已经彻底灭尽、离贪、寂灭、舍断、舍弃，是现证无上正等觉者。'

其也从所见证知所见。从所见证知所见后，不思考所见，不于所见思考，不从所见思考，不认为所见是我的，不欢喜所见。此为何故？因为了知'欢喜是苦的根本'，因为了知'由于存在而有有情的生、老、死'。诸比丘，因此我说：'如来对于渴爱已经彻底灭尽、离贪、寂灭、舍断、舍弃，是现

证无上正等觉者。'

　　其也从所闻证知所闻。从所闻证知所闻后，不思考所闻，不于所闻思考，不从所闻思考，不认为所闻是我的，不欢喜所闻。此为何故？因为了知'欢喜是苦的根本'，因为了知'由于存在而有有情的生、老、死'。诸比丘，因此我说：'如来对于渴爱已经彻底灭尽、离贪、寂灭、舍断、舍弃，是现证无上正等觉者。'

　　其也从所思证知所思。从所思证知所思后，不思考所思，不于所思思考，不从所思思考，不认为所思是我的，不欢喜所思。此为何故？因为了知'欢喜是苦的根本'，因为了知'由于存在而有有情的生、老、死'。诸比丘，因此我说：'如来对于渴爱已经彻底灭尽、离贪、寂灭、舍断、舍弃，是现证无上正等觉者。'

　　其也从所识证知所识。从所识证知所识后，不思考所识，不于所识思考，不从所识思考，不认为所识是我的，不欢喜所识。此为何故？因为了知'欢喜是苦的根本'，因为了知'由于存在而有有情的生、老、死'。诸比丘，因此我说：'如来对于渴爱已经彻底灭尽、离贪、寂灭、舍断、舍弃，是现证无上正等觉者。'

　　其也从单一性证知单一性。从单一性证知单一性后，不思考单一性，不于单一性思考，不从单一性思考，不认为单一性是我的，不欢喜单一性。此为何故？因为了知'欢喜是苦的根本'，因为了知'由于存在而有有情的生、老、死'。诸比

丘，因此我说：'如来对于渴爱已经彻底灭尽、离贪、寂灭、舍断、舍弃，是现证无上正等觉者。'

其也从多样性证知多样性。从多样性证知多样性后，不思考多样性，不于多样性思考，不从多样性思考，不认为多样性是我的，不欢喜多样性。此为何故？因为了知'欢喜是苦的根本'，因为了知'由于存在而有有情的生、老、死'。诸比丘，因此我说：'如来对于渴爱已经彻底灭尽、离贪、寂灭、舍断、舍弃，是现证无上正等觉者。'

其也从一切证知一切。从一切证知一切后，不思考一切，不于一切思考，不从一切思考，不认为一切是我的，不欢喜一切。此为何故？因为了知'欢喜是苦的根本'，因为了知'由于存在而有有情的生、老、死'。诸比丘，因此我说：'如来对于渴爱已经彻底灭尽、离贪、寂灭、舍断、舍弃，是现证无上正等觉者。'

其也从涅槃证知涅槃。从涅槃证知涅槃后，不思考涅槃，不于涅槃思考，不从涅槃思考，不认为涅槃是我的，不欢喜涅槃。此为何故？因为了知'欢喜是苦的根本'，因为了知'由于存在而有有情的生、老、死'。诸比丘，因此我说：'如来对于渴爱已经彻底灭尽、离贪、寂灭、舍断、舍弃，是现证无上正等觉者。'"

如来部分（2）完

此为佛陀所说。彼比丘众未欢喜佛陀所说。

（根本法门经完）

第二、一切烦恼经（Sabbāsavasuttaṃ）

14　如是我闻。

一次，佛陀住在舍卫城附近的祇陀林给孤独园。在此，佛陀对比丘众说道："诸比丘。"

"尊师。"彼比丘众应诺佛陀。

佛陀如下说道："诸比丘，我为你们说防治一切烦恼的法门。你们仔细听，充分作意。我来说。"

"好，尊师。"彼比丘众应诺佛陀。

佛陀如下说道：

15　"诸比丘，我为知者、见者告知诸烦恼的灭尽，不是为不知者、不见者。那么，诸比丘，我为知什么者、见什么者告知诸烦恼的灭尽？是如理作意和非如理作意。诸比丘，由于非如理作意，未生起的诸烦恼生起，已生起的诸烦恼增大。然而，诸比丘，由于如理作意，未生起的诸烦恼不生起，已生起的诸烦恼被舍断。"

16　"诸比丘，有应以见而舍断的诸烦恼，有应以守护而舍断的诸烦恼，有应以受用而舍断的诸烦恼，有应以忍受而舍断的诸烦恼，有应以回避而舍断的诸烦恼，有应以除遣而舍断的诸烦恼，有应以修行而舍断的诸烦恼。"

一、应以见而舍断的诸烦恼

17 "诸比丘，哪些是应以见而舍断的烦恼？诸比丘，在此，无闻的凡夫不见圣人，不熟知圣人法，没有于圣人法得到教导；不见善人，不熟知善人法，没有于善人法得到教导，不知道应作意的法，不知道不应作意的法。其不知道应作意的法，不知道不应作意的法，不应作意的法却于该法作意，应作意的法却不于该法作意。

诸比丘，哪些是不应作意却于该法作意的法？诸比丘，因为作意该法，未生起的欲烦恼生起，已生起的欲烦恼增大；未生起的存在烦恼生起，已生起的存在烦恼增大；未生起的无明烦恼生起，已生起的无明烦恼增大。这些法就是不应作意却于该法作意的法。

诸比丘，哪些是应作意却不于该法作意的法？诸比丘，因为作意该法，未生起的欲烦恼不生起，已生起的欲烦恼被舍断；未生起的存在烦恼不生起，已生起的存在烦恼被舍断；未生起的无明烦恼不生起，已生起的无明烦恼被舍断。这些法就是应作意却不于该法作意的法。"

18 "其如此非如理作意：'我过去是否存在？''我过去是否不存在？''我过去是什么？''我过去如何存在？''我过去是什么，之后又是什么？'

'我将来是否存在？''我将来是否不存在？''我将来是什么？''我将来如何存在？''我将来是什么，之后又是什

么？'

即使是现在，对于现在，其内心存在疑惑；'我现在是否存在？''我现在是否不存在？''我现在是什么？''我现在如何存在？''此有情从何处来？其将去往何处？'"

19 "因为其如此非如理作意，所以六见中的某一见生起。所谓'我存在于我'之见于其真实地、坚固地生起。所谓'我不存在于我'之见于其真实地、坚固地生起。所谓'是我思考我'之见于其真实地、坚固地生起。所谓'是我思考无我'之见于其真实地、坚固地生起。所谓'是无我思考我'之见于其真实地、坚固地生起。

另外，'对于我来说，此我是言语者，是感知者，随处感知善恶业的果报，其对于我来说，此我是常、恒常、常住、不变异、永久地住立于此。'之见于其生起。

诸比丘，此就被称为恶见、见的密林、见的险途、见的曲解、见的纷争、见的束缚。诸比丘，我说：'被见的束缚所束缚的无闻凡夫不能从生、老、病、愁、悲、苦、忧、恼中解脱。其不能从苦解脱。'"

20 "诸比丘，博闻的圣弟子见圣人，熟知圣人法，于圣人法得到教导；见善人，熟知善人法，于善人法得到教导，知道应作意的法，知道不应作意的法。其知道应作意的法，知道不应作意的法，不应作意的法，其不作意彼法，应作意的法，其作意彼法。

诸比丘，哪些是不应作意故而其于该法不作意的法？诸比丘，因为作意该法，未生起的欲烦恼生起，已生起的欲烦恼增大；未生起的存在烦恼生起，已生起的存在烦恼增大；未生起的无明烦恼生起，已生起的无明烦恼增大。这些法就是不应作意故而其于该法不作意的法。

诸比丘，哪些是应作意故而其于该法作意的法？诸比丘，因为作意该法，未生起的欲烦恼不生起，已生起的欲烦恼被舍断；未生起的存在烦恼不生起，已生起的存在烦恼被舍断；未生起的无明烦恼不生起，已生起的无明烦恼被舍断。这些法就是应作意故而其于该法作意的法。

其不作意不应作意的法，作意应作意的法，未生起的诸烦恼不生起，已生起的诸烦恼被舍断。"

21 "其如理作意'此是苦'。其如理作意'此是苦的生起'。其如理作意'此是苦的灭尽'。其如理作意'此是通往苦灭尽的行道'。如此如理作意者，三个束缚即有身见、疑惑、戒禁取于其被舍断。诸比丘，这些就是被称为应以见而舍断的烦恼。"

二、应以守护而舍断的诸烦恼

22 "诸比丘，哪些是应以守护而舍断的烦恼？

诸比丘，在此，比丘如理省察守护眼根而住。诸比丘，对于不守护眼根而住者，困惑、焦灼的烦恼就会生起。对于守护眼根而住者，困惑、焦灼的烦恼就不会生起。

如理省察守护耳根而住。诸比丘，对于不守护耳根而住者,困惑、焦灼的烦恼就会生起。对于守护耳根而住者,困惑、焦灼的烦恼就不会生起。

如理省察守护鼻根而住。诸比丘,对于不守护鼻根而住者,困惑、焦灼的烦恼就会生起。对于守护鼻根而住者,困惑、焦灼的烦恼就不会生起。

如理省察守护舌根而住。诸比丘,对于不守护舌根而住者,困惑、焦灼的烦恼就会生起。对于守护舌根而住者,困惑、焦灼的烦恼就不会生起。

如理省察守护身根而住。诸比丘,对于不守护身根而住者,困惑、焦灼的烦恼就会生起。对于守护身根而住者,困惑、焦灼的烦恼就不会生起。

如理省察守护意根而住。诸比丘,对于不守护意根而住者,困惑、焦灼的烦恼就会生起。对于守护意根而住者,困惑、焦灼的烦恼就不会生起。

诸比丘,如果对于应守护者却没有加以守护而住,那么,困惑、焦灼的烦恼就会生起。如果对于应守护者加以守护而住,那么,困惑、焦灼的烦恼就不会生起。诸比丘,这些就是被称为应以守护而舍断的烦恼。"

三、应以受用而舍断的诸烦恼

23 "诸比丘,哪些是应以受用而舍断的烦恼?

诸比丘,在此,比丘如理省察受用僧衣:'仅仅是为了防御寒冷,防御酷暑,防御虻、蚊、风、热、爬虫类的接触,仅仅是

为了覆盖下体。'

如理省察受用托钵食：'不是为了嬉戏，不是为了慢心，不是为了养颜，不是为了庄严，其仅仅是为了此身体的存续和存活，为了止息恼害，为了资益梵行，如此这样，击退旧的苦受，不再生起新的苦受，于是，我将无罪生存，住于安乐。'

如理省察受用坐卧处：'仅仅是为了防御寒冷，防御酷暑，防御虻、蚊、风、热、爬虫类的接触。其仅仅是为了去除季节性的危险，安住于禅坐。'

如理省察受用医药资具：'仅仅是为了舍断已经生起的诸病恼的感受，为了最终无有病恼。'

诸比丘，对于不如此受用者，困惑、焦灼的烦恼就会生起。对于如此受用者，困惑、焦灼的烦恼就不会生起。诸比丘，这些就是被称为应以受用而舍断的烦恼。"

四、应以忍受而舍断的诸烦恼

24 "诸比丘，哪些是应以忍受而舍断的烦恼？

诸比丘，在此，比丘如理省察，成为对寒、暑、饥、渴的忍受者。成为对于虻、蚊、风、热、爬虫类的接触，对于谩骂诽谤的言论，对于身体上生起的痛苦、剧烈、粗重、难受、不快、不适意、窒息感受的忍受者。

诸比丘，对于不如此忍受者，困惑、焦灼的烦恼就会生起。对于如此忍受者，困惑、焦灼的烦恼就不会生起。诸比丘，这些就是被称为应以忍受而舍断的烦恼。"

五、应以回避而舍断的诸烦恼

25　"诸比丘，哪些是应以回避而舍断的烦恼？

诸比丘，在此，比丘如理省察，回避狂暴之象，回避狂暴之马，回避狂暴之牛，回避狂暴之犬，回避蛇、树桩、荆棘丛、沟、悬崖、泥坑、沼泽。如果坐于如此非坐处，行于如此非行处，接近如此恶友，那么，就会被智慧的同修行者视为恶类，于是，其如理省察，回避彼非坐处、彼非行处、彼恶友。

诸比丘，对于不如此回避者，困惑、焦灼的烦恼就会生起。对于如此回避者，困惑、焦灼的烦恼就不会生起。诸比丘，这些就被称为应以回避而舍断的烦恼。"

六、应以除遣而舍断的诸烦恼

26　"诸比丘，哪些是应以除遣而舍断的烦恼？

诸比丘，在此，比丘如理省察，对于已生起的欲浅观不认可、舍弃、除遣、使灭尽、令无有。对于已生起的嗔浅观不认可、舍弃、除遣、使灭尽、令无有。对于已生起的害浅观不认可、舍弃、除遣、使灭尽、令无有。对于已生起的恶不善法不认可、舍弃、除遣、使灭尽、令无有。

诸比丘，对于不如此除遣者，困惑、焦灼的烦恼就会生起。对于如此除遣者，困惑、焦灼的烦恼就不会生起。诸比丘，这些就被称为应以除遣而舍断的烦恼。"

七、应以修行而舍断的诸烦恼

27 "诸比丘，哪些是应以修行而舍断的烦恼？

诸比丘，在此，比丘如理省察，修行依止远离、依止离贪、依止灭尽、朝向舍弃的念等觉支。如理省察，修行依止远离、依止离贪、依止灭尽、朝向舍弃的择法等觉支。如理省察，修行依止远离、依止离贪、依止灭尽、朝向舍弃的精进等觉支。如理省察，修行依止远离、依止离贪、依止灭尽、朝向舍弃的喜等觉支。如理省察，修行依止远离、依止离贪、依止灭尽、朝向舍弃的轻安等觉支。如理省察，修行依止远离、依止离贪、依止灭尽、朝向舍弃的定等觉支。如理省察，修行依止远离、依止离贪、依止灭尽、朝向舍弃的舍等觉支。

诸比丘，对于不如此修行者，困惑、焦灼的烦恼就会生起。对于如此修行者，困惑、焦灼的烦恼就不会生起。诸比丘，这些就被称为应以修行而舍断的烦恼。"

28 "诸比丘，以见而舍断诸烦恼的比丘，其成为以见舍断者。以守护而舍断诸烦恼的比丘，其成为以守护舍断者。以受用而舍断诸烦恼的比丘，其成为以受用舍断者。以忍受而舍断诸烦恼的比丘，其成为以忍受舍断者。以回避而舍断诸烦恼的比丘，其成为以回避舍断者。以除遣而舍断诸烦恼的比丘，其成为以除遣舍断者。以修行而舍断诸烦恼的比丘，其成为以修行舍断者。诸比丘，此被称为'比丘是防治一切烦恼而住者，断除渴爱，斩除结缚，彻底熄灭慢心，令苦灭尽。'"

此为佛陀所说。彼比丘众内心喜悦，欢喜佛陀所说。

（一切烦恼经完）

第三、法继承者经（Dhammadāyādasuttaṃ）

29 如是我闻。

一次，佛陀住在舍卫城附近的祇陀林给孤独园。在此，佛陀对比丘众说道："诸比丘。"

"尊师。"彼比丘众应诺佛陀。

佛陀如下说道："诸比丘，你们要成为我的法继承者，而不要成为财富继承者。我于你们怀有慈悯：'怎么样做，我的诸弟子成为我的法继承者，而不成为财富继承者？'

诸比丘，如果你们成为我的财富继承者，而不是法继承者，那么，你们会因此而被认为：'导师的诸弟子作为财富继承者而住，而不是法继承者。'我也会因此而被认为：'导师的诸弟子作为财富继承者而住，而不是法继承者。'

诸比丘，如果你们成为我的法继承者，而不是财富继承者，那么，你们会因此而被认为：'导师的诸弟子作为法继承者而住，而不是财富继承者。'我也会因此而被认为：'导师的诸弟子作为法继承者而住，而不是财富继承者。'

诸比丘，因此，你们要成为我的法继承者，而不要成为财富继承者。我于你们怀有慈悯：'怎么样做，我的诸弟子成为我的法继承者，而不成为财富继承者？'"

30 "诸比丘，假设在此，我已经吃完饭，已经尽所需，已经吃好、吃饱，吃得满意、吃得满足，我还有多余的可以丢弃的托钵食。此时，两位饥饿、无力的比丘到来。我对他们如下说道：'诸比丘，我已经吃完饭，已经尽所需，已经吃好、吃饱，吃得满意、吃得满足，我还有多余的可以丢弃的托钵食。你们如果愿意，那么请吃。如果你们不吃，我现在就要丢到无草的地方或沉入无生物的水里。'

于是，一位比丘如下思考：'世尊已经吃完饭，已经尽所需，已经吃好、吃饱，吃得满意、吃得满足，世尊还有多余的可以丢弃的托钵食。如果我们不吃，世尊现在就要丢到无草的地方或沉入无生物的水里。然而，此为世尊所说："诸比丘，你们要成为我的法继承者，而不要成为财富继承者。"此托钵食即是某种财富。我不吃此托钵食，像这样饥饿和无力地度过此一昼夜如何？'他没有吃此托钵食，而是像这样饥饿和无力地度过此一昼夜。

第二位比丘如下思考：'世尊已经吃完饭，已经尽所需，已经吃好、吃饱，吃得满意、吃得满足，世尊还有多余的可以丢弃的托钵食。如果我们不吃，世尊现在就要丢到无草的地方或沉入无生物的水里。我吃此托钵食，除去饥饿和无力，度过此一昼夜如何？'他吃了此托钵食，除去饥饿和无力，度过此一昼夜。

诸比丘，对此如何思考？与吃了此托钵食，除去饥饿和无力，度过此一昼夜的彼比丘相比，其前一位比丘更应受到尊敬，更应受到赞赏。此为何故？诸比丘，因为对于该比丘，其长久地朝向少欲、知足、节制、易养、勤精进。诸比丘，因此，我说，你们要成为我的法继承者，而不要成为财富继承者。我于你们怀有慈悯：'怎么样做，我的诸弟子成为我的法继承者，而不成为财富继承者？'"

此为佛陀所说。说完以后，善逝从坐具上站起，走入精舍。

31　佛陀离开后不久，尊者舍利弗对比丘众说道："诸朋友。"

"尊者。"彼比丘众应答尊者舍利弗。

尊者舍利弗如下说道："诸朋友，仅仅依据什么，导师住于远离，弟子不随学远离？又仅仅依据什么，住于远离的导师其弟子随学远离？"

"尊者，我们从远处前来，就是为了在舍利弗尊者面前详细了解此言说的含义。请舍利弗尊者解释此言说的含义。听闻舍利弗尊者的解释，诸比丘将加以忆持。"

"那么，诸朋友，你们仔细听，充分作意。我来说。"

"好，尊者。"彼比丘众应诺尊者舍利弗。

尊者舍利弗如下说道："诸朋友，仅仅依据什么，导师住于远离，弟子不随学远离？诸朋友，导师住于远离，弟子不随学远离。导师教导应舍断的法，其没有舍断该法。成为奢侈者、怠慢者，于堕落成为先行者，于远离成为放弃责任者。

因此，诸朋友，长老比丘因为三个原因成为被呵责者。'导师住于远离，弟子不随学远离。'因为此第一个原因，长老比丘成为被呵责者。'导师教导应舍断的法，其没有舍断该法。'因为此第二个原因，长老比丘成为被呵责者。'成为奢侈者、怠慢者，于堕落成为先行者，于远离成为放弃责任者。'因为此第三个原因，长老比丘成为被呵责者。诸朋友，长老比丘因为此三个原因成为被呵责者。

因此，诸朋友，中坚比丘因为三个原因成为被呵责者。'导师住于远离，弟子不随学远离。'因为此第一个原因，中坚比丘成为被呵责者。'导师教导应舍断的法，其没有舍断该法。'因为此第二个原因，中坚比丘成为被呵责者。'成为奢侈者、怠慢者，于堕落成为先行者，于远离成为放弃责任者。'因为此第三个原因，中坚比丘成为被呵责者。诸朋友，中坚比丘因为此三个原因成为被呵责者。

因此，诸朋友，新参比丘因为三个原因成为被呵责者。'导师住于远离，弟子不随学远离。'因为此第一个原因，新参比丘成为被呵责者。'导师教导应舍断的法，其没有舍断该法。'因为此第二个原因，新参比丘成为被呵责者。'成为奢侈者、怠慢者，于堕落成为先行者，于远离成为放弃责任者。'因为此第三个原因，新参比丘成为被呵责者。诸朋友，新参比丘因为此三个原因成为被呵责者。

诸朋友，仅仅依据这些，导师住于远离，弟子不随学远离。"

32 "然而，诸朋友，仅仅依据什么，导师住于远离，弟子随学远离？

诸朋友，导师住于远离，弟子随学远离。导师教导应舍断的法，其舍断该法。不成为奢侈者、怠慢者，于堕落成为放弃责任者，于远离成为先行者。

因此，诸朋友，长老比丘因为三个原因成为被称赞者。'导师住于远离，弟子随学远离。'因为此第一个原因，长老比丘成为被称赞者。'导师教导应舍断的法，其舍断该法。'因为此第二个原因，长老比丘成为被称赞者。'不成为奢侈者、怠慢者，于堕落成为放弃责任者，于远离成为先行者。'因为此第三个原因，长老比丘成为被称赞者。诸朋友，长老比丘因为此三个原因成为被称赞者。

因此，诸朋友，中坚比丘因为三个原因成为被称赞者。'导师住于远离，弟子随学远离。'因为此第一个原因，中坚比丘成为被称赞者。'导师教导应舍断的法，其舍断该法。'因为此第二个原因，中坚比丘成为被称赞者。'不成为奢侈者、怠慢者，于堕落成为放弃责任者，于远离成为先行者。'因为此第三个原因，中坚比丘成为被称赞者。诸朋友，中坚比丘因为此三个原因成为被称赞者。

因此，诸朋友，新参比丘因为三个原因成为被称赞者。'导师住于远离，弟子随学远离。'因为此第一个原因，新参比丘成为被称赞者。'导师教导应舍断的法，其舍断该法。'因为此第二个原因，新参比丘成为被称赞者。'不成为奢侈者、怠慢者，于堕落成为放弃责任者，于远离成为先行者。'因为此第三个原因，新参比丘成为被称赞者。诸朋友，新参比丘因为此三个原因成为被称赞者。

诸朋友，仅仅依据这些，导师住于远离，弟子随学远离。"

33 "因此，诸朋友，贪是恶，嗔是恶。为了贪的舍断，为了嗔的舍断，有中道，是作眼者，是作智者，为了寂止、为了证智、为了正觉、为了涅槃而转起。那么，诸朋友，是作眼者，是作智者，为了寂止、为了证智、为了正觉、为了涅槃而转起的彼中道是什么？其就是八正道，即正见、正思、正语、正业、正命、正精进、正念、正定。诸朋友，此就是作眼者，是作智者，为了寂止、为了证智、为了正觉、为了涅槃而转起的彼中道。

因此，诸朋友，愤是恶，恨是恶。为了愤的舍断，为了恨的舍断，有中道，是作眼者，是作智者，为了寂止、为了证智、为了正觉、为了涅槃而转起。那么，诸朋友，是作眼者，是作智者，为了寂止、为了证智、为了正觉、为了涅槃而转起的彼中道是什么？其就是八正道，即正见、正思、正语、正业、正命、正精进、正念、正定。诸朋友，此就是作眼者，是作智者，为了寂止、为了证智、为了正觉、为了涅槃而转起的彼中道。

诸朋友，虚伪是恶，害意是恶。为了虚伪的舍断，为了害意的舍断，有中道，是作眼者，是作智者，为了寂止、为了证智、为了正觉、为了涅槃而转起。那么，诸朋友，是作眼者，是作智者，为了寂止、为了证智、为了正觉、为了涅槃而转起的彼中道是什么？其就是八正道，即正见、正思、正语、正业、正命、正精进、正念、正定。诸朋友，此就是作眼者，是作智者，为了寂止、为了证智、为了正觉、为了涅槃而转起的彼中道。

诸朋友，嫉妒是恶，悭吝是恶。为了嫉妒的舍断，为了悭吝的舍断，有中道，是作眼者，是作智者，为了寂止、为了证智、为了正觉、为了涅槃而转起。那么，诸朋友，是作眼者，是作智者，为了寂止、为了证智、为了正觉、为了涅槃而转起的彼中道是什么？其就是八正道，即正见、正思、正语、正业、正命、正精进、正念、正定。诸朋友，此就是作眼者，是作智者，为了寂止、为了证智、为了正觉、为了涅槃而转起的彼中道。

诸朋友，诳惑是恶，谄曲是恶。为了诳惑的舍断，为了谄曲的舍断，有中道，是作眼者，是作智者，为了寂止、为了证智、为了正觉、为了涅槃而转起。那么，诸朋友，是作眼者，是作智者，为了寂止、为了证智、为了正觉、为了涅槃而转起的彼中道是什么？其就是八正道，即正见、正思、正语、正业、正命、正精进、正念、正定。诸朋友，此就是作眼者，是作智者，为了寂止、为了证智、为了正觉、为了涅槃而转起的彼中道。

诸朋友，固执是恶，激愤是恶。为了固执的舍断，为了激愤的舍断，有中道，是作眼者，是作智者，为了寂止、为了证智、为了正觉、为了涅槃而转起。那么，诸朋友，是作眼者，是作智者，为了寂止、为了证智、为了正觉、为了涅槃而转起的彼中道是什么？其就是八正道，即正见、正思、正语、正业、正命、正精进、正念、正定。诸朋友，此就是作眼者，是作智者，为了寂止、为了证智、为了正觉、为了涅槃而转起的彼中道。

诸朋友，骄慢是恶，过慢是恶。为了骄慢的舍断，为了过慢的舍断，有中道，是作眼者，是作智者，为了寂止、为了证智、为了正觉、为了涅槃而转起。那么，诸朋友，是作眼者，是作智者，为了寂止、为了证智、为了正觉、为了涅槃而转起的彼中道是什么？其就是八正道，即正见、正思、正语、正业、正命、正精进、正念、正定。诸朋友，此就是作眼者，是作智者，为了寂止、为了证智、为了正觉、为了涅槃而转起的彼中道。

诸朋友，痴迷是恶，放逸是恶。为了痴迷的舍断，为了放逸的舍断，有中道，是作眼者，是作智者，为了寂止、为了证智、为了正觉、为了涅槃而转起。那么，诸朋友，是作眼者，是作智者，为了寂止、为了证智、为了正觉、为了涅槃而转起的彼中道是什么？其就是八正道，即正见、正思、正语、正业、正命、正精进、正念、正定。诸朋友，此就是作眼者，是作智者，为了寂止、为了证智、为了正觉、为了涅槃而转起的彼中道。"

此为尊者舍利弗所说，彼比丘众内心喜悦，欢喜尊者舍利弗所说。

（法继承者经完）

第四、恐惧经 (Bhayabheravasuttaṃ)

34　如是我闻。

一次,佛陀住在舍卫城附近的祇陀林给孤独园。这时,加努索尼婆罗门接近佛陀所在的地方,靠近以后向佛陀问候,互致值得记忆的欢喜语言以后坐于一旁。

坐于一旁的加努索尼婆罗门对佛陀如下说道:"乔达摩尊者,这些善家子弟指定乔达摩尊者,依信仰而舍家出家。乔达摩尊者是他们的先驱者。乔达摩尊者是他们的救助者。乔达摩尊者是他们的劝导者。彼众人信奉乔达摩尊者的见解。"

"的确如此,婆罗门! 的确如此,婆罗门! 婆罗门,这些善家子弟指定我,依信仰而舍家出家。我是他们的先驱者。我是他们的救助者。我是他们的劝导者。彼众人信奉我的见解。"

"乔达摩尊者,阿兰若、森林等边地坐卧处实在难以征服,远离难以完成,独住难获喜悦。因为树林将会夺走尚未获得禅定的比丘的心。"

"的确如此,婆罗门! 的确如此,婆罗门! 因为阿兰若、森林等边地坐卧处实在难以征服,远离难以完成,独住难获喜悦,树林将会夺走尚未获得禅定的比丘的心。"

一、十六教说

35 "婆罗门,我在未获得正等觉以前,还是未获得正等觉的菩萨的时候,亦曾生起这样的念:'阿兰若、森林等边地坐卧处实在难以征服,远离难以完成,独住难获喜悦,树林将会夺走尚未获得禅定的比丘的心。'

婆罗门,彼我如下思考:'任何身业未遍净的沙门、婆罗门受用阿兰若、森林等边地坐卧处,因为身业未遍净之不足,彼令人尊敬的沙门、婆罗门就会招致不善的恐惧。然而,我并不是身业未遍净而受用阿兰若、森林等边地坐卧处者,我是身业遍净者。实际上,我就是身业遍净受用阿兰若、森林等边地坐卧处的圣人之一。'婆罗门,我于自身正观到身业遍净,于是,更加安心地住于阿兰若。"

36 "婆罗门,彼我如下思考:'任何语业未遍净的沙门、婆罗门受用阿兰若、森林等边地坐卧处,因为语业未遍净之不足,彼令人尊敬的沙门、婆罗门就会招致不善的恐惧。然而,我并不是语业未遍净而受用阿兰若、森林等边地坐卧处者,我是语业遍净者。实际上,我就是语业遍净受用阿兰若、森林等边地坐卧处的圣人之一。'婆罗门,我于自身正观到语业遍净,于是,更加安心地住于阿兰若。

婆罗门,彼我如下思考:'任何意业未遍净的沙门、婆罗门受用阿兰若、森林等边地坐卧处,因为意业未遍净之不足,彼令人尊敬的沙门、婆罗门就会招致不善的恐惧。然而,我并不是意业未遍净而受用阿兰若、森林等边地坐卧处者,我是意业遍净者。实际上,我就是意业遍净受用阿兰若、森林等边地坐卧处的圣人之一。'婆罗门,我于自身正观到意业遍净,于是,更加安心地住于阿兰若。

　　婆罗门,彼我如下思考:'任何活命未遍净的沙门、婆罗门受用阿兰若、森林等边地坐卧处,因为活命未遍净之不足,彼令人尊敬的沙门、婆罗门就会招致不善的恐惧。然而,我并不是活命未遍净而受用阿兰若、森林等边地坐卧处者,我是活命遍净者。实际上,我就是活命遍净受用阿兰若、森林等边地坐卧处的圣人之一。'婆罗门,我于自身正观到活命遍净,于是,更加安心地住于阿兰若。"

　　37 "婆罗门,彼我如下思考:'任何于诸欲有贪求、极贪的沙门、婆罗门受用阿兰若、森林等边地坐卧处,因为于诸欲有贪求、极贪之不足,彼令人尊敬的沙门、婆罗门就会招致不善的恐惧。然而,我并不是于诸欲有贪求、极贪而受用阿兰若、森林等边地坐卧处者,我是无贪求者。实际上,我就是无贪求受用阿兰若、森林等边地坐卧处的圣人之一。'婆罗门,我于自身正观到无贪求,于是,更加安心地住于阿兰若。"

　　38 "婆罗门,彼我如下思考:'任何有嗔恚心、邪思维的沙门、婆罗门受用阿兰若、森林等边地坐卧处,因为嗔恚心和邪思维之不足,彼令人尊敬的沙门、婆罗门就会招致不善的恐惧。然而,我并不是嗔恚心、邪思维而受用阿兰若、森林等边地坐卧处者，我是慈心者。实际上，我就是慈心受用阿兰若、森林等边地坐卧处的圣人之一。'婆罗门，我于自身正观到慈心，于是，更加安心地住于阿兰若。"

39 "婆罗门，彼我如下思考：'任何纠缠于昏沉、睡眠的沙门、婆罗门受用阿兰若、森林等边地坐卧处，因为纠缠于昏沉、睡眠之不足，彼令人尊敬的沙门、婆罗门就会招致不善的恐惧。然而，我并不是纠缠于昏沉、睡眠而受用阿兰若、森林等边地坐卧处者，我是离昏沉、睡眠者。实际上，我就是离昏沉、睡眠受用阿兰若、森林等边地坐卧处的圣人之一。'婆罗门，我于自身正观到离昏沉、睡眠，于是，更加安心地住于阿兰若。"

40 "婆罗门，彼我如下思考：'任何有掉举、后悔心的沙门、婆罗门受用阿兰若、森林等边地坐卧处，因为掉举、后悔心之不足，彼令人尊敬的沙门、婆罗门就会招致不善的恐惧。然而，我并不是依掉举、后悔心而受用阿兰若、森林等边地坐卧处者，我是内心寂静者。实际上，我就是内心寂静受用阿兰若、森林等边地坐卧处的圣人之一。'婆罗门，我于自身正观到内心寂静，于是，更加安心地住于阿兰若。"

41 "婆罗门，彼我如下思考：'任何有疑惑、疑虑的沙门、婆罗门受用阿兰若、森林等边地坐卧处，因为疑惑、疑虑之不足，彼令人尊敬的沙门、婆罗门就会招致不善的恐惧。然而，我并不是疑惑、疑虑而受用阿兰若、森林等边地坐卧处者，我是离疑惑、疑虑者。实际上，我就是离疑惑、疑虑受用阿兰若、森林等边地坐卧处的圣人之一。'婆罗门,我于自身正观到离疑惑、疑虑,于是,更加安心地住于阿兰若。"

42 "婆罗门,彼我如下思考:'任何自赞毁他的沙门、婆罗门受用阿兰若、森林等边地坐卧处,因为自赞毁他之不足,彼令人尊敬的沙门、婆罗门就会招致不善的恐惧。然而,我并不是自赞毁他而受用阿兰若、森林等边地坐卧处者,我是不自赞毁他者。实际上,我就是不自赞毁他受用阿兰若、森林等边地坐卧处的圣人之一。'婆罗门,我于自身正观到不自赞毁他,于是,更加安心地住于阿兰若。"

43 "婆罗门,彼我如下思考:'任何恐惧、畏惧的沙门、婆罗门受用阿兰若、森林等边地坐卧处,因为恐惧、畏惧之不足,彼令人尊敬的沙门、婆罗门就会招致不善的恐惧。然而,我并不是恐惧、畏惧而受用阿兰若、森林等边地坐卧处者,我是离畏惧者。实际上,我就是离畏惧受用阿兰若、森林等边地坐卧处的圣人之一。'婆罗门,我于自身正观到离畏惧,于是,更加安心地住于阿兰若。"

44 "婆罗门,彼我如下思考:'任何渴望利得、尊敬、名声的沙门、婆罗门受用阿兰若、森林等边地坐卧处,因为渴望利得、尊敬、名声之不足,彼令人尊敬的沙门、婆罗门就会招致不善的恐惧。然而,我并不是渴望利得、尊敬、名声而受用阿兰若、森林等边地坐卧处者,我是少欲者。实际上,我就是少欲受用阿兰若、森林等边地坐卧处的圣人之一。'婆罗门,我于自身正观到少欲,于是,更加安心地住于阿兰若。"

45 "婆罗门，彼我如下思考：'任何懈怠、不精进的沙门、婆罗门受用阿兰若、森林等边地坐卧处，因为懈怠、不精进之不足，彼令人尊敬的沙门、婆罗门就会招致不善的恐惧。然而，我并不是懈怠、不精进而受用阿兰若、森林等边地坐卧处者，我是勤精进者。实际上，我就是勤精进受用阿兰若、森林等边地坐卧处的圣人之一。'婆罗门，我于自身正观到勤精进，于是，更加安心地住于阿兰若。"

46 "婆罗门，彼我如下思考：'任何失念、非正知的沙门、婆罗门受用阿兰若、森林等边地坐卧处，因为失念、非正知之不足，彼令人尊敬的沙门、婆罗门就会招致不善的恐惧。然而，我并不是失念、非正知而受用阿兰若、森林等边地坐卧处者，我是念现起者。实际上，我就是念现起受用阿兰若、森林等边地坐卧处的圣人之一。'婆罗门，我于自身正观到念现起，于是，更加安心地住于阿兰若。"

47 "婆罗门，彼我如下思考：'任何无寂止、心散乱的沙门、婆罗门受用阿兰若、森林等边地坐卧处，因为无寂止、心散乱之不足，彼令人尊敬的沙门、婆罗门就会招致不善的恐惧。然而，我并不是无寂止、心散乱而受用阿兰若、森林等边地坐卧处者，我是定具足者。实际上，我就是定具足受用阿兰若、森林等边地坐卧处的圣人之一。'婆罗门，我于自身正观到定具足，于是，更加安心地住于阿兰若。"

48 "婆罗门，彼我如下思考：'任何恶慧、蒙昧的沙门、婆罗门受用阿兰若、森林等边地坐卧处，因为恶慧、蒙昧之不足,彼令人尊敬的沙门、婆罗门就会招致不善的恐惧。然而,我并不是恶慧、蒙昧而受用阿兰若、森林等边地坐卧处者,我是慧具足者。实际上,我就是慧具足受用阿兰若、森林等边地坐卧处的圣人之一。'婆罗门,我于自身正观到慧具足,于是,更加安心地住于阿兰若。"

十六教说完

二、驱逐恐惧

49 "婆罗门,彼我如下思考:'我于彼众所周知的恐怖夜晚即十四日、十五日和每半月的第八日,在那样的夜晚,在令人恐惧、畏惧的阿兰若灵地、森林灵地、树木灵地,在那样的坐卧处住下来如何? 或许我能够看到恐惧。'于是,婆罗门,后来彼我在彼众所周知的恐怖夜晚即十四日、十五日和每半月的第八日,在那样的夜晚,在令人恐惧、畏惧的阿兰若灵地、森林灵地、树木灵地,在那样的坐卧处住下来。

婆罗门,对于安住彼处的我,角兽来了,孔雀投下了木片,风吹起树叶。于是,婆罗门,彼我如下思考:'原来到来的这些就是彼恐惧。'婆罗门,彼我如下思考:'我为什么期待着恐惧的到来而住? 对于到来的彼恐惧,我随时驱逐彼恐惧如何?'

于是,婆罗门,彼我在经行时,彼恐惧到来。婆罗门,彼我没有站立、没有就座、没有倒卧,只是经行驱逐彼恐惧。

婆罗门,彼我在站立时,彼恐惧到来。婆罗门,彼我没有经行、没有就座、没有倒卧，只是站立驱逐彼恐惧。

婆罗门，彼我在就座时，彼恐惧到来。婆罗门，彼我没有倒卧、没有站立、没有经行，只是就座驱逐彼恐惧。

婆罗门，彼我在倒卧时，彼恐惧到来。婆罗门，彼我没有就座、没有站立、没有经行，只是倒卧驱逐彼恐惧。"

三、无恐惧而住

50　"婆罗门，有某些沙门、婆罗门，把黑夜当作白昼，把白昼当作黑夜。我说这是因为彼沙门、婆罗门住于蒙昧。然而，婆罗门，我把黑夜就看作是黑夜，把白昼就看作是白昼。婆罗门，如果正确表述者将其表述为'非蒙昧有情生起于世，为了更多人的利益，为了更多人的安乐，为了对世界的怜悯，为了人天的利益、利得、安乐'，那么，正确表述者只有针对我才表述为'非蒙昧有情生起于世，为了更多人的利益，为了更多人的安乐，为了对世界的怜悯，为了人天的利益、利得、安乐。'"

51　"婆罗门，我的勤精进不退转，念现起不失念，身体轻安不暴躁，心安定于一境。婆罗门，彼我离开诸欲，离开诸不善法，到达并住立于有浅观、有深观、因远离而生喜和乐的初禅。由于浅观和深观的寂灭，到达并住立于内部清净的心一境性，到达无浅观、无深观、具有因定而生喜和乐的第二禅。离开喜，住于舍，具念，具正知，以身体感知乐，到达并住立于圣者所称的'有舍、具念、住于乐'的第三禅。舍弃乐，舍弃苦，以前早已熄灭喜和忧，到达并住立于非苦非乐、舍念遍净的第四禅。"

52 "婆罗门，其以如此安定、遍净、净白、无秽、离随烦恼、柔软、堪任、住立、已达不动之心，将心转向宿住随念智。其随念着多种宿住。例如，一生、二生、三生、四生、五生、十生、二十生、三十生、四十生、五十生、一百生、一千生、十万生，多个坏劫生、多个成劫生、多个坏成劫生。'在那里，我具有这样的名、这样的姓、这样的种姓、这样的食物，感受这样的乐和苦，具有这样的寿命。在那里死去，再生到那里。在那里，我具有这样的名、这样的姓、这样的种姓、这样的食物，感受这样的乐和苦，具有这样的寿命。在那里死去，再生到这里。'像这样，随念着具有行相、具有境况的多种宿住。婆罗门，这是我于初夜分到达的第一明。无明被打破，明生起。黑暗被打破，光明生起，正如不放逸、精进、自我努力而住者。"

53 "其以如此安定、遍净、净白、无秽、离随烦恼、柔软、堪任、住立、已达不动之心，将心转向众有情的死生智。其以清净、非凡的天眼观察卑贱、高贵、美丽、丑陋、善趣、恶趣的众有情的死亡、再生，了知众有情随业而行。'事实上，这些受人尊敬的有情因为具足身恶业，具足语恶业，具足意恶业，诽谤圣人，是邪见者，是邪见业的受持者。他们的身体破灭，死后将再生于苦处、恶处、难处的地狱。然而，那些受人尊敬的有情因为具足身善业，具足语善业，具足意善业，不诽谤圣人，是正见者，是正见业的受持者。他们的身体破灭，死后将再生于善道的天界。'像这样，其以清净、非凡的天眼观察卑贱、高贵、美丽、丑陋、善趣、恶趣的众有情的死亡、再生，了知众有情随业而行。婆罗门，这是我于中夜分到达的第二明。无明被打破，明生起。黑暗被打破，光明生起，正如不放逸、精进、自我努力而住者。"

54　"其以如此安定、遍净、净白、无秽、离随烦恼、柔软、堪任、住立、已达不动之心，将心转向诸烦恼的灭尽智。其如实了知'此是苦'，如实了知'此是苦的生起'，如实了知'此是苦的灭尽'，如实了知'此是通往苦灭尽的行道'。如实了知'这些是烦恼'，如实了知'此是烦恼的生起'，如实了知'此是烦恼的灭尽'，如实了知'此是通往烦恼灭尽的行道'。如此了知、如此见的我，心从欲的烦恼中解脱出来，从存在的烦恼中解脱出来，从无明的烦恼中解脱出来，于解脱生起'获得解脱'之智。了知'生命已尽，梵行已毕，应作已作，无有再生'。婆罗门，这是我于后夜分到达的第三明。无明被打破，明生起。黑暗被打破，光明生起，正如不放逸、精进、自我努力而住者。"

55　"婆罗门，你或许这样认为：'沙门乔达摩现在还没有离欲，没有离嗔，没有离痴，因此住在阿兰若、森林等边地坐卧处。'婆罗门，不应该那样认为。婆罗门，我因为正观两个理由而受用阿兰若、森林等边地坐卧处：正观自己的现世乐住和怜悯后来的人众。"

56 "的确，因为<u>乔达摩</u>尊者，后来的人众获得了怜悯，正如因为彼阿罗汉、正等觉者。<u>乔达摩</u>尊者，实在是殊胜！<u>乔达摩</u>尊者，实在是殊胜！<u>乔达摩</u>尊者，恰似扶起跌倒者，打开覆盖物，给迷路之人指明道路，为了让有眼之人看到诸色而在黑暗中点亮灯火，像这样，<u>乔达摩</u>尊者采用多种方法明示了法。<u>乔达摩</u>尊者，我皈依乔达摩尊者、法、比丘僧团。从今以后，请<u>乔达摩</u>尊者接受我成为优婆塞，作我一生的皈依处。"

（恐惧经完）

第五、无垢经(Anaṅgaṇasuttaṃ)

57 如是我闻。

一次，佛陀住在<u>舍卫城</u>附近的<u>祇陀林给孤独园</u>。在此，尊者<u>舍利弗</u>对比丘众说道："诸朋友。"

"尊者。"彼比丘众应答尊者<u>舍利弗</u>。

尊者<u>舍利弗</u>如下说道："诸朋友，世上可见有此四种人。哪四种？诸朋友，在此，一种人有垢却不如实知道'我内有垢'。诸朋友，在此，一种人有垢并如实知道'我内有垢'。诸朋友，在此，一种人无垢却不如实知道'我内无垢'。诸朋友，在此，一种人无垢并如实知道'我内无垢'。

诸朋友，其中，有垢却不如实知道'我内有垢'者，在此有垢的二种人中，被称为相对低劣之人。诸朋友，其中，有垢并如实知道'我内有垢'者，在此有垢的二种人中，被称为相对优秀之人。

诸朋友，其中，无垢却不如实知道'我内无垢'者，在此无垢的二种人中，被称为相对低劣之人。诸朋友，其中，无垢并如实知道'我内无垢'者，在此无垢的二种人中，被称为相对优秀之人。"

58　听闻此言，尊者摩诃目犍连对尊者舍利弗如下说道："朋友舍利弗，是什么因，是什么缘，在此有垢的二种人中，一个被称为相对低劣之人，一个被称为相对优秀之人？朋友舍利弗，是什么因，是什么缘，在此无垢的二种人中，一个被称为相对低劣之人，一个被称为相对优秀之人？"

59　"朋友，其中，有垢却不如实知道'我内有垢'者，其将是这样的人，即不为了彼垢的舍弃而生起意欲、努力、精进，其作为有贪、有嗔、有痴、有垢、心杂染者死去。朋友，例如，从商店或锻造作坊运来的被尘土、污垢所覆盖的铜钵。拥有者没有清洁，没有清洗，又将其丢掷在尘土的道路上。那么，朋友，这样的铜钵后来是不是更加杂染，更加污垢？"

"的确如此，朋友。"

"像这样，朋友，有垢却不如实知道'我内有垢'者，其将是这样的人，即不为了彼垢的舍弃而生起意欲、努力、精进，其作为有贪、有嗔、有痴、有垢、心杂染者死去。

朋友，其中，有垢并如实知道'我内有垢'者，其将是这样的人，即为了彼垢的舍弃而生起意欲、努力、精进，其作为无贪、无嗔、无痴、无垢、心无杂染者死去。朋友，例如，从商店或锻造作坊运来的被尘土、污垢所覆盖的铜钵。拥有者对其进行清洁，进行清洗，没有将其丢掷在尘土的道路上。那么，朋友，这样的铜钵后来是不是更加清洁，更加洁净？"

"的确如此，朋友。"

"像这样，朋友，有垢并如实知道'我内有垢'者，其将是这样的人，即为了彼垢的舍弃而生起意欲、努力、精进，其作为无贪、无嗔、无痴、无垢、心无杂染者死去。

朋友，其中，无垢却不如实知道'我内无垢'者，其将是这样的人，即作意清净相。因为作意彼清净相，所以存在贪令心堕落的状况，其作为有贪、有嗔、有痴、有垢、心杂染者死去。朋友，例如，从商店或锻造作坊运来的清净、清洁的铜钵。拥有者没有清洁，没有清洗，将其丢掷在尘土的道路上。那么，朋友，这样的铜钵后来是不是更加杂染，更加污垢？"

"的确如此，朋友。"

"像这样，朋友，无垢却不如实知道'我内无垢'者，其将是这样的人，即作意清净相。因为作意彼清净相，所以存在贪令心堕落的状况，其作为有贪、有嗔、有痴、有垢、心杂染者死去。

朋友，其中，无垢并如实知道'我内无垢'者，其将是这样的人，即不作意清净相。因为不作意彼清净相，所以不存在贪令心堕落的状况，其作为无贪、无嗔、无痴、无垢、心无杂染者死去。朋友，例如，从商店或锻造作坊运来的清净、清洁的铜钵。拥有者对其进行清洁，进行清洗，没有将其丢掷在尘土的道路上。那么，朋友，这样的铜钵后来是不是更加清洁，更加洁净？"

"的确如此，朋友。"

"像这样，朋友，无垢并如实知道'我内无垢'者，其将是这样的人，即不作意清净相。因为不作意彼清净相，所以不存在贪令心堕落的状况，其作为无贪、无嗔、无痴、无垢、心无杂染者死去。

朋友目犍连，这就是因，这就是缘，在此有垢的二种人中，一个被称为相对低劣之人，一个被称为相对优秀之人。朋友目犍连，这就是因，这就是缘，在此无垢的二种人中，一个被称为相对低劣之人，一个被称为相对优秀之人。"

60　"朋友，所谓'垢''垢'，此'垢'，其是什么的同义词？"

"朋友，此'垢'，其就是诸恶、不善的欲行之同义词。

朋友，必有此理，在此，某比丘生起如此愿望：'实际上我破了戒，但是比丘众不会知道我破了戒。'然而，朋友，必有此理，比丘众知道彼比丘破了戒。因为'比丘众知道我破了戒'，其嗔恚、不满。朋友，嗔恚和不满，此二者就是垢。

朋友，必有此理，在此，某比丘生起如此愿望：'实际上我破了戒，但是比丘众会在暗地里呵责我，不是在僧众中。'然而，朋友，必有此理，比丘众在僧众中呵责彼比丘，不是暗地里。因为‘比丘众在僧众中呵责我，不是暗地里’，其嗔恚、不满。朋友，嗔恚和不满，此二者就是垢。

朋友，必有此理，在此，某比丘生起如此愿望：‘实际上我破了戒，但是会是同级别的人呵责我，不是不同级别的人。’然而，朋友，必有此理，不同级别的人呵责彼比丘，不是同级别的人。因为‘不同级别的人呵责我，不是同级别的人’，其嗔恚、不满。朋友，嗔恚和不满，此二者就是垢。

朋友，必有此理，在此，某比丘生起如此愿望：‘啊，实际上，导师应该向我不断地提出问题，对比丘众说法，导师不是向其他比丘不断地提出问题，对比丘众说法。’然而，朋友，必有此理，导师是向其他比丘不断地提出问题，对比丘众说法，不是向彼比丘不断地提出问题，对比丘众说法。因为‘导师是向其他比丘不断地提出问题，对比丘众说法，不是向我不断地提出问题，对比丘众说法’，其嗔恚、不满。朋友，嗔恚和不满，此二者就是垢。

朋友，必有此理，在此，某比丘生起如此愿望：‘啊，实际上，比丘众应该由我领头进入村庄托钵，不是由其他比丘领头进入村庄托钵乞食。’然而，朋友，必有此理，比丘众是由其他比丘领头进入村庄托钵，不是由彼比丘领头进入村庄托钵乞食。因为‘比丘众是由其他比丘领头进入村庄托钵，不是由我领头进入村庄托钵’，其嗔恚、不满。朋友，嗔恚和不满，此二者就是垢。

朋友，必有此理，在此，某比丘生起如此愿望：'啊，实际上，应该是我在斋堂获得最上座、最上水、最上食，不是其他比丘在斋堂获得最上座、最上水、最上食。'然而，朋友，必有此理，是其他比丘在斋堂获得最上座、最上水、最上食，不是彼比丘在斋堂获得最上座、最上水、最上食。因为'是其他比丘在斋堂获得最上座、最上水、最上食，不是我在斋堂获得最上座、最上水、最上食'，其嗔恚、不满。朋友，嗔恚和不满，此二者就是垢。

朋友，必有此理，在此，某比丘生起如此愿望：'啊，实际上，应该是我在斋堂对获得的食物进行随喜，不是其他比丘在斋堂对获得的食物进行随喜。'然而，朋友，必有此理，是其他比丘在斋堂对获得的食物进行随喜，不是彼比丘在斋堂对获得的食物进行随喜。因为'是其他比丘在斋堂对获得的食物进行随喜，不是我在斋堂对获得的食物进行随喜'，其嗔恚、不满。朋友，嗔恚和不满，此二者就是垢。

朋友，必有此理，在此，某比丘生起如此愿望：'啊，实际上，应该是我对来到阿兰若的比丘说法，不是其他比丘对来到阿兰若的比丘说法。'然而，朋友，必有此理，是其他比丘对来到阿兰若的比丘说法，不是彼比丘对来到阿兰若的比丘说法。因为'是其他比丘对来到阿兰若的比丘说法，不是我对来到阿兰若的比丘说法'，其嗔恚、不满。朋友，嗔恚和不满，此二者就是垢。

朋友，必有此理，在此，某比丘生起如此愿望：'啊，实际上，应该是我对来到阿兰若的比丘尼说法，不是其他比丘对来到阿兰若的比丘尼说法。'然而，朋友，必有此理，是其他比丘对来到阿兰若的比丘尼说法，不是彼比丘对来到阿兰若的比丘尼说法。因为'是其他比丘对来到阿兰若的比丘尼说法，不是我对来到阿兰若的比丘尼说法'，其瞋恚、不满。朋友，瞋恚和不满，此二者就是垢。

　　朋友，必有此理，在此，某比丘生起如此愿望：'啊，实际上，应该是我对来到阿兰若的优婆塞说法，不是其他比丘对来到阿兰若的优婆塞说法。'然而，朋友，必有此理，是其他比丘对来到阿兰若的优婆塞说法，不是彼比丘对来到阿兰若的优婆塞说法。因为'是其他比丘对来到阿兰若的优婆塞说法，不是我对来到阿兰若的优婆塞说法'，其瞋恚、不满。朋友，瞋恚和不满，此二者就是垢。

　　朋友，必有此理，在此，某比丘生起如此愿望：'啊，实际上，应该是我对来到阿兰若的优婆夷说法，不是其他比丘对来到阿兰若的优婆夷说法。'然而，朋友，必有此理，是其他比丘对来到阿兰若的优婆夷说法，不是彼比丘对来到阿兰若的优婆夷说法。因为'是其他比丘对来到阿兰若的优婆夷说法，不是我对来到阿兰若的优婆夷说法'，其瞋恚、不满。朋友，瞋恚和不满，此二者就是垢。

　　朋友，必有此理，在此，某比丘生起如此愿望：'啊，实际上，比丘众应该尊敬、尊重、恭敬、供养我，比丘众不尊敬、尊重、恭敬、供养其他比丘。'然而，朋友，必有此理，比丘众尊敬、尊重、恭敬、供养其他比丘,比丘众不尊敬、尊重、恭敬、供养彼比丘。因为‘比丘众尊敬、尊重、恭敬、供养其他比丘,比丘众不尊敬、尊重、恭敬、供养我’,其嗔恚、不满。朋友,嗔恚和不满,此二者就是垢。

朋友,必有此理,在此,某比丘生起如此愿望:‘啊,实际上,比丘尼众应该尊敬、尊重、恭敬、供养我,比丘尼众不尊敬、尊重、恭敬、供养其他比丘。’然而,朋友,必有此理,比丘尼众尊敬、尊重、恭敬、供养其他比丘,比丘尼众不尊敬、尊重、恭敬、供养彼比丘。因为‘比丘尼众尊敬、尊重、恭敬、供养其他比丘,比丘尼众不尊敬、尊重、恭敬、供养我’,其嗔恚、不满。朋友,嗔恚和不满,此二者就是垢。

朋友,必有此理,在此,某比丘生起如此愿望:‘啊,实际上,优婆塞众应该尊敬、尊重、恭敬、供养我,优婆塞众不尊敬、尊重、恭敬、供养其他比丘。’然而,朋友,必有此理,优婆塞众尊敬、尊重、恭敬、供养其他比丘,优婆塞众不尊敬、尊重、恭敬、供养彼比丘。因为‘优婆塞众尊敬、尊重、恭敬、供养其他比丘,优婆塞众不尊敬、尊重、恭敬、供养我’,其嗔恚、不满。朋友,嗔恚和不满,此二者就是垢。

朋友,必有此理,在此,某比丘生起如此愿望:‘啊,实际上,优婆夷众应该尊敬、尊重、恭敬、供养我,优婆夷众不尊敬、尊重、恭敬、供养其他比丘。’然而,朋友,必有此理,优婆夷众尊敬、尊重、恭敬、供养其他比丘,优婆夷众不尊敬、尊重、恭敬、供养彼比丘。因为‘优婆夷众尊敬、尊重、恭敬、供养其他比丘，优婆夷众不尊敬、尊重、恭敬、供养我'，其嗔恚、不满。朋友，嗔恚和不满，此二者就是垢。

朋友，必有此理，在此，某比丘生起如此愿望：'啊，实际上，应该我是殊胜僧衣的利得者，其他比丘不是殊胜僧衣的利得者。'然而，朋友，必有此理，其他比丘是殊胜僧衣的利得者，彼比丘不是殊胜僧衣的利得者。因为'其他比丘是殊胜僧衣的利得者，我不是殊胜僧衣的利得者'，其嗔恚、不满。朋友，嗔恚和不满，此二者就是垢。

朋友，必有此理，在此，某比丘生起如此愿望：'啊，实际上，应该我是殊胜托钵食的利得者，其他比丘不是殊胜托钵食的利得者。'然而，朋友，必有此理，其他比丘是殊胜托钵食的利得者，彼比丘不是殊胜托钵食的利得者。因为'其他比丘是殊胜托钵食的利得者，我不是殊胜托钵食的利得者'，其嗔恚、不满。朋友，嗔恚和不满，此二者就是垢。

朋友，必有此理，在此，某比丘生起如此愿望：'啊，实际上，应该我是殊胜坐卧处的利得者，其他比丘不是殊胜坐卧处的利得者。'然而，朋友，必有此理，其他比丘是殊胜坐卧处的利得者，彼比丘不是殊胜坐卧处的利得者。因为'其他比丘是殊胜坐卧处的利得者，我不是殊胜坐卧处的利得者'，其嗔恚、不满。朋友，嗔恚和不满，此二者就是垢。

朋友，必有此理，在此，某比丘生起如此愿望：'啊，实际上，应该我是殊胜病用医药资具的利得者，其他比丘不是殊胜病用医药资具的利得者。'然而，朋友，必有此理，其他比丘是殊胜病用医药资具的利得者，彼比丘不是殊胜病用医药资具的利得者。因为'其他比丘是殊胜病用医药资具的利得者，我不是殊胜病用医药资具的利得者'，其嗔恚、不满。朋友，嗔恚和不满，此二者就是垢。

朋友，这些就是诸恶、不善的欲行之同义词，其就是垢。"

61　"朋友，对于任何比丘，如果被看到、被听到此恶、不善的欲行未断除，即使他是阿兰若居住者，是边地坐卧处者，是常乞食者，是次第乞食者，是粪扫衣者，是弊衣持有者，同修行者对其也会不尊敬、不尊重、不恭敬、不供养。此为何故？因为于彼尊者被看到、被听到此恶、不善的欲行未断除。

朋友，例如，从商店或锻造作坊运来的清净、清洁的铜钵。拥有者在其中装上蛇的尸体或狗的尸体或人的尸体，用其他钵覆盖上，然后拿到商店里。人们看到以后如下说道：'啊，搬来的东西实在漂亮！这是什么？'于是，站起来，去打开盖看。一看到，就会不欢喜，就会恶心，就会厌恶。饥饿之人都不想吃，更何况饱腹之人。

像这样，朋友，对于任何比丘，如果被看到、被听到此恶、不善的欲行未断除，即使他是阿兰若居住者，是边地坐卧处者，是常乞食者，是次第乞食者，是粪扫衣者，是弊衣持有者，同修行者对其也会不尊敬、不尊重、不恭敬、不供养。"

62　"朋友，对于任何比丘，如果被看到、被听到此恶、不善的欲行已断除，即使他是村落居住者，接受饭食招待，受持居士服，同修行者对其也会尊敬、尊重、恭敬、供养。此为何故？因为于彼尊者被看到、被听到此恶、不善的欲行已断除。

朋友,例如,从商店或锻造作坊运来的清净、清洁的铜钵。拥有者在其中装上粳米饭、纯白米饭、各种汤、各种副食,用其他钵覆盖上,然后拿到商店里。人们看到以后如下说道:'啊,搬来的东西实在漂亮！这是什么?'于是,站起来,去打开盖看。一看到,就会欢喜,就会开心,就会喜欢。饱腹之人都想吃,更何况饥饿之人。

像这样,朋友,对于任何比丘,如果被看到、被听到此恶、不善的欲行已断除,即使他是村落居住者,接受饭食招待,受持居士服,同修行者对其也会尊敬、尊重、恭敬、供养。此为何故？因为于彼尊者被看到、被听到此恶、不善的欲行已断除。"

63　听闻此言,尊者摩诃目犍连对尊者舍利弗如下说道:"朋友舍利弗,我有一个比喻。"

"朋友目犍连,请说。"

"朋友,一次,我住在王舍城附近的吉利跋迦。朋友,我于上午,着衣,持衣钵,进入王舍城托钵乞食。这时,造车师的儿子萨米提在矫正车的外车轮。这时,曾经是造车师的裸行者般杜普塔出现了。朋友,于是,曾经是造车师的裸行者般杜普塔心中生起如此思维:'实际上,如果此造车师的儿子萨米提于此车的外车轮对这样的弯曲、这样的扭曲、这样的偏差作矫正,那么,此车的外车轮将不弯曲,不扭曲,不偏差,其就会变成完美、坚实。'朋友,曾经是造车师的裸行者般杜普塔心中不断地思维,而造车师的儿子萨米提如其所思不断地于此车的外车轮对那样的弯曲、那样的扭曲、那样的偏差作矫正。朋友,于是,曾经是造车师的裸行者般杜普塔高兴,发出悦意之言:'其的确是以己心了知他心地在工作。'

像这样,朋友,彼非出于信,而是因为生活而舍家出家者,狡猾、狡诈、欺瞒、掉举、骄慢、浮躁、饶舌、碎嘴、于根不守门、于食不知量、不勤觉醒、不志求沙门果、不尊重学、奢侈、放逸、于堕落成为先行者、于远离成为放弃责任者、懈怠、不精进、失念、无正知、未入定、心散乱、无慧、蒙昧,对于他们,朋友舍利弗采用此法门以己心了知他心地工作。

然而,彼出于信而舍家出家的善家子弟,不狡猾、不狡诈、不欺瞒、不掉举、不骄慢、不浮躁、不饶舌、不碎嘴、于根守门、于食知量、勤觉醒、志求沙门果、尊重学、不奢侈、不放逸、于堕落成为放弃责任者、于远离成为先行者、勤精进、自我努力、念现前、具正知、入定、心一境性、有慧、不蒙昧,他们听闻朋友舍利弗的此法门,以语言去获取,以心去吸收:'朋友,太好啦! 令同修行者从不善出离,令其住立于善。'

恰似爱美的年轻男女沐浴头发,拿来青莲花、茉莉花、善思花,双手将其置于头顶。像这样,朋友,彼善家子弟出于信而舍家出家者,不狡猾、不狡诈、不欺瞒、不掉举、不骄慢、不浮躁、不饶舌、不碎嘴、于根守门、于食知量、勤觉醒、志求沙门果、尊重学、不奢侈、不放逸、于堕落成为放弃责任者、于远离成为先行者、勤精进、自我努力、念现前、具正知、入定、心一境性、有慧、不蒙昧，他们听闻朋友舍利弗的此法门，以语言去获取，以心去吸收：'朋友，太好啦！令同修行者从不善出离，令其住立于善。'"

像这样，彼二巨龙彼此欢喜所说。

（无垢经完）

第六、希望经（Ākaṅkheyyasuttaṃ）

64　如是我闻。

一次，佛陀住在舍卫城附近的祇陀林给孤独园。在此，佛陀对比丘众说道："诸比丘。"

"尊师。"彼比丘众应诺佛陀。

佛陀如下说道："诸比丘，你们要住于戒具足、波罗提木叉具足！你们要住于由波罗提木叉防护的保护中，具足正行和行处，于微罪中见恐怖！你们要受持、学习诸学处！"

65　"诸比丘，如果比丘希望'我为同修行者所爱、可意、尊敬、尊重'，那么，做戒的充分行者，专修自心的寂止，不忽视禅，具足观，充分利用诸空弃房屋。

诸比丘，如果比丘希望'我是彼衣、团食、坐卧处、医药资具的利得者'，那么，做戒的充分行者，专修自心的寂止，不忽视禅，具足观，充分利用诸空弃房屋。

诸比丘，如果比丘希望'我受用彼衣、团食、坐卧处、医药资具，为此该施者获得大果报、大利益'，那么，做戒的充分行者，专修自心的寂止，不忽视禅，具足观，充分利用诸空弃房屋。

诸比丘，如果比丘希望'我的亲戚、亲属、饿鬼、亡灵以明净心随念我，为此他们获得大果报、大利益'，那么，做戒的充分行者，专修自心的寂止，不忽视禅，具足观，充分利用诸空弃房屋。"

66 "诸比丘，如果比丘希望'我有不快乐和快乐。我不被不快乐战胜，我要战胜、征服已生起的不快乐而住'，那么，做戒的充分行者，专修自心的寂止，不忽视禅，具足观，充分利用诸空弃房屋。

诸比丘，如果比丘希望'我有恐惧和怖畏。我不被恐惧和怖畏战胜，我要战胜、征服已生起的恐惧和怖畏而住'，那么，做戒的充分行者，专修自心的寂止，不忽视禅，具足观，充分利用诸空弃房屋。

诸比丘，如果比丘希望'对于四禅、增上心、现世乐住，我是所求皆遂者，是容易获得者，是轻松获得者'，那么，做戒的充分行者，专修自心的寂止，不忽视禅，具足观，充分利用诸空弃房屋。

诸比丘，如果比丘希望'征服色，以身体接触彼无色、寂静、解脱而住'，那么，做戒的充分行者，专修自心的寂止，不忽视禅，具足观，充分利用诸空弃房屋。"

67 "诸比丘,如果比丘希望'我因三束缚灭尽,是预流者,是法的不退转者,是决定者,通往三菩提',那么,做戒的充分行者,专修自心的寂止,不忽视禅,具足观,充分利用诸空弃房屋。

诸比丘,如果比丘希望'我因三束缚灭尽,贪、嗔、痴稀薄,是一来者,仅一次返回此世界而完结苦',那么,做戒的充分行者,专修自心的寂止,不忽视禅,具足观,充分利用诸空弃房屋。

诸比丘,如果比丘希望'我因五下分束缚灭尽,是化生者,在那里般涅槃,从那个世界不再返还',那么,做戒的充分行者,专修自心的寂止,不忽视禅,具足观,充分利用诸空弃房屋。"

68 "诸比丘,如果比丘希望'体验种种神通,变成一、变成多,变成多、变成一,无障碍地出现、隐藏、穿墙、穿越城墙、穿越山脉,恰似在虚空中。在地面上下沉浮,恰似在水里。在水中不沉没,恰似在地上。在空中结跏趺而行,恰似有翅膀的飞鸟。即使是具有大神力、大威力的月亮和太阳,也可以用手触摸,还可以用身体在梵天界行使自在力',那么,做戒的充分行者,专修自心的寂止,不忽视禅,具足观,充分利用诸空弃房屋。

诸比丘,如果比丘希望'依清净、非凡的天耳听到天和人的两种声音,或远或近',那么,做戒的充分行者,专修自心的寂止,不忽视禅,具足观,充分利用诸空弃房屋。

诸比丘,如果比丘希望'以心熟知、了知其他有情、其他人的心。有贪之心则知此是有贪之心,离贪之心则知此是离贪之心;有嗔之心则知此是有嗔之心,离嗔之心则知此是离嗔之心;有痴之心则知此是有痴之心,离痴之心则知此是离痴之心;统一之心则知此是统一之心,散乱之心则知此是散乱之心;大心则知此是大心,非大心则知此是非大心;有上心则知此是有上心,无上心则知此是无上心;已入定之心则知此是已入定之心,尚未入定之心则知此是尚未入定之心;解脱之心则知此是解脱之心,尚未解脱之心则知此是尚未解脱之心',那么,做戒的充分行者,专修自心的寂止,不忽视禅,具足观,充分利用诸空弃房屋。

诸比丘,如果比丘希望'随念种种宿住。例如,一生、二生、三生、四生、五生、十生、二十生、三十生、四十生、五十生、一百生、一千生、十万生,多个坏劫生、多个成劫生、多个坏成劫生。"在那里,我具有这样的名、这样的姓、这样的种姓、这样的食物,感受这样的乐和苦,具有这样的寿命。在那里死去,再生到那里。在那里,我具有这样的名、这样的姓、这样的种姓、这样的食物,感受这样的乐和苦,具有这样的寿命。在那里死去,再生到这里。"像这样,随念着具有行相、具有境况的多种宿住',那么,做戒的充分行者,专修自心的寂止,不忽视禅,具足观,充分利用诸空弃房屋。

诸比丘,如果比丘希望'以清净、非凡的天眼观察卑贱、高贵、美丽、丑陋、善趣、恶趣的众有情的死亡、再生,了知众有情随业而行。"事实上，这些受人尊敬的有情因为具足身恶业，具足语恶业，具足意恶业，诽谤圣人，是邪见者，是邪见业的受持者。他们的身体破灭，死后将再生于苦处、恶处、难处的地狱。然而，那些受人尊敬的有情因为具足身善业，具足语善业，具足意善业，不诽谤圣人，是正见者，是正见业的受持者。他们的身体破灭，死后将再生于善道的天界。"像这样，以清净、非凡的天眼观察卑贱、高贵、美丽、丑陋、善趣、恶趣的众有情的死亡、再生，了知众有情随业而行'，那么，做戒的充分行者，专修自心的寂止，不忽视禅，具足观，充分利用诸空弃房屋。"

69 "诸比丘，如果比丘希望'由于诸烦恼的灭尽而于现世自我证知、证得、成就无烦恼的心解脱、慧解脱而住'，那么，做戒的充分行者，专修自心的寂止，不忽视禅，具足观，充分利用诸空弃房屋。

诸比丘，你们要住于戒具足、波罗提木叉具足！你们要住于由波罗提木叉防护的保护中，具足正行和行处，于微罪中见恐怖！你们要受持、学习诸学处！之所以这样说，皆依据上述而说。"

此为佛陀所说。彼比丘众内心喜悦，欢喜佛陀所说。

（希望经完）

第七、布经（Vatthasuttaṃ）

70　如是我闻。

一次，佛陀住在舍卫城附近的祇陀林给孤独园。在此，佛陀对比丘众说道："诸比丘。"

"尊师。"彼比丘众应诺佛陀。

佛陀如下说道："诸比丘，例如，有染污、染垢的布，洗染工为了将其染成或青色或黄色或红色或藏红色而在上面放置各种染料，然而，其只会是颜色不好、颜色不纯。此为何故？诸比丘，因为布的不洁净性。像这样，诸比丘，对于染垢的心，恶趣在预料之中。

诸比丘，例如，有洁净、清洁的布，洗染工为了将其染成或青色或黄色或红色或藏红色而在上面放置各种染料，其就会颜色好、颜色纯正。此为何故？诸比丘，因为布的洁净性。像这样，诸比丘，对于洁净的心，善趣在预料之中。"

71　"诸比丘，什么是心的染垢？

贪和非理贪是心的染垢，嗔恚是心的染垢，愤怒是心的染垢，怨恨是心的染垢，伪善是心的染垢，恼害是心的染垢，嫉妒是心的染垢，悭吝是心的染垢，诳惑是心的染垢，谄曲是心的染垢，固执是心的染垢，激愤是心的染垢，慢心是心的染垢,过慢是心的染垢,骄慢是心的染垢,放逸是心的染垢。"

72 "于是,诸比丘,比丘知道'贪和非理贪是心的染垢',则舍弃贪和非理贪之心染垢。知道'嗔恚是心的染垢',则舍弃嗔恚之心染垢。知道'愤怒是心的染垢',则舍弃愤怒之心染垢。知道'怨恨是心的染垢',则舍弃怨恨之心染垢。知道'伪善是心的染垢',则舍弃伪善之心染垢。知道'恼害是心的染垢',则舍弃恼害之心染垢。知道'嫉妒是心的染垢',则舍弃嫉妒之心染垢。知道'悭吝是心的染垢',则舍弃悭吝之心染垢。知道'诳惑是心的染垢',则舍弃诳惑之心染垢。知道'谄曲是心的染垢',则舍弃谄曲之心染垢。知道'固执是心的染垢',则舍弃固执之心染垢。知道'激愤是心的染垢',则舍弃激愤之心染垢。知道'慢心是心的染垢',则舍弃慢心之心染垢。知道'过慢是心的染垢',则舍弃过慢之心染垢。知道'骄慢是心的染垢',则舍弃骄慢之心染垢。知道'放逸是心的染垢',则舍弃放逸之心染垢。"

73 "诸比丘,知道'贪和非理贪是心的染垢'的比丘,成为贪和非理贪之心染垢的舍弃者。知道'嗔恚是心的染垢'的比丘,成为嗔恚之心染垢的舍弃者。知道'愤怒是心的染垢'的比丘,成为愤怒之心染垢的舍弃者。知道'怨恨是心的染垢'的比丘,成为怨恨之心染垢的舍弃者。知道'伪善是心的染垢'的比丘,成为伪善之心染垢的舍弃者。知道'恼害是心的染垢'的比丘,成为恼害之心染垢的舍弃者。知道'嫉妒是心的染垢'的比丘，成为嫉妒之心染垢的舍弃者。知道'悭吝是心的染垢'的比丘，成为悭吝之心染垢的舍弃者。知道'诳惑是心的染垢'的比丘，成为诳惑之心染垢的舍弃者。知道'谄曲是心的染垢'的比丘，成为谄曲之心染垢的舍弃者。知道'固执是心的染垢'的比丘，成为固执之心染垢的舍弃者。知道'激愤是心的染垢'的比丘，成为激愤之心染垢的舍弃者。知道'慢心是心的染垢'的比丘，成为慢心之心染垢的舍弃者。知道'过慢是心的染垢'的比丘，成为过慢之心染垢的舍弃者。知道'骄慢是心的染垢'的比丘，成为骄慢之心染垢的舍弃者。知道'放逸是心的染垢'的比丘，成为放逸之心染垢的舍弃者。"

74　"其于佛具足绝对的净信：'据此，彼佛陀乃是阿罗汉、正等觉、明行足、善逝、世间解、无上士、调御丈夫、天人师、佛、世尊。'

其于法具足绝对的净信：'法为佛陀所善说，是自证、随时、应来看者、具引导性、智者各自可经验。'

其于僧具足绝对的净信：'佛陀的弟子僧众是善行者，佛陀的弟子僧众是正行者，佛陀的弟子僧众是正理行者，佛陀的弟子僧众是和敬行者，佛陀的此四双八辈弟子僧众是应被供食者，是应被供献者，是应被供养者，是应被合掌者，是世间的无上福田。'"

75　"其已经是彻底的舍弃者、排除者、剔除者、丢弃者、舍遣者。其于佛具足绝对的净信，获得意的信受，获得法的信受，获得法具足的欢喜，因为欢喜而喜悦生起，因为喜悦而身体轻安。轻安的身体感知到乐，有乐的心进入禅定。

其于法具足绝对的净信，获得意的信受，获得法的信受，获得法具足的欢喜，因为欢喜而喜悦生起，因为喜悦而身体轻安。轻安的身体感知到乐，有乐的心进入禅定。

其于僧具足绝对的净信，获得意的信受，获得法的信受，获得法具足的欢喜，因为欢喜而喜悦生起，因为喜悦而身体轻安。轻安的身体感知到乐，有乐的心进入禅定。'我已经是彻底的舍弃者、排除者、剔除者、丢弃者、舍遣者。获得意的信受，获得法的信受，获得法具足的欢喜，因为欢喜而喜悦生起，因为喜悦而身体轻安。轻安的身体感知到乐，有乐的心进入禅定。'"

76 "同样，诸比丘，彼比丘是如此戒者、如此法者、如此慧者，即使食用粳米饭、纯白米饭、各种汤、各种副食的团食，这些也不会对其构成障碍。

诸比丘，恰似染污、染垢的布浸在清水中变得洁净、清洁。恰似进入冶炼厂的黄金变得纯净、纯粹。

像这样，诸比丘，比丘是如此戒者、如此法者、如此慧者，即使食用粳米饭、纯白米饭、各种汤、各种副食的团食，这些也不会对其构成障碍。"

77 "其以慈心遍满一个方向而住。第二个方向亦同，第三个方向亦同，第四个方向亦同。如此于上下，于左右，于一切处，把一切作为自己，对于涵盖一切的世界，以广大、宽广、无量、无怨、无嗔之慈心遍满而住。

以悲心遍满一个方向而住。第二个方向亦同，第三个方向亦同，第四个方向亦同。如此于上下，于左右，于一切处，把一切作为自己，对于涵盖一切的世界，以广大、宽广、无量、无怨、无嗔之悲心遍满而住。

以喜心遍满一个方向而住。第二个方向亦同，第三个方向亦同，第四个方向亦同。如此于上下，于左右，于一切处，把一切作为自己，对于涵盖一切的世界，以广大、宽广、无量、无怨、无嗔之喜心遍满而住。

以舍心遍满一个方向而住。第二个方向亦同，第三个方向亦同，第四个方向亦同。如此于上下，于左右，于一切处，把一切作为自己，对于涵盖一切的世界，以广大、宽广、无量、无怨、无嗔之舍心遍满而住。"

78 "其深知'此存在'。其深知'存在劣者'。其深知'存在胜者'。其深知'存在比此思维更上的出离'。对于如此知者、如此见者，心从欲的烦恼中解脱出来，心从存在的烦恼中解脱出来，心从无明的烦恼中解脱出来，于解脱生起已解脱之智，了知'生命已尽，梵行已毕，应作已作，无有再生'。诸比丘，此被称为'比丘是内部清洁的清洁者。'"

79 此时，孙陀利·巴罗德瓦迦婆罗门在佛陀不远处就座。于是，孙陀利·巴罗德瓦迦婆罗门对佛陀如下说道："那么，乔达摩尊者去婆休多河沐浴吗？"

"婆罗门，婆休多河里有什么？婆休多河做什么？"

"乔达摩尊者,因为众人认为婆休多河清净。乔达摩尊者,因为众人认为婆休多河福德。众人在婆休多河里洗涤恶业。"

于是,佛陀用诗偈对孙陀利·巴罗德瓦迦婆罗门说道:

"婆休多河、阿迪喀卡河,伽耶河、孙陀利河;
萨罗萨提河、帕亚加河,还有婆休摩提河;
愚者虽常跃入,黑业不会清洁。

婆休多河能做什么?伽耶河能做什么?
孙陀利河能做什么?
有怨有罪之人,不能洗净其恶业。

清洁者常有春天,清洁者始终布萨;
清净的净业者,善行经常转起;
婆罗门在此洗涤,安稳一切有情。

若不说妄语,若不去杀生;
若离不与取,不邪可信赖;
去伽耶河做什么?彼水井也是伽耶河。"

80 听闻此言,孙陀利·巴罗德瓦迦婆罗门对佛陀如下说道:"乔达摩尊者,实在是殊胜!乔达摩尊者,实在是殊胜!乔达摩尊者,恰似扶起跌倒者,打开覆盖物,给迷路之人指明道路,为了让有眼之人看到诸色而在黑暗中点亮灯火。正像这样,乔达摩尊者采用多种方法阐明了法。在此,请允许我皈依乔达摩尊者、法、比丘僧团。请允许我在乔达摩尊者面前出家,获得具足戒。"

孙陀利·巴罗德瓦迦婆罗门在佛陀面前出家,获得具足戒。获得具足戒以后不久,尊者孙陀利·巴罗德瓦迦一个人远离、不放逸、正勤、精进,如善家子弟正确出家,于现世亲身证明、证得、成就无上梵行而住,了知"生命已尽,梵行已毕,应作已作,无有再生"。尊者孙陀利·巴罗德瓦迦成为一位阿罗汉。

（布经完）

第八、削减经（Sallekhasuttaṃ）

81　如是我闻。

一次,佛陀住在舍卫城附近的祇陀林给孤独园。

傍晚,尊者摩诃纯陀从禅定中出定,然后接近佛陀所在的地方,靠近以后顶礼佛陀,然后坐于一旁。坐于一旁的尊者摩诃纯陀对佛陀如下说道:"尊师,世间生起很多种观点,即与我相关的观点和与世界相关的观点。尊师,仅仅作意最初目的的比丘,对于这些观点是否是舍弃者? 对于这些观点是否是舍遣者?"

82　"纯陀,世间生起很多种观点,即与我相关的观点和与世界相关的观点。这些观点,无论出现,无论潜在,无论发生,对此,'其非我的''其不是我''其不是我的我',像这样,如是以正慧观察者是对这些观点的舍弃者,是对这些观点的舍遣者。

纯陀,必有此理,在此,某比丘离开诸欲,离开诸不善法,到达并住立于有浅观、有深观、因远离而生喜和乐的初禅。于是,他会这样认为:'我依削减而住。'然而,纯陀,在圣人律中,此不被称为削减。在圣人律中,此被称为现世乐住。

进而,纯陀,必有此理,在此,某比丘由于浅观和深观的寂灭,到达并住立于内部清净的心一境性,到达无浅观、无深观、具有因定而生喜和乐的第二禅。于是,他会这样认为:'我依削减而住。'然而,纯陀,在圣人律中,此不被称为削减。在圣人律中,此被称为现世乐住。

进而,纯陀,必有此理,在此,某比丘离开喜,住于舍,具念,具正知,以身体感知乐,到达并住立于圣者所称的'有舍、具念、住于乐'的第三禅。于是,他会这样认为:'我依削减而住。'然而,纯陀,在圣人律中,此不被称为削减。在圣人律中,此被称为现世乐住。

进而,纯陀,必有此理,在此,某比丘舍弃乐,舍弃苦,以前早已熄灭喜和忧,到达并住立于非苦非乐、舍念遍净的第四禅。于是,他会这样认为:'我依削减而住。'然而,纯陀,在圣人律中,此不被称为削减。在圣人律中,此被称为现世乐住。

进而,纯陀,必有此理,在此,某比丘完全超越色想,有对想灭尽,不作意种种想,到达并安住于'虚空乃无边'的空无边处。于是,他会这样认为:'我依削减而住。'然而,纯陀,在圣人律中,此不被称为削减。在圣人律中,此被称为寂静住。

进而,纯陀,必有此理,在此,某比丘完全超越空无边处,到达并安住于'识乃无边'的识无边处。于是,他会这样认为:'我依削减而住。'然而,纯陀,在圣人律中,此不被称为削减。在圣人律中,此被称为寂静住。

进而,纯陀,必有此理,在此,某比丘完全超越识无边处,到达并安住于'乃无所有'的无所有处。于是,他会这样认为:'我依削减而住。'然而,纯陀,在圣人律中,此不被称为削减。在圣人律中,此被称为寂静住。

进而,纯陀,必有此理,在此,某比丘完全超越无所有处,到达并安住于非想非非想处。于是,他会这样认为:'我依削减而住。'然而,纯陀,在圣人律中,此不被称为削减。在圣人律中,此被称为寂静住。

进而,纯陀,必有此理,在此,某比丘完全超越非想非非想处,到达并安住于想受灭。于是,他会这样认为:'我依削减而住。'然而,纯陀,在圣人律中,此不被称为削减。在圣人律中,此被称为寂静住。"

83 "纯陀,在此,你们应该削减。

'或许别人有害意,然而,我们要无害意',进行削减。'或许别人杀生,然而,我们要不杀生',进行削减。'或许别人不与取,然而,我们要远离不与取',进行削减。'或许别人非梵行,然而,我们要梵行',进行削减。'或许别人说妄语,然而,我们要远离妄语',进行削减。'或许别人说离间语,然而,我们要远离离间语',进行削减。'或许别人说粗恶语,然而,我们要远离粗恶语',进行削减。'或许别人说杂秽语,然而,我们要远离杂秽语',进行削减。'或许别人贪,然而,我们要不贪',进行削减。'或许别人是瞋恚心,然而,我们要不是瞋恚心',进行削减。'或许别人是邪见,然而,我们要是正见',进行削减。'或许别人是邪思,然而,我们要是正思',进行削减。'或许别人是邪语,然而,我们要是正语',进行削减。'或许别人是邪业,然而,我们要是正业',进行削减。'或许别人是邪命,然而,我们要是正命',进行削减。'或许别人是邪精进,然而,我们要是正精进',进行削减。'或许别人是邪念,然而,我们要是正念',进行削减。'或许别人是邪定,然而,我们要是正定',进行削减。'或许别人是邪智,然而,我们要是正智',进行削减。'或许别人是邪解脱,然而,我们要是正解脱',进行削减。'或许别人昏沉、睡眠,然而,我们要离昏沉、睡眠',进行削减。'或许别人掉举,然而,我们要离掉举',进行削减。'或许别人疑惑,然而,我们要超越疑惑',进行削减。'或许别人愤恨,然而,我们要不愤恨',进行削减。'或许别人有怨恨,然而,我们要无怨恨',进行削减。'或许别人伪善,然而,我们要不伪善',进行削减。'或许别人欺瞒,然而,我们要不欺瞒’，进行削减。‘或许别人嫉妒，然而，我们要不嫉妒’，进行削减。‘或许别人悭吝，然而，我们要不悭吝’，进行削减。‘或许别人狡猾，然而，我们要不狡猾’，进行削减。‘或许别人诳惑，然而，我们要不诳惑’，进行削减。‘或许别人固执，然而，我们要不固执’，进行削减。‘或许别人过慢，然而，我们要不过慢’，进行削减。‘或许别人恶语，然而，我们要善语’，进行削减。‘或许别人是恶友性，然而，我们要是善友性’，进行削减。‘或许别人放逸，然而，我们要不放逸’，进行削减。‘或许别人无信，然而，我们要有信’，进行削减。‘或许别人无惭，然而，我们要有惭’，进行削减。‘或许别人无愧，然而，我们要有愧’，进行削减。‘或许别人寡闻，然而，我们要博闻’，进行削减。‘或许别人懈怠，然而，我们要精勤’，进行削减。‘或许别人失念，然而，我们要念现前’，进行削减。‘或许别人愚钝，然而，我们要慧具足’，进行削减。‘或许别人执持己见，固执，难舍弃，然而，我们要不执持己见，不固执，易舍弃’，进行削减。”

84 “纯陀，我说于诸善法应多生起心，更不用说通过身体、通过语言遵奉。

因此，纯陀，应生起‘别人或许有害意，然而，我们要无害意’之心。应生起‘别人或许杀生，然而，我们要不杀生’之心。应生起‘别人或许不与取，然而，我们要远离不与取’之心。应生起‘别人或许非梵行，然而，我们要梵行’之心。应生起‘别人或许说妄语，然而，我们要远离妄语’之心。应生起'别人或许说离间语,然而,我们要远离离间语'之心。应生起'别人或许说粗恶语,然而,我们要远离粗恶语'之心。应生起'别人或许说杂秽语,然而,我们要远离杂秽语'之心。应生起'别人或许贪,然而,我们要不贪'之心。应生起'别人或许是嗔恚心,然而,我们要不是嗔恚心'之心。应生起'别人或许是邪见,然而,我们要是正见'之心。应生起'别人或许是邪思,然而,我们要是正思'之心。应生起'别人或许是邪语,然而,我们要是正语'之心。应生起'别人或许是邪业,然而,我们要是正业'之心。应生起'别人或许是邪命,然而,我们要是正命'之心。应生起'别人或许是邪精进,然而,我们要是正精进'之心。应生起'别人或许是邪念,然而,我们要是正念'之心。应生起'别人或许是邪定,然而,我们要是正定'之心。应生起'别人或许是邪智,然而,我们要是正智'之心。应生起'别人或许是邪解脱,然而,我们要是正解脱'之心。应生起'别人或许昏沉、睡眠,然而,我们要离昏沉、睡眠'之心。应生起'别人或许掉举,然而,我们要离掉举'之心。应生起'别人或许疑惑,然而,我们要超越疑惑'之心。应生起'别人或许愤恨,然而,我们要不愤恨'之心。应生起'别人或许有怨恨,然而,我们要无怨恨'之心。应生起'别人或许伪善,然而,我们要不伪善'之心。应生起'别人或许欺瞒,然而,我们要不欺瞒'之心。应生起'别人或许嫉妒,然而,我们要不嫉妒'之心。应生起'别人或许悭吝,然而,我们要不悭吝'之心。应生起'别人或许狡猾，然而，我们要不狡猾'之心。应生起'别人或许诳惑，然而，我们要不诳惑'之心。应生起'别人或许固执，然而，我们要不固执'之心。应生起'别人或许过慢，我们要不过慢'之心。应生起'别人或许恶语，然而，我们要善语'之心。应生起'别人或许是恶友性，然而，我们要是善友性'之心。应生起'别人或许放逸，然而，我们要不放逸'之心。应生起'别人或许无信，然而，我们要有信'之心。应生起'别人或许无惭，然而，我们要有惭'之心。应生起'别人或许无愧，然而，我们要有愧'之心。应生起'别人或许寡闻，然而，我们要博闻'之心。应生起'别人或许懈怠，然而，我们要精勤'之心。应生起'别人或许失念，然而，我们要念现前'之心。应生起'别人或许愚钝，然而，我们要慧具足'之心。应生起'别人或许执持己见，固执，难舍弃，然而，我们要不执持己见，不固执，易舍弃'之心。"

85　"纯陀，例如，有不平坦的道路，其他的平坦道路就是对它的回避。纯陀，例如，有不平坦的浴场，其他的平坦浴场就是对它的回避。

像这样，纯陀，无害意是对有害意之人的回避。远离杀生是对杀生之人的回避。远离不与取是对不与取之人的回避。梵行是对非梵行之人的回避。远离妄语是对说妄语之人的回避。远离离间语是对说离间语之人的回避。远离粗恶语是对说粗恶语之人的回避。远离杂秽语是对说杂秽语之人的回避。不贪是对贪之人的回避。不瞋恚心是对瞋恚心之人的回避。正见是对邪见之人的回避。正思是对邪思之人的回避。正语是对邪语之人的回避。正业是对邪业之人的回避。正命是对邪命之人的回避。正精进是对邪精进之人的回避。正念是对邪念之人的回避。正定是对邪定之人的回避。正智是对邪智之人的回避。正解脱是对邪解脱之人的回避。离昏沉、睡眠是对昏沉、睡眠之人的回避。离掉举是对掉举之人的回避。超越疑惑是对疑惑之人的回避。不愤恨是对愤恨之人的回避。无怨恨是对怨恨之人的回避。不伪善是对伪善之人的回避。不欺瞒是对欺瞒之人的回避。不嫉妒是对嫉妒之人的回避。不悭吝是对悭吝之人的回避。不狡猾是对狡猾之人的回避。不诳惑是对诳惑之人的回避。不固执是对固执之人的回避。不过慢是对过慢之人的回避。善语是对恶语之人的回避。善友性是对恶友性之人的回避。不放逸是对放逸之人的回避。有信是对无信之人的回避。有惭是对无惭之人的回避。有愧是对无愧之人的回避。博闻是对寡闻之人的回避。精勤是对懈怠之人的回避。念现前是对失念之人的回避。慧具足是对愚钝之人的回避。不执持己见，不固执，易舍弃是对执持己见，固执，难舍弃之人的回避。"

86 "纯陀，例如，任何不善法，其都朝向下方。任何善法，其都朝向上方。

像这样，纯陀，无害意对于有害意之人是上方。远离杀生对于杀生之人是上方。远离不与取对于不与取之人是上

方。梵行对于非梵行之人是上方。远离妄语对于说妄语之
人是上方。远离离间语对于说离间语之人是上方。远离粗
恶语对于说粗恶语之人是上方。远离杂秽语对于说杂秽语
之人是上方。不贪对于贪之人是上方。不嗔恚心对于嗔恚
心之人是上方。正见对于邪见之人是上方。正思对于邪思
之人是上方。正语对于邪语之人是上方。正业对于邪业之
人是上方。正命对于邪命之人是上方。正精进对于邪精进
之人是上方。正念对于邪念之人是上方。正定对于邪定之
人是上方。正智对于邪智之人是上方。正解脱对于邪解脱
之人是上方。离昏沉、睡眠对于昏沉、睡眠之人是上方。离
掉举对于掉举之人是上方。超越疑惑对于疑惑之人是上方。
不愤恨对于愤恨之人是上方。无怨恨对于怨恨之人是上方。
不伪善对于伪善之人是上方。不欺瞒对于欺瞒之人是上方。
不嫉妒对于嫉妒之人是上方。不悭吝对于悭吝之人是上方。
不狡猾对于狡猾之人是上方。不诳惑对于诳惑之人是上方。
不固执对于固执之人是上方。不过慢对于过慢之人是上方。
善语对于恶语之人是上方。善友性对于恶友性之人是上方。
不放逸对于放逸之人是上方。有信对于无信之人是上方。
有惭对于无惭之人是上方。有愧对于无愧之人是上方。博
闻对于寡闻之人是上方。精勤对于懈怠之人是上方。念现
前对于失念之人是上方。慧具足对于愚钝之人是上方。不
执持己见，不固执，易舍弃对于执持己见，固执，难舍弃之人
是上方。"

87 "纯陀,事实上无有此理,即自己掉入泥潭之彼人将掉入泥潭之其他人拉上来。纯陀,事实上必有此理,即自己没有掉入泥潭之彼人将掉入泥潭之其他人拉上来。

纯陀,事实上无有此理,即自己没有得到调伏、没有得到教导、没有得到止息之彼人调伏、教导、止息其他人。纯陀,事实上必有此理,即自己得到调伏、得到教导、得到止息之彼人调伏、教导、止息其他人。

像这样,纯陀,无害意是对有害意之人的止息。远离杀生是对杀生之人的止息。远离不与取是对不与取之人的止息。梵行是对非梵行之人的止息。远离妄语是对说妄语之人的止息。远离离间语是对说离间语之人的止息。远离粗恶语是对说粗恶语之人的止息。远离杂秽语是对说杂秽语之人的止息。不贪是对贪之人的止息。不嗔恚心是对嗔恚心之人的止息。正见是对邪见之人的止息。正思是对邪思之人的止息。正语是对邪语之人的止息。正业是对邪业之人的止息。正命是对邪命之人的止息。正精进是对邪精进之人的止息。正念是对邪念之人的止息。正定是对邪定之人的止息。正智是对邪智之人的止息。正解脱是对邪解脱之人的止息。离昏沉、睡眠是对昏沉、睡眠之人的止息。离掉举是对掉举之人的止息。超越疑惑是对疑惑之人的止息。不愤恨是对愤恨之人的止息。无怨恨是对怨恨之人的止息。不伪善是对伪善之人的止息。不欺瞒是对欺瞒之人的止息。不嫉妒是对嫉妒之人的止息。不悭吝是对悭吝之人的止息。

不狡猾是对狡猾之人的止息。不诳惑是对诳惑之人的止息。不固执是对固执之人的止息。不过慢是对过慢之人的止息。善语是对恶语之人的止息。善友性是对恶友性之人的止息。不放逸是对放逸之人的止息。有信是对无信之人的止息。有惭是对无惭之人的止息。有愧是对无愧之人的止息。博闻是对寡闻之人的止息。精勤是对懈怠之人的止息。念现前是对失念之人的止息。慧具足是对愚钝之人的止息。不执持己见，不固执，易舍弃是对执持己见，固执，难舍弃之人的止息。"

88　"纯陀，以上就是我教导的削减法门，教导的心生起法门，教导的回避法门，教导的上方法门，教导的止息法门。纯陀，作为导师，为了弟子的利益以慈悲行慈悲，所做之事已毕。纯陀，有这些树下，有这些空弃房屋。纯陀，去行禅定，不要放逸，不要将来后悔。这是我们对你们的教诫。"

此为佛陀所说。尊者纯陀内心喜悦，欢喜佛陀所说。

> 言说四十四，开示五密要；
>
> 所谓削减经，甚深似大海。

（削减经完）

第九、正见经(Sammādiṭṭhisuttaṃ)

89　如是我闻。

一次,佛陀住在舍卫城附近的祇陀林给孤独园。在此,尊者舍利弗对比丘众说道:"诸朋友。"

"尊者。"彼比丘众应答尊者舍利弗。

尊者舍利弗如下说道:"诸朋友,所谓'正见''正见'。那么,诸朋友,依据哪一点,圣弟子就是正见者,是正行见者,具足对法的绝对净信,是通达此正法者?"

"尊者,我们从远处前来,就是为了在舍利弗尊者面前详细了解此言说的含义。请舍利弗尊者解释此言说的含义。听闻舍利弗尊者的解释,诸比丘将加以忆持。"

"那么,诸朋友,你们仔细听,充分作意。我来说。"

"好,尊者。"彼比丘众应答尊者舍利弗。

尊者舍利弗如下说道:"诸朋友,由于圣弟子深知不善,深知不善根,深知善,深知善根,仅仅因此,诸朋友,圣弟子就是正见者,是正行见者,具足对法的绝对净信,是通达此正法者。

那么,诸朋友,何为不善?何为不善根?何为善?何为善根?诸朋友,杀生为不善,不与取为不善,邪淫为不善,妄语为不善,离间语为不善,粗恶语为不善,杂秽语为不善,贪求为不善,嗔恚为不善,邪见为不善。诸朋友,此即所谓不善。

那么,诸朋友,何为不善根?贪为不善根,嗔为不善根,痴为不善根。诸朋友,此即所谓不善根。

那么,诸朋友,何为善?远离杀生为善,远离不与取为善,远离邪淫为善,远离妄语为善,远离离间语为善,远离粗恶语为善,远离杂秽语为善,不贪求为善,不嗔恚为善,正见为善。诸朋友,此即所谓善。

那么,诸朋友,何为善根?不贪为善根,不嗔为善根,不痴为善根。诸朋友,此即所谓善根。

诸朋友,由于圣弟子像这样深知不善,像这样深知不善根,像这样深知善,像这样深知善根,其就会遍一切舍弃贪随眠,去除嗔随眠,根除'我存在'的见慢随眠,舍弃无明,生起明,于现世成为苦的终结者,仅仅如此,诸朋友,圣弟子就是正见者,是正行见者,具足对法的绝对净信,是通达此正法者。"

90　"尊者,太好了。"彼比丘众欢喜、随喜尊者舍利弗,然后向尊者舍利弗进一步提出询问:"那么,尊者,是否还有其他法门,因此圣弟子是正见者,是正行见者,具足对法的绝对净信,是通达此正法者?"

"有,诸朋友。诸朋友,由于圣弟子深知食,深知食的生起,深知食的灭尽,深知通往食灭尽的行道,仅仅因此,诸朋友，圣弟子就是正见者，是正行见者，具足对法的绝对净信，是通达此正法者。

那么，诸朋友，何为食？何为食的生起？何为食的灭尽？何为通往食灭尽的行道？诸朋友，此四食就是为了有情生命的存活，就是为了求生存者的摄护。哪四个？或粗或细的段食，第二为触食，第三为意思食，第四为识食。渴爱的生起是食的生起，渴爱的灭尽是食的灭尽，此八正道就是通往食灭尽的行道，即正见、正思、正语、正业、正命、正精进、正念、正定。

诸朋友，由于圣弟子像这样深知食，像这样深知食的生起，像这样深知食的灭尽，像这样深知通往食灭尽的行道，其就会遍一切舍弃贪随眠，去除嗔随眠，根除'我存在'的见慢随眠，舍弃无明，生起明，于现世成为苦的终结者，仅仅因此，诸朋友，圣弟子就是正见者，是正行见者，具足对法的绝对净信，是通达此正法者。"

91 "尊者，太好了。"彼比丘众欢喜、随喜尊者舍利弗，然后向尊者舍利弗进一步提出询问："那么，尊者，是否还有其他法门，因此圣弟子是正见者，是正行见者，具足对法的绝对净信，是通达此正法者？"

"有，诸朋友。诸朋友，由于圣弟子深知苦，深知苦的生起，深知苦的灭尽，深知通往苦灭尽的行道，仅仅因此，诸朋友，圣弟子就是正见者，是正行见者，具足对法的绝对净信，是通达此正法者。

那么，诸朋友，何为苦？何为苦的生起？何为苦的灭尽？何为通往苦灭尽的行道？生亦是苦，老亦是苦，死亦是苦，愁、悲、苦、忧、恼亦是苦，怨憎会亦是苦，爱别离亦是苦，彼所求不得亦是苦，五取蕴亦是苦。诸朋友，此即所谓苦。

那么，诸朋友，何为苦的生起？此即为导致再生、具有喜贪、随处欢喜的渴爱，即欲爱、有爱、无有爱。诸朋友，此即所谓苦的生起。

那么，诸朋友，何为苦的灭尽？对彼渴爱无余灭尽地离弃、舍弃、丢弃、松绑、无执著。诸朋友，此即所谓苦的灭尽。

那么，诸朋友，何为通往苦灭尽的行道？此就是八正道，即正见、正思、正语、正业、正命、正精进、正念、正定。诸朋友，此即所谓通往苦灭尽的行道。

诸朋友，由于圣弟子像这样深知苦，像这样深知苦的生起，像这样深知苦的灭尽，像这样深知通往苦灭尽的行道，其就会遍一切舍弃贪随眠，去除嗔随眠，根除'我存在'的见慢随眠，舍弃无明，生起明，于现世成为苦的终结者，仅仅因此，诸朋友，圣弟子就是正见者，是正行见者，具足对法的绝对净信，是通达此正法者。"

92　"尊者，太好了。"彼比丘众欢喜、随喜尊者舍利弗，然后向尊者舍利弗进一步提出询问："那么，尊者，是否还有其他法门，因此圣弟子是正见者，是正行见者，具足对法的绝对净信，是通达此正法者？"

"有，诸朋友。诸朋友，由于圣弟子深知老死，深知老死的生起,深知老死的灭尽,深知通往老死灭尽的行道,仅仅因此,诸朋友,圣弟子就是正见者,是正行见者,具足对法的绝对净信,是通达此正法者。

那么,诸朋友,何为老死?何为老死的生起?何为老死的灭尽?何为通往老死灭尽的行道?各诸有情于各自的有情群类的衰老、老化、牙齿脱落、长白发、生皱纹、寿命缩短、诸根毁坏。诸朋友,此即所谓老。

那么,诸朋友,何为死?各诸有情于各自的有情群类的死、死去、分解、破灭、死亡、逝去、命终、诸根的瓦解、身体的舍弃、命根的断绝。诸朋友,此即所谓死。此即是老,此即是死。诸朋友,此即所谓老死。因为生的生起,所以老死生起,因为生的灭尽,所以老死灭尽,此八正道就是通往老死灭尽的行道,即正见、正思、正语、正业、正命、正精进、正念、正定。

诸朋友,由于圣弟子像这样深知老死,像这样深知老死的生起,像这样深知老死的灭尽,像这样深知通往老死灭尽的行道,其就会遍一切舍弃贪随眠,去除嗔随眠,根除'我存在'的见慢随眠,舍弃无明,生起明,于现世成为苦的终结者,仅仅因此,诸朋友,圣弟子就是正见者,是正行见者,具足对法的绝对净信,是通达此正法者。"

93 "尊者,太好了。"彼比丘众欢喜、随喜尊者舍利弗,然后向尊者舍利弗进一步提出询问:"那么,尊者,是否还有其他法门,因此圣弟子是正见者,是正行见者,具足对法的绝对净信,是通达此正法者?"

"有，诸朋友。诸朋友，由于圣弟子深知生，深知生的生起，深知生的灭尽，深知通往生灭尽的行道，仅仅因此，诸朋友，圣弟子就是正见者，是正行见者，具足对法的绝对净信，是通达此正法者。

那么，诸朋友，何为生？何为生的生起？何为生的灭尽？何为通往生灭尽的行道？各诸有情于各自的有情群类的生、出生、投胎、再生、诸蕴的显现、诸处的获得。诸朋友，此即所谓生。因为存在的生起，所以生生起，因为存在的灭尽，所以生灭尽，此八正道就是通往生灭尽的行道，即正见、正思、正语、正业、正命、正精进、正念、正定。

诸朋友，由于圣弟子像这样深知生，像这样深知生的生起，像这样深知生的灭尽，像这样深知通往生灭尽的行道，其就会遍一切舍弃贪随眠，去除嗔随眠，根除'我存在'的见慢随眠，舍弃无明，生起明，于现世成为苦的终结者，仅仅因此，诸朋友，圣弟子就是正见者，是正行见者，具足对法的绝对净信，是通达此正法者。"

94 "尊者，太好了。"彼比丘众欢喜、随喜尊者<u>舍利弗</u>，然后向尊者舍利弗进一步提出询问："那么，尊者，是否还有其他法门，因此圣弟子是正见者，是正行见者，具足对法的绝对净信，是通达此正法者？"

"有，诸朋友。诸朋友，由于圣弟子深知存在，深知存在的生起，深知存在的灭尽，深知通往存在灭尽的行道，仅仅因此，诸朋友，圣弟子就是正见者，是正行见者，具足对法的绝对净信，是通达此正法者。

那么，诸朋友，何为存在？何为存在的生起？何为存在的灭尽？何为通往存在灭尽的行道？诸朋友，有三种存在，即欲存在、色存在、无色存在。因为取著的生起，所以存在生起，因为取著的灭尽，所以存在灭尽，此八正道就是通往存在灭尽的行道，即正见、正思、正语、正业、正命、正精进、正念、正定。

诸朋友，由于圣弟子像这样深知存在，像这样深知存在的生起，像这样深知存在的灭尽，像这样深知通往存在灭尽的行道，其就会遍一切舍弃贪随眠，去除嗔随眠，根除'我存在'的见慢随眠，舍弃无明，生起明，于现世成为苦的终结者，仅仅因此，诸朋友，圣弟子就是正见者，是正行见者，具足对法的绝对净信，是通达此正法者。"

95　"尊者，太好了。"彼比丘众欢喜、随喜尊者舍利弗，然后向尊者舍利弗进一步提出询问："那么，尊者，是否还有其他法门，因此圣弟子是正见者，是正行见者，具足对法的绝对净信，是通达此正法者？"

"有，诸朋友。诸朋友，由于圣弟子深知取著，深知取著的生起，深知取著的灭尽，深知通往取著灭尽的行道，仅仅因此，诸朋友，圣弟子就是正见者，是正行见者，具足对法的绝对净信，是通达此正法者。

那么，诸朋友，何为取著？何为取著的生起？何为取著的灭尽？何为通往取著灭尽的行道？诸朋友，有四种取著，即欲取著、见取著、戒禁取著、自语取著。因为渴爱的生起，所以取著生起，因为渴爱的灭尽，所以取著灭尽，此八正道就是通往取著灭尽的行道，即正见、正思、正语、正业、正命、正精进、正念、正定。

诸朋友，由于圣弟子像这样深知取著，像这样深知取著的生起，像这样深知取著的灭尽，像这样深知通往取著灭尽的行道，其就会遍一切舍弃贪随眠，去除嗔随眠，根除'我存在'的见慢随眠，舍弃无明，生起明，于现世成为苦的终结者，仅仅因此，诸朋友，圣弟子就是正见者，是正行见者，具足对法的绝对净信，是通达此正法者。"

96　"尊者，太好了。"彼比丘众欢喜、随喜尊者<u>舍利弗</u>，然后向尊者舍利弗进一步提出询问："那么，尊者，是否还有其他法门，因此圣弟子是正见者，是正行见者，具足对法的绝对净信，是通达此正法者？"

"有，诸朋友。诸朋友，由于圣弟子深知渴爱，深知渴爱的生起，深知渴爱的灭尽，深知通往渴爱灭尽的行道，仅仅因此，诸朋友，圣弟子就是正见者，是正行见者，具足对法的绝对净信，是通达此正法者。

那么，诸朋友，何为渴爱？何为渴爱的生起？何为渴爱的灭尽？何为通往渴爱灭尽的行道？诸朋友，有六种渴爱，即色渴爱、声渴爱、香渴爱、味渴爱、触渴爱、法渴爱。因为感受的生起，所以渴爱生起，因为感受的灭尽，所以渴爱灭尽，此八正道就是通往渴爱灭尽的行道，即正见、正思、正语、正业、正命、正精进、正念、正定。

诸朋友，由于圣弟子像这样深知渴爱，像这样深知渴爱的生起，像这样深知渴爱的灭尽，像这样深知通往渴爱灭尽的行道，其就会遍一切舍弃贪随眠，去除嗔随眠，根除'我存在'的见慢随眠，舍弃无明，生起明，于现世成为苦的终结者，仅仅因此，诸朋友，圣弟子就是正见者，是正行见者，具足对法的绝对净信，是通达此正法者。"

97 "尊者，太好了。"彼比丘众欢喜、随喜尊者舍利弗，然后向尊者舍利弗进一步提出询问："那么，尊者，是否还有其他法门，因此圣弟子是正见者，是正行见者，具足对法的绝对净信，是通达此正法者？"

"有，诸朋友。诸朋友，由于圣弟子深知感受，深知感受的生起，深知感受的灭尽，深知通往感受灭尽的行道，仅仅因此，诸朋友，圣弟子就是正见者，是正行见者，具足对法的绝对净信，是通达此正法者。

那么，诸朋友，何为感受？何为感受的生起？何为感受的灭尽？何为通往感受灭尽的行道？诸朋友，有六种感受身，即眼触所生感受、耳触所生感受、鼻触所生感受、舌触所生感受、身触所生感受、意触所生感受。因为触的生起，所以感受生起，因为触的灭尽，所以感受灭尽，此八正道就是通往感受灭尽的行道，即正见、正思、正语、正业、正命、正精进、正念、正定。

诸朋友，由于圣弟子像这样深知感受，像这样深知感受的生起，像这样深知感受的灭尽，像这样深知通往感受灭尽的行道，其就会遍一切舍弃贪随眠，去除嗔随眠，根除'我存在'的见慢随眠，舍弃无明，生起明，于现世成为苦的终结者，仅仅因此，诸朋友，圣弟子就是正见者，是正行见者，具足对法的绝对净信，是通达此正法者。"

98　"尊者，太好了。"彼比丘众欢喜、随喜尊者舍利弗，然后向尊者舍利弗进一步提出询问："那么，尊者，是否还有其他法门，因此圣弟子是正见者，是正行见者，具足对法的绝对净信，是通达此正法者？"

"有，诸朋友。诸朋友，由于圣弟子深知触，深知触的生起，深知触的灭尽，深知通往触灭尽的行道，仅仅因此，诸朋友，圣弟子就是正见者，是正行见者，具足对法的绝对净信，是通达此正法者。

那么，诸朋友，何为触？何为触的生起？何为触的灭尽？何为通往触灭尽的行道？诸朋友，有六触，即眼触、耳触、鼻触、舌触、身触、意触。因为六处的生起，所以触生起，因为六处的灭尽，所以触灭尽，此八正道就是通往触灭尽的行道，即正见、正思、正语、正业、正命、正精进、正念、正定。

诸朋友，由于圣弟子像这样深知触，像这样深知触的生起，像这样深知触的灭尽，像这样深知通往触灭尽的行道，其就会遍一切舍弃贪随眠，去除嗔随眠，根除'我存在'的见慢随眠，舍弃无明，生起明，于现世成为苦的终结者，仅仅因此，诸朋友，圣弟子就是正见者，是正行见者，具足对法的绝对净信，是通达此正法者。"

99 "尊者，太好了。"彼比丘众欢喜、随喜尊者舍利弗，然后向尊者舍利弗进一步提出询问："那么，尊者，是否还有其他法门，因此圣弟子是正见者，是正行见者，具足对法的绝对净信，是通达此正法者？"

"有，诸朋友。诸朋友，由于圣弟子深知六处，深知六处的生起，深知六处的灭尽，深知通往六处灭尽的行道，仅仅因此，诸朋友，圣弟子就是正见者，是正行见者，具足对法的绝对净信，是通达此正法者。

那么，诸朋友，何为六处？何为六处的生起？何为六处的灭尽？何为通往六处灭尽的行道？诸朋友，有六处，即眼处、耳处、鼻处、舌处、身处、意处。因为名色的生起，所以六处生起，因为名色的灭尽，所以六处灭尽，此八正道就是通往六处灭尽的行道，即正见、正思、正语、正业、正命、正精进、正念、正定。

诸朋友，由于圣弟子像这样深知六处，像这样深知六处的生起，像这样深知六处的灭尽，像这样深知通往六处灭尽的行道，其就会遍一切舍弃贪随眠，去除嗔随眠，根除'我存在'的见慢随眠，舍弃无明，生起明，于现世成为苦的终结者，仅仅因此，诸朋友，圣弟子就是正见者，是正行见者，具足对法的绝对净信，是通达此正法者。"

100 "尊者，太好了。"彼比丘众欢喜、随喜尊者舍利弗，然后向尊者舍利弗进一步提出询问："那么，尊者，是否还有其他法门，因此圣弟子是正见者，是正行见者，具足对法的绝对净信，是通达此正法者？"

"有，诸朋友。诸朋友，由于圣弟子深知名色，深知名色的生起，深知名色的灭尽，深知通往名色灭尽的行道，仅仅因此，诸朋友，圣弟子就是正见者，是正行见者，具足对法的绝对净信，是通达此正法者。

那么，诸朋友，何为名色？何为名色的生起？何为名色的灭尽？何为通往名色灭尽的行道？诸朋友，感受、思维、意愿、知觉、作意，诸朋友，此即所谓的名。四大要素以及四大要素所造色，诸朋友，此即所谓的色。此即是名，此即是色，诸朋友，此即所谓的名色。因为识的生起，所以名色生起，因为识的灭尽，所以名色灭尽，此八正道就是通往名色灭尽的行道，即正见、正思、正语、正业、正命、正精进、正念、正定。

诸朋友，由于圣弟子像这样深知名色，像这样深知名色的生起，像这样深知名色的灭尽，像这样深知通往名色灭尽的行道，其就会遍一切舍弃贪随眠，去除嗔随眠，根除'我存在'的见慢随眠，舍弃无明，生起明，于现世成为苦的终结者，仅仅因此，诸朋友，圣弟子就是正见者，是正行见者，具足对法的绝对净信，是通达此正法者。"

101 "尊者，太好了。"彼比丘众欢喜、随喜尊者舍利弗，然后向尊者舍利弗进一步提出询问："那么，尊者，是否还有其他法门，因此圣弟子是正见者，是正行见者，具足对法的绝对净信，是通达此正法者？"

"有,诸朋友。诸朋友,由于圣弟子深知识,深知识的生起,深知识的灭尽,深知通往识灭尽的行道,仅仅因此,诸朋友,圣弟子就是正见者,是正行见者,具足对法的绝对净信,是通达此正法者。

那么,诸朋友,何为识?何为识的生起?何为识的灭尽?何为通往识灭尽的行道?诸朋友,此有六识,即眼识、耳识、鼻识、舌识、身识、意识。因为行的生起,所以识生起,因为行的灭尽,所以识灭尽,此八正道就是通往识灭尽的行道,即正见、正思、正语、正业、正命、正精进、正念、正定。

诸朋友,由于圣弟子像这样深知识,像这样深知识的生起,像这样深知识的灭尽,像这样深知通往识灭尽的行道,其就会遍一切舍弃贪随眠,去除嗔随眠,根除'我存在'的见慢随眠,舍弃无明,生起明,于现世成为苦的终结者,仅仅因此,诸朋友,圣弟子就是正见者,是正行见者,具足对法的绝对净信,是通达此正法者。"

102 "尊者,太好了。"彼比丘众欢喜、随喜尊者舍利弗,然后向尊者舍利弗进一步提出询问:"那么,尊者,是否还有其他法门,因此圣弟子是正见者,是正行见者,具足对法的绝对净信,是通达此正法者?"

"有,诸朋友。诸朋友,由于圣弟子深知行,深知行的生起,深知行的灭尽,深知通往行灭尽的行道,仅仅因此,诸朋友,圣弟子就是正见者,是正行见者,具足对法的绝对净信,是通达此正法者。

那么，诸朋友，何为行？何为行的生起？何为行的灭尽？何为通往行灭尽的行道？诸朋友，此有三行，即身行、语行、意行。因为无明的生起，所以行生起，因为无明的灭尽，所以行灭尽，此八正道就是通往行灭尽的行道，即正见、正思、正语、正业、正命、正精进、正念、正定。

诸朋友，由于圣弟子像这样深知行，像这样深知行的生起，像这样深知行的灭尽，像这样深知通往行灭尽的行道，其就会遍一切舍弃贪随眠，去除嗔随眠，根除'我存在'的见慢随眠，舍弃无明，生起明，于现世成为苦的终结者，仅仅因此，诸朋友，圣弟子就是正见者，是正行见者，具足对法的绝对净信，是通达此正法者。"

103　"尊者，太好了。"彼比丘众欢喜、随喜尊者舍利弗，然后向尊者舍利弗进一步提出询问："那么，尊者，是否还有其他法门，因此圣弟子是正见者，是正行见者，具足对法的绝对净信，是通达此正法者？"

"有，诸朋友。诸朋友，由于圣弟子深知无明，深知无明的生起，深知无明的灭尽，深知通往无明灭尽的行道，仅仅因此，诸朋友，圣弟子就是正见者，是正行见者，具足对法的绝对净信，是通达此正法者。

那么，诸朋友，何为无明？何为无明的生起？何为无明的灭尽？何为通往无明灭尽的行道？诸朋友，不知苦，不知苦的生起，不知苦的灭尽，不知通往苦灭尽的行道，诸朋友，此即所谓无明。因为漏的生起，所以无明生起，因为漏的灭尽，所以无明灭尽，此八正道就是通往无明灭尽的行道，即正见、正思、正语、正业、正命、正精进、正念、正定。

诸朋友，由于圣弟子像这样深知无明，像这样深知无明的生起，像这样深知无明的灭尽，像这样深知通往无明灭尽的行道，其就会遍一切舍弃贪随眠，去除嗔随眠，根除‘我存在’的见慢随眠，舍弃无明，生起明，于现世成为苦的终结者，仅仅因此，诸朋友，圣弟子就是正见者，是正行见者，具足对法的绝对净信，是通达此正法者。”

104 “尊者，太好了。”彼比丘众欢喜、随喜尊者<u>舍利弗</u>，然后向尊者舍利弗进一步提出询问：“那么，尊者，是否还有其他法门，因此圣弟子是正见者，是正行见者，具足对法的绝对净信，是通达此正法者？”

“有，诸朋友。诸朋友，由于圣弟子深知漏，深知漏的生起，深知漏的灭尽，深知通往漏灭尽的行道，仅仅因此，诸朋友，圣弟子就是正见者，是正行见者，具足对法的绝对净信，是通达此正法者。

那么，诸朋友，何为漏？何为漏的生起？何为漏的灭尽？何为通往漏灭尽的行道？诸朋友，此有三漏，即欲漏、有漏、无明漏。因为无明的生起，所以漏生起，因为无明的灭尽，所以漏灭尽，此八正道就是通往漏灭尽的行道，即正见、正思、正语、正业、正命、正精进、正念、正定。

诸朋友，由于圣弟子像这样深知漏，像这样深知漏的生起，像这样深知漏的灭尽，像这样深知通往漏灭尽的行道，其就会遍一切舍弃贪随眠，去除嗔随眠，根除'我存在'的见慢随眠，舍弃无明，生起明，于现世成为苦的终结者，仅仅因此，诸朋友，圣弟子就是正见者，是正行见者，具足对法的绝对净信，是通达此正法者。"

此为尊者舍利弗所说，彼比丘众内心喜悦，欢喜尊者舍利弗所说。

（正见经完）

第十、大念处经（Mahāsatipaṭṭhānasuttaṃ）

105　如是我闻。

一次，佛陀住在俱卢国一个叫做勘摩萨单摩的俱卢人的城市附近。在此，佛陀对比丘众说道："诸比丘。"

"尊师。"彼比丘众应诺佛陀。

佛陀如下说道：

一、总论

106　"诸比丘，此为一乘路，是诸有情获得清净、超越忧愁悲伤、灭尽痛苦忧恼、到达正理、现证涅槃的道路，其就是四念处。

哪四个？诸比丘，在此，比丘具正勤，具正知，具念，调伏世间的贪欲和忧恼,于身体随观身体而住;具正勤,具正知,具念,调伏世间的贪欲和忧恼,于感受随观感受而住;具正勤,具正知,具念,调伏世间的贪欲和忧恼,于心随观心而住;具正勤,具正知,具念,调伏世间的贪欲和忧恼,于诸法随观诸法而住。"

(总论完)

二、身随观

(一)出入息

107 "诸比丘,比丘如何于身体随观身体而住?诸比丘,在此,比丘去到林间,去到树下,去到空弃房屋,结跏趺而坐,保持身体正直,将念置于整个面前。他具念呼气,具念吸气。长呼气时,则深知'我长呼气'。长吸气时,则深知'我长吸气'。短呼气时,则深知'我短呼气'。短吸气时,则深知'我短吸气'。学习'我感受全身进行呼气'。学习'我感受全身进行吸气'。学习'我安静身行进行呼气'。学习'我安静身行进行吸气'。

诸比丘,例如,熟练的辘轳工或其弟子长提拉时,则深知'我长提拉'。短提拉时,则深知'我短提拉'。

像这样,诸比丘,比丘长呼气时,则深知'我长呼气'。长吸气时,则深知'我长吸气'。短呼气时,则深知'我短呼气'。短吸气时,则深知'我短吸气'。学习'我感受全身进行呼气'。学习'我感受全身进行吸气'。学习'我安静身行进行呼气'。学习'我安静身行进行吸气'。

像这样，诸比丘，比丘于内在之身随观身体而住，于外在之身随观身体而住，于内外在之身随观身体而住。于身体随观生起法而住，于身体随观灭尽法而住，于身体随观生灭法而住。于是，'具有身体'的念现前，其仅仅为了智，为了忆念，并无依止而住，对世界上任何事物都没有执著。像这样，诸比丘，比丘亦于身体随观身体而住。"

（二）威仪路

108 "进而，诸比丘，比丘行走时，则深知'我行走'。站立时，则深知'我站立'。坐时，则深知'我坐'。卧时，则深知'我卧'。如实关注身体的存在，如实对其深知。

像这样，诸比丘，比丘于内在之身随观身体而住，于外在之身随观身体而住，于内外在之身随观身体而住。于身体随观生起法而住，于身体随观灭尽法而住，于身体随观生灭法而住。于是，'具有身体'的念现前，其仅仅为了智，为了忆念，并无依止而住，对世界上任何事物都没有执著。像这样，诸比丘，比丘亦于身体随观身体而住。"

（三）正知

109 "进而，诸比丘，比丘前进后退时是正知的行为者，前视后顾时是正知的行为者，弯曲伸直时是正知的行为者，受持僧伽梨衣和衣钵时是正知的行为者，吃喝咀嚼时是正知的行为者，便溺时是正知的行为者，行立坐卧、清醒、言语沉默时是正知的行为者。

像这样，诸比丘，比丘于内在之身随观身体而住，于外在之身随观身体而住，于内外在之身随观身体而住。于身体随观生起法而住，于身体随观灭尽法而住，于身体随观生灭法而住。于是，'具有身体'的念现前，其仅仅为了智，为了忆念，并无依止而住，对世界上任何事物都没有执著。像这样，诸比丘，比丘亦于身体随观身体而住。"

（四）厌腻作意

110 "进而，诸比丘，比丘观察脚底以上、发梢以下、四周包裹着皮肤、充满种种不净物的此身体：'此身体具有头发、体毛、指甲、牙齿、皮肤、肉、筋、骨、骨髓、肾脏、心脏、肝脏、胸膜、脾脏、肺脏、肠子、肠间膜、胃中物、大便、胆汁、痰、脓、血、汗、脂肪、泪水、脂膏、唾液、鼻涕、关节滑液、小便。'

诸比丘，例如，有装满各种谷物的两头开口的袋子，装着诸如粳米、糙米、绿豆、蚕豆、芝麻、大米。有眼之人打开察看：'这是粳米，这是糙米，这是绿豆，这是蚕豆，这是芝麻，这是大米。'像这样，诸比丘，比丘观察脚底以上、发梢以下、四周包裹着皮肤、充满种种不净物的此身体：'此身体具有头发、体毛、指甲、牙齿、皮肤、肉、筋、骨、骨髓、肾脏、心脏、肝脏、胸膜、脾脏、肺脏、肠子、肠间膜、胃中物、大便、胆汁、痰、脓、血、汗、脂肪、泪水、脂膏、唾液、鼻涕、关节滑液、小便。'

像这样，诸比丘，比丘于内在之身随观身体而住，于外在之身随观身体而住，于内外在之身随观身体而住。于身体随观生起法而住，于身体随观灭尽法而住，于身体随观生灭法而住。于是，‘具有身体’的念现前，其仅仅为了智，为了忆念，并无依止而住，对世界上任何事物都没有执著。像这样，诸比丘，比丘亦于身体随观身体而住。”

（五）要素作意

111　“进而，诸比丘，比丘从要素观察如此住立、如此存在的此身体：‘此身体具有地要素、水要素、火要素、风要素。’

诸比丘，例如，熟练的屠牛工或其弟子杀牛后按照四大类将肉分割放在那里。像这样，诸比丘，比丘从要素观察如此住立、如此存在的此身体：‘此身体具有地要素、水要素、火要素、风要素。’

像这样，诸比丘，比丘于内在之身随观身体而住，于外在之身随观身体而住，于内外在之身随观身体而住。于身体随观生起法而住，于身体随观灭尽法而住，于身体随观生灭法而住。于是，‘具有身体’的念现前，其仅仅为了智，为了忆念，并无依止而住，对世界上任何事物都没有执著。像这样，诸比丘，比丘亦于身体随观身体而住。”

（六）九墓地

112　“进而，诸比丘，例如，比丘观察死后一日或死后二日或死后三日，丢弃在墓地，膨胀、泛青、脓烂的尸体。他仅仅关注此身体：'此身体也是如此性质、如此状态，不过如此。'像这样，诸比丘，比丘于内在之身随观身体而住，于外在之身随观身体而住，于内外在之身随观身体而住。于身体随观生起法而住，于身体随观灭尽法而住，于身体随观生灭法而住。于是，'具有身体'的念现前，其仅仅为了智，为了忆念，并无依止而住，对世界上任何事物都没有执著。像这样，诸比丘，比丘亦于身体随观身体而住。

进而，诸比丘，例如，比丘观察丢弃在墓地的尸体，被乌鸦啄食，被老鹰啄食，被秃鹫啄食，被苍鹰啄食，被狗吃，被虎吃，被豹吃，被狼吃，被各种小生物吃。他仅仅关注此身体：'此身体也是如此性质、如此状态，不过如此。'像这样，诸比丘，比丘于内在之身随观身体而住，于外在之身随观身体而住，于内外在之身随观身体而住。于身体随观生起法而住，于身体随观灭尽法而住，于身体随观生灭法而住。于是，'具有身体'的念现前，其仅仅为了智，为了忆念，并无依止而住，对世界上任何事物都没有执著。像这样，诸比丘，比丘亦于身体随观身体而住。

进而，诸比丘，例如，比丘观察丢弃在墓地的尸体，骨骼相连，有肉有血，腱肉连结。他仅仅关注此身体：'此身体也是如此性质、如此状态，不过如此。'像这样，诸比丘，比丘于内在之身随观身体而住，于外在之身随观身体而住，于内外在之身随观身体而住。于身体随观生起法而住，于身体随观灭尽法而住，于身体随观生灭法而住。于是，'具有身体'的念现前，其仅仅为了智，为了忆念，并无依止而住，对世界上任何事物都没有执著。像这样，诸比丘，比丘亦于身体随观身体而住。

进而，诸比丘，例如，比丘观察丢弃在墓地的尸体，骨骼相连，无肉有血，腱肉连结。他仅仅关注此身体：'此身体也是如此性质、如此状态，不过如此。'像这样，诸比丘，比丘于内在之身随观身体而住，于外在之身随观身体而住，于内外在之身随观身体而住。于身体随观生起法而住，于身体随观灭尽法而住，于身体随观生灭法而住。于是，'具有身体'的念现前，其仅仅为了智，为了忆念，并无依止而住，对世界上任何事物都没有执著。像这样，诸比丘，比丘亦于身体随观身体而住。

进而，诸比丘，例如，比丘观察丢弃在墓地的尸体，骨骼相连，无肉无血，腱肉连结。他仅仅关注此身体：'此身体也是如此性质、如此状态，不过如此。'像这样，诸比丘，比丘于内在之身随观身体而住，于外在之身随观身体而住，于内外在之身随观身体而住。于身体随观生起法而住，于身体随观灭尽法而住，于身体随观生灭法而住。于是，'具有身体'的念现前，其仅仅为了智，为了忆念，并无依止而住，对世界上任何事物都没有执著。像这样，诸比丘，比丘亦于身体随观身体而住。

进而，诸比丘，例如，比丘观察丢弃在墓地的尸体，骨骼无连，四处散落，手骨在一处，脚骨在一处，踝骨在一处，小腿骨在一处,大腿骨在一处,盆骨在一处,肋骨在一处,脊柱骨在一处,肩胛骨在一处,颈骨在一处,颚骨在一处,牙齿骨在一处,头盖骨在一处。他仅仅关注此身体:'此身体也是如此性质、如此状态,不过如此。'像这样,诸比丘,比丘于内在之身随观身体而住,于外在之身随观身体而住,于内外在之身随观身体而住。于身体随观生起法而住,于身体随观灭尽法而住,于身体随观生灭法而住。于是,'具有身体'的念现前,其仅仅为了智,为了忆念,并无依止而住,对世界上任何事物都没有执著。像这样,诸比丘,比丘亦于身体随观身体而住。

进而,诸比丘,例如,比丘观察丢弃在墓地的尸体,白如贝色的骨头。他仅仅关注此身体:'此身体也是如此性质、如此状态,不过如此。'像这样,诸比丘,比丘于内在之身随观身体而住,于外在之身随观身体而住,于内外在之身随观身体而住。于身体随观生起法而住,于身体随观灭尽法而住,于身体随观生灭法而住。于是,'具有身体'的念现前,其仅仅为了智,为了忆念,并无依止而住,对世界上任何事物都没有执著。像这样,诸比丘,比丘亦于身体随观身体而住。

进而,诸比丘,例如,比丘观察丢弃在墓地的尸体,一年后堆积起来的骨头。他仅仅关注此身体:'此身体也是如此性质、如此状态,不过如此。'像这样,诸比丘,比丘于内在之身随观身体而住,于外在之身随观身体而住,于内外在之身随观身体而住。于身体随观生起法而住,于身体随观灭尽法而住，于身体随观生灭法而住。于是，'具有身体'的念现前，其仅仅为了智，为了忆念，并无依止而住，对世界上任何事物都没有执著。像这样，诸比丘，比丘亦于身体随观身体而住。

进而，诸比丘，例如，比丘观察丢弃在墓地的尸体，腐朽、变成粉末的骨头。他仅仅关注此身体：'此身体也是如此性质、如此状态，不过如此。'像这样，诸比丘，比丘于内在之身随观身体而住，于外在之身随观身体而住，于内外在之身随观身体而住。于身体随观生起法而住，于身体随观灭尽法而住，于身体随观生灭法而住。于是，'具有身体'的念现前，其仅仅为了智，为了忆念，并无依止而住，对世界上任何事物都没有执著。像这样，诸比丘，比丘亦于身体随观身体而住。"

（十四身随观完）

三、受随观

113 "那么，诸比丘，比丘如何于感受随观感受而住？诸比丘，在此，比丘感受乐受时，则深知'我感受乐受'。感受苦受时，则深知'我感受苦受'。感受非苦非乐受时，则深知'我感受非苦非乐受'。感受有欲乐受时，则深知'我感受有欲乐受'。感受无欲乐受时，则深知'我感受无欲乐受'。感受有欲苦受时，则深知'我感受有欲苦受'。感受无欲苦受时，则深知'我感受无欲苦受'。感受有欲非苦非乐受时，则深知'我感受有欲非苦非乐受'。感受无欲非苦非乐受时,则深知'我感受无欲非苦非乐受'。

像这样,诸比丘,比丘于内在之感受随观感受而住,于外在之感受随观感受而住,于内外在之感受随观感受而住。于感受随观生起法而住,于感受随观灭尽法而住,于感受随观生灭法而住。于是,'具有感受'的念现前,其仅仅为了智,为了忆念,并无依止而住,对世界上任何事物都没有执著。像这样,诸比丘,比丘亦于受随观感受而住。"

（受随观完）

四、心随观

114 "那么,诸比丘,比丘如何于心随观心而住?诸比丘,在此,比丘是有贪心,则深知'是有贪心'。是离贪心,则深知'是离贪心'。是有嗔心,则深知'是有嗔心'。是离嗔心,则深知'是离嗔心'。是有痴心,则深知'是有痴心'。是离痴心,则深知'是离痴心'。是统一心,则深知'是统一心'。是散乱心,则深知'是散乱心'。是广大心,则深知'是广大心'。是狭小心,则深知'是狭小心'。是有上心,则深知'是有上心'。是无上心,则深知'是无上心'。是已定心,则深知'是已定心'。是未定心,则深知'是未定心'。是解脱心,则深知'是解脱心'。是未解脱心,则深知'是未解脱心'。

像这样,诸比丘,比丘于内在之心随观心而住,于外在之心随观心而住，于内外在之心随观心而住。于心随观生起法而住，于心随观灭尽法而住，于心随观生灭法而住。于是，'具有心'的念现前，其仅仅为了智，为了忆念，并无依止而住，对世界上任何事物都没有执著。像这样，诸比丘，比丘于心随观心而住。"

（心随观完）

五、法随观

（一）盖

115 "那么，诸比丘，比丘如何于法随观法而住？诸比丘，在此，比丘于五盖法随观法而住。那么，诸比丘，比丘如何于五盖法随观法而住？

诸比丘，在此，比丘内有贪欲时，则深知'我内有贪欲'。内无贪欲时，则深知'我内无贪欲'。深知彼未生起贪欲之生起，深知彼已生起贪欲之舍断，深知彼已舍断贪欲之将来不生起。

内有嗔恚时，则深知'我内有嗔恚'。内无嗔恚时，则深知'我内无嗔恚'。深知彼未生起嗔恚之生起，深知彼已生起嗔恚之舍断，深知彼已舍断嗔恚之将来不生起。

内有昏沉、睡眠时，则深知'我内有昏沉、睡眠'。内无昏沉、睡眠时，则深知'我内无昏沉、睡眠'。深知彼未生起昏沉、睡眠之生起，深知彼已生起昏沉、睡眠之舍断，深知彼已舍断昏沉、睡眠之将来不生起。

内有掉举、后悔时，则深知'我内有掉举、后悔'。内无掉举、后悔时，则深知'我内无掉举、后悔'。深知彼未生起掉举、后悔之生起，深知彼已生起掉举、后悔之舍断，深知彼已舍断掉举、后悔之将来不生起。

内有疑惑时，则深知'我内有疑惑'。内无疑惑时，则深知'我内无疑惑'。深知彼未生起疑惑之生起，深知彼已生起疑惑之舍断，深知彼已舍断疑惑之将来不生起。

像这样，诸比丘，比丘于内在之法随观法而住，于外在之法随观法而住，于内外在之法随观法而住。于法随观生起法而住，于法随观灭尽法而住，于法随观生灭法而住。于是，'具有法'的念现前，其仅仅为了智，为了忆念，并无依止而住，对世界上任何事物都没有执著。像这样，诸比丘，比丘于五盖法随观法而住。"

（二）蕴

116　"进而，诸比丘，比丘于五取蕴法随观法而住。那么，诸比丘，比丘如何于五取蕴法随观法而住？诸比丘，在此，比丘知'此就是色，此就是色的生起，此就是色的灭尽。此就是受，此就是受的生起，此就是受的灭尽。此就是想，此就是想的生起，此就是想的灭尽。此就是行，此就是行的生起，此就是行的灭尽。此就是识，此就是识的生起，此就是识的灭尽。'

像这样，诸比丘，比丘于内在之法随观法而住，于外在之

法随观法而住,于内外在之法随观法而住。于法随观生起法
而住,于法随观灭尽法而住,于法随观生灭法而住。于是,
'具有法'的念现前,其仅仅为了智,为了忆念,并无依止而
住,对世界上任何事物都没有执著。像这样,诸比丘,比丘于
五取蕴法随观法而住。"

(三)处

117 "进而,诸比丘,比丘于内外六处法随观法而住。
那么,诸比丘,比丘如何于内外六处法随观法而住?

诸比丘,在此,比丘深知眼,深知色,深知因为彼二者而
束缚生起,深知彼未生起束缚之生起,深知彼已生起束缚之
舍断,深知彼已舍断束缚之将来不生起。

深知耳,深知声,深知因为彼二者而束缚生起,深知彼未
生起束缚之生起,深知彼已生起束缚之舍断,深知彼已舍断
束缚之将来不生起。

深知鼻,深知香,深知因为彼二者而束缚生起,深知彼未
生起束缚之生起,深知彼已生起束缚之舍断,深知彼已舍断
束缚之将来不生起。

深知舌,深知味,深知因为彼二者而束缚生起,深知彼未
生起束缚之生起,深知彼已生起束缚之舍断,深知彼已舍断
束缚之将来不生起。

深知身,深知触,深知因为彼二者而束缚生起,深知彼未
生起束缚之生起,深知彼已生起束缚之舍断,深知彼已舍断
束缚之将来不生起。

深知意，深知法，深知因为彼二者而束缚生起，深知彼未生起束缚之生起，深知彼已生起束缚之舍断，深知彼已舍断束缚之将来不生起。

像这样，诸比丘，比丘于内在之法随观法而住，于外在之法随观法而住，于内外在之法随观法而住。于法随观生起法而住，于法随观灭尽法而住，于法随观生灭法而住。于是，'具有法'的念现前，其仅仅为了智，为了忆念，并无依止而住，对世界上任何事物都没有执著。像这样，诸比丘，比丘于内外六处法随观法而住。"

（四）觉支

118 "进而，诸比丘，比丘于七觉支法随观法而住。那么，诸比丘，比丘如何于七觉支法随观法而住？诸比丘，在此，比丘内有念等觉支时，则深知'我内有念等觉支'，内无念等觉支时，则深知'我内无念等觉支'。深知彼未生起念等觉支之生起，深知彼已生起念等觉支修行之圆满。

内有择法等觉支时，则深知'我内有择法等觉支'，内无择法等觉支时，则深知'我内无择法等觉支'。深知彼未生起择法等觉支之生起，深知彼已生起择法等觉支修行之圆满。

内有精进等觉支时，则深知'我内有精进等觉支'，内无精进等觉支时，则深知'我内无精进等觉支'。深知彼未生起精进等觉支之生起，深知彼已生起精进等觉支修行之圆满。

内有喜等觉支时，则深知'我内有喜等觉支'，内无喜等觉支时，则深知'我内无喜等觉支'。深知彼未生起喜等觉支之生起，深知彼已生起喜等觉支修行之圆满。

内有轻安等觉支时，则深知'我内有轻安等觉支'，内无轻安等觉支时，则深知'我内无轻安等觉支'。深知彼未生起轻安等觉支之生起，深知彼已生起轻安等觉支修行之圆满。

内有定等觉支时，则深知'我内有定等觉支'，内无定等觉支时，则深知'我内无定等觉支'。深知彼未生起定等觉支之生起，深知彼已生起定等觉支修行之圆满。

内有舍等觉支时，则深知'我内有舍等觉支'，内无舍等觉支时，则深知'我内无舍等觉支'。深知彼未生起舍等觉支之生起，深知彼已生起舍等觉支修行之圆满。

像这样，诸比丘，比丘于内在之法随观法而住，于外在之法随观法而住，于内外在之法随观法而住。于法随观生起法而住，于法随观灭尽法而住，于法随观生灭法而住。于是，'具有法'的念现前，其仅仅为了智，为了忆念，并无依止而住，对世界上任何事物都没有执著。像这样，诸比丘，比丘于七觉支法随观法而住。"

（五）谛

119　"进而，诸比丘，比丘于四圣谛法随观法而住。那么，诸比丘，比丘如何于四圣谛法随观法而住？诸比丘，在此，比丘如实深知'此就是苦'，如实深知'此就是苦的生起'，如实深知'此就是苦的灭尽'，如实深知'此就是通往苦灭尽的行道。'"

（第一诵分完）

六、苦谛细说

120 "那么，诸比丘，何为苦之圣谛？生亦是苦，老亦是苦，死亦是苦，愁、悲、苦、忧、恼亦是苦，怨憎会亦是苦，爱别离亦是苦，彼所求不得亦是苦，五取蕴亦是苦。"

121 "那么，诸比丘，何为生？彼诸有情于各有情群类的生、出生、投胎、再生、各蕴出现、各处获得，诸比丘，此即被称为生。"

122 "那么，诸比丘，何为老？彼诸有情于各有情群类的老、衰老、牙齿脱落、白发、皱纹、寿命减少、诸根损坏，诸比丘，此即被称为老。"

123 "那么，诸比丘，何为死？彼诸有情从各有情群类的死、死去、破裂、磨灭、死亡、逝去、命终、诸蕴破坏、身体舍弃、命根断绝，诸比丘，此即被称为死。"

124 "那么，诸比丘，何为愁？诸比丘，由于某些灾难所引发的、因为某些苦法所触及的愁、忧愁、困愁、内忧、内心忧郁，诸比丘，此即被称为愁。"

125 "那么，诸比丘，何为悲？诸比丘，由于某些灾难所引发的、因为某些苦法所触及的悲、悲伤、伤心、悲泣、悲哀、哀叹，诸比丘，此即被称为悲。"

126　"那么，诸比丘，何为苦？诸比丘，身体的痛苦、身体的不快、身体接触所产生的痛苦、不快的感觉，诸比丘，此即被称为苦。"

127　"那么，诸比丘，何为忧？诸比丘，心里的痛苦、心里的不快、意识接触所产生的痛苦、不快的感觉，诸比丘，此即被称为忧。"

128　"那么，诸比丘，何为恼？诸比丘，由于某些灾难所引发的、因为某些苦法所触及的恼、烦恼、苦恼、绝望，诸比丘，此即被称为恼。"

129　"那么，诸比丘，何为怨憎会苦？此有不好、不称心、不可意的色声香味触法，或有不希望其饶益者、不希望其有利得者、不希望其安稳者、不希望其稳固者，与其交集、结合、相遇、会合，诸比丘，此即被称为怨憎会苦。"

130　"那么，诸比丘，何为爱别离苦？此有可爱、可心、可意的色声香味触法，或有希望其饶益者、希望其有利得者、希望其安稳者、希望其稳固者，或父母或兄弟或姊妹或朋友或知己或亲属，与其不交集、不结合、不相遇、不会合，诸比丘，此即被称为爱别离苦。"

131　"那么，诸比丘，何为所求不得苦？诸比丘，身为生法的有情如此祈求'我不存在生法，生不来到。'然而，其所求不能获得，此亦为所求不得苦。

诸比丘，身为老法的有情如此祈求'我不存在老法，老不来到。'然而，其所求不能获得，此亦为所求不得苦。

诸比丘,身为病法的有情如此祈求'我不存在病法,病不来到。'然而,其所求不能获得,此亦为所求不得苦。

诸比丘,身为死法的有情如此祈求'我不存在死法,死不来到。'然而,其所求不能获得,此亦为所求不得苦。

诸比丘,身为愁、悲、苦、忧、恼法的有情如此祈求'我不存在愁、悲、苦、忧、恼法,愁、悲、苦、忧、恼不来到。'然而,其所求不能获得,此亦为所求不得苦。"

132　"那么,诸比丘,何为五取蕴的苦?即色取蕴、受取蕴、想取蕴、行取蕴、识取蕴,诸比丘,此即被称为五取蕴的苦。诸比丘,此即被称为苦之圣谛。"

七、生起谛细说

133　"那么,诸比丘,何为苦生起之圣谛?诸比丘,此即为导致再生、具有喜贪、随处欢喜的渴爱,即欲爱、有爱、无有爱。

那么,诸比丘,此诸渴爱的生起在何处生?执著在何处执著?世间有可爱色、可意色,此诸渴爱的生起在此处生起,执著在此处执著。

那么,是世间的什么可爱色、什么可意色?眼在世间的可爱色、可意色,此诸渴爱的生起在此处生起,执著在此处执著。耳在世间的可爱色、可意色,此诸渴爱的生起在此处生起,执著在此处执著。鼻在世间的可爱色、可意色,此诸渴爱的生起在此处生起,执著在此处执著。舌在世间的可爱色、可意色，此诸渴爱的生起在此处生起，执著在此处执著。身在世间的可爱色、可意色，此诸渴爱的生起在此处生起，执著在此处执著。意在世间的可爱色、可意色，此诸渴爱的生起在此处生起，执著在此处执著。

色在世间的可爱色、可意色，此诸渴爱的生起在此处生起，执著在此处执著。声在世间的可爱色、可意色，此诸渴爱的生起在此处生起，执著在此处执著。香在世间的可爱色、可意色，此诸渴爱的生起在此处生起，执著在此处执著。味在世间的可爱色、可意色，此诸渴爱的生起在此处生起，执著在此处执著。触在世间的可爱色、可意色，此诸渴爱的生起在此处生起，执著在此处执著。法在世间的可爱色、可意色，此诸渴爱的生起在此处生起，执著在此处执著。

眼识在世间的可爱色、可意色，此诸渴爱的生起在此处生起，执著在此处执著。耳识在世间的可爱色、可意色，此诸渴爱的生起在此处生起，执著在此处执著。鼻识在世间的可爱色、可意色，此诸渴爱的生起在此处生起，执著在此处执著。舌识在世间的可爱色、可意色，此诸渴爱的生起在此处生起，执著在此处执著。身识在世间的可爱色、可意色，此诸渴爱的生起在此处生起，执著在此处执著。意识在世间的可爱色、可意色，此诸渴爱的生起在此处生起，执著在此处执著。

眼触在世间的可爱色、可意色，此诸渴爱的生起在此处生起，执著在此处执著。耳触在世间的可爱色、可意色，此诸渴爱的生起在此处生起，执著在此处执著。鼻触在世间的可爱色、可意色，此诸渴爱的生起在此处生起，执著在此处执著。舌触在世间的可爱色、可意色，此诸渴爱的生起在此处生起，执著在此处执著。身触在世间的可爱色、可意色，此诸渴爱的生起在此处生起，执著在此处执著。意触在世间的可爱色、可意色，此诸渴爱的生起在此处生起，执著在此处执著。

　　眼触所生感受在世间的可爱色、可意色，此诸渴爱的生起在此处生起，执著在此处执著。耳触所生感受在世间的可爱色、可意色，此诸渴爱的生起在此处生起，执著在此处执著。鼻触所生感受在世间的可爱色、可意色，此诸渴爱的生起在此处生起，执著在此处执著。舌触所生感受在世间的可爱色、可意色，此诸渴爱的生起在此处生起，执著在此处执著。身触所生感受在世间的可爱色、可意色，此诸渴爱的生起在此处生起，执著在此处执著。意触所生感受在世间的可爱色、可意色，此诸渴爱的生起在此处生起，执著在此处执著。

　　色想在世间的可爱色、可意色，此诸渴爱的生起在此处生起，执著在此处执著。声想在世间的可爱色、可意色，此诸渴爱的生起在此处生起，执著在此处执著。香想在世间的可爱色、可意色，此诸渴爱的生起在此处生起，执著在此处执著。味想在世间的可爱色、可意色，此诸渴爱的生起在此处生起，执著在此处执著。触想在世间的可爱色、可意色，此诸渴爱的生起在此处生起，执著在此处执著。法想在世间的可爱色、可意色，此诸渴爱的生起在此处生起，执著在此处执著。

色思在世间的可爱色、可意色，此诸渴爱的生起在此处生起，执著在此处执著。声思在世间的可爱色、可意色，此诸渴爱的生起在此处生起，执著在此处执著。香思在世间的可爱色、可意色，此诸渴爱的生起在此处生起，执著在此处执著。味思在世间的可爱色、可意色，此诸渴爱的生起在此处生起，执著在此处执著。触思在世间的可爱色、可意色，此诸渴爱的生起在此处生起，执著在此处执著。法思在世间的可爱色、可意色，此诸渴爱的生起在此处生起，执著在此处执著。

色爱在世间的可爱色、可意色，此诸渴爱的生起在此处生起，执著在此处执著。声爱在世间的可爱色、可意色，此诸渴爱的生起在此处生起，执著在此处执著。香爱在世间的可爱色、可意色，此诸渴爱的生起在此处生起，执著在此处执著。味爱在世间的可爱色、可意色，此诸渴爱的生起在此处生起，执著在此处执著。触爱在世间的可爱色、可意色，此诸渴爱的生起在此处生起，执著在此处执著。法爱在世间的可爱色、可意色，此诸渴爱的生起在此处生起，执著在此处执著。

色浅观在世间的可爱色、可意色，此诸渴爱的生起在此处生起，执著在此处执著。声浅观在世间的可爱色、可意色，此诸渴爱的生起在此处生起，执著在此处执著。香浅观在世间的可爱色、可意色，此诸渴爱的生起在此处生起，执著在此处执著。味浅观在世间的可爱色、可意色，此诸渴爱的生起在此处生起，执著在此处执著。触浅观在世间的可爱色、可意色，此诸渴爱的生起在此处生起，执著在此处执著。法浅观在世间的可爱色、可意色，此诸渴爱的生起在此处生起，执著在此处执著。

色深观在世间的可爱色、可意色，此诸渴爱的生起在此处生起，执著在此处执著。声深观在世间的可爱色、可意色，此诸渴爱的生起在此处生起，执著在此处执著。香深观在世间的可爱色、可意色，此诸渴爱的生起在此处生起，执著在此处执著。味深观在世间的可爱色、可意色，此诸渴爱的生起在此处生起，执著在此处执著。触深观在世间的可爱色、可意色，此诸渴爱的生起在此处生起，执著在此处执著。法深观在世间的可爱色、可意色，此诸渴爱的生起在此处生起，执著在此处执著。诸比丘，此即被称为苦生起之圣谛。”

八、灭尽谛细说

134　“那么，诸比丘，何为苦灭尽之圣谛？诸比丘，此即为对彼渴爱无余的远离和灭尽、舍弃、丢弃、脱离、无执著。

那么，诸比丘，彼渴爱的舍弃在何处舍弃？灭尽在何处灭尽？世间有可爱色、可意色，此诸渴爱的舍弃在此处舍弃，灭尽在此处灭尽。

那么，是世间的何可爱色、可意色？眼在世间的可爱色、可意色，此诸渴爱的舍弃在此处舍弃，灭尽在此处灭尽。耳在世间的可爱色、可意色，此诸渴爱的舍弃在此处舍弃，灭尽在此处灭尽。鼻在世间的可爱色、可意色，此诸渴爱的舍弃在此处舍弃，灭尽在此处灭尽。舌在世间的可爱色、可意色，此诸渴爱的舍弃在此处舍弃，灭尽在此处灭尽。身在世间的可爱色、可意色，此诸渴爱的舍弃在此处舍弃，灭尽在此处灭尽。意在世间的可爱色、可意色，此诸渴爱的舍弃在此处舍弃，灭尽在此处灭尽。

色在世间的可爱色、可意色，此诸渴爱的舍弃在此处舍弃，灭尽在此处灭尽。声在世间的可爱色、可意色，此诸渴爱的舍弃在此处舍弃，灭尽在此处灭尽。香在世间的可爱色、可意色，此诸渴爱的舍弃在此处舍弃，灭尽在此处灭尽。味在世间的可爱色、可意色，此诸渴爱的舍弃在此处舍弃，灭尽在此处灭尽。触在世间的可爱色、可意色，此诸渴爱的舍弃在此处舍弃，灭尽在此处灭尽。法在世间的可爱色、可意色，此诸渴爱的舍弃在此处舍弃，灭尽在此处灭尽。

眼识在世间的可爱色、可意色，此诸渴爱的舍弃在此处舍弃，灭尽在此处灭尽。耳识在世间的可爱色、可意色，此诸渴爱的舍弃在此处舍弃，灭尽在此处灭尽。鼻识在世间的可爱色、可意色，此诸渴爱的舍弃在此处舍弃，灭尽在此处灭尽。舌识在世间的可爱色、可意色，此诸渴爱的舍弃在此处舍弃，灭尽在此处灭尽。身识在世间的可爱色、可意色，此诸渴爱的舍弃在此处舍弃,灭尽在此处灭尽。意识在世间的可爱色、可意色,此诸渴爱的舍弃在此处舍弃,灭尽在此处灭尽。

眼触在世间的可爱色、可意色,此诸渴爱的舍弃在此处舍弃,灭尽在此处灭尽。耳触在世间的可爱色、可意色,此诸渴爱的舍弃在此处舍弃,灭尽在此处灭尽。鼻触在世间的可爱色、可意色,此诸渴爱的舍弃在此处舍弃,灭尽在此处灭尽。舌触在世间的可爱色、可意色,此诸渴爱的舍弃在此处舍弃,灭尽在此处灭尽。身触在世间的可爱色、可意色,此诸渴爱的舍弃在此处舍弃,灭尽在此处灭尽。意触在世间的可爱色、可意色,此诸渴爱的舍弃在此处舍弃,灭尽在此处灭尽。

眼触所生感受在世间的可爱色、可意色,此诸渴爱的舍弃在此处舍弃,灭尽在此处灭尽。耳触所生感受在世间的可爱色、可意色,此诸渴爱的舍弃在此处舍弃,灭尽在此处灭尽。鼻触所生感受在世间的可爱色、可意色,此诸渴爱的舍弃在此处舍弃,灭尽在此处灭尽。舌触所生感受在世间的可爱色、可意色,此诸渴爱的舍弃在此处舍弃,灭尽在此处灭尽。身触所生感受在世间的可爱色、可意色,此诸渴爱的舍弃在此处舍弃,灭尽在此处灭尽。意触所生感受在世间的可爱色、可意色,此诸渴爱的舍弃在此处舍弃,灭尽在此处灭尽。

色想在世间的可爱色、可意色,此诸渴爱的舍弃在此处舍弃,灭尽在此处灭尽。声想在世间的可爱色、可意色,此诸渴爱的舍弃在此处舍弃,灭尽在此处灭尽。香想在世间的可爱色、可意色，此诸渴爱的舍弃在此处舍弃，灭尽在此处灭尽。味想在世间的可爱色、可意色，此诸渴爱的舍弃在此处舍弃，灭尽在此处灭尽。触想在世间的可爱色、可意色，此诸渴爱的舍弃在此处舍弃，灭尽在此处灭尽。法想在世间的可爱色、可意色，此诸渴爱的舍弃在此处舍弃，灭尽在此处灭尽。

色思在世间的可爱色、可意色，此诸渴爱的舍弃在此处舍弃，灭尽在此处灭尽。声思在世间的可爱色、可意色，此诸渴爱的舍弃在此处舍弃，灭尽在此处灭尽。香思在世间的可爱色、可意色，此诸渴爱的舍弃在此处舍弃，灭尽在此处灭尽。味思在世间的可爱色、可意色，此诸渴爱的舍弃在此处舍弃，灭尽在此处灭尽。触思在世间的可爱色、可意色，此诸渴爱的舍弃在此处舍弃，灭尽在此处灭尽。法思在世间的可爱色、可意色，此诸渴爱的舍弃在此处舍弃，灭尽在此处灭尽。

色爱在世间的可爱色、可意色，此诸渴爱的舍弃在此处舍弃，灭尽在此处灭尽。声爱在世间的可爱色、可意色，此诸渴爱的舍弃在此处舍弃，灭尽在此处灭尽。香爱在世间的可爱色、可意色，此诸渴爱的舍弃在此处舍弃，灭尽在此处灭尽。味爱在世间的可爱色、可意色，此诸渴爱的舍弃在此处舍弃，灭尽在此处灭尽。触爱在世间的可爱色、可意色，此诸渴爱的舍弃在此处舍弃，灭尽在此处灭尽。法爱在世间的可爱色、可意色，此诸渴爱的舍弃在此处舍弃，灭尽在此处灭尽。

色浅观在世间的可爱色、可意色，此诸渴爱的舍弃在此处舍弃，灭尽在此处灭尽。声浅观在世间的可爱色、可意色，此诸渴爱的舍弃在此处舍弃，灭尽在此处灭尽。香浅观在世间的可爱色、可意色，此诸渴爱的舍弃在此处舍弃，灭尽在此处灭尽。味浅观在世间的可爱色、可意色，此诸渴爱的舍弃在此处舍弃，灭尽在此处灭尽。触浅观在世间的可爱色、可意色，此诸渴爱的舍弃在此处舍弃，灭尽在此处灭尽。法浅观在世间的可爱色、可意色，此诸渴爱的舍弃在此处舍弃，灭尽在此处灭尽。

色深观在世间的可爱色、可意色，此诸渴爱的舍弃在此处舍弃，灭尽在此处灭尽。声深观在世间的可爱色、可意色，此诸渴爱的舍弃在此处舍弃，灭尽在此处灭尽。香深观在世间的可爱色、可意色，此诸渴爱的舍弃在此处舍弃，灭尽在此处灭尽。味深观在世间的可爱色、可意色，此诸渴爱的舍弃在此处舍弃，灭尽在此处灭尽。触深观在世间的可爱色、可意色，此诸渴爱的舍弃在此处舍弃，灭尽在此处灭尽。法深观在世间的可爱色、可意色，此诸渴爱的舍弃在此处舍弃，灭尽在此处灭尽。诸比丘，此即被称为苦灭尽之圣谛。"

九、道谛细说

135　"那么，诸比丘，何为通往苦灭尽的行道之圣谛？诸比丘，此即为八正道，即正见、正思、正语、正业、正命、正精进、正念、正定。

那么，诸比丘，何为正见？诸比丘，苦智、苦生起智、苦灭尽智、通往苦灭尽的行道智，诸比丘，此即被称为正见。

那么，诸比丘，何为正思？诸比丘，出离思维、无嗔思维、不害思维，诸比丘，此即被称为正思。

那么，诸比丘，何为正语？诸比丘，远离妄语、远离离间语、远离粗恶语、远离杂秽语，诸比丘，此即被称为正语。

那么，诸比丘，何为正业？诸比丘，远离杀生、远离不与取、远离邪淫，诸比丘，此即被称为正业。

那么，诸比丘，何为正命？诸比丘，在此，圣弟子舍弃邪命生活，依正命生活，诸比丘，此即被称为正命。

那么，诸比丘，何为正精进？诸比丘，在此，比丘为了未生起的邪恶、不善法的不生而发心、努力、奋起精进、鼓舞意志、策励努力；为了已生起的邪恶、不善法的舍断而发心、努力、奋起精进、鼓舞意志、策励努力；为了未生起的善法的生起而发心、努力、奋起精进、鼓舞意志、策励努力；为了已生起的善法的住立而发心、努力、奋起精进、鼓舞意志、策励努力。诸比丘，此即被称为正精进。

那么，诸比丘，何为正念？诸比丘，比丘具正勤，具正知，具念，调伏世间的贪欲和忧恼，于身体随观身体而住；具正勤，具正知，具念，调伏世间的贪欲和忧恼，于感受随观感受而住；具正勤，具正知，具念，调伏世间的贪欲和忧恼，于心随观心而住；具正勤，具正知，具念，调伏世间的贪欲和忧恼，于诸法随观诸法而住。诸比丘，此即被称为正念。

那么，诸比丘，何为正定？诸比丘，在此，比丘由于离开诸欲，离开诸不善法，到达并住立于有浅观、有深观、因远离而生喜和乐的初禅。由于浅观和深观的寂灭，到达并住立于内部清净的心一境性，到达无浅观、无深观、具有因定而生喜和乐的第二禅。离开喜，住于舍，具念，具正知，以身体感知乐，到达并住立于圣者所称的'有舍、具念、住于乐'的第三禅。舍弃乐，舍弃苦，以前早已熄灭喜和忧，到达并住立于非苦非乐、舍念遍净的第四禅。诸比丘，此即被称为正定。诸比丘，此即被称为通往苦灭尽的行道之圣谛。"

136 "像这样，诸比丘，比丘于内在之法随观法而住，于外在之法随观法而住，于内外在之法随观法而住。于法随观生起法而住，于法随观灭尽法而住，于法随观生灭法而住。于是，'具有法'的念现前，其仅仅为了智，为了忆念，并无依止而住，对世界上任何事物都没有执著。像这样，诸比丘，比丘于四圣谛法随观法而住。"

（法随观完）

137 "诸比丘，无论是谁，如果如此修习四念处七年，则其可望获得二种果报之一，或现世完全觉悟，或为不还果，如果有余念。

诸比丘，不需要七年。诸比丘，无论是谁，如果如此修习四念处六年，则其可望获得二种果报之一，或现世完全觉悟，或为不还果，如果有余念。

诸比丘，不需要六年。诸比丘，无论是谁，如果如此修习四念处五年，则其可望获得二种果报之一，或现世完全觉悟，或为不还果，如果有余念。

诸比丘，不需要五年。诸比丘，无论是谁，如果如此修习四念处四年，则其可望获得二种果报之一，或现世完全觉悟，或为不还果，如果有余念。

诸比丘，不需要四年。诸比丘，无论是谁，如果如此修习四念处三年，则其可望获得二种果报之一，或现世完全觉悟，或为不还果，如果有余念。

诸比丘，不需要三年。诸比丘，无论是谁，如果如此修习四念处二年，则其可望获得二种果报之一，或现世完全觉悟，或为不还果，如果有余念。

诸比丘，不需要二年。诸比丘，无论是谁，如果如此修习四念处一年，则其可望获得二种果报之一，或现世完全觉悟，或为不还果，如果有余念。

诸比丘，不需要一年。诸比丘，无论是谁，如果如此修习四念处七个月，则其可望获得二种果报之一，或现世完全觉悟，或为不还果，如果有余念。

诸比丘，不需要七个月。诸比丘，无论是谁，如果如此修习四念处六个月，则其可望获得二种果报之一，或现世完全觉悟，或为不还果，如果有余念。

诸比丘，不需要六个月。诸比丘，无论是谁，如果如此修习四念处五个月，则其可望获得二种果报之一，或现世完全觉悟，或为不还果，如果有余念。

　　诸比丘，不需要五个月。诸比丘，无论是谁，如果如此修习四念处四个月，则其可望获得二种果报之一，或现世完全觉悟，或为不还果，如果有余念。

　　诸比丘，不需要四个月。诸比丘，无论是谁，如果如此修习四念处三个月，则其可望获得二种果报之一，或现世完全觉悟，或为不还果，如果有余念。

　　诸比丘，不需要三个月。诸比丘，无论是谁，如果如此修习四念处二个月，则其可望获得二种果报之一，或现世完全觉悟，或为不还果，如果有余念。

　　诸比丘，不需要二个月。诸比丘，无论是谁，如果如此修习四念处一个月，则其可望获得二种果报之一，或现世完全觉悟，或为不还果，如果有余念。

　　诸比丘，不需要一个月。诸比丘，无论是谁，如果如此修习四念处半个月，则其可望获得二种果报之一，或现世完全觉悟，或为不还果，如果有余念。

　　诸比丘，不需要半个月。诸比丘，无论是谁，如果如此修习四念处七天，则其可望获得二种果报之一，或现世完全觉悟，或为不还果，如果有余念。"

　　138　"诸比丘，此为一乘路，是诸有情获得清净、超越忧愁悲伤、灭尽痛苦忧恼、到达正理、现证涅槃的道路，其就是四念处。之所以这样说，皆依据上述而说。"

　　此为佛陀所说。彼比丘众内心喜悦，欢喜佛陀所说。

　　　　　　　　　　　　　　　　　　　　（大念处经完）

二、狮子吼集（Sīhanādavaggo）

内容简介

《狮子吼集》共包括十部经,分别为《小狮子吼经》《大狮子吼经》《大苦蕴经》《小苦蕴经》《推理经》《心荒芜经》《丛林经》《蜜丸经》《二种浅观经》和《浅观形相经》。

第一部《小狮子吼经》中,佛陀指出了佛教与外道的根本区别在于此法与律是如来、阿罗汉、正等觉者所善阐述、善教授,其利于出离,引导如法修行者至寂静,只有在此法与律中才存在着四沙门果,即预流果、一来果、不还果、阿罗汉果。

第二部《大狮子吼经》中包含着部分与《长部（一）戒蕴篇》的《大狮子吼经》相似的内容。在本经的前半部分,佛陀详述了佛德、十如来力、四无畏。在后半部分中,佛陀阐述了各种苦行,指出通过苦行并不能获得超人法的特殊的最胜智见。

第三部《大苦蕴经》中,佛陀教导了诸欲的乐味、过患和出离,诸色的乐味、过患和出离,诸感受的乐味、过患和出离。

第四部《小苦蕴经》中，佛陀指出贪、嗔、痴未被彻底舍断，则不能舍弃家庭，不能舍弃对诸欲的享乐。本经以阐述诸欲的乐味、过患和出离为主。

第五部《推理经》中，摩诃目犍连尊者首先教导比丘如何区分恶语业和善语业，然后加以推理，由己所不欲恶语业而不行恶语业，审查自己，住于诸善法学习。

第六部《心荒芜经》中，佛陀指出了令比丘不能倾心于勇猛、专修、坚忍、精勤的五种心荒芜和五种心束缚，只有舍弃心荒芜，断除心束缚，具足勤勇等十五支，才可以成正等觉，证得无上的无碍安稳。

第七部《丛林经》中，佛陀指出存在着各种丛林道场和导师，真正修行、求解脱的比丘应该住于什么样的道场进行修行，应该接近什么样的导师接受教导。

第八部《蜜丸经》中，摩诃迦旃延尊者应比丘众的请求将佛陀简略进行的开示加以详细阐释，讲解了六根、六境、六识的关系。

第九部《二种浅观经》中，佛陀指出一个人大量地随观、探求哪里，心就会朝向哪里，因此在修行过程中要把握自己的心，行禅定，莫放逸。

第十部《浅观形相经》中，佛陀指出专修增上心的比丘应时时作意五个征相，要舍弃伴随贪、伴随嗔、伴随痴的恶不善浅观，令其消亡，从而达到内心的确立、安稳、统一、安定。

第一、小狮子吼经（Cūḷasīhanādasuttaṃ）

139　如是我闻。

一次，佛陀住在舍卫城附近的祇陀林给孤独园。在此，佛陀对比丘众说道："诸比丘。"

"尊师。"彼比丘众应诺佛陀。

佛陀如下说道："诸比丘，在此有第一沙门，在此有第二沙门，在此有第三沙门，在此有第四沙门，在其他外道，无有沙门。诸比丘，像这样，你们要正确地作此狮子吼。"

140　"然而，诸比丘，有此道理。外道的遍历行者或许如此声称：'那么，诸尊者的根据是什么？力量是什么？据此，诸尊者，你们如此声称："在此有第一沙门，在此有第二沙门，在此有第三沙门，在此有第四沙门，在其他外道，无有沙门"。'

诸比丘，对于如此言说的外道遍历行者应该如此回答：'朋友，有知者、见者、阿罗汉、正等觉的彼世尊所告知的四法，据此，我们于自身不断正观并如此说道："在此有第一沙门，在此有第二沙门，在此有第三沙门，在此有第四沙门，在其他外道，无有沙门。"哪四法？朋友，我们对导师有净信，对法有净信，诸戒完整，有可爱、可意的同法者，无论是居家者还是出家者。朋友，此为知者、见者、阿罗汉、正等觉的彼世尊所告知的四法，据此，我们于自身不断正观并如此说道："在此有第一沙门，在此有第二沙门，在此有第三沙门，在此有第四沙门，在其他外道，无有沙门。"'"

141　"诸比丘，有此道理，外道的遍历行者或许如此声称：'诸尊者，我们也对导师有净信，对法有净信，诸戒完整，有可爱、可意的同法者，无论居家者还是出家者。诸尊者，你们的特质是什么？特相是什么？你们与我们的差异是什么？'

诸比丘，对于如此言说的外道遍历行者应该如此提问：'朋友，那么，目的是一个，还是目的是多个？'

诸比丘，正确回答的外道遍历行者将如此回答：'诸尊者，目的是一个，目的不是多个。'

'朋友，其是有贪者的目的，还是离贪者的目的？'

诸比丘，正确回答的外道遍历行者将如此回答：'诸尊者，其是离贪者的目的，其不是有贪者的目的。'

'朋友，其是有瞋者的目的，还是离瞋者的目的？'

诸比丘，正确回答的外道遍历行者将如此回答：'诸尊者，其是离瞋者的目的，其不是有瞋者的目的。'

'朋友，其是有痴者的目的，还是离痴者的目的？'

诸比丘，正确回答的外道遍历行者将如此回答：'诸尊者，其是离痴者的目的，其不是有痴者的目的。'

'朋友，其是有渴爱者的目的，还是离渴爱者的目的？'

　　诸比丘,正确回答的外道遍历行者将如此回答:'诸尊者,其是离渴爱者的目的,其不是有渴爱者的目的。'

　　'朋友,其是有取著者的目的,还是离取著者的目的?'

　　诸比丘,正确回答的外道遍历行者将如此回答:'诸尊者,其是离取著者的目的,其不是有取著者的目的。'

　　'朋友,其是智者的目的,还是非智者的目的?'

　　诸比丘,正确回答的外道遍历行者将如此回答:'诸尊者,其是智者的目的,其不是非智者的目的。'

　　'朋友,其是爱憎者的目的,还是非爱憎者的目的?'

　　诸比丘,正确回答的外道遍历行者将如此回答:'诸尊者,其是非爱憎者的目的,其不是爱憎者的目的。'

　　'朋友,其是欢喜障碍、欢愉障碍者的目的,还是欢喜非障碍、欢愉非障碍者的目的?'

　　诸比丘,正确回答的外道遍历行者将如此回答:'诸尊者,其是欢喜非障碍、欢愉非障碍者的目的,其不是欢喜障碍、欢愉障碍者的目的。'"

142 "诸比丘,有此两种见,即有见和无有见。诸比丘,任何沙门、婆罗门执持于有见,陷于有见,固执有见,则彼就会与无有见对立。诸比丘,任何沙门、婆罗门执持于无有见,陷于无有见,固执无有见,则彼就会与有见对立。

　　诸比丘,任何沙门、婆罗门不如实了知此二见的生起、灭尽、乐味、过患、出离,我说其就是有贪者,其就是有嗔者,其就是有痴者,其就是有渴爱者,其就是有取著者,其就是非智者,其就是爱憎者,其就是欢喜障碍、欢愉障碍者,其不能从生、老、死、愁、悲、苦、忧、恼中获得自由,不能从苦中解脱。

诸比丘,任何沙门、婆罗门如实了知此二见的生起、灭尽、乐味、过患、出离,我说其就是离贪者,其就是离嗔者,其就是离痴者,其就是离渴爱者,其就是离取著者,其就是智者,其就是非爱憎者,其就是欢喜非障碍、欢愉非障碍者,其就能从生、老、死、愁、悲、苦、忧、恼中获得自由,就能从苦中解脱。"

143 "诸比丘,有四取著。哪四个?欲取著、见取著、戒禁取著、自语取著。诸比丘,有些沙门、婆罗门自称是一切取著的遍知论者,然而,对于一切取著的遍知他们不能正确告知。尽管他们告知欲取著的遍知,却不能告知见取著的遍知,不能告知戒禁取著的遍知,不能告知自语取著的遍知。此为何故?因为彼令人尊敬的沙门、婆罗门并未如实地了知此三个。因此,彼令人尊敬的沙门、婆罗门虽然自称是一切取著的遍知论者,然而,对于一切取著的遍知他们不能正确告知。尽管他们告知欲取著的遍知,却不能告知见取著的遍知,不能告知戒禁取著的遍知,不能告知自语取著的遍知。

诸比丘,有些沙门、婆罗门自称是一切取著的遍知论者,然而,对于一切取著的遍知他们不能正确告知。尽管他们告知欲取著的遍知,告知见取著的遍知,却不能告知戒禁取著的遍知,不能告知自语取著的遍知。此为何故?因为彼令人尊敬的沙门、婆罗门并未如实地了知此二个。因此,彼令人尊敬的沙门、婆罗门虽然自称是一切取著的遍知论者，然而，对于一切取著的遍知他们不能正确告知。尽管他们告知欲取著的遍知，告知见取著的遍知，却不能告知戒禁取著的遍知，不能告知自语取著的遍知。

诸比丘，有些沙门、婆罗门自称是一切取著的遍知论者，然而，对于一切取著的遍知他们不能正确告知。尽管他们告知欲取著的遍知，告知见取著的遍知，告知戒禁取著的遍知，却不能告知自语取著的遍知。此为何故？因为彼令人尊敬的沙门、婆罗门并未如实地了知此一个。因此，彼令人尊敬的沙门、婆罗门虽然自称是一切取著的遍知论者，然而，对于一切取著的遍知他们不能正确告知。尽管他们告知欲取著的遍知，告知见取著的遍知，告知戒禁取著的遍知，却不能告知自语取著的遍知。

诸比丘，处于如此的法和律中，尽管对导师有净信，但是其不被称为正行者。尽管对法有净信，但是其不被称为正行者。尽管诸戒完整，但是其不被称为正行者。尽管有可爱、可意的同法者，但是其不被称为正行者。此为何故？诸比丘，之所以如此，是因为其处于被恶阐述、被恶教授、不利出离、不引导至寂静、非正等觉者所教授的法与律中。”

144 "诸比丘，如来、阿罗汉、正等觉者自称是一切取著的遍知论者，正确告知一切取著的遍知，告知欲取著的遍知，告知见取著的遍知，告知戒禁取著的遍知，告知自语取著的遍知。诸比丘，处于如此的法和律中，对导师有净信，其被称为正行者。对法有净信,其被称为正行者。诸戒完整,其被称为正行者。有可爱、可意的同法者,其被称为正行者。此为何故? 诸比丘,之所以如此,是因为其处于被善阐述、被善教授、利于出离、引导至寂静、正等觉者所教授的法与律中。"

145 "诸比丘,此四取著是因为何、从何生起、为何所生、是何的发生? 此四取著是因为渴爱、从渴爱生起、为渴爱所生、是渴爱的发生。

那么,诸比丘,渴爱是因为何、从何生起、为何所生、是何的发生? 渴爱是因为感受、从感受生起、为感受所生、是感受的发生。

那么,诸比丘,感受是因为何、从何生起、为何所生、是何的发生? 感受是因为接触、从接触生起、为接触所生、是接触的发生。

那么,诸比丘,接触是因为何、从何生起、为何所生、是何的发生? 接触是因为六处、从六处生起、为六处所生、是六处的发生。

那么,诸比丘,六处是因为何、从何生起、为何所生、是何的发生? 六处是因为名色、从名色生起、为名色所生、是名色的发生。

那么,诸比丘,名色是因为何、从何生起、为何所生、是何的发生? 名色是因为识、从识生起、为识所生、是识的发生。

那么,诸比丘,识是因为何、从何生起、为何所生、是何的发生? 识是因为行、从行生起、为行所生、是行的发生。

那么，诸比丘，行是因为何、从何生起、为何所生、是何的发生？行是因为无明、从无明生起、为无明所生、是无明的发生。

诸比丘，于比丘，当无明被舍弃时，明生起。其因为离无明而不再生起欲取著，不再生起见取著，不再生起戒禁取著，不再生起自语取著。无取著者无热恼，无热恼者自般涅槃。'生命已尽，梵行已毕，应作已作，无有再生。'"

此为佛陀所说。彼比丘众内心喜悦，欢喜佛陀所说。

（小狮子吼经完）

第二、大狮子吼经（Mahāsīhanādasuttaṃ）

146　如是我闻。

一次，佛陀住在毗舍离城外，住在城后面的树林里。当时正值离车族子弟素纳卡陀从此法和律离开不久。他在毗舍离的众人中如此声称："沙门乔达摩并没有超人法的特殊的最胜智见。沙门乔达摩说法，仅限于思择，随顺思维，显示自我。为此而说示的法，是为了令其作者正确地灭尽苦。"

此时，尊者舍利弗于上午，着衣，持衣钵，进入毗舍离托钵乞食。尊者舍利弗听说离车族子弟素纳卡陀在毗舍离的众人中如此声称："沙门乔达摩并没有超人法的特殊的最胜智见。沙门乔达摩说法,仅限于思择,随顺思维,显示自我。为此而说示的法,是为了令其作者正确地灭尽苦。"

于是,尊者舍利弗在毗舍离游化乞食,吃完饭,结束托钵食以后,接近佛陀所在的地方,靠近以后顶礼佛陀,然后坐于一旁。坐于一旁的尊者舍利弗对佛陀如下说道:"尊师,离车族子弟素纳卡陀从此法和律离开不久,他在毗舍离的众人中如此声称:'沙门乔达摩并没有超人法的特殊的最胜智见。沙门乔达摩说法,仅限于思择,随顺思维,显示自我。为此而说示的法,是为了令其作者正确地灭尽苦。'"

147 "舍利弗,因为彼素纳卡陀是易怒之人,是愚痴之人。易怒之人就会发出如此之言。然而,舍利弗,愚痴之人素纳卡陀想'我要诽谤',却赞美了如来的名誉。因为其如此阐述了如来的美誉:'为此而说示的法,是为了令其作者正确地灭尽苦。'

舍利弗,实际上,愚痴之人素纳卡陀对于我并没有生起法的类推:'据此,彼世尊乃阿罗汉、正等觉、明行足、善逝、世间解、无上士、调御丈夫、天人师、佛、世尊。'

舍利弗,实际上,愚痴之人素纳卡陀对于我并没有生起法的类推:'据此,彼世尊体验着各种神通、各种神变。变成一、变成多,变成多、变成一,无障碍地出现、隐藏、穿墙、穿越城墙、穿越山脉,恰似在虚空中。在地面上下沉浮,恰似在水里。在水中不沉没,恰似在地上。在空中结跏趺而行,恰似有翅膀的飞鸟。即使是具有大神力、大威力的月亮和太阳,

也可以用手触摸，还可以用身体在梵天界行使自在力。'

舍利弗，实际上，愚痴之人素纳卡陀对于我并没有生起法的类推：'据此，彼世尊依清净、非凡的天耳听到天和人的两种声音，或远或近。'

舍利弗，实际上，愚痴之人素纳卡陀对于我并没有生起法的类推：'据此，彼世尊以心熟知、了知其他有情、其他人的心：有贪之心则知此是有贪之心，离贪之心则知此是离贪之心；有嗔之心则知此是有嗔之心，离嗔之心则知此是离嗔之心；有痴之心则知此是有痴之心，离痴之心则知此是离痴之心；统一之心则知此是统一之心，散乱之心则知此是散乱之心；大心则知此是大心，非大心则知此是非大心；有上心则知此是有上心，无上心则知此是无上心；已入定之心则知此是已入定之心，尚未入定之心则知此是尚未入定之心；解脱之心则知此是解脱之心，尚未解脱之心则知此是尚未解脱之心。'"

148　"舍利弗，如来具足此十如来力。因为具足此十如来力，所以，如来自称处于牛王的地位，于众中作狮子吼，转起梵轮。哪十如来力？

在此，舍利弗，如来从根据如实了知根据，从非根据如实了知非根据。像这样，舍利弗，如来从根据如实了知根据，从非根据如实了知非根据，舍利弗，此也是如来的如来力，具足此力，如来自称处于牛王的地位，于众中作狮子吼，转起梵轮。

进而，舍利弗，如来从理由、因由如实了知过去、未来、现在的业所受持的果报。像这样，舍利弗，如来从理由、因由如实了知过去、未来、现在的业所受持的果报，舍利弗，此也是如来的如来力，具足此力，如来自称处于牛王的地位，于众中作狮子吼，转起梵轮。

进而，舍利弗，如来如实了知到达一切处的行道。像这样，舍利弗，如来如实了知到达一切处的行道，舍利弗，此也是如来的如来力，具足此力，如来自称处于牛王的地位，于众中作狮子吼，转起梵轮。

进而，舍利弗，如来如实了知多种要素、各种要素的世界。像这样，舍利弗，如来如实了知多种要素、各种要素的世界，舍利弗，此也是如来的如来力，具足此力，如来自称处于牛王的地位，于众中作狮子吼，转起梵轮。

进而，舍利弗，如来如实了知诸有情的种种信解性。像这样，舍利弗，如来如实了知诸有情的种种信解性，舍利弗，此也是如来的如来力，具足此力，如来自称处于牛王的地位，于众中作狮子吼，转起梵轮。

进而，舍利弗，如来如实了知其他有情、其他人众的根的利钝。像这样，舍利弗，如来如实了知其他有情、其他人众的根的利钝，舍利弗，此也是如来的如来力，具足此力，如来自称处于牛王的地位，于众中作狮子吼，转起梵轮。

进而，舍利弗，如来如实了知禅、解脱、定、等至的杂染、清净、出离。像这样，舍利弗，如来如实了知禅、解脱、定、等

至的杂染、清净、出离，舍利弗，此也是如来的如来力，具足此
力，如来自称处于牛王的地位，于众中作狮子吼，转起梵轮。

　　进而，舍利弗，如来随念多种宿住。例如，一生、二生、三
生、四生、五生、十生、二十生、三十生、四十生、五十生、一百
生、一千生、十万生，多个坏劫生、多个成劫生、多个坏成劫生。
'在那里，我具有这样的名、这样的姓、这样的种姓、这样的食
物，感受这样的乐和苦，具有这样的寿命。在那里死去，再生
到那里。在那里，我具有这样的名、这样的姓、这样的种姓、这
样的食物，感受这样的乐和苦，具有这样的寿命。在那里死
去，再生到这里。'像这样，随念着具有行相、具有境况的多种
宿住。像这样，舍利弗，如来随念多种宿住。例如，一生、二
生、三生、四生、五生、十生、二十生、三十生、四十生、五十生、
一百生、一千生、十万生，多个坏劫生、多个成劫生、多个坏成
劫生。'在那里，我具有这样的名、这样的姓、这样的种姓、这
样的食物，感受这样的乐和苦，具有这样的寿命。在那里死
去，再生到那里。在那里，我具有这样的名、这样的姓、这样的
种姓、这样的食物，感受这样的乐和苦，具有这样的寿命。在
那里死去，再生到这里。'像这样，随念着具有行相、具有境况
的多种宿住，舍利弗，此也是如来的如来力，具足此力，如来自
称处于牛王的地位，于众中作狮子吼，转起梵轮。

　　进而，舍利弗，如来以清净、非凡的天眼观察卑贱、高贵、
美丽、丑陋、善趣、恶趣的众有情的死亡、再生，了知众有情随
业而行。'事实上，这些受人尊敬的有情因为具足身恶业，具

足语恶业，具足意恶业，诽谤圣人，是邪见者，是邪见业的受持者。他们的身体破灭，死后将再生于苦处、恶处、难处的地狱。然而，那些受人尊敬的有情因为具足身善业，具足语善业，具足意善业，不诽谤圣人，是正见者，是正见业的受持者。他们的身体破灭，死后将再生于善道的天界。'像这样，以清净、非凡的天眼观察卑贱、高贵、美丽、丑陋、善趣、恶趣的众有情的死亡、再生，了知众有情随业而行。像这样，舍利弗，如来以清净、非凡的天眼观察卑贱、高贵、美丽、丑陋、善趣、恶趣的众有情的死亡、再生，了知众有情随业而行。'事实上，这些受人尊敬的有情因为具足身恶业，具足语恶业，具足意恶业，诽谤圣人，是邪见者，是邪见业的受持者。他们的身体破灭，死后将再生于苦处、恶处、难处的地狱。然而，那些受人尊敬的有情因为具足身善业，具足语善业，具足意善业，不诽谤圣人，是正见者，是正见业的受持者。他们的身体破灭，死后将再生于善道的天界。'像这样，以清净、非凡的天眼观察卑贱、高贵、美丽、丑陋、善趣、恶趣的众有情的死亡、再生，了知众有情随业而行，舍利弗，此也是如来的如来力，具足此力，如来自称处于牛王的地位，于众中作狮子吼，转起梵轮。

　　进而，舍利弗，如来由于烦恼的灭尽而成为无漏者、心解脱者、慧解脱者，于现世自我了知、现证、成就而住。像这样，舍利弗，如来由于烦恼的灭尽而成为无漏者、心解脱者、慧解脱者，于现世自我了知、现证、成就而住，舍利弗，此也是如来的如来力，具足此力，如来自称处于牛王的地位，于众中作狮子吼，转起梵轮。

舍利弗，如来具足此十如来力。因为具足此十如来力，所以，如来自称处于牛王的地位，于众中作狮子吼，转起梵轮。"

149 "舍利弗，对于如此知、如此见的我，或许有人如此说：'沙门乔达摩并没有超人法的特殊的最胜智见。沙门乔达摩说法，仅限于思择，随顺思维，显示自我。'舍利弗，如果不舍弃彼言，不舍弃彼心，不舍弃彼见，这样的人就会被原封不动地搬运到地狱里。舍利弗，恰如戒具足、定具足、慧具足的比丘现世到达完全智，像这样，舍利弗，我说的是此具足。如果不舍弃彼言，不舍弃彼心，不舍弃彼见，这样的人就会被原封不动地搬运到地狱里。"

150 "舍利弗，如来具有四无畏。因为此无畏具足，如来自称处于牛王的地位，于众中作狮子吼，转起梵轮。哪四无畏？

实际上，沙门、婆罗门、天、魔、梵天乃至世上任何有情要据理斥责，所谓'公开宣称是正等觉的你对此法并未正等觉'，然而，舍利弗，我不具有该相。舍利弗，不具有此相的我到达安稳、到达无怖、到达无畏而住。

实际上，沙门、婆罗门、天、魔、梵天乃至世上任何有情要据理斥责，所谓'公开宣称是漏尽者的你并未遍尽此漏'，然而，舍利弗，我不具有该相。舍利弗，不具有此相的我到达安稳、到达无怖、到达无畏而住。

实际上，沙门、婆罗门、天、魔、梵天乃至世上任何有情要据理斥责，所谓'你说示诸障碍法，然而其对于其作者未必是障碍'，然而，舍利弗，我不具有该相。舍利弗，不具有此相的我到达安稳、到达无怖、到达无畏而住。

实际上，沙门、婆罗门、天、魔、梵天乃至世上任何有情要据理斥责，所谓'你说示利益法，然而其不能令其作者正确到达苦的灭尽'，然而，舍利弗，我不具有该相。舍利弗，不具有此相的我到达安稳、到达无怖、到达无畏而住。

舍利弗，因为如来具有此四无畏，所以如来自称处于牛王的地位，于众中作狮子吼，转起梵轮。

舍利弗，对于如此知、如此见的我，或许有人如此说：'沙门乔达摩并没有超人法的特殊的最胜智见。沙门乔达摩说法，仅限于思择，随顺思维，显示自我。'舍利弗，如果不舍弃彼言，不舍弃彼心，不舍弃彼见，这样的人就会被原封不动地搬运到地狱里。舍利弗，恰如戒具足、定具足、慧具足的比丘现世到达完全智，像这样，舍利弗，我说示的正是此具足。如果不舍弃彼言，不舍弃彼心，不舍弃彼见，这样的人就会被原封不动地搬运到地狱里。"

151　"舍利弗，有此八众。哪八众？刹帝利众、婆罗门众、居家者众、沙门众、四天王众、三十三天众、魔众、梵天众。舍利弗，此是八众。舍利弗，彼四无畏具足的如来接近、进入此八众。

舍利弗，我记得自己接近数百刹帝利众。我以前于此亦共坐，亦共语，亦进行论辩。'或许我在此会出现恐惧、怖畏'，然而，舍利弗，我不具有该相。不具有此相的我到达安稳、到达无怖、到达无畏而住。

舍利弗，我记得自己接近数百婆罗门众。我以前于此亦共坐，亦共语，亦进行论辩。'或许我在此会出现恐惧、怖畏'，然而，舍利弗，我不具有该相。不具有此相的我到达安稳、到达无怖、到达无畏而住。

舍利弗，我记得自己接近数百居家者众、数百沙门众、数百四天王众、数百三十三天众、数百魔众、数百梵天众。我以前于此亦共坐，亦共语，亦进行论辩。'或许我在此会出现恐惧、怖畏'，然而，舍利弗，我不具有该相。不具有此相的我到达安稳、到达无怖、到达无畏而住。

舍利弗，对于如此知、如此见的我，或许有人如此说：'沙门乔达摩并没有超人法的特殊的最胜智见。沙门乔达摩说法，仅限于思择，随顺思维，显示自我。'舍利弗，如果不舍弃彼言，不舍弃彼心，不舍弃彼见，这样的人就会被原封不动地搬运到地狱里。舍利弗，恰如戒具足、定具足、慧具足的比丘现世到达完全智，像这样，舍利弗，我说的是此具足。如果不舍弃彼言，不舍弃彼心，不舍弃彼见，这样的人就会被原封不动地搬运到地狱里。"

152 "舍利弗，有此四胎。哪四胎？卵生胎、胎生胎、湿生胎、化生胎。

舍利弗，什么是卵生胎？舍利弗，彼有情破壳而生，舍利弗，此被称为卵生胎。

舍利弗，什么是胎生胎？舍利弗，彼有情破子宫而生，舍利弗，此被称为胎生胎。

舍利弗，什么是湿生胎？舍利弗，彼有情生于腐鱼，或生于腐尸、酸粥、污水池、沼泽等，舍利弗，此被称为湿生胎。

舍利弗，什么是化生胎？舍利弗，诸天神、堕地狱者、部分人类、部分堕恶道者，舍利弗，此被称为化生胎。

舍利弗，这些就是四胎。

舍利弗，对于如此知、如此见的我，或许有人如此说：'沙门乔达摩并没有超人法的特殊的最胜智见。沙门乔达摩说法，仅限于思择，随顺思维，显示自我。'舍利弗，如果不舍弃彼言，不舍弃彼心，不舍弃彼见，这样的人就会被原封不动地搬运到地狱里。舍利弗，恰如戒具足、定具足、慧具足的比丘现世到达完全智，像这样，舍利弗，我说的是此具足。如果不舍弃彼言，不舍弃彼心，不舍弃彼见，这样的人就会被原封不动地搬运到地狱里。"

153 "舍利弗，有此五归趣。哪五归趣？地狱、畜生、饿鬼、人、天。

舍利弗，我深知地狱、通往地狱之路、通往地狱之行道，深知其如此行道者，身体坏灭，死后再生于苦处、恶处、难处的地狱。

舍利弗，我深知畜生、通往畜生之路、通往畜生之行道，深知其如此行道者，身体坏灭，死后再生于畜生界。

舍利弗，我深知饿鬼、通往饿鬼之路、通往饿鬼之行道，深知其如此行道者，身体坏灭，死后再生于饿鬼界。

舍利弗，我深知人、通往人之路、通往人之行道，深知其如此行道者，身体坏灭，死后再生于人界。

舍利弗，我深知天、通往天之路、通往天之行道，深知其如此行道者，身体坏灭，死后再生于善道的天界。

舍利弗，我深知涅槃、通往涅槃之路、通往涅槃之行道，深知其如此行道者，身体坏灭，死后，由于烦恼的灭尽而成为无漏者、心解脱者、慧解脱者，于现世自我了知、现证、成就而住。"

154 "舍利弗，在此，我以心熟知、了知某类人的如此心：'如此行道、如此行动之此人进入彼道，其身体坏灭，死后将再生于苦处、恶处、难处的地狱。'后来，我以清净、非凡的天眼看到其死后再生于苦处、恶处、难处的地狱，遭受着剧烈、残酷、完全痛苦的感受。舍利弗，例如，在此有巨大、充满赤红焦炭、无烟焦炭的炭火坑。有一位为炎热所困、为炎热所恼、疲惫、脱水、干渴之人一味地向通往炭火坑的道路前行。有眼之人看到以后如下说道：'如此行道、如此行动之此人进入彼道，将到达炭火坑。'后来，看到其掉入彼炭火坑，遭受着剧烈、残酷、完全痛苦的感受。像这样，舍利弗，我以心熟知、了知某类人的如此心：'如此行道、如此行动之此人进入彼道，其身体坏灭，死后将再生于苦处、恶处、难处的地狱。'后来,我以清净、非凡的天眼看到其死后再生于苦处、恶处、难处的地狱,遭受着剧烈、残酷、完全痛苦的感受。

舍利弗,在此,我以心熟知、了知某类人的如此心:'如此行道、如此行动之此人进入彼道,其身体坏灭,死后将再生于畜生界。'后来,我以清净、非凡的天眼看到其死后再生于畜生界,遭受着剧烈、残酷、痛苦的感受。舍利弗,例如,在此有巨大、充满粪便的粪坑。有一位为炎热所困、为炎热所恼、疲惫、脱水、干渴之人一味地向通往粪坑的道路前行。有眼之人看到以后如下说道:'如此行道、如此行动之此人进入彼道,将到达粪坑。'后来,看到其掉入彼粪坑,遭受着剧烈、残酷、痛苦的感受。像这样,舍利弗,我以心熟知、了知某类人的如此心:'如此行道、如此行动之此人进入彼道,其身体坏灭,死后将再生于畜生界。'后来,我以清净、非凡的天眼看到其死后再生于畜生界,遭受着剧烈、残酷、痛苦的感受。

舍利弗,在此,我以心熟知、了知某类人的如此心:'如此行道、如此行动之此人进入彼道,其身体坏灭,死后将再生于饿鬼界。'后来,我以清净、非凡的天眼看到其死后再生于饿鬼界,遭受着众多痛苦的感受。舍利弗,例如,在此有一棵生长于坑洼土地上、枝叶稀少、树荫稀薄的树。有一位为炎热所困、为炎热所恼、疲惫、脱水、干渴之人一味地向通往该树的道路前行。有眼之人看到以后如下说道:'如此行道、如此行动之此人进入彼道,将到达该树。'后来,看到其或坐或卧于该树荫下,遭受着众多痛苦的感受。像这样,舍利弗,我以心熟知、了知某类人的如此心：'如此行道、如此行动之此人进入彼道，其身体坏灭，死后将再生于饿鬼界。'后来，我以清净、非凡的天眼看到其死后再生于饿鬼界，遭受着众多痛苦的感受。

舍利弗，在此，我以心熟知、了知某类人的如此心：'如此行道、如此行动之此人进入彼道，其身体坏灭，死后将再生于人界。'后来，我以清净、非凡的天眼看到其死后再生于人界，享受着众多快乐的感受。舍利弗，例如，在此有一棵生长于平整土地上、枝叶繁茂、树荫密实的树。有一位为炎热所困、为炎热所恼、疲惫、脱水、干渴之人一味地向通往该树的道路前行。有眼之人看到以后如下说道：'如此行道、如此行动之此人进入彼道，将到达该树。'后来，看到其或坐或卧于该树荫下，享受着众多快乐的感受。像这样，舍利弗，我以心熟知、了知某类人的如此心：'如此行道、如此行动之此人进入彼道，其身体坏灭，死后将再生于人界。'后来，我以清净、非凡的天眼看到其死后再生于人界，享受着众多快乐的感受。

舍利弗，在此，我以心熟知、了知某类人的如此心：'如此行道、如此行动之此人进入彼道，其身体坏灭，死后将再生于善道的天界。'后来，我以清净、非凡的天眼看到其死后再生于善道的天界，享受着完全快乐的感受。舍利弗，例如，在此有殿堂，其有二层楼阁，色彩斑斓、寂静、门窗紧闭。里面有铺着黑毛毡、白羊毛、刺绣羊毛布、特等羚羊毛坐垫、有顶盖的两边有红色靠枕的寝床。有一位为炎热所困、为炎热所恼、疲惫、脱水、干渴之人一味地向通往该殿堂的道路前行。有眼之人看到以后如下说道:'如此行道、如此行动之此人进入彼道,将到达该殿堂。'后来,看到其或坐或卧于该殿堂的二楼里的该寝床,享受着完全快乐的感受。像这样,舍利弗,我以心熟知、了知某类人的如此心:'如此行道、如此行动之此人进入彼道,其身体坏灭,死后将再生于善道的天界。'后来,我以清净、非凡的天眼看到其死后再生于善道的天界,享受着完全快乐的感受。

　　舍利弗,在此,我以心熟知、了知某类人的如此心:'如此行道、如此行动之此人进入彼道,由于烦恼的灭尽而成为无漏者、心解脱者、慧解脱者,于现世自我了知、现证、成就而住。'后来,我以清净、非凡的天眼看到其由于烦恼的灭尽而成为无漏者、心解脱者、慧解脱者,于现世自我了知、现证、成就而住,感受着完全快乐的感受。舍利弗,例如,在此有莲池,池水清澈、甜美、清凉、洁净、充沛、可喜,附近有茂密的森林。有一位为炎热所困、为炎热所恼、疲惫、脱水、干渴之人一味地向通往该莲池的道路前行。有眼之人看到以后如下说道:'如此行道、如此行动之此人进入彼道,将到达该莲池。'后来,看到其进入莲池水中,沐浴、饮水,所有的烦恼、疲劳、热恼消除以后,出来或坐或卧于该树荫下,感受着完全快乐的感受。像这样,舍利弗,我以心熟知、了知某类人的如此心:'如此行道、如此行动之此人进入彼道,由于烦恼的灭尽而成为无漏者、心解脱者、慧解脱者,于现世自我了知、现证、成就而住。'后来，我以清净、非凡的天眼看到其由于烦恼的灭尽而成为无漏者、心解脱者、慧解脱者，于现世自我了知、现证、成就而住，感受着完全快乐的感受。

舍利弗，此就是五归趣。

舍利弗，对于如此知、如此见的我，或许有人如此说：'沙门乔达摩并没有超人法的特殊的最胜智见。沙门乔达摩说法，仅限于思择，随顺思维，显示自我。'舍利弗，如果不舍弃彼言，不舍弃彼心，不舍弃彼见，这样的人就会被原封不动地搬运到地狱里。舍利弗，恰如戒具足、定具足、慧具足的比丘现世到达完全智，像这样，舍利弗，我说的是此具足。如果不舍弃彼言，不舍弃彼心，不舍弃彼见，这样的人就会被原封不动地搬运到地狱里。"

155 "舍利弗，我自证自己是四分具足的行梵行者。实际上我是苦行者，是最上苦行者。实际上我是粗恶行者，是最上粗恶行者。实际上我是避嫌者，是最上避嫌者。实际上我是远离者，是最上远离者。

舍利弗，在此，我成为依苦行而存在者。彼我成为裸行者、便溺随意行者、舔手者、不接受供养者、被叫站住也不站住者。其不受用运来的食物，不接受别请，不接受招待。其不从瓶口接受，不从锅口接受，不在围院里、不在鞭杖间、不在棍棒间、不在二人进食时、不从孕妇、不从哺乳妇女、不从与男性有过交往的女性、不对特别募集的食物、不对供养的食物予以接受。不在苍蝇群聚处接受。其不接受鱼，不接受肉，不喝米酒，不喝果酒，不喝酸粥。其为一户一口食者、二户二口食者，乃至七户七口食者。其接受一钵供养，亦接受二钵供养，乃至亦接受七钵供养。其隔一日进食，亦隔二日进食，乃至亦隔七日进食，像这样，亦从事并实践着半月定期进食。

其成为以蔬菜为食者、以稗谷为食者、以玄米为食者、以皮革屑为食者、以苔藓为食者、以糠为食者、以米汤为食者、以芝麻粉为食者、以草为食者、以牛粪为食者、以草木根果为食者，吃落下的果实而生存。

其穿麻布衣，穿粗麻布衣，穿死尸衣，穿粪扫衣，穿树皮衣，穿羊皮衣，穿羊皮的编织衣，穿草衣，穿树叶衣，穿木片衣，穿毛发衣，穿兽毛衣，穿鸟毛衣。其拔须发，成为从事并实践拔除须发者。

其是常立者，拒绝坐具。其是跪坐者，长期从事并实践着跪坐。其是卧荆棘者，倚靠在荆棘上。其是住木板者、卧露地者、卧一侧者、卧尘垢者、露地住者、随处住者、食腐食者，从事并实践着食腐食等行为。其是断饮者，从事并实践着断饮。其从事并实践着一日三次沐浴。像这样，我专心实践于身体方面的难行、苦行而住。舍利弗，此是我的苦行。"

156 "舍利弗，在此，我是粗恶行者。多年累积的尘垢在彼我的身体上聚集，生出皮苔。舍利弗，恰似镇头迦树的树桩多年累积聚集，生出皮苔。像这样，舍利弗，多年累积的尘垢在彼我的身体上聚集，生出皮苔。舍利弗，彼我并没有这样想：'我用手触摸把此尘垢清除。他人用手触摸把此尘垢清除。'像这样，舍利弗，我没有那样想。舍利弗，此是我的粗恶行。

舍利弗，在此，我是避嫌行者。舍利弗，彼我具念前行，具念后退，对于水滴都现前慈悯：'我不能产生杀死小生命的恶行。'舍利弗，此是我的避嫌行。

舍利弗，在此，我是远离行者。舍利弗，彼我进入某阿兰若而住。一旦看到牧牛者、牧童、割草人、砍柴人、樵夫，则从树林向树林、从密林向密林、从低地向低地、从高地向高地转移。此为何故？因为让他们看不到我，我看不到他们。舍利弗，恰如住于阿兰若的鹿看到人，则从树林向树林、从密林向密林、从低地向低地、从高地向高地转移。像这样，舍利弗，彼我一旦看到牧牛者、牧童、割草人、砍柴人、樵夫，则从树林向树林、从密林向密林、从低地向低地、从高地向高地转移。此为何故？因为让他们看不到我，我看不到他们。舍利弗，此是我的远离行。

舍利弗，彼我寻找牛群离开、没有牧牛人的牛舍，趴在那里食用还喝奶的小牛犊的牛粪。舍利弗，我甚至在自己的大小便没有断绝之前，实际上我食用着自己的大小便。舍利弗，此是我的大不净食。"

157 "舍利弗，彼我进入恐怖的森林而住。舍利弗，实际上恐怖的森林是这样的恐怖。任何没有离贪而进入森林者，多会汗毛竖立。舍利弗，彼我在降雪季节，在寒冬的八个夜里,夜里住在露地,白天住于树下。在夏季的最后一个月里,白天住在露地,夜晚住在树下。<u>舍利弗</u>,于我浮现出前所未闻的不可思议的诗偈:

> 炎热或寒冷之日,一人住于恐怖林;
>
> 裸体未坐于火旁,牟尼在拼命寻觅。

<u>舍利弗</u>,彼我在墓地以骷髅为床而卧。<u>舍利弗</u>,牧牛人靠近,向我唾弃、撒尿、丢污物、将木棒插入耳朵。然而,<u>舍利弗</u>,我不记得对他们生起邪恶之心。<u>舍利弗</u>,此是我的平静住。"

158 "<u>舍利弗</u>,某些沙门、婆罗门是如此言者、如此见者:'通过食物获得清净。'他们如此进食:'吃大枣维持生存。'他们亦吃大枣,亦吃枣粉,亦喝枣汁。食用着多种类的枣制品。<u>舍利弗</u>,我记得彼我是以一个大枣为食物。<u>舍利弗</u>,对此,你们或许这样认为:'那时的大枣应该很大。'然而,<u>舍利弗</u>,不可以那样认为。那时的大枣只有这么大。<u>舍利弗</u>,以如此一个大枣为食物的我身体极度消瘦。因为那样极少的食物,我的四肢变得恰似节骨草。因为那样极少的食物,我的臀部变得恰似骆驼蹄。因为那样极少的食物,我的脊椎骨变得恰似纺锤链般凹凸。恰似古旧房舍横梁败坏,像那样,因为那样极少的食物,我的肋骨变得败坏。恰似深井水中的星星看起来又深又低,像那样,因为那样极少的食物,在我的眼窝中,眼珠看起来又深又低。恰似未成熟就被摘下的苦瓜被风吹日晒而蔫萎,像那样,因为那样极少的食物,我

的头皮蔫萎。舍利弗,彼我想'我用手摸肚皮',结果触到了脊椎骨。'我用手摸脊椎骨',结果触到了肚皮。像那样,舍利弗,因为那样极少的食物,我的肚皮和脊椎骨依附在一起。舍利弗,彼我想'我去大小便',因为那样极少的食物,结果就地跌倒。舍利弗,彼我对于彼身体想'用手顺次按摩四肢',舍利弗,因为那样极少的食物,对于用手顺次按摩四肢的我,根部腐烂的汗毛从身体脱落。"

159 "舍利弗,某些沙门、婆罗门是如此言者、如此见者:'通过食物获得清净。'他们如此进食:'吃绿豆维持生存'或'吃芝麻维持生存',乃至如此进食:'吃米粒维持生存。'他们亦吃米粒,亦吃米粉,亦喝米汁。食用着多种类的米制品。舍利弗,我记得彼我是以一粒米为食物。舍利弗,对此,你们或许这样认为:'那时的米粒应该很大。'然而,舍利弗,不可以那样认为。那时的米粒只有这么大。舍利弗,以如此一个米粒为食物的我身体极度消瘦。因为那样极少的食物,我的四肢变得恰似节骨草。因为那样极少的食物,我的臀部变得恰似骆驼蹄。因为那样极少的食物,我的脊椎骨变得恰似纺锤链般凹凸。恰似古旧房舍横梁败坏,像那样,因为那样极少的食物,我的肋骨变得败坏。恰似深井水中的星星看起来又深又低,像那样,因为那样极少的食物,在我的眼窝中,眼珠看起来又深又低。恰似未成熟就被摘下的苦瓜被风吹日晒而蔫萎,像那样,因为那样极少的食物,我的头皮蔫萎。舍利弗,彼我想'我用手摸肚皮',结果触到了脊椎骨。‘我用手摸脊椎骨’，结果触到了肚皮。像这样，舍利弗，因为那样极少的食物，我的肚皮和脊椎骨依附在一起。舍利弗，彼我想‘我去大小便’，因为那样极少的食物，结果就地跌倒。舍利弗，彼我对于彼身体想‘用手顺次按摩四肢’，舍利弗，因为那样极少的食物，对于用手顺次按摩四肢的我，根部腐烂的汗毛从身体脱落。

舍利弗，依那样的行持，依那样的行道，依那样的苦行，我没有看到超人法的特殊的最胜智见。此为何故？因为未到达此圣慧，只有到达此圣慧才是圣出离，才能将其作者正确地引导至苦的灭尽。”

160 “舍利弗，某些沙门、婆罗门是如此言者、如此见者：‘通过轮回获得清净。’然而，舍利弗，彼轮回并非容易获得。在此漫长的时间里，除了净居天，没有我不轮回之处。舍利弗，我如果在净居天轮回，我则不会回到此世界。

舍利弗，某些沙门、婆罗门是如此言者、如此见者：‘通过再生获得清净。’然而，舍利弗，彼再生并非容易获得。在此漫长的时间里，除了净居天，没有我不再生之处。舍利弗，我如果在净居天再生，我则不会回到此世界。

舍利弗，某些沙门、婆罗门是如此言者、如此见者：‘通过住处获得清净。’然而，舍利弗，彼住处并非容易获得。在此漫长的时间里，除了净居天，没有我不居住之处。舍利弗，我如果在净居天居住，我则不会回到此世界。

舍利弗，某些沙门、婆罗门是如此言者、如此见者：‘通过供祭获得清净。'然而，舍利弗，彼供祭并非容易获得。因为在此漫长的时间里，我作为刹帝利灌顶王或婆罗门大家，并没有行过彼供祭。

舍利弗，某些沙门、婆罗门是如此言者、如此见者：'通过火祭获得清净。'然而，舍利弗，彼火祭并非容易获得，因为在此漫长的时间里，我作为刹帝利灌顶王或婆罗门大家，并没有行过彼火祭。"

161 "舍利弗，某些沙门、婆罗门是如此言者、如此见者：'此尊贵之人尚是年轻人，风华正茂、朝气蓬勃，处于人生第一阶段的青壮年期，故具足最高的智慧与聪明。然而，此尊贵之人亦成为老年人，年老、耆宿、高龄，人到晚年，已经衰老、衰亡，出生以来已经经过八十年、九十年、一百年，智慧与聪明已经衰退。'然而，舍利弗，不应该这样认为。我现在就是老年人，年老、耆宿、高龄，人到晚年，已生存八十年。舍利弗，我的四众弟子具足最高的忆念、善趣、坚固心、最高的智慧与聪明，具有百年寿命、百年生命。

舍利弗，恰似熟练的弓箭手，对于所教的内容充分学习，掌握箭术，可以轻松用箭一箭射穿多罗树梢的尖头，像这样，其是如此具有增上念、增上善趣、增上坚固心、如此增上智慧与聪明。他们应针对四念处向我不断提出问题，我会对于他们提出的问题逐次加以解说。我的解说要作为解答加以记忆，不应二次向我提出同样的问题。除了吃饭、喝水，除了行大小便，除了排除睡眠、疲倦。舍利弗，如来的说法不会熄灭,如来的法句言辞不会熄灭,如来的问题解答不会熄灭。我的此四众弟子百年寿命、百年生命,百年以后死去。<u>舍利弗</u>,即使用卧床搬运我,如来的智慧与聪明也不会发生变化。

<u>舍利弗</u>,如果正确表述者将其表述为'非蒙昧有情生起于世,为了更多人的利益,为了更多人的安乐,为了对世界的怜悯,为了人天的利益、利得、安乐',那么,正确表述者只有针对我才表述为'非蒙昧有情生起于世,为了更多人的利益,为了更多人的安乐,为了对世界的怜悯,为了人天的利益、利得、安乐。'"

162 此时,尊者<u>那伽娑摩罗</u>正站在佛陀的后面给佛陀执扇。于是,尊者<u>那伽娑摩罗</u>对佛陀如下说道:"尊师,实在是殊胜!尊师,实在是殊胜!尊师,我听闻此法门,惊心动魄。尊师,此叫做什么法门?"

"<u>那伽娑摩罗</u>,那么,此法门就是惊心动魄法门,你对其加以受持。"

此为佛陀所说。尊者<u>那伽娑摩罗</u>内心喜悦,欢喜佛陀所说。

（大狮子吼经完）

第三、大苦蕴经（Mahādukkhakkhandhasuttaṃ）

163　如是我闻。

一次，佛陀住在舍卫城附近的祇陀林给孤独园。

在此，众多比丘于上午，着衣，持衣钵，准备进入舍卫城托钵乞食。这时，彼比丘众如下思考："现在进入舍卫城乞食为时尚早。我们接近外道遍历行者的园林如何？"于是，彼比丘众接近外道遍历行者的园林，靠近以后向彼外道遍历行者问候，互致值得记忆的欢喜语言以后坐于一旁。

彼外道遍历行者向坐于一旁的彼比丘众如下说道："朋友，沙门乔达摩告知诸欲的遍知，我们也告知诸欲的遍知。沙门乔达摩告知诸色的遍知，我们也告知诸色的遍知。沙门乔达摩告知诸感受的遍知，我们也告知诸感受的遍知。朋友，那么，沙门乔达摩和我们之间，有关说法方面的说法，有关教诫方面的教诫，差别是什么？特质是什么？特点是什么？"

彼比丘众既不欢喜也没有反对彼外道遍历行者之所说，不欢喜也没有反对，于是，从座位站起而出，心想"我们要在世尊面前明白此言说的含义。"

164　于是，彼比丘众进入舍卫城托钵乞食，结束托钵食以后，接近佛陀所在的地方，靠近以后顶礼佛陀，然后坐于一旁。

坐于一旁的彼比丘众对佛陀如下说道："尊师，今天上午，我们着衣，持衣钵，准备进入舍卫城托钵乞食。彼时，我们如下思考：'现在进入舍卫城乞食为时尚早。我们接近外道遍历行者的园林如何？'于是，尊师，我们接近外道遍历行者的园林，靠近以后向彼外道遍历行者问候，互致值得记忆的欢喜语言以后坐于一旁。彼外道遍历行者向坐于一旁的我们如下说道：'朋友，沙门乔达摩告知诸欲的遍知，我们也告知诸欲的遍知。沙门乔达摩告知诸色的遍知，我们也告知诸色的遍知。沙门乔达摩告知诸感受的遍知，我们也告知诸感受的遍知。朋友，那么，沙门乔达摩和我们之间，有关说法方面的说法，有关教诫方面的教诫，差别是什么？特质是什么？特点是什么？'我们既不欢喜也没有反对彼外道遍历行者之所说，不欢喜也没有反对，于是，从座位站起而出，心想'我们要在世尊面前明白此言说的含义。'"

165 "诸比丘，对于如此说话的彼外道遍历行者应该如此回答：'那么，朋友，诸欲的乐味是什么？过患是什么？出离是什么？诸色的乐味是什么？过患是什么？出离是什么？诸感受的乐味是什么？过患是什么？出离是什么？'诸比丘，如此被发问的彼外道遍历行者无法解答，将会更加困惑。此为何故？诸比丘，因为此超出了他们的境地。诸比丘，在包括天、包括魔、包括梵天的世界里，在包括沙门、婆罗门、包括人天的众生里，我没有看到或听到对于此提问，通过解释令心满足者，除了如来、如来弟子，或在此听闻。"

166 "那么，诸比丘，何为诸欲的乐味？诸比丘，此是五种妙欲。哪五种？

欢喜、可爱、可意、喜爱、伴随欲、贪所染的眼所识色。

欢喜、可爱、可意、喜爱、伴随欲、贪所染的耳所识声。

欢喜、可爱、可意、喜爱、伴随欲、贪所染的鼻所识香。

欢喜、可爱、可意、喜爱、伴随欲、贪所染的舌所识味。

欢喜、可爱、可意、喜爱、伴随欲、贪所染的身所识触。

诸比丘，此为五种妙欲。诸比丘，依此五种妙欲而乐、忧生起，此即诸欲的乐味。"

167 "那么，诸比丘，何为诸欲的过患？诸比丘，在此，有善家子弟依工巧技术生活，或依指算、或依默算、或依目测、或依耕种、或依商业、或依畜牧、或依弓箭术、或依为国王工作、或依某种技术，冒着严寒，顶着酷暑，忍受着因接触虻、蚊、风、热、蛇等而遭受的毒害，忍受着濒死的饥饿。诸比丘，此即是现世的诸欲过患，是苦的集合，是因为欲，是源自欲，是欲所为，诸欲就是原因。

诸比丘，如果如此努力、勤奋、精进的彼善家子弟没有获得财富，于是，他悲伤、疲惫、悲泣、捶胸哭嚎、陷入混乱：'我的努力多么徒劳！我的努力毫无结果！'诸比丘，此亦是现世的诸欲过患，是苦的集合，是因为欲，是源自欲，是欲所为，诸欲就是原因。

诸比丘，如果如此努力、勤奋、精进的彼善家子弟获得财富，于是，他为了守护彼财富而感到痛苦和担忧：'无论如何，我的财富不能被国王掠夺，不能被强盗掠夺，不能被火烧，不能被水淹，不能被不喜欢的继承人所掠夺。'像这样，彼保护、看护财富者，其财富或被国王掠夺，或被强盗掠夺，或被火烧，或被水淹，或被不喜欢的继承人所掠夺。于是，他悲伤、疲惫、悲泣、捶胸哭嚎、陷入混乱：'我曾经的拥有已不复存在。'诸比丘，此亦是现世的诸欲过患，是苦的集合，是因为欲，是源自欲，是欲所为，诸欲就是原因。"

168 "进而，诸比丘，因为欲，源自欲，是欲所为，诸欲就是原因，国王与国王争论，刹帝利与刹帝利争论，婆罗门与婆罗门争论，居家者与居家者争论，母亲与孩子争论，孩子与母亲争论，父亲与孩子争论，孩子与父亲争论，兄弟与兄弟争论，兄弟与姊妹争论，姊妹与兄弟争论，朋友与朋友争论。于是，他们陷入不和、争论、口角，相互以手攻击，以土块攻击，以木杖攻击，以刀剑攻击。于是，他们陷入死亡，陷入死亡般的痛苦。诸比丘，此亦是现世的诸欲过患，是苦的集合，是因为欲，是源自欲，是欲所为，诸欲就是原因。

进而，诸比丘，因为欲，源自欲，是欲所为，诸欲就是原因，他们执持刀盾，装备弓箭，让彼此的军队进入弓箭飞舞、扎枪投掷、刀光晃耀的战场。于是，他们亦发射弓箭，亦挥动扎枪，亦以刀砍头。于是，他们陷入死亡，陷入死亡般的痛苦。诸比丘，此亦是现世的诸欲过患，是苦的集合，是因为欲,是源自欲,是欲所为,诸欲就是原因。

进而,诸比丘,因为欲,源自欲,是欲所为,诸欲就是原因,他们执持刀盾,装备弓箭,进入弓箭飞舞、扎枪投掷、刀光晃耀的坚固堡垒。于是,他们亦发射弓箭,亦挥动扎枪,亦浇注沸腾的牛粪,亦在吊桥上被击溃,亦以刀砍头。于是,他们陷入死亡,陷入死亡般的痛苦。诸比丘,此亦是现世的诸欲过患,是苦的集合,是因为欲,是源自欲,是欲所为,诸欲就是原因。"

169 "进而,诸比丘,因为欲,源自欲,是欲所为,诸欲就是原因,他们入室盗窃、掠夺、抢夺、打劫、与他人妻子私通。他们被国王捕获,遭受各种刑罚。被鞭打,被藤打,被棒打。手被切断,脚被切断,手脚被切断。耳朵被割掉,鼻子被割掉,耳鼻被割掉。遭受酸粥锅刑,遭受贝秃刑,遭受罗胡口刑,遭受火鬘刑,遭受手烛刑,遭受驱行刑,遭受皮衣刑,遭受羚羊刑,遭受钩肉刑,遭受钱币刑,遭受灰汁刑,遭受转门闩刑,遭受稻草台刑,被浇注滚烫的油,被狗咬,被活穿刺,被刀砍头。于是,他们陷入死亡,陷入死亡般的痛苦。诸比丘,此亦是现世的诸欲过患,是苦的集合,是因为欲,是源自欲,是欲所为,诸欲就是原因。

进而,诸比丘,因为欲,源自欲,是欲所为,诸欲就是原因,他们行恶身行,行恶语行,行恶意行。他们因此行恶身行,行恶语行,行恶意行,死后再生于苦处、恶处、难处的地狱。诸比丘,此亦是现世的诸欲过患,是苦的集合,是因为欲，是源自欲，是欲所为，诸欲就是原因。"

170 "那么，诸比丘，何为诸欲的出离？诸比丘，于诸欲对贪欲加以调伏，对贪欲加以舍断，此就是诸欲的出离。

诸比丘，任何沙门、婆罗门如果不是这样从诸欲的乐味对乐味、从过患对过患、从出离对出离如实地加以了知，那么他们或许于诸欲自我遍知，或许因此教诫他人，如此行者或许于诸欲遍知等等，这样的道理不存在。然而，诸比丘，任何沙门、婆罗门如果是这样从诸欲的乐味对乐味、从过患对过患、从出离对出离如实地加以了知，那么他们或许于诸欲自我遍知，或许因此教诫他人，如此行者或许于诸欲遍知等等，这样的道理存在。"

171 "那么，诸比丘，何为诸色的乐味？诸比丘，假设有一位十五岁或十六岁的刹帝利少女、婆罗门少女、居家者少女，其不过高、不过矮，不过瘦、不过胖，不过黑、不过白。诸比丘，此时的她的容颜最美丽吗？"

"的确如此，尊师。"

"诸比丘，因为容颜美丽而乐、悦生起，此即诸色的乐味。

那么，诸比丘，何为诸色的过患？诸比丘，后来看到该女子生长到八十岁或九十岁或一百岁，衰老，如椽梁般弯曲，驼背，拄着拐杖，颤抖，憔悴，青春逝去，牙齿脱落，发白稀薄，秃顶，皱纹，四肢上长出斑点。诸比丘，对此如何思考？对于曾经最美丽的容颜消失的她，过患是否出现？"

"的确如此，尊师。"

"诸比丘,此亦是诸色的过患。

进而,诸比丘,后来看到该女子痛苦,患重病,俯卧在自己的大小便中,依靠他人扶起,依靠他人躺下。诸比丘,对此如何思考？对于曾经最美丽的容颜消失的她,过患是否出现?"

"的确如此,尊师。"

"诸比丘,此亦是诸色的过患。"

172 "进而,诸比丘,后来看到该女子的尸体被丢弃在墓地,死后一日或死后二日或死后三日,膨胀、泛青、脓烂。诸比丘,对此如何思考？对于曾经最美丽的容颜消失的她,过患是否出现?"

"的确如此,尊师。"

"诸比丘,此亦是诸色的过患。

进而,诸比丘,后来看到该女子的尸体被丢弃在墓地,被乌鸦啄食,被老鹰啄食,被秃鹫啄食,被苍鹰啄食,被狗吃,被虎吃,被豹吃,被狼吃,被各种小生物吃。诸比丘,对此如何思考？对于曾经最美丽的容颜消失的她,过患是否出现?"

"的确如此,尊师。"

"诸比丘,此亦是诸色的过患。

进而,诸比丘,后来看到该女子的尸体被丢弃在墓地,骨骼相连、有肉有血、腱肉连结;骨骼相连、无肉有血、腱肉连结;骨骼相连、无肉无血、腱肉连结;骨骼无连、四处散落,手骨在一处、脚骨在一处、踝骨在一处、小腿骨在一处、大腿骨在一处、盆骨在一处、肋骨在一处、脊柱骨在一处、肩胛骨在一处、颈骨在一处、颚骨在一处、牙齿骨在一处、头盖骨在一处。诸比丘，对此如何思考？对于曾经最美丽的容颜消失的她，过患是否出现？"

"的确如此，尊师。"

"诸比丘，此亦是诸色的过患。

进而，诸比丘，后来看到该女子的尸体被丢弃在墓地，白如贝色的骨头；一年后堆积起来的骨头；腐朽、变成粉末的骨头。诸比丘，对此如何思考？对于曾经最美丽的容颜消失的她，过患是否出现？"

"的确如此，尊师。"

"诸比丘，此亦是诸色的过患。

那么，诸比丘，何为诸色的出离？诸比丘，于诸色对贪欲加以调伏，对贪欲加以舍断，此就是诸色的出离。

诸比丘，任何沙门、婆罗门如果不是这样从诸色的乐味对乐味、从过患对过患、从出离对出离如实地加以了知，那么，他们或许于诸色自我遍知，或许因此教诫他人，如此行者或许于诸色遍知等等，这样的道理不存在。然而，诸比丘，任何沙门、婆罗门如果是这样从诸色的乐味对乐味、从过患对过患、从出离对出离如实地加以了知，那么他们或许于诸色自我遍知，或许因此教诫他人，如此行者或许于诸色遍知等等，这样的道理存在。"

173 "那么，诸比丘，何为诸感受的乐味？诸比丘，在此,比丘由于离开诸欲,离开诸不善法,到达并住立于有浅观、有深观、因远离而生喜和乐的初禅。此时,诸比丘,由于离开诸欲,离开诸不善法,到达并住立于有浅观、有深观、因远离而生喜和乐的初禅。此时不思考恼害自我,亦不思考恼害他人,亦不思考恼害双方。此时就是感受无恼害的感受。诸比丘,我说最上无恼害就是诸感受的乐味。

进而,诸比丘,比丘由于浅观和深观的寂灭,到达并住立于内部清净的心一境性,到达无浅观、无深观、具有因定而生喜和乐的第二禅。此时不思考恼害自我,亦不思考恼害他人,亦不思考恼害双方。此时就是感受无恼害的感受。诸比丘,我说最上无恼害就是诸感受的乐味。

进而,诸比丘,比丘离开喜,住于舍,具念,具正知,以身体感知乐,到达并住立于圣者所称的'有舍、具念、住于乐'的第三禅。此时不思考恼害自我,亦不思考恼害他人,亦不思考恼害双方。此时就是感受无恼害的感受。诸比丘,我说最上无恼害就是诸感受的乐味。

进而,诸比丘,比丘舍弃乐,舍弃苦,以前早已熄灭喜和忧,到达并住立于非苦非乐、舍念遍净的第四禅。此时不思考恼害自我,亦不思考恼害他人,亦不思考恼害双方。此时就是感受无恼害的感受。诸比丘,我说最上无恼害就是诸感受的乐味。"

174 "那么,诸比丘,何为诸感受的过患?诸比丘,诸感受无常,无我,具有变异的性质,此即诸感受的过患。

那么,诸比丘,何为诸感受的出离？诸比丘,于诸感受对贪欲加以调伏,对贪欲加以舍断,此就是诸感受的出离。

诸比丘,任何沙门、婆罗门如果不是这样从诸感受的乐味对乐味、从过患对过患、从出离对出离如实地加以了知,那么他们或许于诸感受自我遍知,或许因此教诫他人,如此行者或许于诸感受遍知等等,这样的道理不存在。

然而,诸比丘,任何沙门、婆罗门如果是这样从诸感受的乐味对乐味、从过患对过患、从出离对出离如实地加以了知,那么他们或许于诸感受自我遍知,或许因此教诫他人,如此行者或许于诸感受遍知等等,这样的道理存在。"

此为佛陀所说。彼比丘众内心喜悦,欢喜佛陀所说。

（大苦蕴经完）

第四、小苦蕴经（Cūḷadukkhakkhandhasuttaṃ）

175　如是我闻。

一次,佛陀住在释迦国的迦毗罗卫城附近的尼拘律林里。

在此,释迦族的摩诃纳摩接近佛陀所在的地方,靠近以后顶礼佛陀,然后坐于一旁。坐于一旁的释迦族的摩诃纳摩对佛陀如下说道："尊师，长期以来我对世尊所宣讲的法这样加以理解：'贪是心的随烦恼，嗔是心的随烦恼，痴是心的随烦恼。'尊师，像这样，我对世尊所宣讲的法加以理解：'贪是心的随烦恼，嗔是心的随烦恼，痴是心的随烦恼。'然而，有时贪法亦占据我心而住，嗔法亦占据我心而住，痴法亦占据我心而住。尊师，为此，我如下思考：'是什么法在我的内部未被舍断，因此，有时贪法亦占据我心而住，嗔法亦占据我心而住，痴法亦占据我心而住？'"

176 "摩诃纳摩，彼法在你的内部未被舍断，因此，有时贪法亦占据你心而住，嗔法亦占据你心而住，痴法亦占据你心而住。摩诃纳摩，如果彼法在你的内部被舍断、被征服，那么你就不会住在家里，就不会享受诸欲。因此，摩诃纳摩，因为彼法在你的内部未被舍断，所以你住在家里，享受诸欲。"

177 "所谓'诸欲乐少、苦多、愁恼多，此处过患更多。'摩诃纳摩，像这样，圣弟子以如是正慧加以正确观察。离开诸欲望，离开诸不善法，其没有获得其它更好的喜和乐，那么，其不是不为诸欲所诱惑者。然而，摩诃纳摩，像这样，圣弟子以如是正慧加以正确观察，'诸欲乐少、苦多、愁恼多，此处过患更多。'离开诸欲望，离开诸不善法，其获得了其它更好的喜和乐，那么，其是不为诸欲所诱惑者。

摩诃纳摩，记得在我成正等觉以前，还是尚未现等觉的菩萨时，我以如是正慧加以正确观察：'诸欲乐少、苦多、愁恼多，此处过患更多。'离开诸欲望，离开诸不善法，没有获得其它更好的喜和乐，那么，我知道我不是不为诸欲所诱惑者。摩诃纳摩，我以如是正慧加以正确观察：'诸欲乐少、苦多、愁恼多，此处过患更多。'离开诸欲望，离开诸不善法，获得了其它更好的喜和乐，那么，我知道我是不为诸欲所诱惑者。"

178　"摩诃纳摩，何为诸欲的乐味？摩诃纳摩，此是五种妙欲。哪五种？

欢喜、可爱、可意、喜爱、伴随欲、贪所染的眼所识色。

欢喜、可爱、可意、喜爱、伴随欲、贪所染的耳所识声。

欢喜、可爱、可意、喜爱、伴随欲、贪所染的鼻所识香。

欢喜、可爱、可意、喜爱、伴随欲、贪所染的舌所识味。

欢喜、可爱、可意、喜爱、伴随欲、贪所染的身所识触。

摩诃纳摩，此为五种妙欲。摩诃纳摩，因此五种妙欲而乐、忧生起，此即诸欲的乐味。

那么，摩诃纳摩，何为诸欲的过患？摩诃纳摩，在此，有善家子弟依工巧技术生活，或依指算，或依默算，或依目测，或依耕种，或依商业，或依畜牧，或依弓箭术，或依为国王工作，或依某种技术，冒着严寒顶着酷暑，忍受着因接触虻、蚊、风、热、蛇等而遭受的毒害，忍受着濒死的饥饿。摩诃纳摩，此亦是现世的诸欲过患，是苦的集合，是因为欲，是源自欲，是欲所为，诸欲就是原因。

摩诃纳摩，如果如此努力、勤奋、精进的彼善家子弟没有获得财富，他悲伤、疲惫、悲泣、捶胸哭嚎、陷入混乱：'实际上我的努力是徒劳的，实际上我的努力是无结果的。'摩诃纳摩，此亦是现世的诸欲过患，是苦的集合，是因为欲，是源自欲，是欲所为，诸欲就是原因。

摩诃纳摩，如果如此努力、勤奋、精进的彼善家子弟获得财富，于是，他为了守护彼财富而感到痛苦和担忧：'无论如何，我的财富不能被国王掠夺，不能被强盗掠夺，不能被火烧，不能被水淹，不能被不喜欢的继承人所掠夺。'像这样，彼保护、看护财富者，其财富或被国王掠夺，或被强盗掠夺，或被火烧，或被水淹，或被不喜欢的继承人所掠夺。于是，他悲伤、疲惫、悲泣、捶胸哭嚎、陷入混乱：'我曾经的拥有已不复存在。'摩诃纳摩，此亦是现世的诸欲过患，是苦的集合，是因为欲，是源自欲，是欲所为，诸欲就是原因。

进而，摩诃纳摩，因为欲，源自欲，是欲所为，诸欲就是原因，国王与国王争论，刹帝利与刹帝利争论，婆罗门与婆罗门争论，居家者与居家者争论，母亲与孩子争论，孩子与母亲争论，父亲与孩子争论，孩子与父亲争论，兄弟与兄弟争论，兄弟与姊妹争论，姊妹与兄弟争论，朋友与朋友争论。于是，他们陷入不和、争论、口角，相互以手攻击，以土块攻击，以木杖攻击，以刀剑攻击。于是，他们陷入死亡，陷入死亡般的痛苦。摩诃纳摩，此亦是现世的诸欲过患，是苦的集合，是因为欲，是源自欲，是欲所为，诸欲就是原因。

进而，摩诃纳摩，因为欲，源自欲，是欲所为，诸欲就是原因，他们执持刀盾，装备弓箭，让彼此的军队进入弓箭飞舞、扎枪投掷、刀光晃耀的战场。于是，他们亦发射弓箭，亦挥动扎枪,亦以刀砍头。于是,他们陷入死亡,陷入死亡般的痛苦。**摩诃纳摩**,此亦是现世的诸欲过患,是苦的集合,是因为欲,是源自欲,是欲所为,诸欲就是原因。

　　进而,**摩诃纳摩**,因为欲,源自欲,是欲所为,诸欲就是原因,他们执持刀盾,装备弓箭,进入弓箭飞舞、扎枪投掷、刀光晃耀的坚固堡垒。于是,他们亦发射弓箭,亦挥动扎枪,亦浇注沸腾的牛粪,亦在吊桥被击溃,亦以刀砍头。于是,他们陷入死亡,陷入死亡般的痛苦。**摩诃纳摩**,此亦是现世的诸欲过患,是苦的集合,是因为欲,是源自欲,是欲所为,诸欲就是原因。

　　进而,摩诃纳摩,因为欲,源自欲,是欲所为,诸欲就是原因,他们入室盗窃、掠夺、抢夺、打劫、与他人妻子私通。他们被国王捕获,遭受各种刑罚。被鞭打,被棍打,被湿棒打。手被切断,脚被切断,手脚被切断。耳朵被割掉,鼻子被割掉,耳鼻被割掉。遭受酸粥锅刑,遭受贝秃刑,遭受罗胡口刑,遭受火鬘刑,遭受手烛刑,遭受驱行刑,遭受皮衣刑,遭受羚羊刑,遭受钩肉刑,遭受钱币刑,遭受灰汁刑,遭受转门闩刑,遭受稻草台刑,被浇注滚烫的油,被狗咬,被活穿刺,被刀砍头。于是,他们陷入死亡,陷入死亡般的痛苦。**摩诃纳摩**,此亦是现世的诸欲过患,是苦的集合,是因为欲,是源自欲,是欲所为,诸欲就是原因。

　　进而,**摩诃纳摩**,因为欲,源自欲,是欲所为,诸欲就是原因,他们行恶身行,行恶语行,行恶意行。他们因此行恶身行，行恶语行，行恶意行，死后再生于苦处、恶处、难处的地狱。摩诃纳摩，此亦是现世的诸欲过患，是苦的集合，是因为欲，是源自欲，是欲所为，诸欲就是原因。"

179　"摩诃纳摩，一次，我住在王舍城附近的灵鹫山。当时有很多尼干陀在仙人山的黑岩做常立行者，拒绝坐具，经受着剧烈、激烈、痛苦、沉重、煎熬的感受。摩诃纳摩，傍晚，我从禅坐中出定，接近仙人山的黑岩，接近彼尼干陀，靠近以后对彼尼干陀如下说道：'尼干陀朋友，你们尼干陀究竟为什么做常立行者，拒绝坐具，经受着剧烈、激烈、痛苦、沉重、煎熬的感受？'

听闻此言，摩诃纳摩，彼尼干陀对我如下说道：'尊者，一切知者、一切见者的尼干陀·若提子宣称无余智见："对于无论行走、站立还是睡觉、清醒都行常立的我，智见连续、恒常现前。"他如此说道："尼干陀，你们有往昔所造恶业，要通过此煎熬、难行的行为加以灭尽。现在，你们的身体被保护，语言被保护，心被保护，将来不会造恶业，旧的恶业因苦行而破坏，不造新业，将来无有影响，将来因为无有影响而业灭尽，因业灭尽而苦灭尽，因苦灭尽而感受灭尽，因感受灭尽而有一切苦的灭尽。"我们对此欢喜并认可，因此我们心满意足。'"

180　"听闻此言，摩诃纳摩，我对彼尼干陀如下说道：'那么，尼干陀朋友，你们是否知道："我们往昔是存在，不是不存在"？'

'尊者,对此我们不知道。'

'那么,尼干陀朋友,你们是否知道:"我们往昔是造过恶业,不是没造过"?'

'尊者,对此我们不知道。'

'那么,尼干陀朋友,你们是否知道:"我们造过这样、这样的恶业"?'

'尊者,对此我们不知道。'

'那么,尼干陀朋友,你们是否知道:"这么多的苦已经灭尽,这么多的苦需要灭尽,灭尽这么多的苦以后就会有一切苦的灭尽"?'

'尊者,对此我们不知道。'

'那么,尼干陀朋友,你们是否知道:"于现世舍弃诸恶法,具足诸善法"?'

'尊者,对此我们不知道。'

'既然如此,那么,尼干陀朋友,你们不知道"我们往昔是存在,不是不存在。"不知道"我们往昔是造过恶业,不是没造过。"不知道"我们造过这样、这样的恶业。"不知道"这么多的苦已经灭尽,这么多的苦需要灭尽,灭尽这么多的苦以后就会有一切苦的灭尽。"不知道"于现世舍弃诸恶法,具足诸善法。"尼干陀朋友,世上有这类再生为凶暴的从事杀生行业的人,他们会在尼干陀出家。'

'乔达摩尊者,不可以通过乐到达乐,而可以通过苦到达乐。乔达摩尊者,如果通过乐到达并获得乐,那么,摩揭陀国

王斯尼耶·频毗沙罗可以到达乐。摩揭陀国王斯尼耶·频毗沙罗是比乔达摩尊者更住于乐者。'

'尼干陀朋友的确是不加思考就说话："不可以通过乐到达乐，而可以通过苦到达乐。乔达摩尊者，如果通过乐到达并获得乐，那么，摩揭陀国王斯尼耶·频毗沙罗可以到达乐。摩揭陀国王斯尼耶·频毗沙罗会是比乔达摩尊者更住于乐者。"那么，我来反问："摩揭陀国王斯尼耶·频毗沙罗和乔达摩尊者，谁是更住于乐者？"'

'乔达摩尊者，我们的确是不加思考就说话："不可以通过乐到达乐，而可以通过苦到达乐。乔达摩尊者，如果通过乐到达并获得乐，那么，摩揭陀国王斯尼耶·频毗沙罗可以到达乐。摩揭陀国王斯尼耶·频毗沙罗会是比乔达摩尊者更住于乐者。"此且暂置，现在，我们询问乔达摩尊者："摩揭陀国王斯尼耶·频毗沙罗和乔达摩尊者，谁是更住于乐者？"'

'尼干陀朋友，既然如此，那么我来提问，你们按照自己的意愿回答。尼干陀朋友，你们如何认为？摩揭陀国王斯尼耶·频毗沙罗是否可以身体不动，不说话，七整天仅仅体味并住于乐中？'

'尊者，此不能。'

'尼干陀朋友，你们如何认为？摩揭陀国王斯尼耶·频毗沙罗是否可以身体不动，不说话，六整天仅仅体味并住于乐中？'

'尊者,此不能。'

'尼干陀朋友,你们如何认为？摩揭陀国王斯尼耶·频毗沙罗是否可以身体不动,不说话,五整天、四整天、三整天、二整天乃至一整天仅仅体味并住于乐中？'

'尊者,此不能。'

'尼干陀朋友,我就可以身体不动,不说话,一整天仅仅体味并住于乐中。尼干陀朋友,我就可以身体不动,不说话,二整天仅仅体味并住于乐中。尼干陀朋友,我就可以身体不动,不说话,三整天、四整天、五整天、六整天乃至七整天仅仅体味并住于乐中。尼干陀朋友,你们如何认为？摩揭陀国王斯尼耶·频毗沙罗和我,谁是更住于乐者？'

'乔达摩尊者是比摩揭陀国王斯尼耶·频毗沙罗更住于乐者。'"

此为佛陀所说。释迦族的摩诃纳摩内心喜悦,欢喜佛陀所说。

（小苦蕴经完）

第五、推理经（Anumānasuttaṃ）

181　如是我闻。

一次，尊者摩诃目犍连住在跋祇国鳄山城附近的恐怖林鹿苑。在此，尊者摩诃目犍连对比丘众说道："诸朋友。"

"尊者。"彼比丘众应答尊者摩诃目犍连。

尊者摩诃目犍连如下说道："诸朋友，比丘请求：'诸尊者对我说！我有话要对诸尊者说！'如果其是粗恶语者，满是恶语业行法，不堪忍受，对教诫不善取舍，那么，同修行者应考虑不对其说明，应考虑不对其教导，应考虑不对此人予以信赖。

诸朋友，是哪些恶语业行法？诸朋友，在此，比丘是恶欲者，为诸邪欲所控制。诸朋友，比丘是恶欲者，为诸邪欲所控制，此也是恶语业行法。

进而，诸朋友，比丘是自赞毁他者。诸朋友，比丘是自赞毁他者，此也是恶语业行法。

进而，诸朋友，比丘是易怒者，是被愤怒征服者。诸朋友，比丘是易怒者，是被愤怒征服者，此也是恶语业行法。

进而，诸朋友，比丘是易怒者，是因愤怒而有怨恨者。诸朋友，比丘是易怒者，是因愤怒而有怨恨者，此也是恶语业行法。

进而，诸朋友，比丘是易怒者，是因愤怒而耿耿于怀者。诸朋友，比丘是易怒者，是因愤怒而耿耿于怀者，此也是恶语业行法。

进而，诸朋友，比丘是易怒者，是说出愤怒语言者。诸朋友，比丘是易怒者，是说出愤怒语言者，此也是恶语业行法。

进而，诸朋友，比丘被责备者责备却与责备者敌对。诸朋友，比丘被责备者责备却与责备者敌对，此也是恶语业行法。

进而，诸朋友，比丘被责备者责备却呵责责备者。诸朋友，比丘被责备者责备却呵责责备者，此也是恶语业行法。

进而，诸朋友，比丘被责备者责备却顶撞责备者。诸朋友，比丘被责备者责备却顶撞责备者，此也是恶语业行法。

进而，诸朋友，比丘被责备者责备却问东答西，回避话题，明显表示愤恨、嗔恚、不满。诸朋友，比丘被责备者责备却问东答西，回避话题，明显表示愤恨、嗔恚、不满，此也是恶语业行法。

进而，诸朋友，比丘被责备者责备却对舍断不能解答。诸朋友，比丘被责备者责备却对舍断不能解答，此也是恶语业行法。

进而，诸朋友，比丘是伪善者、恼害者。诸朋友，比丘是伪善者、恼害者，此也是恶语业行法。

进而，诸朋友，比丘是嫉妒者、悭吝者。诸朋友，比丘是嫉妒者、悭吝者，此也是恶语业行法。

进而，诸朋友，比丘是狡猾者、诳惑者。诸朋友，比丘是狡猾者、诳惑者，此也是恶语业行法。

进而，诸朋友，比丘是傲慢者、过慢者。诸朋友，比丘是傲慢者、过慢者，此也是恶语业行法。

进而，诸朋友，比丘执持我见，固执、难舍。诸朋友，比丘执持我见，固执、难舍，此也是恶语业行法。

诸朋友，此即是所谓的恶语业行法。"

182 "诸朋友，比丘请求：'诸尊者对我说！我有话要对诸尊者说！'如果其是善语者，具足善语业行法，堪忍，对教诫善取舍，那么，同修行者应考虑对其说明，应考虑对其教导，应考虑对此人予以信赖。

诸朋友，是哪些善语业行法？诸朋友，在此，比丘不是恶欲者，不为诸邪欲所控制。诸朋友，比丘不是恶欲者，不为诸邪欲所控制，此也是善语业行法。

进而，诸朋友，比丘不是自赞毁他者。诸朋友，比丘不是自赞毁他者，此也是善语业行法。

进而，诸朋友，比丘不是易怒者，不是被愤怒征服者。诸朋友，比丘不是易怒者，不是被愤怒征服者，此也是善语业行法。

进而，诸朋友，比丘不是易怒者，不是因愤怒而有怨恨者。诸朋友，比丘不是易怒者，不是因愤怒而有怨恨者，此也是善语业行法。

进而，诸朋友，比丘不是易怒者，不是因愤怒而耿耿于怀者。诸朋友，比丘不是易怒者，不是因愤怒而耿耿于怀者，此也是善语业行法。

进而，诸朋友，比丘不是易怒者，不是说出愤怒语言者。诸朋友，比丘不是易怒者，不是说出愤怒语言者，此也是善语业行法。

进而，诸朋友，比丘被责备者责备却不与责备者敌对。诸朋友，比丘被责备者责备却不与责备者敌对，此也是善语业行法。

进而，诸朋友，比丘被责备者责备却不呵责责备者。诸朋友，比丘被责备者责备却不呵责责备者，此也是善语业行法。

进而，诸朋友，比丘被责备者责备却不顶撞责备者。诸朋友，比丘被责备者责备却不顶撞责备者，此也是善语业行法。

进而，诸朋友，比丘被责备者责备却不问东答西，不回避话题，不明显表示愤恨、嗔恚、不满。诸朋友，比丘被责备者责备却不问东答西，不回避话题，不明显表示愤恨、嗔恚、不满，此也是善语业行法。

进而，诸朋友，比丘被责备者责备却能对舍断加以解答。诸朋友，比丘被责备者责备却能对舍断加以解答，此也是善语业行法。

进而，诸朋友，比丘不是伪善者，不是恼害者。诸朋友，比丘不是伪善者，不是恼害者，此也是善语业行法。

进而，诸朋友，比丘不是嫉妒者，不是悭吝者。诸朋友，比丘不是嫉妒者，不是悭吝者，此也是善语业行法。

进而，诸朋友，比丘不是狡猾者，不是诳惑者。诸朋友，比丘不是狡猾者，不是诳惑者，此也是善语业行法。

进而，诸朋友，比丘不是傲慢者，不是过慢者。诸朋友，比丘不是固执者，不是过慢者，此也是善语业行法。

进而，诸朋友，比丘不执持己见，不固执，易舍。诸朋友，比丘不执持己见，不固执，易舍，此也是善语业行法。

诸朋友，此即是所谓的善语业行法。"

183 "在此，诸朋友，比丘应如此于自身推究自我：'此人是恶欲者，为诸邪欲所控制。此人是我的不可喜、不可意。如果我也是恶欲者，为诸邪欲所控制，那么我也是他人的不可喜、不可意。'如此了知以后，诸朋友，比丘则生起'我不做恶欲者，不为诸邪欲所控制'之心。

'此人是自赞毁他者。此人是我的不可喜、不可意。如果我也是自赞毁他者，那么我也是他人的不可喜、不可意。'如此了知以后，诸朋友，比丘则生起'我不做自赞毁他者'之心。

'此人是易怒者，是被愤怒征服者。此人是我的不可喜、不可意。如果我也是易怒者，是被愤怒征服者，那么我也是他人的不可喜、不可意。'如此了知以后，诸朋友，比丘则生起'我不做易怒者，不做被愤怒征服者'之心。

'此人是易怒者,是因愤怒而有怨恨者。此人是我的不可喜、不可意。如果我也是易怒者,是因愤怒而有怨恨者,那么我也是他人的不可喜、不可意。'如此了知以后,诸朋友,比丘则生起'我不做易怒者,不做因愤怒而有怨恨者'之心。

'此人是易怒者,是因愤怒而耿耿于怀者。此人是我的不可喜、不可意。如果我也是易怒者,是因愤怒而耿耿于怀者,那么我也是他人的不可喜、不可意。'如此了知以后,诸朋友,比丘则生起'我不做易怒者,不做因愤怒而耿耿于怀者'之心。

'此人是易怒者,是说出愤怒语言者。此人是我的不可喜、不可意。如果我也是易怒者,是说出愤怒语言者,那么我也是他人的不可喜、不可意。'如此了知以后,诸朋友,比丘则生起'我不做易怒者,不做说出愤怒语言者'之心。

'此人被责备者责备却与责备者敌对。此人是我的不可喜、不可意。如果我也被责备者责备却与责备者敌对,那么我也是他人的不可喜、不可意。'如此了知以后,诸朋友,比丘则生起'我不要被责备者责备却与责备者敌对'之心。

'此人被责备者责备却呵责责备者。此人是我的不可喜、不可意。如果我也被责备者责备却呵责责备者,那么我也是他人的不可喜、不可意。'如此了知以后,诸朋友,比丘则生起'我不要被责备者责备却呵责责备者'之心。

'此人被责备者责备却顶撞责备者。此人是我的不可喜、不可意。如果我也被责备者责备却顶撞责备者,那么我也是他人的不可喜、不可意。'如此了知以后，诸朋友，比丘则生起'我不要被责备者责备却顶撞责备者'之心。

'此人被责备者责备却问东答西，回避话题，明显表示愤恨、嗔恚、不满。此人是我的不可喜、不可意。如果我也被责备者责备却问东答西，回避话题，明显表示愤恨、嗔恚、不满，那么我也是他人的不可喜、不可意。'如此了知以后，诸朋友，比丘则生起'我不要被责备者责备却问东答西，不回避话题，不明显表示愤恨、嗔恚、不满'之心。

'此人被责备者责备却对舍断不能解答。此人是我的不可喜、不可意。如果我也被责备者责备却对舍断不能解答，那么我也是他人的不可喜、不可意。'如此了知以后，诸朋友，比丘则生起'我要不被责备者责备，要能对舍断加以解答'之心。

'此人是伪善者、恼害者。此人是我的不可喜、不可意。如果我也是伪善者、恼害者，那么我也是他人的不可喜、不可意。'如此了知以后，诸朋友，比丘则生起'我不做伪善者，不做恼害者'之心。

'此人是嫉妒者、悭吝者。此人是我的不可喜、不可意。如果我也是嫉妒者、悭吝者，那么我也是他人的不可喜、不可意。'如此了知以后，诸朋友，比丘则生起'我不做嫉妒者，不做悭吝者'之心。

'此人是狡猾者、诳惑者。此人是我的不可喜、不可意。如果我也是狡猾者、诳惑者，那么我也是他人的不可喜、不可意。'如此了知以后,诸朋友,比丘则生起'我不做狡猾者,不做诳惑者'之心。

'此人是傲慢者、过慢者。此人是我的不可喜、不可意。如果我也是傲慢者、过慢者,那么我也是他人的不可喜、不可意。'如此了知以后,诸朋友,比丘则生起'我不做傲慢者,不做过慢者'之心。

'此人执持我见,固执、难舍。此人是我的不可喜、不可意。如果我也执持我见,固执、难舍,那么我也是他人的不可喜、不可意。'如此了知以后,诸朋友,比丘则生起'我不执持己见,不固执、易舍'之心。"

184 "在此,诸朋友,比丘应如下于自身省察自我:'我是否是恶欲者,是否为诸邪欲所控制?'诸朋友,如果比丘省察后如此了知:'我是恶欲者,为诸邪欲所控制。'那么,诸朋友,比丘应为了彼恶不善法的舍弃而努力。诸朋友,如果比丘省察后如此了知:'我不是恶欲者,不为诸邪欲所控制。'那么,诸朋友,比丘因其喜悦,于诸善法日夜学习而住。

进而,诸朋友,比丘应如下于自身省察自我:'我是否是自赞毁他者?'诸朋友,如果比丘省察后如此了知:'我是自赞毁他者。'那么,诸朋友,比丘应为了彼恶不善法的舍弃而努力。诸朋友,如果比丘省察后如此了知:'我不是自赞毁他者。'那么,诸朋友,比丘因其喜悦,于诸善法日夜学习而住。

进而,诸朋友,比丘应如下于自身省察自我:'我是否是易怒者,是否是被愤怒征服者?'诸朋友,如果比丘省察后如此了知：'我是易怒者，是被愤怒征服者。'那么，诸朋友，比丘应为了彼恶不善法的舍弃而努力。诸朋友，如果比丘省察后如此了知：'我不是易怒者，不是被愤怒征服者。'那么，诸朋友，比丘因其喜悦，于诸善法日夜学习而住。

进而，诸朋友，比丘应如下于自身省察自我：'我是否是易怒者，是否是因愤怒而有怨恨者？'诸朋友，如果比丘省察后如此了知：'我是易怒者，是因愤怒而有怨恨者。'那么，诸朋友，比丘应为了彼恶不善法的舍弃而努力。诸朋友，如果比丘省察后如此了知：'我不是易怒者，不是因愤怒而有怨恨者。'那么，诸朋友，比丘因其喜悦，于诸善法日夜学习而住。

进而，诸朋友，比丘应如下于自身省察自我：'我是否是易怒者，是否是因愤怒而耿耿于怀者？'诸朋友，如果比丘省察后如此了知：'我是易怒者，是因愤怒而耿耿于怀者。'那么，诸朋友，比丘应为了彼恶不善法的舍弃而努力。诸朋友，如果比丘省察后如此了知：'我不是易怒者，不是因愤怒而耿耿于怀者。'那么，诸朋友，比丘因其喜悦，于诸善法日夜学习而住。

进而，诸朋友，比丘应如下于自身省察自我：'我是否是易怒者，是否是说出愤怒语言者？'诸朋友，如果比丘省察后如此了知：'我是易怒者，是说出愤怒语言者。'那么，诸朋友，比丘应为了彼恶不善法的舍弃而努力。诸朋友，如果比丘省察后如此了知：'我不是易怒者，不是说出愤怒语言者。'那么，诸朋友，比丘因其喜悦，于诸善法日夜学习而住。

　　进而，诸朋友，比丘应如下于自身省察自我：'我是否被责备者责备却与责备者敌对？'诸朋友，如果比丘省察后如此了知：'我是被责备者责备却与责备者敌对。'那么，诸朋友，比丘应为了彼恶不善法的舍弃而努力。诸朋友，如果比丘省察后如此了知：'我不是被责备者责备而与责备者敌对。'那么，诸朋友，比丘因其喜悦，于诸善法日夜学习而住。

　　进而，诸朋友，比丘应如下于自身省察自我：'我是否被责备者责备却呵责责备者？'诸朋友，如果比丘省察后如此了知：'我是被责备者责备却呵责责备者。'那么，诸朋友，比丘应为了彼恶不善法的舍弃而努力。诸朋友，如果比丘省察后如此了知：'我不是被责备者责备而呵责责备者。'那么，诸朋友，比丘因其喜悦，于诸善法日夜学习而住。

　　进而，诸朋友，比丘应如下于自身省察自我：'我是否被责备者责备却顶撞责备者？'诸朋友，如果比丘省察后如此了知：'我是被责备者责备却顶撞责备者。'那么，诸朋友，比丘应为了彼恶不善法的舍弃而努力。诸朋友，如果比丘省察后如此了知：'我不是被责备者责备而顶撞责备者。'那么，诸朋友，比丘因其喜悦，于诸善法日夜学习而住。

　　进而，诸朋友，比丘应如下于自身省察自我：'我是否被责备者责备却问东答西，回避话题，明显表示愤恨、嗔恚、不满？'诸朋友，如果比丘省察后如此了知：'我是被责备者责备却问东答西，回避话题，明显表示愤恨、嗔恚、不满。'那么，诸朋友，比丘应为了彼恶不善法的舍弃而努力。诸朋友，如果比丘省察后如此了知：'我不是被责备者责备而问东答西，不回避话题，不明显表示愤恨、嗔恚、不满。'那么，诸朋友，比丘因其喜悦，于诸善法日夜学习而住。

进而，诸朋友，比丘应如下于自身省察自我：'我是否被责备者责备却对舍断不能解答？'诸朋友，如果比丘省察后如此了知：'我是被责备者责备却对舍断不能解答。'那么，诸朋友，比丘应为了彼恶不善法的舍弃而努力。诸朋友，如果比丘省察后如此了知：'我不被责备者责备，能对舍断加以解答。'那么，诸朋友，比丘因其喜悦，于诸善法日夜学习而住。

进而，诸朋友，比丘应如下于自身省察自我：'我是否是伪善者、恼害者？'诸朋友，如果比丘省察后如此了知：'我是伪善者、恼害者。'那么，诸朋友，比丘应为了彼恶不善法的舍弃而努力。诸朋友，如果比丘省察后如此了知：'我不是伪善者，不是恼害者。'那么，诸朋友，比丘因其喜悦，于诸善法日夜学习而住。

进而，诸朋友，比丘应如下于自身省察自我：'我是否是嫉妒者、悭吝者？'诸朋友，如果比丘省察后如此了知：'我是嫉妒者、悭吝者。'那么，诸朋友，比丘应为了彼恶不善法的舍弃而努力。诸朋友，如果比丘省察后如此了知：'我不是嫉妒者，不是悭吝者。'那么，诸朋友，比丘因其喜悦，于诸善法日夜学习而住。

进而，诸朋友，比丘应如下于自身省察自我：'我是否是狡猾者、诳惑者？'诸朋友，如果比丘省察后如此了知：'我是狡猾者、诳惑者。'那么,诸朋友,比丘应为了彼恶不善法的舍弃而努力。诸朋友,如果比丘省察后如此了知:'我不是狡猾者,不是诳惑者。'那么,诸朋友,比丘因其喜悦,于诸善法日夜学习而住。

进而,诸朋友,比丘应如下于自身省察自我:'我是否是傲慢者、过慢者?'诸朋友,如果比丘省察后如此了知:'我是傲慢者、过慢者。'那么,诸朋友,比丘应为了彼恶不善法的舍弃而努力。诸朋友,如果比丘省察后如此了知:'我不是傲慢者,不是过慢者。'那么,诸朋友,比丘因其喜悦,于诸善法日夜学习而住。

进而,诸朋友,比丘应如下于自身省察自我:'我是否执持我见,固执、难舍?'诸朋友,如果比丘省察后如此了知:'我是执持我见,固执、难舍。'那么,诸朋友,比丘应为了彼恶不善法的舍弃而努力。诸朋友,如果比丘省察后如此了知:'我不是执持己见,不固执、易舍。'那么,诸朋友,比丘因其喜悦,于诸善法日夜学习而住。

诸朋友,如果比丘省察后于自身发现了此所有恶不善法尚未断,那么,诸朋友,比丘应为了此所有恶不善法的舍弃而努力。诸朋友,如果比丘省察后于自身发现了此所有恶不善法已断,那么,诸朋友,比丘因其喜悦,于诸善法日夜学习而住。

诸朋友,例如,具有爱美之心的青春的青年男女通过清洁、光亮的镜子或澄清的水盆观察自己的脸庞,如果发现有

灰土或尘垢,则为了彼灰土或尘垢的去除而努力。如果发现
没有灰土或尘垢,则因此而自我满足:'啊,我有利得! 啊,我
清净!'像这样,诸朋友,如果比丘省察后于自身发现了此所
有恶不善法尚未断,那么,诸朋友,比丘应为了此所有恶不善
法的舍弃而努力。诸朋友,如果比丘省察后于自身发现了此
所有恶不善法已断,那么,诸朋友,比丘因其喜悦,于诸善法
日夜学习而住。"

此为尊者摩诃目犍连所说。彼比丘众内心喜悦,欢喜尊
者摩诃目犍连所说。

（推理经完）

第六、心荒芜经（Cetokhilasuttaṃ）

185　如是我闻。

一次,佛陀住在舍卫城附近的祇陀林给孤独园。在此,
佛陀对比丘众说道:"诸比丘。"

"尊师。"彼比丘众应诺佛陀。

佛陀如下说道:"诸比丘,任何比丘,如果五心荒芜尚未
被舍弃,五心束缚尚未被断除,其于此法和律上会获得繁荣、
增长、扩大,这样的道理不存在。

哪些是其尚未被舍弃的五心荒芜?

诸比丘,在此,比丘对导师怀疑、疑惑、不信解、不净信。诸比丘,彼比丘对导师怀疑、疑惑、不信解、不净信,其就不能倾心于勇猛、专修、坚忍、精勤。像这样,不能倾心于勇猛、专修、坚忍、精勤,此为第一尚未被舍弃的心荒芜。

进而,诸比丘,比丘对法怀疑、疑惑、不信解、不净信。诸比丘,彼比丘对法怀疑、疑惑、不信解、不净信,其就不能倾心于勇猛、专修、坚忍、精勤。像这样,不能倾心于勇猛、专修、坚忍、精勤,此为第二尚未被舍弃的心荒芜。

进而,诸比丘,比丘对僧怀疑、疑惑、不信解、不净信。诸比丘,彼比丘对僧怀疑、疑惑、不信解、不净信,其就不能倾心于勇猛、专修、坚忍、精勤。像这样,不能倾心于勇猛、专修、坚忍、精勤,此为第三尚未被舍弃的心荒芜。

进而,诸比丘,比丘对学怀疑、疑惑、不信解、不净信。诸比丘,彼比丘对学怀疑、疑惑、不信解、不净信,其就不能倾心于勇猛、专修、坚忍、精勤。像这样,不能倾心于勇猛、专修、坚忍、精勤,此为第四尚未被舍弃的心荒芜。

进而,诸比丘,比丘对同修行者嗔恚、不合意、存害心、厌恶。诸比丘,彼比丘对同修行者嗔恚、不合意、存害心、厌恶,其就不能倾心于勇猛、专修、坚忍、精勤。像这样,不能倾心于勇猛、专修、坚忍、精勤,此为第五尚未被舍弃的心荒芜。

此为尚未被舍弃的五心荒芜。"

186 "哪些是其尚未被断除的五心束缚?

诸比丘,在此,比丘于诸欲是未离欲者,未离意欲,未离爱情，未离渴求，未离热恼，未离渴望。诸比丘，彼比丘于诸欲是未离欲者，未离意欲，未离爱情，未离渴求，未离热恼，未离渴望，其就不能倾心于勇猛、专修、坚忍、精勤。像这样，不能倾心于勇猛、专修、坚忍、精勤，此为第一尚未被断除的心束缚。

进而，诸比丘，比丘于身体是未离欲者，未离意欲，未离爱情，未离渴求，未离热恼，未离渴望。诸比丘，彼比丘于身体是未离欲者，未离意欲，未离爱情，未离渴求，未离热恼，未离渴望，其就不能倾心于勇猛、专修、坚忍、精勤。像这样，不能倾心于勇猛、专修、坚忍、精勤，此为第二尚未被断除的心束缚。

进而，诸比丘，比丘于色是未离欲者，未离意欲，未离爱情，未离渴求，未离热恼，未离渴望。诸比丘，比丘于色是未离欲者，未离意欲，未离爱情，未离渴求，未离热恼，未离渴望，其就不能倾心于勇猛、专修、坚忍、精勤。像这样，不能倾心于勇猛、专修、坚忍、精勤，此为第三尚未被断除的心束缚。

进而，诸比丘，比丘随欲满腹而食，专注于躺卧乐、睡眠乐而住。诸比丘，比丘随欲满腹而食，专注于躺卧乐、睡眠乐而住，其就不能倾心于勇猛、专修、坚忍、精勤。像这样，不能倾心于勇猛、专修、坚忍、精勤，此为第四尚未被断除的心束缚。

进而，诸比丘，比丘志求某一天众而行梵行：'我通过此戒或戒禁或苦行或梵行而生为天或天众。'诸比丘，比丘志求某一天众而行梵行：'我通过此戒或戒禁或苦行或梵行而生为天或天众'，其就不能倾心于勇猛、专修、坚忍、精勤。像这样，不能倾心于勇猛、专修、坚忍、精勤，此为第五尚未被断除的心束缚。

此为尚未被断除的五心束缚。

诸比丘，任何比丘，如果此五心荒芜尚未被舍弃，此五心束缚尚未被断除，其于此法和律上会获得繁荣、增长、扩大，这样的道理不存在。"

187 "诸比丘，任何比丘，如果五心荒芜被舍弃，五心束缚被断除，其于此法和律上会获得繁荣、增长、扩大，这样的道理存在。

哪些是其被舍弃的五心荒芜？

诸比丘，在此，比丘对导师不怀疑、不疑惑、信解、净信。诸比丘，彼比丘对导师不怀疑、不疑惑、信解、净信，其就能倾心于勇猛、专修、坚忍、精勤。像这样，倾心于勇猛、专修、坚忍、精勤，此为第一被舍弃的心荒芜。

进而，诸比丘，比丘对法不怀疑、不疑惑、信解、净信。诸比丘，彼比丘对法不怀疑、不疑惑、信解、净信，其就能倾心于勇猛、专修、坚忍、精勤。像这样，倾心于勇猛、专修、坚忍、精勤，此为第二被舍弃的心荒芜。

进而，诸比丘，比丘对僧不怀疑、不疑惑、信解、净信。诸比丘，彼比丘对僧不怀疑、不疑惑、信解、净信，其就能倾心于勇猛、专修、坚忍、精勤。像这样，倾心于勇猛、专修、坚忍、精勤，此为第三被舍弃的心荒芜。

进而，诸比丘，比丘对学不怀疑、不疑惑、信解、净信。诸比丘，彼比丘对学不怀疑、不疑惑、信解、净信，其就能倾心于勇猛、专修、坚忍、精勤。像这样，倾心于勇猛、专修、坚忍、精勤，此为第四被舍弃的心荒芜。

进而，诸比丘，比丘对同修行者不嗔恚、无不合意、不存害心、不厌恶。诸比丘，彼比丘对同修行者不嗔恚、无不合意、不存害心、不厌恶，其就能倾心于勇猛、专修、坚忍、精勤。像这样，倾心于勇猛、专修、坚忍、精勤，此为第五被舍弃的心荒芜。

此为被舍弃的五心荒芜。"

188　"哪些是其被断除的五心束缚？

诸比丘，在此，比丘于诸欲是离欲者，离意欲，离爱情，离渴求，离热恼，离渴望。诸比丘，彼比丘于诸欲是离欲者，离意欲，离爱情，离渴求，离热恼，离渴望，其就能倾心于勇猛、专修、坚忍、精勤。像这样，倾心于勇猛、专修、坚忍、精勤，此为第一被断除的心束缚。

进而，诸比丘，比丘于身体是离欲者，离意欲，离爱情，离渴求，离热恼，离渴望。诸比丘，彼比丘于身体是离欲者，离意欲，离爱情，离渴求，离热恼，离渴望，其就能倾心于勇猛、专修、坚忍、精勤。像这样，倾心于勇猛、专修、坚忍、精勤，此为第二被断除的心束缚。

进而，诸比丘，比丘于色是离欲者，离意欲，离爱情，离渴求,离热恼,离渴望。诸比丘,比丘于色是离欲者,离意欲,离爱情,离渴求,离热恼,离渴望,其就能倾心于勇猛、专修、坚忍、精勤。像这样,倾心于勇猛、专修、坚忍、精勤,此为第三被断除的心束缚。

进而,诸比丘,比丘不随欲满腹而食,不专注于躺卧乐、睡眠乐而住。诸比丘,比丘不随欲满腹而食,不专注于躺卧乐、睡眠乐而住,其就能倾心于勇猛、专修、坚忍、精勤。像这样,倾心于勇猛、专修、坚忍、精勤,此为第四被断除的心束缚。

进而,诸比丘,比丘不志求某一天众而行梵行:'我通过此戒或戒禁或苦行或梵行而生为天或天众。'诸比丘,比丘不志求某一天众而行梵行:'我通过此戒或戒禁或苦行或梵行而生为天或天众',其就能倾心于勇猛、专修、坚忍、精勤。像这样,倾心于勇猛、专修、坚忍、精勤,此为第五被断除的心束缚。

此为被断除的五心束缚。

诸比丘,任何比丘,如果此五心荒芜被舍弃,此五心束缚被断除,其于此法和律上会获得繁荣、增长、扩大,这样的道理存在。"

189 "其修习具足欲定和精勤行的神足,修习具足心定和精勤行的神足,修习具足精进定和精勤行的神足,修习具足观定和精勤行的神足,第五就是依勤勇。诸比丘,像这样,具足勤勇等十五支的彼比丘可以破壳,可以正等觉,可以证得无上的无碍安稳。

诸比丘，例如有八个或十个或十二个鸡蛋。母鸡小心翼翼地坐卧在其上面，小心翼翼地温暖，小心翼翼地孵化。即使母鸡不生起以下的欲望：'啊，我的小鸡或用爪或用喙打破蛋壳，则将平安地孵化出来。'此时，彼小鸡也会或用爪或用喙打破蛋壳，可以平安地孵化出来。

诸比丘，像这样，具足勤勇等十五支的彼比丘可以破壳，可以正等觉，可以证得无上的无碍安稳。"

此为佛陀所说。彼比丘众内心喜悦，欢喜佛陀所说。

（心荒芜经完）

第七、丛林经（Vanapatthasuttaṃ）

190　如是我闻。

一次，佛陀住在舍卫城附近的祇陀林给孤独园。在此，佛陀对比丘众说道："诸比丘。"

"尊师。"彼比丘众应诺佛陀。

佛陀如下说道："诸比丘，我为你们讲丛林法门。你们仔细听，充分作意。我来说。"

"好，尊师。"彼比丘众应诺佛陀。

佛陀如下说道：

191 "诸比丘,在此,比丘依止某丛林而住。对于其依止该丛林而住者,未现前的念没有现前,未得定的心没有得定,未灭尽的烦恼没有灭尽,未到达的无上无碍安稳没有到达,而且,依出家而应获得的此活命资具,即衣、托钵食、坐卧处、医药资具,此难以获得。诸比丘,该比丘如下缜密思考:'我依止此丛林而住。对于依止此丛林而住的我,未现前的念没有现前,未得定的心没有得定,未灭尽的烦恼没有灭尽,未到达的无上无碍安稳没有到达,而且,依出家而应获得的此活命资具,即衣、托钵食、坐卧处、医药资具,此难以获得。'诸比丘,该比丘或黑夜或白昼将离开彼丛林,不会居住。"

192 "诸比丘,在此,比丘依止某丛林而住。对于其依止该丛林而住者,未现前的念没有现前,未得定的心没有得定,未灭尽的烦恼没有灭尽,未到达的无上无碍安稳没有到达,然而,依出家而应获得的此活命资具,即衣、托钵食、坐卧处、医药资具,此轻易获得。诸比丘,该比丘如下缜密思考:'我依止此丛林而住。对于依止此丛林而住的我,未现前的念没有现前,未得定的心没有得定,未灭尽的烦恼没有灭尽,未到达的无上无碍安稳没有到达,然而,依出家而应获得的此活命资具,即衣、托钵食、坐卧处、医药资具,此轻易获得。然而,我不是为了衣而舍家出家,不是为了托钵食而舍家出家,不是为了坐卧处而舍家出家,不是为了医药资具而舍家出家。我依止此丛林而住。对于依止此丛林而住的我,未现前的念没有现前,未得定的心没有得定,未灭尽的烦恼没有

灭尽,未到达的无上无碍安稳没有到达。'诸比丘,该比丘或
黑夜或白昼将离开彼丛林,不会居住。"

193　"诸比丘,在此,比丘依止某丛林而住。对于其依
止该丛林而住者,未现前的念现前,未得定的心得定,未灭尽
的烦恼灭尽,未到达的无上无碍安稳到达,然而,依出家而应
获得的此活命资具,即衣、托钵食、坐卧处、医药资具,此难以
获得。诸比丘,该比丘如下缜密思考:'我依止此丛林而住。
对于依止此丛林而住的我,未现前的念现前,未得定的心得
定,未灭尽的烦恼灭尽,未到达的无上无碍安稳到达。然而,
依出家而应获得的此活命资具,即衣、托钵食、坐卧处、医药
资具,此难以获得。然而,我不是为了衣而舍家出家,不是为
了托钵食而舍家出家,不是为了坐卧处而舍家出家,不是为
了医药资具而舍家出家。我依止此丛林而住。对于依止此
丛林而住的我,未现前的念现前,未得定的心得定,未灭尽的
烦恼灭尽,未到达的无上无碍安稳到达。'诸比丘,该比丘思
考以后住于该丛林,不会离开。"

194　"诸比丘,在此,比丘依止某丛林而住。对于其依
止该丛林而住者,未现前的念现前,未得定的心得定,未灭尽
的烦恼灭尽,未到达的无上无碍安稳到达,而且,依出家而应
获得的此活命资具,即衣、托钵食、坐卧处、医药资具,此轻易
获得。诸比丘,该比丘如下缜密思考:'我依止此丛林而住。
对于依止此丛林而住的我,未现前的念现前,未得定的心得
定,未灭尽的烦恼灭尽,未到达的无上无碍安稳到达,而且,

依出家而应获得的此活命资具,即衣、托钵食、坐卧处、医药资具,此轻易获得。'诸比丘,该比丘一生都会住于该丛林,不会离开。"

195 "诸比丘,在此,比丘依止某村庄而住。对于其依止该村庄而住者,未现前的念没有现前,未得定的心没有得定,未灭尽的烦恼没有灭尽,未到达的无上无碍安稳没有到达,而且,依出家而应获得的此活命资具,即衣、托钵食、坐卧处、医药资具,此难以获得。诸比丘,该比丘如下缜密思考:'我依止此村庄而住。对于依止此村庄而住的我,未现前的念没有现前,未得定的心没有得定,未灭尽的烦恼没有灭尽,未到达的无上无碍安稳没有到达,而且,依出家而应获得的此活命资具,即衣、托钵食、坐卧处、医药资具,此难以获得。'诸比丘,该比丘或黑夜或白昼将离开彼村庄,不会居住。

诸比丘,在此,比丘依止某村庄而住。对于其依止该村庄而住者,未现前的念没有现前,未得定的心没有得定,未灭尽的烦恼没有灭尽,未到达的无上无碍安稳没有到达,然而,依出家而应获得的此活命资具,即衣、托钵食、坐卧处、医药资具,此轻易获得。诸比丘,该比丘如下缜密思考:'我依止此村庄而住。对于依止此村庄而住的我,未现前的念没有现前,未得定的心没有得定,未灭尽的烦恼没有灭尽,未到达的无上无碍安稳没有到达,然而,依出家而应获得的此活命资具,即衣、托钵食、坐卧处、医药资具,此轻易获得。然而,我不是为了衣而舍家出家,不是为了托钵食而舍家出家,不是为了坐卧处而舍家出家，不是为了医药资具而舍家出家。我依止此村庄而住。对于依止此村庄而住的我，未现前的念没有现前，未得定的心没有得定，未灭尽的烦恼没有灭尽，未到达的无上无碍安稳没有到达。'诸比丘，该比丘或黑夜或白昼将离开彼村庄，不会居住。

诸比丘，在此，比丘依止某村庄而住。对于其依止该村庄而住者，未现前的念现前，未得定的心得定，未灭尽的烦恼灭尽，未到达的无上无碍安稳到达，然而，依出家而应获得的此活命资具，即衣、托钵食、坐卧处、医药资具，此难以获得。诸比丘，该比丘如下缜密思考：'我依止此村庄而住。对于依止此村庄而住的我，未现前的念现前，未得定的心得定，未灭尽的烦恼灭尽，未到达的无上无碍安稳到达。然而，依出家而应获得的此活命资具，即衣、托钵食、坐卧处、医药资具，此难以获得。然而，我不是为了衣而舍家出家，不是为了托钵食而舍家出家，不是为了坐卧处而舍家出家，不是为了医药资具而舍家出家。我依止此村庄而住。对于依止此村庄而住的我，未现前的念现前，未得定的心得定，未灭尽的烦恼灭尽，未到达的无上无碍安稳到达。'诸比丘，该比丘思考以后住于该村庄，不会离开。

诸比丘，在此，比丘依止某村庄而住。对于其依止该村庄而住者，未现前的念现前，未得定的心得定，未灭尽的烦恼灭尽，未到达的无上无碍安稳到达，而且，依出家而应获得的此活命资具，即衣、托钵食、坐卧处、医药资具，此轻易获得。

诸比丘,该比丘如下缜密思考:'我依止此村庄而住。对于依止此村庄而住的我,未现前的念现前,未得定的心得定,未灭尽的烦恼灭尽,未到达的无上无碍安稳到达,而且,依出家而应获得的此活命资具,即衣、托钵食、坐卧处、医药资具,此轻易获得。'诸比丘,该比丘一生都会住于该村庄,不会离开。

诸比丘,在此,比丘依止某一城镇或某一都城或某一地区而住。对于其依止该城镇或都城或地区而住者,未现前的念没有现前,未得定的心没有得定,未灭尽的烦恼没有灭尽,未到达的无上无碍安稳没有到达,而且,依出家而应获得的此活命资具,即衣、托钵食、坐卧处、医药资具,此难以获得。诸比丘,该比丘如下缜密思考:'我依止此城镇或都城或地区而住。对于依止此城镇或都城或地区而住的我,未现前的念没有现前,未得定的心没有得定,未灭尽的烦恼没有灭尽,未到达的无上无碍安稳没有到达,而且,依出家而应获得的此活命资具,即衣、托钵食、坐卧处、医药资具,此难以获得。'诸比丘,该比丘或黑夜或白昼将离开彼城镇或都城或地区,不会居住。

诸比丘,在此,比丘依止某一城镇或某一都城或某一地区而住。对于其依止该城镇或都城或地区而住者,未现前的念没有现前,未得定的心没有得定,未灭尽的烦恼没有灭尽,未到达的无上无碍安稳没有到达,然而,依出家而应获得的此活命资具,即衣、托钵食、坐卧处、医药资具,此轻易获得。诸比丘,该比丘如下缜密思考:'我依止此城镇或都城或地区而住。对于依止此城镇或都城或地区而住的我，未现前的念没有现前，未得定的心没有得定，未灭尽的烦恼没有灭尽，未到达的无上无碍安稳没有到达，然而，依出家而应获得的此活命资具，即衣、托钵食、坐卧处、医药资具，此轻易获得。然而，我不是为了衣而舍家出家，不是为了托钵食而舍家出家，不是为了坐卧处而舍家出家，不是为了医药资具而舍家出家。我依止此村庄而住。对于依止此城镇或都城或地区而住的我，未现前的念没有现前，未得定的心没有得定，未灭尽的烦恼没有灭尽，未到达的无上无碍安稳没有到达。'诸比丘，该比丘或黑夜或白昼将离开彼城镇或都城或地区，不会居住。

诸比丘，在此，比丘依止某一城镇或某一都城或某一地区而住。对于其依止该城镇或都城或地区而住者，未现前的念现前，未得定的心得定，未灭尽的烦恼灭尽，未到达的无上无碍安稳到达，然而，依出家而应获得的此活命资具，即衣、托钵食、坐卧处、医药资具，此难以获得。诸比丘，该比丘如下缜密思考：'我依止此城镇或都城或地区而住。对于依止此城镇或都城或地区而住的我，未现前的念现前，未得定的心得定，未灭尽的烦恼灭尽，未到达的无上无碍安稳到达。然而，依出家而应获得的此活命资具，即衣、托钵食、坐卧处、医药资具，此难以获得。然而，我不是为了衣而舍家出家，不是为了托钵食而舍家出家，不是为了坐卧处而舍家出家，不是为了医药资具而舍家出家。我依止此城镇或都城或地区而住。对于依止此城镇或都城或地区而住的我，未现前的念现前，未得定的心得定，未灭尽的烦恼灭尽，未到达的无上无碍安稳到达。'诸比丘，该比丘思考以后住于该城镇或都城或地区，不会离开。

诸比丘，在此，比丘依止某一城镇或某一都城或某一地区而住。对于其依止该城镇或都城或地区而住者，未现前的念现前，未得定的心得定，未灭尽的烦恼灭尽，未到达的无上无碍安稳到达，而且，依出家而应获得的此活命资具，即衣、托钵食、坐卧处、医药资具，此轻易获得。诸比丘，该比丘如下缜密思考：'我依止此城镇或都城或地区而住。对于依止此城镇或都城或地区而住的我，未现前的念现前，未得定的心得定，未灭尽的烦恼灭尽，未到达的无上无碍安稳到达，而且，依出家而应获得的此活命资具，即衣、托钵食、坐卧处、医药资具，此轻易获得。'诸比丘，该比丘一生都会住于该城镇或都城或地区，不会离开。

诸比丘，在此，比丘依止某人而住。对于其依止该人而住者，未现前的念没有现前，未得定的心没有得定，未灭尽的烦恼没有灭尽，未到达的无上无碍安稳没有到达，而且，依出家而应获得的此活命资具，即衣、托钵食、坐卧处、医药资具，此难以获得。诸比丘，该比丘如下缜密思考：'我依止此人而住。对于依止此人而住的我，未现前的念没有现前，未得定的心没有得定，未灭尽的烦恼没有灭尽，未到达的无上无碍安稳没有到达，而且，依出家而应获得的此活命资具，即衣、托钵食、坐卧处、医药资具，此难以获得。'诸比丘，该比丘或黑夜或白昼将会不辞而别离开彼人，不会追随。"

196 "诸比丘，在此，比丘依止某人而住。对于其依止该人而住者，未现前的念没有现前，未得定的心没有得定，未灭尽的烦恼没有灭尽，未到达的无上无碍安稳没有到达，然而，依出家而应获得的此活命资具，即衣、托钵食、坐卧处、医药资具，此轻易获得。诸比丘，该比丘如下缜密思考：'我依止此人而住。对于依止此人而住的我，未现前的念没有现前，未得定的心没有得定，未灭尽的烦恼没有灭尽，未到达的无上无碍安稳没有到达，然而，依出家而应获得的此活命资具，即衣、托钵食、坐卧处、医药资具，此轻易获得。然而，我不是为了衣而舍家出家，不是为了托钵食而舍家出家，不是为了坐卧处而舍家出家，不是为了医药资具而舍家出家。我依止此人而住。对于依止此人而住的我，未现前的念没有现前，未得定的心没有得定，未灭尽的烦恼没有灭尽，未到达的无上无碍安稳没有到达。'诸比丘，该比丘或黑夜或白昼将会不辞而别离开彼人，不会追随。"

197 "诸比丘，在此，比丘依止某人而住。对于其依止该人而住者，未现前的念现前，未得定的心得定，未灭尽的烦恼灭尽，未到达的无上无碍安稳到达，然而，依出家而应获得的此活命资具，即衣、托钵食、坐卧处、医药资具，此难以获得。诸比丘，该比丘如下缜密思考：'我依止此人而住。对于依止此人而住的我，未现前的念现前，未得定的心得定，未灭尽的烦恼灭尽，未到达的无上无碍安稳到达。然而，依出家而应获得的此活命资具，即衣、托钵食、坐卧处、医药资具，此难以获得。然而，我不是为了衣而舍家出家，不是为了托钵食而舍家出家，不是为了坐卧处而舍家出家，不是为了医药资具而舍家出家。我依止此人而住。对于依止此人而住的我，未现前的念现前，未得定的心得定，未灭尽的烦恼灭尽，未到达的无上无碍安稳到达。'诸比丘，该比丘思考以后将追随该人，不会离开。"

198　"诸比丘，在此，比丘依止某人而住。对于其依止该人而住者，未现前的念现前，未得定的心得定，未灭尽的烦恼灭尽，未到达的无上无碍安稳到达，而且，依出家而应获得的此活命资具，即衣、托钵食、坐卧处、医药资具，此轻易获得。诸比丘，该比丘如下缜密思考：'我依止此人而住。对于依止此人而住的我，未现前的念现前，未得定的心得定，未灭尽的烦恼灭尽，未到达的无上无碍安稳到达，而且，依出家而应获得的此活命资具，即衣、托钵食、坐卧处、医药资具，此轻易获得。'诸比丘，该比丘一生都会追随该人，不会离开，即使被驱赶。"

此为佛陀所说。彼比丘众内心喜悦，欢喜佛陀所说。

（丛林经完）

第八、蜜丸经（Madhupiṇḍikasuttaṃ）

199　如是我闻。

一次，佛陀住在<u>释迦国迦毗罗卫城</u>附近的<u>尼拘律</u>林里。

这天，佛陀于上午，着衣，持衣钵，进入<u>迦毗罗卫</u>城托钵乞食。在<u>迦毗罗卫</u>城游化乞食，吃完饭，结束托钵食以后，接近大林去午休。进入大林深处，在木瓜树下就坐午休。

此时，<u>释迦</u>族的<u>旦达帕尼</u>在散步，漫步，信步而行，逐渐接近大林。进入大林深处，接近木瓜树，接近佛陀所在的地方，靠近以后向佛陀问候，互致值得记忆的欢喜语言以后拄着拐杖立于一旁。立于一旁的<u>释迦</u>族的<u>旦达帕尼</u>向佛陀如下说道："沙门是何论者？是何说者？"

"朋友，我主张在包含天、魔、梵、沙门、婆罗门、众人、人天在内的此世界里，不与世界中的任何一位争论而住，对于离诸欲束缚、无有疑惑、斩断后悔、离开有非有贪爱而住的彼婆罗门不再随增诸想。朋友，我就是如此论者，如此说者。"

听闻此言，<u>释迦</u>族的<u>旦达帕尼</u>摇着头，呧着嘴，皱着眉，拄着拐杖离开。

200　傍晚，佛陀从禅坐中出定，走向<u>尼拘律</u>树林，走进以后坐在准备好的坐具上。就坐以后，佛陀对比丘众说道：

"诸比丘,在此,我于上午,着衣,持衣钵,进入迦毗罗卫城托钵乞食。在迦毗罗卫城游化乞食,吃完饭,结束托钵食以后,接近大林去午休。进入大林深处,在木瓜树下就坐午休。此时,释迦族的旦达帕尼在散步,漫步,信步而行,逐渐接近大林。进入大林深处,接近木瓜树,接近我所在的地方,靠近以后向我问候,互致值得记忆的欢喜语言以后挂着拐杖立于一旁。

诸比丘,立于一旁的释迦族的旦达帕尼向我如下说道:'沙门是何论者? 是何说者?'

听闻此言,我对释迦族的旦达帕尼如下说道'朋友,我主张在包含天、魔、梵、沙门、婆罗门、众人、人天在内的此世界里,不与世界中的任何一位争论而住,对于离诸欲束缚、无有疑惑、斩断后悔、离开有非有贪爱而住的彼婆罗门不再随增诸想。朋友,我就是如此论者,如此说者。'

听闻此言,释迦族的旦达帕尼摇着头,咂着嘴,皱着眉,挂着拐杖离开。"

201 听闻此言,一位比丘向佛陀如下说道:"尊师,世尊是何论者,在包含天、魔、梵、沙门、婆罗门、众人、人天在内的此世界里,不与世界中的任何一位争论而住? 尊师,如何是对于离诸欲束缚、无有疑惑、斩断后悔、离开有非有贪爱而住的彼婆罗门不再随增诸想?"

"比丘,对于人们所生起的迷执想,在此,如果没有可欢喜者、可欢迎者、可固执者,那么,贪随眠被终结,嗔随眠被终结,见随眠被终结,疑随眠被终结,慢随眠被终结,有贪随眠被终结,无明随眠被终结,执持木棍、执持刀剑、争斗、争论、争吵、相违、离间、妄语被终结。在此,彼诸恶不善法被彻底灭尽。"此为佛陀所说。说完以后,善逝从坐具上站起,走入精舍。

202　佛陀离开后不久,彼比丘众中生起以下话题:"朋友,对于此段话,世尊没有详尽地解释含义,而是简略地进行说示以后从坐具上站起,走入精舍,即'比丘,对于人们所生起的迷执想,在此,如果没有可欢喜者、可欢迎者、可固执者,那么,贪随眠被终结,嗔随眠被终结,见随眠被终结,疑随眠被终结,慢随眠被终结,有贪随眠被终结,无明随眠被终结,执持木棍、执持刀剑、争斗、争论、争吵、相违、离间、妄语被终结。在此,彼诸恶不善法被彻底灭尽。'究竟谁可以把世尊没有详尽地解释含义,而是简略地进行说示的此含义详细加以解释?"

于是,彼比丘众如下思考:"彼摩诃迦旃延尊者为导师所称赞,为智慧的同修行者们所尊敬。摩诃迦旃延尊者可以把世尊没有详尽地解释含义,而是简略地进行说示的此含义详细加以解释。我们接近摩诃迦旃延尊者如何?靠近以后向摩诃迦旃延尊者询问此含义。"

于是,彼比丘众向尊者摩诃迦旃延所在的地方接近,靠近以后向尊者摩诃迦旃延问候,互致值得记忆的欢喜语言以后坐于一旁。坐于一旁的彼比丘众向尊者摩诃迦旃延如下说道："迦旃延尊者，对于此段话，世尊没有详尽地解释含义，而是简略地进行说示以后从坐具上站起，走入精舍，即'比丘，对于人们所生起的迷执想，在此，如果没有可欢喜者、可欢迎者、可固执者，那么，贪随眠被终结，嗔随眠被终结，见随眠被终结，疑随眠被终结，慢随眠被终结，有贪随眠被终结，无明随眠被终结，执持木棍、执持刀剑、争斗、争论、争吵、相违、离间、妄语被终结。在此，彼诸恶不善法被彻底灭尽。'

迦旃延尊者，在世尊离开后不久，我们中生起以下话题：'朋友，对于此段话，世尊没有详尽地解释含义，而是简略地进行说示以后从坐具上站起，走入精舍，即"比丘，对于人们所生起的迷执想，在此，如果没有可欢喜者、可欢迎者、可固执者，那么，贪随眠被终结，嗔随眠被终结，见随眠被终结，疑随眠被终结，慢随眠被终结，有贪随眠被终结，无明随眠被终结，执持木棍、执持刀剑、争斗、争论、争吵、相违、离间、妄语被终结。在此，彼诸恶不善法被彻底灭尽。"究竟谁可以把世尊没有详尽地解释含义，而是简略地进行说示的此含义详细加以解释？'于是，迦旃延尊者，我们如下思考：'彼摩诃迦旃延尊者为导师所称赞，为智慧的同修行者们所尊敬。摩诃迦旃延尊者可以把世尊没有详尽地解释含义，而是简略地进行说示的此含义详细加以解释。我们接近摩诃迦旃延尊者如何？靠近以后向摩诃迦旃延尊者询问此含义。'请摩诃迦旃延尊者解释。"

203 "诸朋友，恰似一个寻找心材的人为了寻找心材而行走，看到具有心材的矗立的大树，却越过树根，越过树干，想在树叶上寻求心材，诸朋友与此相同。你们虽然在导师面前，却越过彼世尊，想向我寻求该含义。诸朋友，实际上，世尊了知应知，观见应见，是具眼者，是具智者，是具法者，是具梵者，是说者，是讲者，是意义的阐明者，是甘露的布施者，是法王，是如来。因此，你们应向世尊询问该含义，按照世尊的解释，如是加以受持。"

"的确如此，迦旃延尊者，世尊了知应知，观见应见，是具眼者，是具智者，是具法者，是具梵者，是说者，是讲者，是意义的阐明者，是甘露的布施者，是法王，是如来。因此，我们应向世尊询问该含义，按照世尊的解释，如是地加以受持。然而，摩诃迦旃延尊者为导师所称赞，为智慧的同修行者们所尊敬。摩诃迦旃延尊者可以把世尊没有详尽地解释含义，而是简略地进行说示的此含义详细加以解释。请摩诃迦旃延尊者加以解释，不要有所负担。"

"诸朋友，既然如此，那么，你们仔细听，充分作意。我来说。"

"好，尊者。"彼比丘众应答尊者摩诃迦旃延。

尊者摩诃迦旃延如下说道：

204 "诸朋友，世尊没有详尽地解释含义，而是简略地进行说示以后从坐具上站起，走入精舍，即'比丘，对于人们所生起的迷执想，在此，如果没有可欢喜者、可欢迎者、可固执者，那么，贪随眠被终结，嗔随眠被终结，见随眠被终结，疑随眠被终结,慢随眠被终结,有贪随眠被终结,无明随眠被终结,执持木棍、执持刀剑、争斗、争论、争吵、相违、离间、妄语被终结。在此,彼诸恶不善法被彻底灭尽。'诸朋友,我来把世尊没有详尽地解释含义,而是简略地进行说示的此含义详细如下加以解释。

诸朋友,缘于眼和色,眼识生起,三者交集而有接触,缘接触而有感受,思考所感受,思维所思考,迷执所思维,迷执的人于过去、未来、现在的眼所识的诸色生起所谓的迷执想。

诸朋友,缘于耳和声,耳识生起,三者交集而有接触,缘接触而有感受,思考所感受,思维所思考,迷执所思维,迷执的人于过去、未来、现在的耳所识的诸声生起所谓的迷执想。

诸朋友,缘于鼻和香,鼻识生起,三者交集而有接触,缘接触而有感受,思考所感受,思维所思考,迷执所思维,迷执的人于过去、未来、现在的鼻所识的诸香生起所谓的迷执想。

诸朋友,缘于舌和味,舌识生起,三者交集而有接触,缘接触而有感受,思考所感受,思维所思考,迷执所思维,迷执的人于过去、未来、现在的舌所识的诸味生起所谓的迷执想。

诸朋友,缘于身和触,身识生起,三者交集而有接触,缘接触而有感受,思考所感受,思维所思考,迷执所思维,迷执的人于过去、未来、现在的身所识的诸触生起所谓的迷执想。

诸朋友,缘于意和法,意识生起,三者交集而有接触,缘接触而有感受,思考所感受,思维所思考,迷执所思维,迷执的人于过去、未来、现在的意所识的诸法生起所谓的迷执想。

诸朋友，实际上，当眼存在、色存在、眼识存在时，其才可告知接触的概念，此道理存在。接触的概念存在时，其才可告知感受的概念，此道理存在。感受的概念存在时，其才可告知想的概念，此道理存在。想的概念存在时，其才可告知思维的概念，此道理存在。思维的概念存在时，其才可告知所谓的迷执想的概念，此道理存在。

诸朋友，实际上，当耳存在、声存在、耳识存在时，其才可告知接触的概念，此道理存在。接触的概念存在时，其才可告知感受的概念，此道理存在。感受的概念存在时，其才可告知想的概念，此道理存在。想的概念存在时，其才可告知思维的概念，此道理存在。思维的概念存在时，其才可告知所谓的迷执想的概念，此道理存在。

当鼻存在、香存在、鼻识存在时，其才可告知接触的概念，此道理存在。接触的概念存在时，其才可告知感受的概念，此道理存在。感受的概念存在时，其才可告知想的概念，此道理存在。想的概念存在时，其才可告知思维的概念，此道理存在。思维的概念存在时，其才可告知所谓的迷执想的概念，此道理存在。

当舌存在、味存在、舌识存在时，其才可告知接触的概念，此道理存在。接触的概念存在时，其才可告知感受的概念，此道理存在。感受的概念存在时，其才可告知想的概念，此道理存在。想的概念存在时，其才可告知思维的概念，此道理存在。思维的概念存在时，其才可告知所谓的迷执想的概念,此道理存在。

当身存在、触存在、身识存在时,其才可告知接触的概念,此道理存在。接触的概念存在时,其才可告知感受的概念,此道理存在。感受的概念存在时,其才可告知想的概念,此道理存在。想的概念存在时,其才可告知思维的概念,此道理存在。思维的概念存在时,其才可告知所谓的迷执想的概念,此道理存在。

当意存在、法存在、意识存在时,其才可告知接触的概念,此道理存在。接触的概念存在时,其才可告知感受的概念,此道理存在。感受的概念存在时,其才可告知想的概念,此道理存在。想的概念存在时,其才可告知思维的概念,此道理存在。思维的概念存在时,其才可告知所谓的迷执想的概念,此道理存在。

诸朋友,实际上,当眼不存在、色不存在、眼识不存在时,其才可告知接触的概念,此道理不存在。接触的概念不存在时,其才可告知感受的概念,此道理不存在。感受的概念不存在时,其才可告知想的概念,此道理不存在。想的概念不存在时,其才可告知思维的概念,此道理不存在。思维的概念不存在时,其才可告知所谓的迷执想的概念,此道理不存在。

诸朋友,实际上,当耳不存在、声不存在、耳识不存在时,其才可告知接触的概念,此道理不存在。接触的概念不存在时,其才可告知感受的概念,此道理不存在。感受的概念不存在时,其才可告知想的概念,此道理不存在。想的概念不存在时,其才可告知思维的概念,此道理不存在。思维的概念不存在时,其才可告知所谓的迷执想的概念,此道理不存在。

当鼻不存在、香不存在、鼻识不存在时,其才可告知接触的概念,此道理不存在。接触的概念不存在时,其才可告知感受的概念,此道理不存在。感受的概念不存在时,其才可告知想的概念,此道理不存在。想的概念不存在时,其才可告知思维的概念,此道理不存在。思维的概念不存在时,其才可告知所谓的迷执想的概念,此道理不存在。

当舌不存在、味不存在、舌识不存在时,其才可告知接触的概念,此道理不存在。接触的概念不存在时,其才可告知感受的概念,此道理不存在。感受的概念不存在时,其才可告知想的概念,此道理不存在。想的概念不存在时,其才可告知思维的概念,此道理不存在。思维的概念不存在时,其才可告知所谓的迷执想的概念,此道理不存在。

当身不存在、触不存在、身识不存在时,其才可告知接触的概念,此道理不存在。接触的概念不存在时,其才可告知感受的概念,此道理不存在。感受的概念不存在时,其才可告知想的概念,此道理不存在。想的概念不存在时,其才可告知思维的概念,此道理不存在。思维的概念不存在时,其才可告知所谓的迷执想的概念,此道理不存在。

当意不存在、法不存在、意识不存在时,其才可告知接触的概念,此道理不存在。接触的概念不存在时,其才可告知感受的概念,此道理不存在。感受的概念不存在时,其才可告知想的概念,此道理不存在。想的概念不存在时,其才可告知思维的概念,此道理不存在。思维的概念不存在时,其才可告知所谓的迷执想的概念,此道理不存在。

诸朋友,世尊没有详尽地解释含义,而是简略地进行说示以后从坐具上站起,走入精舍,即'比丘,对于人们所生起的迷执想,在此,如果没有可欢喜者、可欢迎者、可固执者,那么,贪随眠被终结,嗔随眠被终结,见随眠被终结,疑随眠被终结,慢随眠被终结,有贪随眠被终结,无明随眠被终结,执持木棍、执持刀剑、争斗、争论、争吵、相违、离间、妄语被终结。在此,彼诸恶不善法被彻底灭尽。'诸朋友,我对世尊没有详尽地解释含义,而是简略地进行说示的此含义像这样进行了详细解释。诸尊者如果希望,那么可以靠近世尊询问此含义,按照世尊的解释加以受持。"

205 彼比丘众欢喜、随喜尊者摩诃迦旃延所说,然后从坐具上站起接近佛陀所在的地方,靠近以后礼拜佛陀坐于一旁。

坐于一旁的彼比丘众对佛陀如下说道:"尊师,世尊没有详尽地解释含义,而是简略地进行说示以后从坐具上站起,走入精舍,即'比丘,对于人们所生起的迷执想,在此,如果没有可欢喜者、可欢迎者、可固执者,那么,贪随眠被终结,嗔随眠被终结,见随眠被终结,疑随眠被终结,慢随眠被终结,有贪随眠被终结，无明随眠被终结，执持木棍、执持刀剑、争斗、争论、争吵、相违、离间、妄语被终结。在此，彼诸恶不善法被彻底灭尽。'尊师，在世尊离开后不久，我们中生起以下话题：'朋友，对于此段话，世尊没有详尽地解释含义，而是简略地进行说示以后从坐具上站起，走入精舍，即"比丘，对于人们所生起的迷执想，在此，如果没有可欢喜者、可欢迎者、可固执者，那么，贪随眠被终结，嗔随眠被终结，见随眠被终结，疑随眠被终结，慢随眠被终结，有贪随眠被终结，无明随眠被终结，执持木棍、执持刀剑、争斗、争论、争吵、相违、离间、妄语被终结。在此，彼诸恶不善法被彻底灭尽。"究竟谁可以把世尊没有详尽地解释含义，而是简略地进行说示的此含义详细加以解释？'

于是，尊师，我们如下思考：'彼摩诃迦旃延尊者为导师所称赞，为智慧的同修行者们所尊敬。摩诃迦旃延尊者可以把世尊没有详尽地解释含义，而是简略地进行说示的此含义详细加以解释。我们接近摩诃迦旃延尊者如何？靠近以后向摩诃迦旃延尊者询问此含义。'于是，尊师，我们接近摩诃迦旃延尊者，靠近以后向摩诃迦旃延尊者询问了此含义。尊师，摩诃迦旃延尊者通过此形式，通过此言词，通过此文句解释了此含义。"

"诸比丘，摩诃迦旃延是贤者。摩诃迦旃延是大智慧者。诸比丘，你们如果向我询问此含义，我也会如此解释，与摩诃迦旃延的解释相同。此就是其含义。你们要对其加以受持。"

此时,尊者阿难陀对佛陀如下说道:"尊师,恰似一个饥饿的虚弱之人获得蜜丸,其逐渐咀嚼,获得甘美的滋味。像这样,尊师,心堪能的比丘通过智慧逐渐考察此法门的含义,获得悦意,获得内心的明净。尊师,此法门称作什么?"

"阿难陀,你就把其称为蜜丸法门加以受持。"

此为佛陀所说。尊者阿难陀内心喜悦,欢喜佛陀所说。

(蜜丸经完)

第九、二种浅观经(Dvedhāvitakkasuttaṃ)

206 如是我闻。

一次,佛陀住在舍卫城附近的祇陀林给孤独园。在此,佛陀对比丘众说道:"诸比丘。"

"尊师。"彼比丘众应诺佛陀。

佛陀如下说道:"诸比丘,记得在我成正等觉以前,还是尚未现等觉的菩萨时,我如下思考:'我将浅观分为两种,分为两种而住如何?'于是,诸比丘,彼我将此欲浅观、嗔浅观、害浅观,把它们分为第一种,将此离欲浅观、不嗔浅观、不害浅观,把它们分为第二种。"

207 "诸比丘,于是,于如此不放逸、精进、自我努力而住的彼我生起欲浅观。其如下深知：'此欲浅观于我生起。其亦为伤害自己而起，亦为伤害他者而起，亦为伤害双方而起，灭尽智慧，含有恼害，不令至涅槃。'

诸比丘，在深入察觉中，'为伤害自己而起'之念亦于我灭尽。诸比丘，在深入察觉中，'为伤害他者而起'之念亦于我灭尽。诸比丘，在深入察觉中，'为伤害双方而起'之念亦于我灭尽。诸比丘，在深入察觉中，'灭尽智慧，含有恼害，不令至涅槃'之念亦于我灭尽。诸比丘，彼我对于不断生起的欲浅观加以舍断、去除、令其熄灭。"

208　"诸比丘，于如此不放逸、精进、自我努力而住的彼我生起嗔浅观。其如下深知：'此嗔浅观于我生起。其亦为伤害自己而起，亦为伤害他者而起，亦为伤害双方而起，灭尽智慧，含有恼害，不令至涅槃。'

诸比丘，在深入察觉中，'为伤害自己而起'之念亦于我灭尽。诸比丘，在深入察觉中，'为伤害他者而起'之念亦于我灭尽。诸比丘，在深入察觉中，'为伤害双方而起'之念亦于我灭尽。诸比丘，在深入察觉中，'灭尽智慧，含有恼害，不令至涅槃'之念亦于我灭尽。诸比丘，彼我对于不断生起的嗔浅观加以舍断、去除、令其熄灭。

诸比丘，于如此不放逸、精进、自我努力而住的彼我生起害浅观。其如下深知：'此害浅观于我生起。其亦为伤害自己而起，亦为伤害他者而起，亦为伤害双方而起，灭尽智慧，含有恼害，不令至涅槃。'

诸比丘,在深入察觉中,'为伤害自己而起'之念亦于我灭尽。诸比丘,在深入察觉中,'为伤害他者而起'之念亦于我灭尽。诸比丘,在深入察觉中,'为伤害双方而起'之念亦于我灭尽。诸比丘,在深入察觉中,'灭尽智慧,含有恼害,不令至涅槃'之念亦于我灭尽。诸比丘,彼我对于不断生起的害浅观加以舍断、去除、令其熄灭。

诸比丘,比丘大量地随观、探求哪里,心就会朝向哪里。诸比丘,比丘大量地随观、探求欲浅观,舍弃离欲浅观,做大量的欲浅观,其心就会朝向彼欲浅观。诸比丘,比丘大量地随观、探求嗔浅观,舍弃不嗔浅观,做大量的嗔浅观,其心就会朝向彼嗔浅观。比丘大量地随观、探求害浅观,舍弃不害浅观,做大量的害浅观,其心就会朝向彼害浅观。

诸比丘,恰似在雨季的最后一个月,在秋收的繁忙季节,牧牛者守护着牛群。他不断地用木棒打牛,驱赶、控制、防范。此为何故?诸比丘,因为彼牧牛者知道不这样则将被杀戮、被拘捕、被没收、被呵责。像这样,诸比丘,我看到了诸不善法中的过患、虚假、杂染,看到了诸善法的离欲功德和清净增益。"

209　"诸比丘,于是,于如此不放逸、精进、自我努力而住的彼我生起离欲浅观。其如下深知:'此离欲浅观于我生起。其亦为不伤害自己而起,亦为不伤害他者而起,亦为不伤害双方而起,增大智慧,无有恼害,令至涅槃。'诸比丘,我即使一个夜晚对其加以随观、探求,也没有因此而生起怖畏。

诸比丘，我即使一个白天亦对其加以随观、探求，也没有因此而生起怖畏。诸比丘，我即使一个日夜对其加以随观、探求，也没有因此而生起怖畏。然而，诸比丘，过久对其加以随观、探求的我，身体疲惫。因为身体疲惫，故心散乱。因为心散乱，故心远离定。诸比丘，彼我仅于内部令心安静、安稳、统一、入定。此为何故？因为'不能令我的心散乱。'"

210　"诸比丘，于如此不放逸、精进、自我努力而住的彼我生起不嗔浅观。其如下深知：'此不嗔浅观于我生起。其亦为不伤害自己而起，亦为不伤害他者而起，亦为不伤害双方而起，增大智慧，无有恼害，令至涅槃。'诸比丘，我即使一个夜晚对其加以随观、探求，也没有因此而生起怖畏。诸比丘，我即使一个白天亦对其加以随观、探求，也没有因此而生起怖畏。诸比丘，我即使一个日夜对其加以随观、探求，也没有因此而生起怖畏。然而，诸比丘，过久对其加以随观、探求的我，身体疲惫。因为身体疲惫，故心散乱。因为心散乱，故心远离定。诸比丘，彼我仅于内部令心安静、安稳、统一、入定。此为何故？因为'不能令我的心散乱。'

诸比丘，于如此不放逸、精进、自我努力而住的彼我生起不害浅观。其如下深知：'此不害浅观于我生起。其亦为不伤害自己而起，亦为不伤害他者而起，亦为不伤害双方而起，增大智慧，无有恼害，令至涅槃。'诸比丘，我即使一个夜晚对其加以随观、探求，也没有因此而生起怖畏。诸比丘，我即使一个白天对其加以随观、探求，也没有因此而生起怖畏。诸比丘，我即使一个日夜对其加以随观、探求，也没有因此而生起怖畏。然而，诸比丘，过久对其加以随观、探求的我，身体疲惫。因为身体疲惫，故心散乱。因为心散乱，故心远离定。诸比丘，彼我仅于内部令心安静、安稳、统一、入定。此为何故？因为'不能令我的心散乱。'

诸比丘，比丘大量地随观、探求哪里，心就会朝向哪里。诸比丘，比丘大量地随观、探求离欲浅观，舍弃欲浅观，做大量的离欲浅观，其心就会朝向彼离欲浅观。诸比丘，比丘大量地随观、探求不瞋浅观，舍弃瞋浅观，做大量的不瞋浅观，其心就会朝向彼不瞋浅观。比丘大量地随观、探求不害浅观，舍弃害浅观，做大量的不害浅观，其心就会朝向彼不害浅观。

诸比丘，恰似在夏季的最后一个月，在一切谷物被收获在村边时，牧牛者看管着牛群。他去到树下、野外时必须作意：'此是牛群'。像这样，诸比丘必须作意念：'此是法'。"

211　"诸比丘，我的精进已经开始，不退转，念现前而不失念，身体轻安而无波动，心安定而专一。诸比丘，彼我由于离开诸欲，离开诸不善法，到达并住立于有浅观、有深观、因远离而生喜和乐的初禅。由于浅观和深观的寂灭，到达并住立于内部清净的心一境性，到达无浅观、无深观、具有因定而生喜和乐的第二禅。离开喜，住于舍，具念，具正知，以身体感知乐，到达并住立于圣者所称的'有舍、具念、住于乐'的第三禅。舍弃乐，舍弃苦，以前早已熄灭喜和忧，到达并住立于非苦非乐、舍念遍净的第四禅。"

212 "诸比丘，其以如此安定、遍净、净白、无秽、离随烦恼、柔软、堪任、住立、已达不动之心，将心转向宿住随念智。其随念着多种宿住。例如，一生、二生、三生、四生、五生、十生、二十生、三十生、四十生、五十生、一百生、一千生、十万生，多个坏劫生、多个成劫生、多个坏成劫生。'在那里，我具有这样的名、这样的姓、这样的种姓、这样的食物，感受这样的乐和苦，具有这样的寿命。在那里死去，再生到那里。在那里，我具有这样的名、这样的姓、这样的种姓、这样的食物，感受这样的乐和苦，具有这样的寿命。在那里死去，再生到这里。'像这样，随念着具有行相、具有境况的多种宿住。诸比丘，这是我于初夜分到达的第一明。无明被打破，明生起。黑暗被打破，光明生起，正如不放逸、精进、自我努力而住者。"

213 "诸比丘，其以如此安定、遍净、净白、无秽、离随烦恼、柔软、堪任、住立、已达不动之心，将心转向众有情的死生智。其以清净、非凡的天眼观察卑贱、高贵、美丽、丑陋、善趣、恶趣的众有情的死亡、再生，了知众有情随业而行。'事实上，这些受人尊敬的有情因为具足身恶业，具足语恶业，具足意恶业，诽谤圣人，是邪见者，是邪见业的受持者。他们的身体破灭，死后将再生于苦处、恶处、难处的地狱。然而，那些受人尊敬的有情因为具足身善业，具足语善业，具足意善业，不诽谤圣人，是正见者，是正见业的受持者。他们的身体破灭,死后将再生于善道的天界。'像这样,以清净、非凡的天眼观察卑贱、高贵、美丽、丑陋、善趣、恶趣的众有情的死亡、再生,了知众有情随业而行。诸比丘,这是我于中夜分到达的第二明。无明被打破,明生起。黑暗被打破,光明生起,正如不放逸、精进、自我努力而住者。"

214 "诸比丘,其以如此安定、遍净、净白、无秽、离随烦恼、柔软、堪任、住立、已达不动之心,将心转向诸烦恼的灭尽智。其如实了知'此是苦',如实了知'此是苦的生起',如实了知'此是苦的灭尽',如实了知'此是通往苦灭尽的行道'。如实了知'这些是烦恼',如实了知'此是烦恼的生起',如实了知'此是烦恼的灭尽',如实了知'此是通往烦恼灭尽的行道'。如此了知、如此见的我,心从欲的烦恼中解脱出来,从存在的烦恼中解脱出来,从无明的烦恼中解脱出来,于解脱生起'获得解脱'之智。了知'生命已尽,梵行已毕,应作已作,无有再生'。诸比丘,这是我于后夜分到达的第三明。无明被打破,明生起。黑暗被打破,光明生起,正如不放逸、精进、自我努力而住者。"

215 "诸比丘,例如,密林里有大片的沼泽低地。大队鹿群接近那里而住。这时,如果某人不希望其饶益,不希望其获得利益,不希望其无碍安稳,有安稳、平安、乐走之路,其关闭该路,打开邪路,放置雄鹿做诱,放置雌鹿做诱。因为如此,诸比丘,后来彼大队鹿群将遭遇不幸和灾难。诸比丘,如果某人希望大队鹿群饶益、希望其获得利益、希望其无碍安稳,有安稳、平安、乐走之路,其打开该路,关闭邪路,赶走雄鹿,驱逐雌鹿。因为如此,诸比丘,后来彼大队鹿群将获得繁荣、增长、扩大。

诸比丘,我为了教授意义而讲述此比喻。此即是其含义。诸比丘,'大片的沼泽低地',此就是诸欲的同义语。诸比丘,'大队鹿群',此就是诸有情的同义语。诸比丘,'不希望其饶益,不希望其获得利益,不希望其无碍安稳之人',此就是恶魔的同义语。诸比丘,'邪路',此就是八邪道的同义语,即邪见、邪思、邪语、邪业、邪命、邪精进、邪念、邪定。诸比丘,'雄鹿',此就是欢喜贪的同义语。诸比丘,'雌鹿',此就是无明的同义语。诸比丘,'希望其饶益,希望其获得利益,希望其无碍安稳之人',此就是如来、阿罗汉、正等觉者的同义语。诸比丘,'安稳、平安、乐走之路',此就是八正道的同义语,即正见、正思、正语、正业、正命、正精进、正念、正定。

诸比丘,我已经为你们打开了安稳、平安、乐走之路,关闭了邪路,赶走了雄鹿,驱逐了雌鹿。诸比丘,作为导师,为了弟子的利益以慈悲行慈悲,所做之事已毕。诸比丘,有这些树下,有这些空弃房屋。诸比丘行禅定,不要放逸,不要将来后悔。这是我们对你们的教诫。"

此为佛陀所说。彼比丘众内心喜悦,欢喜佛陀所说。

(二种浅观经完)

第十、浅观形相经(Vitakkasaṇṭhānasuttaṃ)

216　如是我闻。

一次,佛陀住在舍卫城附近的祇陀林给孤独园。在此,佛陀对比丘众说道:"诸比丘。"

"尊师。"彼比丘众应诺佛陀。

佛陀如下说道:"诸比丘,专修增上心的比丘应时时作意五个征相。哪五个?在此,诸比丘,比丘通过征相作意征相时,伴随贪、伴随嗔、伴随痴的恶不善浅观却生起,据此,诸比丘,比丘应从该征相离开,作意其他伴随善的征相。由于从该征相离开,作意其他伴随善的征相,于是,伴随贪、伴随嗔、伴随痴的恶不善浅观,其被舍弃,其消亡。由于其被舍断,故内心确立、安稳、统一、安定。诸比丘,例如,熟练的木工或其弟子以细木楔敲击、剔除、废弃粗木楔。像这样,诸比丘,比丘通过征相作意征相时,伴随贪、伴随嗔、伴随痴的恶不善浅观却生起,据此,诸比丘,比丘应从该征相离开,作意其他伴随善的征相。由于从该征相离开,作意其他伴随善的征相,于是,伴随贪、伴随嗔、伴随痴的恶不善浅观,其被舍弃,其消亡。由于其被舍断,故内心确立、安稳、统一、安定。"

217　"诸比丘,比丘从该征相离开,作意其他伴随善的征相时,伴随贪、伴随嗔、伴随痴的恶不善浅观却生起,据此,诸比丘,比丘应观察此浅观中的过患。'像这样,这些浅观不善。像这样,这些浅观有罪过。像这样,这些浅观有苦果。'观察该浅观中的过患,于是,伴随贪、伴随嗔、伴随痴的恶不善浅观,其被舍弃,其消亡。由于其被舍断,故内心确立、安稳、统一、安定。诸比丘,例如,具有爱美之心的青春的青年男女脖子上被挂上蛇的尸体或狗的尸体或人的尸体,其就会难受、羞耻、厌恶。像这样,诸比丘,比丘从该征相离开,作意其他伴随善的征相时,伴随贪、伴随嗔、伴随痴的恶不善浅观却生起,据此,诸比丘,比丘应观察此浅观中的过患。'像这样,这些浅观不善。像这样,这些浅观有罪过。像这样,这些浅观有苦果。'观察该浅观中的过患,于是,伴随贪、伴随嗔、伴随痴的恶不善浅观,其被舍弃,其消亡。由于其被舍断,故内心确立、安稳、统一、安定。"

218 "诸比丘,比丘观察该浅观中的过患时,伴随贪、伴随嗔、伴随痴的恶不善浅观却生起,据此,诸比丘,比丘应不忆念、不作意该浅观。不忆念、不作意该浅观,于是,伴随贪、伴随嗔、伴随痴的恶不善浅观,其被舍弃,其消亡。由于其被舍断,故内心确立、安稳、统一、安定。例如,诸比丘,有眼之人看到视野内有不希望看到的色,他就会或闭上眼睛或看其他地方。像这样,诸比丘,比丘观察该浅观中的过患时,伴随贪、伴随嗔、伴随痴的恶不善浅观却生起,据此,诸比丘,比丘应不忆念、不作意该浅观。不忆念、不作意该浅观,于是,伴随贪、伴随嗔、伴随痴的恶不善浅观，其被舍弃，其消亡。由于其被舍断，故内心确立、安稳、统一、安定。"

219 "诸比丘，比丘不忆念、不作意该浅观时，伴随贪、伴随嗔、伴随痴的恶不善浅观却生起，据此，诸比丘，比丘应作意该浅观中形成浅观的形相。应作意该浅观中形成浅观的形相，于是，伴随贪、伴随嗔、伴随痴的恶不善浅观，其被舍弃，其消亡。由于其被舍断，故内心确立、安稳、统一、安定。例如，诸比丘，有人快走。其如下思考：'我为何快走？我为何不慢走？'其慢走。其如下思考：'我为何慢走？我为何不站住？'其站住。其如下思考：'我为何站住？我为何不坐下？'其坐下。其如下思考：'我为何坐下？我为何不躺下？'其躺下。像这样，诸比丘，该人逐渐回避一项项粗劣的威仪路，逐渐完成一项项精细的威仪路。像这样，诸比丘，比丘不忆念、不作意该浅观时，伴随贪、伴随嗔、伴随痴的恶不善浅观却生起，据此，诸比丘，比丘应作意该浅观中形成浅观的形相。应作意该浅观中形成浅观的形相，于是，伴随贪、伴随嗔、伴随痴的恶不善浅观，其被舍弃，其消亡。由于其被舍断，故内心确立、安稳、统一、安定。"

220 "诸比丘，比丘作意该浅观中形成浅观的形相时，伴随贪、伴随嗔、伴随痴的恶不善浅观却生起，据此，诸比丘，比丘应用牙齿咬住牙齿，用舌头顶住上颚，用意念控制、抑制、击毁心。用牙齿咬住牙齿，用舌头顶住上颚，用意念控制、抑制、击毁心，于是，伴随贪、伴随嗔、伴随痴的恶不善浅观,其被舍弃,其消亡。由于其被舍断,故内心确立、安稳、统一、安定。例如,诸比丘,强有力之人抓住较弱之人的头或脖子或肩膀控制、抑制、击毁。像这样,诸比丘,比丘作意该浅观中形成浅观的形相时,伴随贪、伴随嗔、伴随痴的恶不善浅观却生起,据此,诸比丘,比丘应用牙齿咬住牙齿,用舌头顶住上颚,用意念控制、抑制、击毁心。用牙齿咬住牙齿,用舌头顶住上颚,用意念控制、抑制、击毁心,于是,伴随贪、伴随嗔、伴随痴的恶不善浅观,其被舍弃,其消亡。由于其被舍断,故内心确立、安稳、统一、安定。"

221 "诸比丘,如果比丘通过征相作意征相时,伴随贪、伴随嗔、伴随痴的恶不善浅观生起,其应从该征相离开,作意其他伴随善的征相,于是,伴随贪、伴随嗔、伴随痴的恶不善浅观,其被舍弃,其消亡。由于其被舍断,故内心确立、安稳、统一、安定。

观察该浅观中的过患时,伴随贪、伴随嗔、伴随痴的恶不善浅观却生起,据此,诸比丘,比丘应不忆念、不作意该浅观。不忆念、不作意该浅观,于是,伴随贪、伴随嗔、伴随痴的恶不善浅观,其被舍弃,其消亡。由于其被舍断,故内心确立、安稳、统一、安定。

不忆念、不作意该浅观时,伴随贪、伴随嗔、伴随痴的恶不善浅观却生起,据此,诸比丘,比丘应作意该浅观中形成浅观的形相。应作意该浅观中形成浅观的形相,于是,伴随贪、伴随嗔、伴随痴的恶不善浅观,其被舍弃,其消亡。由于其被舍断,故内心确立、安稳、统一、安定。

作意该浅观中形成浅观的形相,伴随贪、伴随嗔、伴随痴的恶不善浅观却生起,据此,诸比丘,比丘应用牙齿咬住牙齿,用舌头顶住上颚,用意念控制、抑制、击毁心。用牙齿咬住牙齿,用舌头顶住上颚,用意念控制、抑制、击毁心,于是,伴随贪、伴随嗔、伴随痴的恶不善浅观,其被舍弃,其消亡。由于其被舍断,故内心确立、安稳、统一、安定。

用牙齿咬住牙齿,用舌头顶住上颚,用意念控制、抑制、击毁心时,伴随贪、伴随嗔、伴随痴的恶不善浅观,其被舍弃,其消亡。由于其被舍断,故内心确立、安稳、统一、安定。

诸比丘,此比丘即所谓浅观法门之路的自在者。想进行浅观,则进行该浅观。不想进行浅观,则不进行该浅观。其征服渴爱,剔除结缚,彻底地止灭慢,令苦终结。"

此为佛陀所说。彼比丘众内心喜悦,欢喜佛陀所说。

(浅观形相经完)

三、譬喻集（Opammavaggo）

内容简介

《譬喻集》共包括十部经，分别为《锯譬喻经》《蛇譬喻经》《蚂蚁冢经》《中转车经》《食饵经》《圈套经》《小象足迹譬喻经》《大象足迹譬喻经》《大心材譬喻经》和《小心材譬喻经》。

第一部《锯譬喻经》中，佛陀教育比丘应如何处理与他人尤其是与比丘尼的交往，指出于此法和律修行之人对于外在的各种干扰，应心不动摇。佛陀还教诫比丘对他人说话的五种方式，应以慈俱在之心遍满而住。

第二部《蛇譬喻经》中，佛陀指出学习佛法，要以智慧对诸法的含义加以考察，应该正确地把握，这样将会生起长久的利益和安乐，然而对法不应加以执持和抓取。此经中出现了筏喻教导。

第三部《蚂蚁冢经》中，一女神向鸠摩罗·迦叶尊者提出问题，并请求鸠摩罗·迦叶尊者向佛陀询问答案。鸠摩罗·迦叶尊者向佛陀询问,佛陀逐一进行了解释。

第四部《中转车经》中,首先是佛陀与众多比丘对富楼那·弥多罗尼子尊者的赞誉。之后,是舍利弗尊者与富楼那·弥多罗尼子尊者之间的对话。舍利弗尊者围绕在佛陀身边修行的目的,从戒清净、心清净、见清净、解疑清净、道非道智见清净、行道智见清净、智见清净乃至无取著的般涅槃等多个层面逐次提出问题,富楼那·弥多罗尼子尊者以中转车为例加以回答。

第五部《食饵经》中,佛陀列举面对猎人所撒食饵采取不同对策的四种鹿群,指出,为了不陷入魔罗所撒世间财物的圈套,如法修行的比丘应该身处魔罗的领域之外,做魔罗看不见、踪迹消失、魔罗领域外之人,超脱对世界的执著。

第六部《圈套经》中,佛陀讲述了自己在尚未证得正等觉之时的修行,当证得无杂染、无上、无碍安稳的涅槃时,在梵天的请求下决定向世人说法,并令五众比丘亦证果。佛陀指出,为了不陷入魔罗的圈套,如法修行的比丘应该身处魔罗的领域之外,做魔罗看不见、踪迹消失、魔罗领域外之人,超脱对世界的执著。

第七部《小象足迹譬喻经》的前半部分中,遍历行者毕洛提迦以象林中象的足迹为例,高度称赞佛陀。听了该称赞,婆罗门加努索尼前去拜访佛陀,佛陀继而指出,依信出家修行的比丘是圣戒蕴的具足者,亦是圣根守护的具足者,亦是正念和正知的具足者,其舍弃削弱智慧、令心随烦恼的五蓋，住于禅定，心从欲的烦恼、存在的烦恼、无明的烦恼中解脱出来，最后生起于解脱获得解脱之智。

第八部《大象足迹譬喻经》中，舍利弗尊者详细解释了四圣谛，并从内外的角度对五取蕴进行了说明。当他人谩骂、诽谤、恼害、痛苦或打自己时，应看到色无常，受无常，想无常，行无常，识无常。心只对要素所缘关注、净信、确立、确信。佛随念、法随念、僧随念者，依于善的舍而住立。

第九部《大心材譬喻经》中，针对提婆达多离开僧团，佛陀以寻找心材，追求心材，为了获得心材而到处行走之人为例，指出此梵行不是以利得、恭敬、名声为利益，不是以戒具足为利益，不是以定具足为利益，不是以智见为利益。不动的心解脱才是此梵行的意义。

第十部《小心材譬喻经》中，针对婆罗门频迦洛拘阐的提问，佛陀指出此梵行不是以利得、恭敬、名声为利益，不是以戒具足为利益，不是以定具足为利益，不是以智见为利益。不动的心解脱才是此梵行的意义。因此，依信而出家的修行者，不应因获得了利得、恭敬、名声而不追求更殊胜的戒具足，也不应戒具足而不追求更殊胜的定具足，也不应定具足而不追求更殊胜的智见，也不应因为智见而不追求不动的心解脱。

第一、锯譬喻经（Kakacūpamasuttaṃ）

222　如是我闻。

一次，佛陀住在舍卫城附近的祇陀林给孤独园。当时，尊者莫里亚·布古纳与比丘尼众过度交往而住。尊者莫里亚·布古纳如此与比丘尼众过度交往而住：如果某比丘在尊者莫里亚·布古纳面前指责彼比丘尼众，尊者莫里亚·布古纳就会因此而生气，不高兴，甚至发生争执。如果某比丘在彼比丘尼众面前指责尊者莫里亚·布古纳，彼比丘尼众就会因此而生气，不高兴，甚至发生争执。像这样，尊者莫里亚·布古纳与比丘尼众过度交往而住。

于是，一比丘接近佛陀所在的地方，靠近以后顶礼佛陀，然后坐于一旁。坐于一旁的彼比丘对佛陀如下说道："尊师，莫里亚·布古纳尊者与比丘尼众过度交往而住。尊师，莫里亚·布古纳尊者如此与比丘尼众过度交往而住：如果某比丘在莫里亚·布古纳尊者面前指责彼比丘尼众，莫里亚·布古纳尊者就会因此而生气，不高兴，甚至发生争执。如果某比丘在彼比丘尼众面前指责莫里亚·布古纳尊者，彼比丘尼众就会因此而生气，不高兴，甚至发生争执。像这样，尊师，莫里亚·布古纳尊者与比丘尼众过度交往而住。"

223　于是，佛陀对另一位比丘说道："比丘，去，你以我之言对莫里亚·布古纳比丘说：'朋友布古纳，导师有话对你说。'"

"好，尊师。"该比丘应诺佛陀以后向尊者莫里亚·布古纳所在的地方接近。靠近以后，对尊者莫里亚·布古纳如下说道："朋友布古纳，导师有话对你说。"

"好的，朋友。"尊者莫里亚·布古纳应答该比丘以后走到佛陀那里，走到以后顶礼佛陀，然后坐于一旁。佛陀对坐于一旁的尊者莫里亚·布古纳如下说道："布古纳，听说你与比丘尼众过度交往而住，是真的吗？布古纳，听说你如此与比丘尼众过度交往而住：如果某比丘在你面前指责彼比丘尼众，你就会因此而生气，不高兴，甚至发生争执。如果某比丘在彼比丘尼众面前指责你，彼比丘尼众就会因此而生气，不高兴，甚至发生争执。布古纳，听说你如此与比丘尼众过度交往而住。"

"是的，尊师。"

"布古纳，你难道不是作为善家子弟依信仰而舍家出家的吗？"

"是的，尊师。"

224　"布古纳，对于作为善家子弟依信仰而舍家出家的你，如果你与比丘尼众过度交往而住，此不相应。为此，布古纳，即使某人在你面前指责彼比丘尼众，布古纳，你要舍弃因此而产生的在家人的意欲、在家人的思维。为此，布古纳，你应该如下学习：'我的心决不动摇。我不要发出邪恶的语言。我要住于悲悯、慈心，而不是嗔心。'像这样，布古纳，你应该这样学习。

布古纳，即使有人在你面前用拳头殴打、用土块殴打、用木棍殴打、用刀剑殴打彼比丘尼众，布古纳，你要舍弃因此而产生的在家人的意欲、在家人的思维。为此，布古纳，你应该如下学习：'我的心决不动摇。我不要发出邪恶的语言。我要住于悲悯、慈心，而不是嗔心。'像这样，布古纳，你应该这样学习。

因此，布古纳，即使某人在你面前指责，布古纳，你要舍弃因此而产生的在家人的意欲、在家人的思维。为此，布古纳，你应该如下学习：'我的心决不动摇。我不要发出邪恶的语言。我要住于悲悯、慈心，而不是嗔心。'像这样，布古纳，你应该这样学习。

因此，布古纳，即使有人在你面前用拳头殴打、用土块殴打、用木棍殴打、用刀剑殴打，布古纳，你要舍弃因此而产生的在家人的意欲、在家人的思维。为此，布古纳，你应该如下学习：'我的心决不动摇。我不要发出邪恶的语言。我要住于悲悯、慈心，而不是嗔心。'像这样，布古纳，你应该这样学习。"

225　于是，佛陀对比丘众说道："诸比丘，实际上，比丘众曾经令我心欢喜。在此，诸比丘，我曾对比丘众说过：'诸比丘，我受用一座食。诸比丘，受用一座食的我觉知少病、少

恼、轻快、有力、安住。因此,诸比丘,你们也受用一座食。诸
比丘,受用一座食的你们将觉知少病、少恼、轻快、有力、安
住。'诸比丘,我不需要对彼比丘众进行教诫。诸比丘,我只
需要令彼比丘众的念生起。

诸比丘,例如,在平坦的十字路口停放着精良的马车,马
已经套上缰绳,鞭子已经放好。这时,有位熟练的驯马师车
夫登上车,左手执缰绳,右手执鞭,令马车往返于自己想去的
地方。像这样,诸比丘,我不需要对彼比丘众进行教诫。诸
比丘,我只需要令彼比丘众的念生起。因此,诸比丘,你们亦
要舍弃不善,于善法精进努力。因为这样,诸比丘,你们亦会
在此法和律上达到繁荣、增长、扩大。

诸比丘,例如,在村子或城镇附近有大娑罗树林。然而
其为藤草覆盖。有个人希望其具有意义,希望其具有利益,
希望其无碍安稳。于是,他丢弃那些弯曲的缺乏滋养的娑罗
树枝,修剪,运到外面,将树林内清洁干净。对那些笔直、苗
壮成长的娑罗树进行很好的保护。像这样,诸比丘,此后,彼
娑罗树林就会达到繁荣、增长、扩大。像这样,诸比丘,你们
亦要舍弃不善,于善法精进努力。因为这样,诸比丘,你们亦
会在此法和律上达到繁荣、增长、扩大。"

226 "诸比丘,往昔,在此舍卫城有一位名叫韦德西卡
的女居家者。诸比丘,对于女居家者韦德西卡生起如下赞誉
之声:'女居家者韦德西卡温雅,女居家者韦德西卡谦虚,女
居家者韦德西卡宁静。'诸比丘,女居家者韦德西卡有一位名

叫卡丽的婢女,乖巧、勤劳、能干。

诸比丘,婢女卡丽如下思考:'我的主人具有如下赞誉之声:"女居家者韦德西卡温雅,女居家者韦德西卡谦虚,女居家者韦德西卡宁静。"我的主人是不是内有嗔恚之心,但是不显露出来? 或者是不是正是因为我能干,所以我的主人内有嗔恚之心,但是不显露出来? 我来考察我的主人如何?'于是,诸比丘,婢女卡丽天大亮才起床。

于是,女居家者韦德西卡对婢女卡丽如下说道:'喂,卡丽。'

'主人,什么事?'

'你天大亮才起床,有什么事情吗?'

'主人,没什么事情。'

'天大亮才起床,还说没什么事情? 坏婢女。'女居家者韦德西卡遂表现出了嗔恚、不满、难看的表情。

诸比丘,这时,婢女卡丽如下思考:'我的主人内有嗔恚之心,但是不显露出来,不是没有。正是因为我能干,所以我的主人内有嗔恚之心,但是不显露出来,不是没有。我进一步来考察我的主人如何?'于是,诸比丘,婢女卡丽上午才起床。

于是,女居家者韦德西卡对婢女卡丽如下说道:'喂,卡丽。'

'主人,什么事?'

'你上午才起床,有什么事情吗?'

‘主人，没什么事情。’

‘上午才起床，还说没什么事情？坏婢女。’女居家者<u>韦德西卡</u>遂表现出了嗔恚、不满、难看的表情。

诸比丘，这时，婢女<u>卡丽</u>如下思考：‘我的主人内有嗔恚之心，但是不显露出来，不是没有。正是因为我能干，所以我的主人内有嗔恚之心，但是不显露出来，不是没有。我进一步来考察我的主人如何？’于是，诸比丘，婢女<u>卡丽</u>中午才起床。

于是，女居家者<u>韦德西卡</u>对婢女<u>卡丽</u>如下说道：‘喂，<u>卡丽</u>。’

‘主人，什么事？’

‘你中午才起床，有什么事情吗？’

‘主人，没什么事情。’

‘中午才起床，还说没什么事情？坏婢女。’女居家者<u>韦德西卡</u>遂嗔恚、不满，拿起门闩横木朝着婢女<u>卡丽</u>的头部打了下去，打破了头。于是，诸比丘，婢女<u>卡丽</u>因头被打破，流出血，便对邻居抱怨：‘看，这就是温雅之人所做。看，这就是谦虚之人所做。看，这就是宁静之人所做。怎么会因一个婢女中午起床而竟然嗔恚、不满，竟然拿起门闩横木朝着头部打了下来，打破了头！’

于是，诸比丘，此后对于女居家者<u>韦德西卡</u>生起如下毁誉之声：‘女居家者<u>韦德西卡</u>粗暴，女居家者<u>韦德西卡</u>不谦虚，女居家者<u>韦德西卡</u>不宁静。’

像这样，诸比丘，在此，当比丘在没有接触到不可意的语言时是非常温雅之人，是非常谦虚之人，是非常宁静之人。然而，诸比丘，只有当比丘在接触到不可意的语言时，应该被感觉'是温雅之人'，应该被感觉'是谦虚之人'，应该被感觉'是宁静之人'。

诸比丘，我不称这样的比丘'是善言之人'，因为衣、托钵食、坐卧处、医药资具而成为善言者，讲善言。此为何故？诸比丘，因为当彼比丘没有获得衣、托钵食、坐卧处、医药资具时，就会不成为善言者，不讲善言。诸比丘，比丘尊敬法、尊重法、恭敬法、供养法、崇敬法而成为善言者，讲善言，我称其'是善言之人'。因此，诸比丘，你们要尊敬法、尊重法、恭敬法、供养法、崇敬法而成为善言者，讲善言。诸比丘，你们应该如此学习。"

227 "诸比丘，当他人对你们讲话时使用五种说话方式：'依适时或依不适时；依真实或依不真实；依柔和或依粗暴；依有意义或依无意义；作为慈心之人或作为嗔心之人。'诸比丘，他人讲话时依适时或依不适时；诸比丘，他人讲话时依真实或依不真实；诸比丘，他人讲话时依柔和或依粗暴；诸比丘，他人讲话时依有意义或依无意义；诸比丘，他人讲话时作为慈心之人或作为嗔心之人。诸比丘，你们应该如此学习：'我们的心不要变化。不要发出邪恶的语言。要住于悲悯、慈心，而不是嗔心。以慈俱在之心遍满该人而住。对于世上一切的彼所缘，以广大、宽广、无量、无怨、无嗔的慈俱在之心遍满而住。'诸比丘，你们应该如此学习。"

228 "诸比丘，例如，有人拿来锄头和篮子。他如下说道：'我要把此大地变成非地！'他到处挖掘，到处搅拌，到处吐痰，到处小便：'变成非地！变成非地！'诸比丘，对此如何思考？彼人能否把此大地变成非地？"

"此不可能，尊师。"

"此为何故？"

"尊师，因为此大地甚深、广大，将其变成非地并非易事。在那之前，彼人会疲惫、恼乱。"

"诸比丘，正像这样，当他人对你们讲话时使用五种说话方式：'依适时或依不适时；依真实或依不真实；依柔和或依粗暴；依有意义或依无意义；作为慈心之人或作为嗔心之人。'诸比丘，他人讲话时依适时或依不适时；诸比丘，他人讲话时依真实或依不真实；诸比丘，他人讲话时依柔和或依粗暴；诸比丘，他人讲话时依有意义或依无意义；诸比丘，他人讲话时作为慈心之人或作为嗔心之人。诸比丘，你们应该如此学习：'我们的心不要变化。不要发出邪恶的语言。要住于悲悯、慈心，而不是嗔心。以慈俱在之心遍满该人而住。对于世上一切的彼所缘，以广大、宽广、无量、无怨、无嗔、与大地等同的心遍满而住。'诸比丘，你们应该如此学习。"

229 "诸比丘，例如，有人拿来胭脂色、黄色、蓝色、深红色等涂料。他如下说道：'我要把此虚空涂出形状，让其显现形状。'诸比丘，对此如何思考？彼人能否把虚空涂出形状，让其显现形状？"

"此不可能,尊师。"

"此为何故？"

"尊师,因为此虚空无形、不可见。将其涂出形状,让其显现形状并非易事。在那之前,彼人会疲惫、恼乱。"

"诸比丘,正像这样,当他人对你们讲话时使用五种说话方式:'依适时或依不适时;依真实或依不真实;依柔和或依粗暴;依有意义或依无意义;作为慈心之人或作为嗔心之人。'诸比丘,他人讲话时依适时或依不适时;诸比丘,他人讲话时依真实或依不真实;诸比丘,他人讲话时依柔和或依粗暴;诸比丘,他人讲话时依有意义或依无意义;诸比丘,他人讲话时作为慈心之人或作为嗔心之人。诸比丘,你们应该如此学习:'我们的心不要变化。不要发出邪恶的语言。要住于悲悯、慈心,而不是嗔心。以慈俱在之心遍满该人而住。对于世上一切的彼所缘,以广大、宽广、无量、无怨、无嗔、与虚空等同的心遍满而住。'诸比丘,你们应该如此学习。"

230 "诸比丘,例如,有人拿来点燃的火炬。他如下说道:'我要用此点燃的火炬把恒河加热,令其沸腾。'诸比丘,对此如何思考？ 彼人能否用点燃的火炬把恒河加热,令其沸腾？"

"此不可能,尊师。"

"此为何故？"

"尊师,因为此恒河甚深、广大。用点燃的火炬把其加热，令其沸腾并非易事。在那之前，彼人会疲惫、恼乱。"

"诸比丘，正像这样，当他人对你们讲话时使用五种说话方式：'依适时或依不适时；依真实或依不真实；依柔和或依粗暴；依有意义或依无意义；作为慈心之人或作为嗔心之人。'诸比丘，他人讲话时依适时或依不适时；诸比丘，他人讲话时依真实或依不真实；诸比丘，他人讲话时依柔和或依粗暴；诸比丘，他人讲话时依有意义或依无意义；诸比丘，他人讲话时作为慈心之人或作为嗔心之人。诸比丘，你们应该如此学习：'我们的心不要变化。不要发出邪恶的语言。要住于悲悯、慈心，而不是嗔心。以慈俱在之心遍满该人而住。对于世上一切的彼所缘，以广大、宽广、无量、无怨、无嗔、与恒河等同的心遍满而住。'诸比丘，你们应该如此学习。"

231 "诸比丘，例如，有经过鞣制，经过充分鞣制，经过彻底鞣制，如木棉般柔软，没有哗啦啦声音、没有沙啦啦声音的猫皮。此时，有人拿来木片或小石头。他如下说道：'我要用此木片或小石头让此经过鞣制，经过充分鞣制，经过彻底鞣制，如木棉般柔软，没有哗啦啦声音、没有沙啦啦声音的猫皮发出哗啦啦的声音，发出沙啦啦的声音。'诸比丘，对此如何思考？彼人能否用木片或小石头让经过鞣制，经过充分鞣制，经过彻底鞣制，如木棉般柔软，没有哗啦啦声音、没有沙啦啦声音的猫皮发出哗啦啦的声音，发出沙啦啦的声音？"

"此不可能，尊师。"

"此为何故？"

"尊师,因为此猫皮经过鞣制,经过充分鞣制,经过彻底鞣制,如木棉般柔软,没有哗啦啦声音,没有沙啦啦声音,令其发出哗啦啦的声音,发出沙啦啦的声音并非易事。在那之前,彼人会疲惫、恼乱。"

"诸比丘,正像这样,当他人对你们讲话时使用五种说话方式:'依适时或依不适时;依真实或依不真实;依柔和或依粗暴;依有意义或依无意义;作为慈心之人或作为嗔心之人。'诸比丘,他人讲话时依适时或依不适时;诸比丘,他人讲话时依真实或依不真实;诸比丘,他人讲话时依柔和或依粗暴;诸比丘,他人讲话时依有意义或依无意义;诸比丘,他人讲话时作为慈心之人或作为嗔心之人。诸比丘,你们应该如此学习:'我们的心不要变化。不要发出邪恶的语言。要住于悲悯、慈心,而不是嗔心。以慈俱在之心遍满该人而住。对于世上一切的彼所缘,以广大、宽广、无量、无怨、无嗔、与猫皮等同的心遍满而住。'诸比丘,你们应该如此学习。"

232 "诸比丘,当被卑贱的强盗用两面带柄的锯锯断手脚,此时如果心生愤怒,其因此而不是我的教导的实践者。因此,诸比丘,你们应该如此学习:'我们的心不要变化。不要发出邪恶的语言。要住于悲悯、慈心,而不是嗔心。以慈俱在之心遍满该人而住。对于世上一切的彼所缘,以广大、宽广、无量、无怨、无嗔的慈俱在之心遍满而住。'诸比丘,你们应该如此学习。"

233 "诸比丘,你们要时常作意此锯譬喻的教导。诸比丘,你们是否看到你们不认可的或细小或粗大的言路了吗?"

"尊师,没看到。"

"诸比丘,因此,你们要时常作意此锯譬喻的教导。其会成为你们长久的利益和安乐。"

此为佛陀所说。彼比丘众内心喜悦,欢喜佛陀所说。

（锯譬喻经完）

第二、蛇譬喻经（Alagaddūpamasuttaṃ）

234 如是我闻。

一次,佛陀住在舍卫城附近的祇陀林给孤独园。当时,有位名叫阿梨吒的出身于猎鹰家族的比丘生起以下邪见解:"我这样理解世尊所讲之法:即使行世尊所说的彼障碍法也不会构成障碍。"

众多比丘听说:"实际上有位名叫阿梨吒的出身于猎鹰家族的比丘生起以下邪见解:'我这样理解世尊所讲之法:即使行世尊所说的彼障碍法也不会构成障碍。'"于是,彼比丘众接近出身于猎鹰家族的阿梨吒比丘所在的地方,靠近以后向出身于猎鹰家族的阿梨吒比丘如下问道:"朋友阿梨吒,听说你生起以下邪见解:'我这样理解世尊所讲之法:即使行世尊所说的彼障碍法也不会构成障碍。'这是真的吗?"

"朋友,我的确是这样理解世尊所讲之法:即使行世尊所说的彼障碍法也不会构成障碍。"

于是,彼比丘众为了让出身于猎鹰家族的阿梨吒比丘离开此邪见解而进行难诘、追问、劝谏:"朋友阿梨吒,不许那样说!不许诽谤世尊!因为诽谤世尊实在不好。因为世尊没有那样说过。朋友阿梨吒,世尊以多种方式说示了诸障碍法就是障碍,行障碍法不好。世尊讲过欲望不受欢喜,多苦,多恼,其中过患更多。世尊讲过欲望如同骨链,世尊讲过欲望如同肉片,世尊讲过欲望如同草火炬,世尊讲过欲望如同火坑,世尊讲过欲望如同梦幻,世尊讲过欲望如同借用物,世尊讲过欲望如同树的果实,世尊讲过欲望如同屠宰场,世尊讲过欲望如同铁刺,世尊讲过欲望如同蛇头,多苦,多恼,其中过患更多。"

出身于猎鹰家族的阿梨吒比丘尽管像这样被彼比丘众难诘、追问、劝谏,仍然固执地执持、取著其邪见解而声称:"朋友,我的确是这样理解世尊所讲之法:即使行世尊所说的彼障碍法也不会构成障碍。"

235 彼比丘众无法让出身于猎鹰家族的阿梨吒比丘离开此邪见解,于是,彼比丘众接近佛陀所在的地方,靠近以后顶礼佛陀,然后坐于一旁。

坐于一旁的彼比丘众对佛陀如下说道:"尊师,名叫阿梨吒的出身于猎鹰家族的比丘生起以下邪见解:'我这样理解世尊所讲之法:即使行世尊所说的彼障碍法也不会构成障

碍。'

尊师,我们听说:'实际上有位名叫阿梨吒的出身于猎鹰家族的比丘生起以下邪见解:"我这样理解世尊所讲之法:即使行世尊所说的彼障碍法也不会构成障碍。"'于是,尊师,我们接近出身于猎鹰家族的阿梨吒比丘所在的地方,靠近以后向出身于猎鹰家族的阿梨吒比丘如下问道:'朋友阿梨吒,听说你生起以下邪见解:"我这样理解世尊所讲之法:即使行世尊所说的彼障碍法也不会构成障碍。"这是真的吗?'尊师,出身于猎鹰家族的阿梨吒比丘如下回答我们:'朋友,我的确是这样理解世尊所讲之法:即使行世尊所说的彼障碍法也不会构成障碍。'

于是,尊师,我们为了让出身于猎鹰家族的阿梨吒比丘离开此邪见解而进行难诘、追问、劝谏:'朋友阿梨吒,不许那样说!不许诽谤世尊!因为诽谤世尊实在不好。因为世尊没有那样说过。朋友阿梨吒,世尊以多种方式说示了诸障碍法就是障碍,行障碍法不好。世尊讲过欲望不受欢喜,多苦,多恼,其中过患更多。世尊讲过欲望如同骨链,世尊讲过欲望如同肉片,世尊讲过欲望如同草火炬,世尊讲过欲望如同火坑,世尊讲过欲望如同梦幻,世尊讲过欲望如同借用物,世尊讲过欲望如同树的果实,世尊讲过欲望如同屠宰场,世尊讲过欲望如同铁刺,世尊讲过欲望如同蛇头,多苦,多恼,其中过患更多。'

尊师,出身于猎鹰家族的阿梨吒比丘尽管像这样被我们

难诘、追问、劝谏,仍然固执地执持、取著其邪见解而声称:
'朋友,我的确是这样理解世尊所讲之法:即使行世尊所说的
彼障碍法也不会构成障碍。'尊师,因为我们无法让出身于猎
鹰家族的阿梨吒比丘离开此邪见解,所以我们向世尊禀明此
事。"

236 于是,佛陀对另一位比丘说道:"比丘,去,你以我
之言对出身于猎鹰家族的阿梨吒比丘说:'朋友阿梨吒,导师
有话对你说。'"

"好,尊师。"该比丘应诺佛陀以后向出身于猎鹰家族的
阿梨吒比丘所在的地方接近。靠近以后,对出身于猎鹰家族
的阿梨吒比丘如下说道:"朋友阿梨吒,导师有话对你说。"

"好的,朋友。"出身于猎鹰家族的阿梨吒比丘应答该比
丘以后走到佛陀那里,走到以后顶礼佛陀,然后坐于一旁。

佛陀对坐于一旁的出身于猎鹰家族的阿梨吒比丘如下
说道:"阿梨吒,听说你生起以下邪见解:'我这样理解世尊
所讲之法:即使行世尊所说的彼障碍法也不会构成障碍。'这
是真的吗?"

"尊师,我的确是这样理解世尊所讲之法:即使行世尊所
说的彼障碍法也不会构成障碍。"

"愚痴之人,你究竟为了谁如此理解我所讲的法?愚痴
之人,我不是以多种方式说示了诸障碍法就是障碍,行障碍
法不好?我讲过欲望不受欢喜,多苦,多恼,其中过患更多。
我讲过欲望如同骨链,我讲过欲望如同肉片,我讲过欲望如

同草火炬,我讲过欲望如同火坑,我讲过欲望如同梦幻,我讲过欲望如同借用物,我讲过欲望如同树的果实,我讲过欲望如同屠宰场,我讲过欲望如同铁刺,我讲过欲望如同蛇头,多苦,多恼,其中过患更多。愚痴之人,你因为自己的错误理解而诽谤了我们,亦伤害了自己,制造了大量的非福,因此,愚痴之人,其将成为你长久的不利和痛苦。"

于是,佛陀对比丘众说道:"诸比丘,对此如何思考? 此出身于猎鹰家族的阿梨吒比丘于此法是否热心?"

"尊师,此怎么可能? 尊师,其不是。"如此被言说,出身于猎鹰家族的阿梨吒比丘坐在那里沉默,面红,落魄,低头,悲忧,无法应答。

佛陀知道出身于猎鹰家族的阿梨吒比丘沉默,面红,落魄,低头,悲忧,无法应答,便对出身于猎鹰家族的阿梨吒比丘如下说道:"愚痴之人,你因为自己的此邪见解而被周知。在此,我来询问比丘众。"

237 于是,佛陀对比丘众说道:"诸比丘,出身于猎鹰家族的阿梨吒比丘因为自己的错误理解而诽谤了我们,亦伤害了自己,制造了大量的非福,你们也那样理解我所说之法吗?"

"不是,尊师,世尊以多种方式说示了诸障碍法就是障碍,行障碍法不好。世尊讲过欲望不受欢喜,多苦,多恼,其中过患更多。世尊讲过欲望如同骨链,世尊讲过欲望如同肉片,世尊讲过欲望如同草火炬,世尊讲过欲望如同火坑,世尊讲过欲望如同梦幻，世尊讲过欲望如同借用物，世尊讲过欲望如同树的果实，世尊讲过欲望如同屠宰场，世尊讲过欲望如同铁刺，世尊讲过欲望如同蛇头，多苦，多恼，其中过患更多。”

"很好，诸比丘，很好。你们这样理解我所说之法，很好。诸比丘，我以多种方式说示了诸障碍法就是障碍，行障碍法不好。我讲过欲望不受欢喜，多苦，多恼，其中过患更多。我讲过欲望如同骨链，我讲过欲望如同肉片，我讲过欲望如同草火炬，我讲过欲望如同火坑，我讲过欲望如同梦幻，我讲过欲望如同借用物，我讲过欲望如同树的果实，我讲过欲望如同屠宰场，我讲过欲望如同铁刺，我讲过欲望如同蛇头，多苦，多恼，其中过患更多。此出身于猎鹰家族的阿梨吒比丘因为自己的错误理解而诽谤了我们，亦伤害了自己，制造了大量的非福，因此，其将成为该愚痴之人长久的不利和痛苦。诸比丘，彼没有欲，没有欲想，没有欲思维而行欲行，此道理不存在。"

238 "诸比丘，在此，某些愚痴之人学习经文、应颂、授记、诗偈、自说语、如是语、本生故事、未曾有法、教理问答等法。他们学习该法后不以智慧对该诸法的含义加以考察。他们没有以智慧对该诸法的含义加以考察，故不能理解。他们就是出于难诘的目的和摆脱难诘的目的学习法。为了这样的目的学习法，所以没有领会其含义。他们错误地把握法就会生起长久的不利和痛苦。此为何故？诸比丘，因为诸法被错误地把握。

　　诸比丘，恰似一个想要蛇、想抓蛇、到处寻找蛇之人。他看到一大蛇，于是，立即抓住蛇身或尾巴。该蛇会反转过来咬住这个人的手或手臂或其他肢体。为此该人遭遇到死亡或濒死般的痛苦。此为何故？诸比丘，因为错误地抓取蛇。像这样，诸比丘，在此，某些愚痴之人学习经文、应颂、授记、诗偈、自说语、如是语、本生故事、未曾有法、教理问答等法。他们学习该法后不以智慧对该诸法的含义加以考察。他们没有以智慧对该诸法的含义加以考察，故不能理解。他们就是出于难诘的目的和摆脱难诘的目的学习法。为了这样的目的学习法，所以没有领会其含义。他们错误地把握法就会生起长久的不利和痛苦。此为何故？诸比丘，因为诸法被错误地把握。"

　　239　"诸比丘，在此，某些善家子弟学习经文、应颂、授记、诗偈、自说语、如是语、本生故事、未曾有法、教理问答等法。他们学习该法后以智慧对该诸法的含义加以考察。他们以智慧对该诸法的含义加以考察，故能够理解。他们不是出于难诘的目的和摆脱难诘的目的学习法。为了这样的目的学习法，所以领会其含义。他们正确地把握法就会生起长久的利益和安乐。此为何故？诸比丘，因为诸法被正确地把握。

　　诸比丘，恰似一个想要蛇、想抓蛇、到处寻找蛇之人。他看到一大蛇，于是，立即用山羊角杖牢牢控制住，然后正确地抓住蛇头。诸比丘,该蛇会用身体裹住这个人的手或手臂或其他肢体,但是其不会因此而遭遇死亡或濒死般的痛苦。此为何故?诸比丘,因为正确地抓取蛇。像这样,诸比丘,在此,某些善家子弟学习经文、应颂、授记、诗偈、自说语、如是语、本生故事、未曾有法、教理问答等法。他们学习该法后以智慧对该诸法的含义加以考察。他们以智慧对该诸法的含义加以考察,故能够理解。他们不是出于难诘的目的和摆脱难诘的目的学习法。为了这样的目的学习法,所以领会其含义。他们正确地把握法就会生起长久的利益和安乐。此为何故?诸比丘,因为诸法被正确地把握。

诸比丘,因此,在此,你们要充分理解我所说的含义,对其加以忆持。如果对我所说的含义不理解,那么,你们来问我或其他聪明的比丘。”

240 “诸比丘,我来为你们说筏喻法,其是为了渡水,不是为了抓取。你们仔细听,充分作意。我来说。”

“好,尊师。”彼比丘众应诺佛陀。佛陀如下说道:

“诸比丘,例如,有人行在路上。他遇到一条大河。此岸充满不安、恐惧,彼岸安稳、无忧,然而没有从此岸到达彼岸的船或舟或桥。其如下思考:‘此为一条大河。此岸充满不安、恐惧,彼岸安稳、无忧,然而没有从此岸到达彼岸的船或舟或桥。我搜集草、木板、树枝、树叶结个筏,利用该筏,加上手和脚的努力平安渡到对岸如何?’于是,诸比丘,该人搜集草、木板、树枝、树叶结个筏,利用该筏,加上手和脚的努力平

安渡到了对岸。于是,彼渡河渡到对岸之人生起如下思考:
‘此筏对我非常有益。我利用此筏,加上手和脚的努力平安
渡到了对岸。我将此筏顶在头上或扛在肩上,然后去想去的
地方如何?’诸比丘,对此如何思考? 该人如此所为是对该筏
的正确处理吗?”

“不是,尊师。”

“诸比丘,怎样做才是对该筏的正确处理呢? 在此,诸比
丘,彼渡河渡到对岸之人生起如下思考:‘此筏对我非常有
益。我利用此筏,加上手和脚的努力平安渡到了对岸。我将
此筏拉到岸上或沉在水里,然后去想去的地方如何?’诸比
丘,该人如此所为才是对该筏的正确处理。像这样,诸比丘,
我为你们讲了筏喻法,其是为了渡水,不是为了抓取。诸比
丘,你们理解了为你们所说的筏喻法,就要连诸法亦舍弃,更
何况非法。”

241 “诸比丘,有六见处。哪六个?

诸比丘,在此,无闻的凡夫不见圣人,不熟知圣人法,没
有于圣人法得到教导,不见善人,不熟知善人法,没有于善人
法得到教导。其认为色‘此是我的。此是我。此是我的
我。’认为受‘此是我的。此是我。此是我的我。’认为想‘此
是我的。此是我。此是我的我。’认为行‘此是我的。此是
我。此是我的我。’对于彼所见、所闻、所思、所识、所得、所
求、意所思维,亦认为其‘此是我的。此是我。此是我的
我。’对于彼见处,亦认为其‘彼是世界,彼是我。彼死后,其

是常、恒常、常住、不变、永久的安住者'，因此亦认为其'此是我的。此是我。此是我的我。'

诸比丘，博闻的圣弟子见圣人，熟知圣人法，于圣人法得到教导，见善人，熟知善人法，于善人法得到教导，认为色'此不是我的。此不是我。此不是我的我。'认为受'此不是我的。此不是我。此不是我的我。'认为想'此不是我的。此不是我。此不是我的我。'认为行'此不是我的。此不是我。此不是我的我。'对于彼所见、所闻、所思、所识、所得、所求、意所思维，亦认为其'此不是我的。此不是我。此不是我的我。'对于彼见处，即'彼是世界，彼是我。彼死后，其是常、恒常、常住、不变、永久的安住者'，亦认为其'此不是我的。此不是我。此不是我的我。'其如此理解，当不存在时不恐惧。"

242　听闻此言，一比丘对佛陀如下说道："尊师，当外部不存在时，是否有恐惧者？"

"比丘，有。"佛陀回答。"在此，某比丘如下思考：'实际上我曾经存在。实际上对于我，其不存在。实际上我将存在。实际上对于我，我并无所得。'他悲伤，疲惫，悲泣，嚎哭，陷入迷惘。像这样，当外部不存在时，比丘成为恐惧者。"

"尊师，那么，当外部不存在时，是否有不恐惧者？"

"比丘，有。"佛陀回答。"在此，某比丘如下思考：'实际上我曾经存在。实际上对于我，其不存在。实际上我将存在。实际上对于我，我并无所得。'他不悲伤，不疲惫，不悲

泣，不嚎哭，不陷入迷惘。像这样，当外部不存在时，比丘成
为不恐惧者。"

"尊师，那么，当内部不存在时，是否有恐惧者？"

"比丘，有。"佛陀回答。"在此，某比丘如下思考：'彼是
世界，彼是我。彼死后，其是常、恒常、常住、不变、永久的安
住者。'他听闻如来或如来弟子教示的法，该法是为了一切见
处的执持、纠缠、执著的随烦恼的彻底断绝，为了一切行的止
息，为了一切所依的舍弃，为了渴爱的灭尽，为了离贪，为了
灭尽，为了寂灭。于是其如下思考：'实际上我将被彻底断
绝。实际上我将消亡。实际上我将不存在。'他悲伤，疲惫，
悲泣，嚎哭，陷入迷惘。像这样，当内部不存在时，比丘成为
恐惧者。"

"尊师，那么，当内部不存在时，是否有不恐惧者？"

"比丘，有。"佛陀回答。"在此，某比丘如下思考：'彼是
世界，彼是我。彼死后，其是常、恒常、常住、不变、永久的安
住者。'他听闻如来或如来弟子教示的法，该法是为了一切见
处的执持、纠缠、执著的随烦恼的彻底断绝，为了一切行的止
息，为了一切所依的舍弃，为了渴爱的灭尽，为了离贪，为了
灭尽，为了寂灭。于是其如下思考：'实际上我将被彻底断
绝。实际上我将消亡。实际上我将不存在。'他不悲伤，不疲
惫，不悲泣，不嚎哭，不陷入迷惘。像这样，当内部不存在时，
比丘成为不恐惧者。"

243 "诸比丘，你们想遍求彼所执持者，认为所执持者

是常、恒常、常住、不变、永久的安住者。那么,诸比丘,你们
是否看到彼所执持者是常、恒常、常住、不变、永久的安住者
吗?"

"此没有,尊师。"

"的确,诸比丘。我也不认为彼所执持者是常、恒常、常
住、不变、永久的安住者。

诸比丘,你们执取彼自语取,认为执取自语取者不生起
愁、悲、苦、忧、恼。那么,诸比丘,你们是否看到彼执取自语
取者不生起愁、悲、苦、忧、恼吗?"

"此没有,尊师。"

"的确,诸比丘。我也不认为执取自语取者不生起愁、
悲、苦、忧、恼。

诸比丘,你们依止彼见依,认为依止见依者不生起愁、
悲、苦、忧、恼。那么,诸比丘,你们是否看到彼依止见依者不
生起愁、悲、苦、忧、恼吗?"

"此没有,尊师。"

"的确,诸比丘。我也不认为依止见依者不生起愁、悲、
苦、忧、恼。"

244 "诸比丘,当我存在时,是否存在着我的我所?"

"是的,尊师。"

"诸比丘,当我所存在时,是否存在着我的我?"

"是的,尊师。"

"诸比丘,如果于我,于我所,得不到真实、确实,那么,彼

见处之'彼是世界,彼是我。彼死后,其是常、恒常、常住、不变、永久的安住者',诸比丘,这难道不是完全彻底的愚蠢之观点吗?"

"尊师,怎么不是呢? 尊师,其就是完全彻底的愚蠢之观点。"

"诸比丘,对此如何思考? 诸色是常还是无常?"

"是无常,尊师。"

"诸比丘,无常者是苦还是乐?"

"是苦,尊师。"

"诸比丘,对于无常、苦、变异者,认为'此是我的。此是我。此是我的我。'此是恰当还是不恰当?"

"不恰当,尊师。"

"诸比丘,对此如何思考? 诸受是常还是无常? 同样,诸想是常还是无常? 诸行是常还是无常? 诸识是常还是无常?"

"是无常,尊师。"

"诸比丘,无常者是苦还是乐?"

"是苦,尊师。"

"诸比丘,对于无常、苦、变异者,认为'此是我的。此是我。此是我的我。'此是恰当还是不恰当?"

"不恰当,尊师。"

"诸比丘,因此我说,过去、将来、现在的任何色,或内或外,或粗或细,或劣或优,或远或近,一切色'此不是我的。此不是我。此不是我的我。'像这样，应该以正慧加以如实观察。

同样，任何受，或内或外，或粗或细，或劣或优，或远或近，一切受'此不是我的。此不是我。此不是我的我。'像这样，应该以正慧加以如实观察。

任何想，或内或外，或粗或细，或劣或优，或远或近，一切想'此不是我的。此不是我。此不是我的我。'像这样，应该以正慧加以如实观察。

任何行，或内或外，或粗或细，或劣或优，或远或近，一切行'此不是我的。此不是我。此不是我的我。'像这样，应该以正慧加以如实观察。

任何识，或内或外，或粗或细，或劣或优，或远或近，一切识'此不是我的。此不是我。此不是我的我。'像这样，应该以正慧加以如实观察。"

245　"诸比丘，如此见的博闻的圣弟子于色厌离，于受厌离，于想厌离，于行厌离，于识厌离。因为厌离而离贪，因为离贪而解脱，解脱时生起获得解脱之智。了知'生命已尽，梵行已毕，应作已作，无有再生'。诸比丘，此比丘亦被称为去除障碍者，亦被称为脱离轮回者，亦被称为被拔除者，亦被称为无障碍者，亦被称为放下幢幡、卸下重负、离缚的圣人。

诸比丘，比丘如何是去除障碍者？在此，诸比丘，比丘的无明被舍弃，根被切断，恰似失去树根的多罗树，不再生存，将来不再生。像这样，诸比丘，比丘是除障碍者。

　　诸比丘，比丘如何是脱离轮回者？在此，诸比丘，比丘的再生的轮回被舍弃，根被切断，恰似失去树根的多罗树，不再生存，将来不再生。像这样，诸比丘，比丘是脱离轮回者。

　　诸比丘，比丘如何是被拔除者？在此，诸比丘，比丘的渴爱被舍弃，根被切断，恰似失去树根的多罗树，不再生存，将来不再生。像这样，诸比丘，比丘是被拔除者。

　　诸比丘，比丘如何是无障碍者？在此，诸比丘，比丘的五下分束缚被舍弃，根被切断，恰似失去树根的多罗树，不再生存，将来不再生。像这样，诸比丘，比丘是无障碍者。

　　诸比丘，比丘如何是放下幢幡、卸下重负、离缚的圣人？在此，诸比丘，比丘的我慢被舍弃，根被切断，恰似失去树根的多罗树，不再生存，将来不再生。像这样，诸比丘，比丘是放下幢幡、卸下重负、离缚的圣人。"

　　246　"诸比丘，如此心解脱的比丘，包括帝释天在内的众神、包括梵天在内的众神、包括造物主在内的众神寻找都无法找到。此是如来的依止、识。此为何故？诸比丘，我说因为于现世不见如来。诸比丘，某些沙门、婆罗门对于如此说、如此讲的我以不实、虚妄、虚假、不真加以诽谤：'沙门乔达摩是虚无论者，告知有情的断灭、消失、消亡。'诸比丘，我不是那样，我没有那样说，然而，彼受人尊敬的沙门、婆罗门以不实、虚妄、虚假、不真对我加以诽谤：'沙门乔达摩是虚无论者，告知有情的断灭、消失、消亡。'诸比丘，无论过去还是现在，我都在教导苦和苦的灭尽。因此，诸比丘，如果其他人对如来加以谩骂，加以诽谤，加以恼害，加以加害，尽管如此，诸比丘，如来不嗔怒，无不悦，无心不欢喜。

于是，诸比丘，他人对如来加以尊敬、尊重、恭敬、供养，对此，诸比丘，如来不欢喜，不喜悦，不心荡漾。诸比丘，他人对如来加以尊敬、尊重、恭敬、供养，对此，诸比丘，如来如下思考：'此是过去所遍知，对于我就是作了这样的行为。'因此，我说，诸比丘，如果其他人对你们加以谩骂，加以诽谤，加以恼害，加以加害，尽管如此，诸比丘，你们应不嗔怒，无不悦，无心不欢喜。因此，我说，诸比丘，如果他人对你们加以尊敬、尊重、恭敬、供养，对此，诸比丘，你们应不欢喜，不喜悦，不心荡漾。因此，我说，诸比丘，如果他人对你们加以尊敬、尊重、恭敬、供养，对此，你们应如下思考：'此是过去所遍知，对于我就是作了这样的行为。'"

247 "因此，在此，诸比丘，其不是你们的，你们将其舍弃，其舍断将会对你们成为长久的利益和安乐。

诸比丘，什么不是你们的？

诸比丘，是色，其不是你们的。你们将其舍弃，其舍断将会对你们成为长久的利益和安乐。

诸比丘，是受，其不是你们的。你们将其舍弃，其舍断将会对你们成为长久的利益和安乐。

诸比丘，是想，其不是你们的。你们将其舍弃，其舍断将会对你们成为长久的利益和安乐。

诸比丘，是行，其不是你们的。你们将其舍弃，其舍断将会对你们成为长久的利益和安乐。

诸比丘，是识，其不是你们的。你们将其舍弃，其舍断将会对你们成为长久的利益和安乐。

诸比丘，对此如何思考？在此<u>祇陀林</u>里有草、树枝、树叶，人们将其拿走，焚烧，收拾整理。你们是否会这样思考：'人们把我们拿走，焚烧，收拾整理？'"

"此不会，尊师。"

"此为何故？"

"尊师，因为其不是我们的我或我所。"

"像这样，诸比丘，其不是你们的，你们将其舍弃，其舍断将会对你们成为长久的利益和安乐。诸比丘，什么不是你们的？

诸比丘，是色，其不是你们的。你们将其舍弃，其舍断将会对你们成为长久的利益和安乐。

诸比丘，是受，其不是你们的。你们将其舍弃，其舍断将会对你们成为长久的利益和安乐。

诸比丘，是想，其不是你们的。你们将其舍弃，其舍断将会对你们成为长久的利益和安乐。

诸比丘，是行，其不是你们的。你们将其舍弃，其舍断将会对你们成为长久的利益和安乐。

诸比丘，是识，其不是你们的。你们将其舍弃，其舍断将会对你们成为长久的利益和安乐。"

248　"像这样，诸比丘，我所阐释的法清晰、敞开、得到说明、零碎剔除。像这样，诸比丘，于我所阐释的清晰、敞开、得到说明、零碎剔除的法，彼比丘众成为阿罗汉、漏尽者、修行圆满、应作已作、重负已卸、已达己利、有结漏尽、完全了知的解脱者，于其就没有可说的轮回。

像这样，诸比丘，我所阐释的法清晰、敞开、得到说明、零碎剔除。像这样，诸比丘，于我所阐释的清晰、敞开、得到说明、零碎剔除的法，彼比丘众由于灭尽了五下分束缚，其全部成为不还者，在那里成为般涅槃者，不再从彼世界返回。

像这样，诸比丘，我所阐释的法清晰、敞开、得到说明、零碎剔除。像这样，诸比丘，于我所阐释的清晰、敞开、得到说明、零碎剔除的法，彼比丘众由于三种束缚灭尽，贪嗔痴微薄，其全部成为一来者，仅仅一次返回这个世界灭尽全部的苦。

像这样，诸比丘，我所阐释的法清晰、敞开、得到说明、零碎剔除。像这样，诸比丘，于我所阐释的清晰、敞开、得到说明、零碎剔除的法，彼比丘众因为灭尽了三种束缚，其全部成为预流者，成为不退转者，成为决定者，成为可以到达正等觉之人。

像这样，诸比丘，我所阐释的法清晰、敞开、得到说明、零碎剔除。像这样，诸比丘，于我所阐释的清晰、敞开、得到说明、零碎剔除的法，彼比丘众是法随行者、信随行者，其全部趋向正等觉。

像这样，诸比丘，我所阐释的法清晰、敞开、得到说明、零碎剔除。像这样，诸比丘，于我所阐释的清晰、敞开、得到说明、零碎剔除的法，因为对我的少许信仰、少许爱慕，其全部生到天界。"

此为佛陀所说。彼比丘众内心喜悦，欢喜佛陀所说。

（蛇譬喻经完）

第三、蚂蚁冢经（Vammikasuttaṃ）

249　如是我闻。

一次，佛陀住在舍卫城附近的祇陀林给孤独园。当时，尊者鸠摩罗·迦叶住在安陀林。一女神于深夜，以殊胜姿容遍照安陀林，向尊者鸠摩罗·迦叶所在的地方接近。靠近以后立于一旁。立于一旁的该女神对尊者鸠摩罗·迦叶如下说道：

"比丘，比丘，此蚂蚁冢夜晚冒烟，白天燃烧。婆罗门如下说道：'贤者，拿着剑挖掘！'

拿着剑挖掘的贤者看到了门闩。'尊者，有门闩。'

婆罗门如下说道：'除掉门闩！贤者，拿着剑挖掘！'

拿着剑挖掘的贤者看到了青蛙。'尊者，有青蛙。'

婆罗门如下说道：'除掉青蛙！贤者，拿着剑挖掘！'

拿着剑挖掘的贤者看到了岔路。'尊者，有岔路。'

婆罗门如下说道:'除掉岔路! 贤者,拿着剑挖掘!'

拿着剑挖掘的贤者看到了容器。'尊者,有容器。'

婆罗门如下说道:'除掉容器! 贤者,拿着剑挖掘!'

拿着剑挖掘的贤者看到了乌龟。'尊者,有乌龟。'

婆罗门如下说道:'除掉乌龟! 贤者,拿着剑挖掘!'

拿着剑挖掘的贤者看到了屠宰场。'尊者,有屠宰场。'

婆罗门如下说道:'除掉屠宰场! 贤者,拿着剑挖掘!'

拿着剑挖掘的贤者看到了肉片。'尊者,有肉片。'

婆罗门如下说道:'除掉肉片! 贤者,拿着剑挖掘!'

拿着剑挖掘的贤者看到了龙。'尊者,有龙。'

婆罗门如下说道:'龙放在那里! 不要动龙! 要礼拜龙!'

比丘,你去向世尊询问这些问题,然后按照世尊所做的解释,你要那样加以忆持。比丘,在包括天、包括魔、包括梵天的世界里,在包括沙门、婆罗门、包括人天的众生里,除了向如来或向如来的弟子或在此听闻,我没有看到令人心满意足的对这些问题的解释。"此为彼女神所说。说完以后,瞬间消失。

250 当该夜晚过去,尊者鸠摩罗·迦叶向佛陀所在的地方接近。靠近以后顶礼佛陀,然后坐于一旁。坐于一旁的尊者鸠摩罗·迦叶对佛陀如下说道:"尊师,昨晚,一女神于深夜,以殊胜姿容遍照安陀林,向我所在的地方接近。靠近以后立于一旁。立于一旁的该女神对我如下说道:

'比丘,比丘,此蚂蚁冢夜晚冒烟,白天燃烧。婆罗门如下说道:"贤者,拿着剑挖掘!"

拿着剑挖掘的贤者看到了门闩。"尊者,有门闩。"

婆罗门如下说道:"除掉门闩! 贤者,拿着剑挖掘!"

拿着剑挖掘的贤者看到了青蛙。"尊者,有青蛙。"

婆罗门如下说道:"除掉青蛙! 贤者,拿着剑挖掘!"

拿着剑挖掘的贤者看到了岔路。"尊者,有岔路。"

婆罗门如下说道:"除掉岔路! 贤者,拿着剑挖掘!"

拿着剑挖掘的贤者看到了容器。"尊者,有容器。"

婆罗门如下说道:"除掉容器! 贤者,拿着剑挖掘!"

拿着剑挖掘的贤者看到了乌龟。"尊者,有乌龟。"

婆罗门如下说道:"除掉乌龟! 贤者,拿着剑挖掘!"

拿着剑挖掘的贤者看到了屠宰场。"尊者,有屠宰场。"

婆罗门如下说道:"除掉屠宰场! 贤者,拿着剑挖掘!"

拿着剑挖掘的贤者看到了肉片。"尊者,有肉片。"

婆罗门如下说道:"除掉肉片! 贤者,拿着剑挖掘!"

拿着剑挖掘的贤者看到了龙。"尊者,有龙。"

婆罗门如下说道:"龙放在那里! 不要动龙! 要礼拜龙!"

比丘,你去向世尊询问这些问题,然后按照世尊所做的解释,你要那样加以忆持。比丘,在包括天、包括魔、包括梵天的世界里,在包括沙门、婆罗门、包括人天的众生里,除了向如来或向如来的弟子或在此听闻,我没有看到令人心满意足的对这些问题的解释。'尊师,此为彼女神所说。说完以后,瞬间消失。

那么,尊师,'蚂蚁冢'是什么?'夜晚冒烟'是什么?'白天燃烧'是什么?'婆罗门'是什么?'贤者'是什么?'剑'是什么?'挖掘'是什么?'门闩'是什么?'青蛙'是什么?'岔路'是什么?'容器'是什么?'乌龟'是什么?'屠宰场'是什么?'肉片'是什么?'龙'是什么?"

251 "比丘,'蚂蚁冢'就是此四大要素身体的同义语。是父母所生,饭食所养,具有无常、破坏、渐灭、变坏、分离的性质。

比丘,白天拼命工作,夜晚思维、遐想,此就是'夜晚冒烟'。比丘,夜晚思维、遐想,白天通过身语意从事工作,此就是'白天燃烧'。

比丘,'婆罗门',此就是阿罗汉、正等觉的如来的同义语。

比丘,'贤者',此就是有学比丘的同义语。

比丘,'剑',此就是圣慧的同义语。

比丘,'挖掘',此就是勤精进的同义语。

比丘,'门闩',此就是无明的同义语。'除掉门闩,舍弃无明。贤者,拿着剑挖掘。'此就是此含义。

比丘,'青蛙',此就是忿怒、苦闷的同义语。'除掉青蛙,舍弃忿怒、苦闷。贤者,拿着剑挖掘。'此就是此含义。

比丘,'岔路',此就是疑惑的同义语。'除掉岔路,舍弃疑惑。贤者，拿着剑挖掘。'此就是此含义。

比丘，'容器'，此就是五盖的同义语。即贪欲盖、嗔恚盖、昏沉、睡眠盖、掉举、后悔盖、疑惑盖。'除掉容器，舍弃五盖。贤者，拿着剑挖掘。'此就是此含义。

比丘，'乌龟'，此就是五取蕴的同义语。即色取蕴、受取蕴、想取蕴、行取蕴、识取蕴。'除掉乌龟，舍弃五取蕴。贤者，拿着剑挖掘。'此就是此含义。

比丘，'屠宰场'，此就是五妙欲的同义语。即欢喜、可爱、可意、喜爱、伴随欲、贪所染的眼所识色；欢喜、可爱、可意、喜爱、伴随欲、贪所染的耳所识声；欢喜、可爱、可意、喜爱、伴随欲、贪所染的鼻所识香；欢喜、可爱、可意、喜爱、伴随欲、贪所染的舌所识味；欢喜、可爱、可意、喜爱、伴随欲、贪所染的身所识触。'除掉屠宰场，舍弃五妙欲。贤者，拿着剑挖掘。'此就是此含义。

比丘，'肉片'，此就是喜贪的同义语。'除掉肉片，舍弃喜贪。贤者，拿着剑挖掘。'此就是此含义。

比丘，'龙'，此就是漏尽比丘的同义语。'龙放在那里！不要动龙！要礼拜龙！'此就是此含义。"

此为佛陀所说。尊者<u>鸠摩罗·迦叶</u>内心喜悦，欢喜佛陀所说。

（蚂蚁冢经完）

第四、中转车经（Rathavinītasuttaṃ）

252　如是我闻。

一次,佛陀住在王舍城附近的竹林精舍。当时,有很多住在家乡的比丘在家乡度完安居,向佛陀所在的地方接近。靠近以后顶礼佛陀,然后坐于一旁。

佛陀对坐于一旁的彼比丘众如下说道:"诸比丘,谁是在家乡受到家乡的比丘如此尊敬的同修行者:'自己是少欲者,对比丘众讲少欲之言。自己是知足者,对比丘众讲知足之言。自己是远离者,对比丘众讲远离之言。自己是不交际者,对比丘众讲不交际之言。自己是勤精进者,对比丘众讲勤精进之言。自己是戒具足者,对比丘众讲戒具足之言。自己是定具足者,对比丘众讲定具足之言。自己是慧具足者,对比丘众讲慧具足之言。自己是解脱具足者,对比丘众讲解脱具足之言。自己是解脱智见具足者,对比丘众讲解脱智见具足之言。是同修行者的教诫者、教授者、开示者、劝导者、鼓励者、欢喜者'?"

"尊师,名叫富楼那·弥多罗尼子的比丘是在家乡受到家乡的比丘如此尊敬的同修行者:'自己是少欲者,对比丘众讲少欲之言。自己是知足者,对比丘众讲知足之言。自己是远离者,对比丘众讲远离之言。自己是不交际者,对比丘众讲不交际之言。自己是勤精进者,对比丘众讲勤精进之言。自己是戒具足者,对比丘众讲戒具足之言。自己是定具足者,对比丘众讲定具足之言。自己是慧具足者,对比丘众讲慧具足之言。自己是解脱具足者,对比丘众讲解脱具足之言。自己是解脱智见具足者,对比丘众讲解脱智见具足之言。是同修行者的教诫者、教授者、开示者、劝导者、鼓励者、欢喜者。'"

253　　此时,尊者舍利弗坐在佛陀不远处。尊者舍利弗如下思考:"富楼那·弥多罗尼子尊者是利得! 富楼那·弥多罗尼子尊者是善利得者! 因为有智慧的同修行者在导师面前逐一称赞,导师也对其极大随喜。如果我们某时能够见到富楼那·弥多罗尼子尊者该有多好。如果能进行交流该有多好。"

254　　佛陀在王舍城随意而居,然后离开,向舍卫城游走。次第游走,进入舍卫城。实际上,佛陀住在舍卫城附近的祇陀林给孤独园。尊者富楼那·弥多罗尼子听说:"实际上佛陀到达舍卫城,住在舍卫城附近的祇陀林给孤独园。"

255　　于是,尊者富楼那·弥多罗尼子收拾坐卧具,持衣钵向舍卫城游走接近。次第游走,靠近祇陀林给孤独园,接近佛陀所在的地方,靠近以后顶礼佛陀,然后坐于一旁。佛陀以法语对坐于一旁的尊者富楼那·弥多罗尼子进行教示、训诫、鼓励,令其欢喜。得到佛陀以法语教示、训诫、鼓励,获得欢喜的尊者富楼那·弥多罗尼子欢喜、随喜佛陀所说以后,从座位站起,顶礼佛陀,右转,靠近安陀林午休。

256 一位比丘接近尊者舍利弗所在的地方,靠近以后对尊者舍利弗如下说道:"舍利弗尊者,你经常称赞的名叫富楼那·弥多罗尼子的比丘,其得到佛陀以法语教示、训诫、鼓励,获得欢喜,欢喜、随喜佛陀所说以后,从座位站起,顶礼佛陀,右转,靠近安陀林午休。"

于是,尊者舍利弗急忙收拾坐卧具,看着前方,一直跟随在尊者富楼那·弥多罗尼子的后面。尊者富楼那·弥多罗尼子进入深处,在一棵树下就座午休。尊者舍利弗也进入深处,在另一棵树下就座午休。

傍晚,尊者舍利弗从禅坐出定,接近尊者富楼那·弥多罗尼子所在的地方,靠近以后向尊者富楼那·弥多罗尼子问候,互致值得记忆的欢喜语言以后坐于一旁。坐于一旁的尊者舍利弗对尊者富楼那·弥多罗尼子如下说道:

257 "朋友,你是在世尊这里修梵行吗?"

"是的,朋友。"

"朋友,你是为了戒清净而在世尊这里修梵行吗?"

"不是,朋友。"

"那么,朋友,你是为了心清净而在世尊这里修梵行吗?"

"不是,朋友。"

"朋友,你是为了见清净而在世尊这里修梵行吗?"

"不是，朋友。"

"那么，朋友，你是为了解疑清净而在世尊这里修梵行吗？"

"不是，朋友。"

"朋友，你是为了道非道智见清净而在世尊这里修梵行吗？"

"不是，朋友。"

"那么，朋友，你是为了行道智见清净而在世尊这里修梵行吗？"

"不是，朋友。"

"朋友，你是为了智见清净而在世尊这里修梵行吗？"

"不是，朋友。"

"对于'朋友，你是为了戒清净而在世尊这里修梵行吗'的提问，你回答'不是，朋友。'对于'朋友，你是为了心清净而在世尊这里修梵行吗'的提问，你回答'不是，朋友。'对于'朋友，你是为了见清净而在世尊这里修梵行吗'的提问，你回答'不是，朋友。'对于'朋友，你是为了解疑清净而在世尊这里修梵行吗'的提问，你回答'不是，朋友。'对于'朋友，你是为了道非道智见清净而在世尊这里修梵行吗'的提问，你回答'不是，朋友。'对于'朋友，你是为了行道智见清净而在世尊这里修梵行吗'的提问，你回答'不是，朋友。'对于'朋友，你是为了智见清净而在世尊这里修梵行吗'的提问，你回答'不是，朋友。'那么，朋友，你是为了什么而在世尊这里修梵行？"

"朋友，为了无取著的般涅槃而在世尊这里修梵行。"

"朋友，戒清净是无取著的般涅槃吗？"

"不是，朋友。"

"那么，朋友，心清净是无取著的般涅槃吗？"

"不是，朋友。"

"朋友，见清净是无取著的般涅槃吗？"

"不是，朋友。"

"那么，朋友，解疑清净是无取著的般涅槃吗？"

"不是，朋友。"

"朋友，道非道智见清净是无取著的般涅槃吗？"

"不是，朋友。"

"那么，朋友，行道智见清净是无取著的般涅槃吗？"

"不是，朋友。"

"朋友，智见清净是无取著的般涅槃吗？"

"不是，朋友。"

"那么，朋友，这些法之外的什么东西是无取著的般涅槃吗？"

"不是，朋友。"

"对于'朋友，戒清净是无取著的般涅槃吗'的提问，你回答'不是，朋友。'对于'朋友，心清净是无取著的般涅槃吗'的提问，你回答'不是，朋友。'对于'朋友，见清净是无取著的般涅槃吗'的提问，你回答'不是，朋友。'对于'朋友，解

疑清净是无取著的般涅槃吗'的提问，你回答'不是，朋友。'
对于'朋友，道非道智见清净是无取著的般涅槃吗'的提问，
你回答'不是，朋友。'对于'朋友，行道智见清净是无取著的
般涅槃吗'的提问，你回答'不是，朋友。'对于'朋友，智见清
净是无取著的般涅槃吗'的提问，你回答'不是，朋友。'对于
'朋友，这些法之外的什么东西是无取著的般涅槃吗'的提
问，你回答'不是，朋友。'那么，朋友，如上所说，应该怎样理
解此所说的含义？"

258 "朋友，世尊如果教导戒清净是无取著的般涅槃，
那么，对于取著者则教导无取著的般涅槃。朋友，世尊如果
教导心清净是无取著的般涅槃，那么，对于取著者则教导无
取著的般涅槃。朋友，世尊如果教导见清净是无取著的般涅
槃，那么，对于取著者则教导无取著的般涅槃。朋友，世尊如
果教导解疑清净是无取著的般涅槃，那么，对于取著者则教
导无取著的般涅槃。朋友，世尊如果教导道非道智见清净是
无取著的般涅槃，那么，对于取著者则教导无取著的般涅槃。
朋友，世尊如果教导行道智见清净是无取著的般涅槃，那么，
对于取著者则教导无取著的般涅槃。朋友，世尊如果教导智
见清净是无取著的般涅槃，那么，对于取著者则教导无取著
的般涅槃。朋友，如果存在着这些法之外的某一东西是无取
著的般涅槃，那么，凡夫则可以般涅槃，朋友，因为凡夫根据
这些法之外的某一东西。

朋友，我为你说个比喻，通过比喻，有智慧之人可以了知

此说的含义。”

259　“朋友，例如，拘萨罗国的波斯匿王住在舍卫城，在沙计多城发生突发事件。于是为其在舍卫城至沙计多城之间配置了七辆中转车。朋友，拘萨罗国的波斯匿王从舍卫城的后宫门出来登上第一辆中转车，乘坐第一辆中转车到达第二辆中转车，放弃第一辆中转车，登上第二辆中转车。乘坐第二辆中转车到达第三辆中转车，放弃第二辆中转车，登上第三辆中转车。乘坐第三辆中转车到达第四辆中转车，放弃第三辆中转车，登上第四辆中转车。乘坐第四辆中转车到达第五辆中转车，放弃第四辆中转车，登上第五辆中转车。乘坐第五辆中转车到达第六辆中转车，放弃第五辆中转车，登上第六辆中转车。乘坐第六辆中转车到达第七辆中转车，放弃第六辆中转车，登上第七辆中转车。乘坐第七辆中转车到达沙计多城的后宫门。

于是，已经在后宫门等候的朋友、亲属如下询问：‘陛下，您是乘坐这辆中转车从舍卫城到达沙计多城的吗？’朋友，要怎样回答，则拘萨罗国的波斯匿王所做的回答是正确的回答？”

“朋友，如此回答，则拘萨罗国的波斯匿王所做的回答是正确的回答：‘我住在舍卫城，在沙计多城发生突发事件。于是为我在舍卫城至沙计多城之间配置了七辆中转车。我从舍卫城的后宫门出来登上第一辆中转车，乘坐第一辆中转车到达第二辆中转车，放弃第一辆中转车，登上第二辆中转车。乘坐第二辆中转车到达第三辆中转车，放弃第二辆中转车，登上第三辆中转车。乘坐第三辆中转车到达第四辆中转车，放弃第三辆中转车，登上第四辆中转车。乘坐第四辆中转车到达第五辆中转车，放弃第四辆中转车，登上第五辆中转车。乘坐第五辆中转车到达第六辆中转车，放弃第五辆中转车，登上第六辆中转车。乘坐第六辆中转车到达第七辆中转车，放弃第六辆中转车，登上第七辆中转车。乘坐第七辆中转车到达沙计多城的后宫门。'朋友，如此回答，则拘萨罗国的波斯匿王所做的回答是正确的回答。"

"正像这样，朋友，戒清净可达心清净，心清净可达见清净，见清净可达解疑清净，解疑清净可达道非道智见清净，道非道智见清净可达行道智见清净，行道智见清净可达智见清净，智见清净可达无取著的般涅槃。朋友，我为了无取著的般涅槃而在世尊这里修梵行。"

260　听闻此言，尊者舍利弗对尊者富楼那·弥多罗尼子如下说道："请问尊者尊姓？同修行者以什么名字称呼尊者？"

"朋友，我姓富楼那，同修行者称呼我为弥多罗尼子。"

"朋友，真是稀有。朋友，真是未曾有。正如多闻弟子正确地把握导师的彼教导，像这样，富楼那·弥多罗尼子尊者对于甚深的提问从甚深的角度逐一地进行了解答。同修行者是利得者，同修行者是善利得者。如果能够见到、能够拜见富楼那·弥多罗尼子尊者，即使将富楼那·弥多罗尼子尊者顶在头上搬运，同修行者也会为了见到、为了拜见富楼那

·弥多罗尼子尊者而做。我们也是利得者，我们也是善利得者。因为我们也能够见到、能够拜见富楼那·弥多罗尼子尊者。"

听闻此言，尊者富楼那·弥多罗尼子对尊者舍利弗如下说道："请问尊者尊姓？同修行者以什么名字称呼尊者？"

"朋友，我姓优婆帝须，同修行者称呼我为舍利弗。"

"尊者，我不知道自己竟然是在跟与导师等同的弟子舍利弗尊者说话。如果我知道是舍利弗尊者，我就不会那样对您回答。尊者，真是稀有。尊者，真是未曾有。正如多闻弟子正确地把握导师的彼教导，像这样，舍利弗尊者从甚深的角度逐一地进行了甚深的提问。同修行者是利得者，同修行者是善利得者。如果能够见到、能够拜见舍利弗尊者，即使将舍利弗尊者顶在头上搬运，同修行者也会为了见到、为了拜见舍利弗尊者而做。我们也是利得者，我们也是善利得者。因为我们也能够见到、能够拜见舍利弗尊者。"

像这样，彼二巨龙彼此欢喜所说。

（中转车经完）

第五、食饵经（Nivāpasuttaṃ）

261　如是我闻。

一次，佛陀住在舍卫城附近的祇陀林给孤独园。在此，佛陀对比丘众说道："诸比丘。"

"尊师。"彼比丘众应诺佛陀。

佛陀如下说道："诸比丘，猎人不会这样为鹿群撒食饵：'鹿群吃了我撒的食饵，从而长寿、美丽、长期长久地存活。'诸比丘，因为猎人像这样为鹿群撒食饵：'鹿群进入我所撒的食饵范围将会忘我地食用食饵，进入以后忘我地食用食饵就会变得陶醉，变得陶醉就会变得放逸，变得放逸就会于此食饵成为唯命是从者。'"

262　"于是，诸比丘，第一个鹿群进入猎人所撒的彼食饵范围，忘我地食用食饵，于是，它们进入以后忘我地食用着食饵而变得陶醉，变得陶醉而变得放逸，变得放逸而于猎人的此食饵成为唯命是从者。诸比丘，像这样，第一个鹿群没有逃脱猎人的神力、威力。"

263　"于是，诸比丘，第二个鹿群如下缜密思考：'彼第一个鹿群进入猎人所撒的彼食饵范围，忘我地食用食饵。它们进入以后忘我地食用着食饵而变得陶醉，变得陶醉而变得放逸，变得放逸而于猎人的此食饵成为唯命是从者。像这样，彼第一个鹿群没有逃脱猎人的神力、威力。我们避开所有的食饵如何？我们避开食饵的危险，进入森林深处而住。'

于是，它们避开所有的食饵，避开食饵的危险，进入森林深处而住。在彼夏季的最后一个月里，因为水、草消亡，身体变得极度消瘦。彼身体变得极度消瘦，气力衰退。因为气力衰退而返回猎人所撒的彼食饵范围，于是，它们进入以后忘我地食用着食饵而变得陶醉，变得陶醉而变得放逸，变得放逸而于猎人的此食饵成为唯命是从者。像这样，彼第二个鹿群也没有逃脱猎人的神力、威力。"

264 "于是，诸比丘，第三个鹿群如下缜密思考：'彼第一个鹿群进入猎人所撒的彼食饵范围，忘我地食用食饵。它们进入以后忘我地食用着食饵而变得陶醉，变得陶醉而变得放逸，变得放逸而于猎人的此食饵成为唯命是从者。像这样，彼第一个鹿群没有逃脱猎人的神力、威力。

彼第二个鹿群如下缜密思考："彼第一个鹿群进入猎人所撒的彼食饵范围，忘我地食用食饵，它们进入以后忘我地食用着食饵而变得陶醉，变得陶醉而变得放逸，变得放逸而于猎人的此食饵成为唯命是从者。像这样，彼第一个鹿群没有逃脱猎人的神力、威力。我们避开所有的食饵如何？我们避开食饵的危险，进入森林深处而住。"于是，它们避开所有的食饵，避开食饵的危险，进入森林深处而住。在彼夏季的最后一个月里，因为水、草消亡，身体变得极度消瘦。彼身体

变得极度消瘦，气力衰退。因为气力衰退而返回猎人所撒的
彼食饵范围。它们进入以后忘我地食用着食饵而变得陶醉，
变得陶醉而变得放逸，变得放逸而于猎人的此食饵成为唯命
是从者。像这样，彼第二个鹿群也没有逃脱猎人的神力、威
力。

我们在猎人所撒彼食饵范围的附近栖息如何？这样栖
息，就不会进入猎人所撒的彼食饵范围，不会忘我地食用着
食饵，不进入、不忘我地食用着食饵就不会变得陶醉，不变得
陶醉就不变得放逸，不变得放逸就于猎人的此食饵不成为唯
命是从者。'

于是，它们在猎人所撒彼食饵范围的附近栖息。这样栖
息，就没有进入猎人所撒的彼食饵范围，没有忘我地食用着
食饵，不进入、不忘我地食用着食饵就没有变得陶醉，不变得
陶醉就不变得放逸，不变得放逸就于猎人的此食饵不成为唯
命是从者。

于是，诸比丘，猎人和猎人众如下思考：'此第三个鹿群
狡猾、狡诈。此第三个鹿群具有神通，别于其他。实际上其
食用此所撒食饵，我们却不知道它们的来和去。我们在此所
撒食饵范围的附近用大网全部围上如何？或许我们能够找
到第三个鹿群栖息的根据地。'他们在所撒食饵范围的附近
用大网全部围上。诸比丘，猎人和猎人众看到了第三个鹿群
栖息的根据地。像这样，诸比丘，彼第三个鹿群也没有逃脱
猎人的神力、威力。"

265 "于是,诸比丘,第四个鹿群如下缜密思考:'彼第一个鹿群进入猎人所撒的彼食饵范围,忘我地食用食饵。它们进入以后忘我地食用着食饵而变得陶醉,变得陶醉而变得放逸,变得放逸而于猎人的此食饵成为唯命是从者。像这样,彼第一个鹿群没有逃脱猎人的神力、威力。

彼第二个鹿群如下缜密思考:"彼第一个鹿群进入猎人所撒的彼食饵范围,忘我地食用食饵,它们进入以后忘我地食用着食饵而变得陶醉,变得陶醉而变得放逸,变得放逸而于猎人的此食饵成为唯命是从者。像这样,彼第一个鹿群没有逃脱猎人的神力、威力。我们避开所有的食饵如何?我们避开食饵的危险,进入森林深处而住。"于是,它们避开所有的食饵,避开食饵的危险,进入森林深处而住。在彼夏季的最后一个月里,因为水、草消亡,身体变得极度消瘦。彼身体变得极度消瘦,气力衰退。因为气力衰退而返回猎人所撒的彼食饵范围。它们进入以后忘我地食用着食饵而变得陶醉,变得陶醉而变得放逸,变得放逸而于猎人的此食饵成为唯命是从者。像这样,彼第二个鹿群也没有逃脱猎人的神力、威力。

第三个鹿群如下缜密思考:"彼第一个鹿群进入猎人所撒的彼食饵范围,忘我地食用食饵。它们进入以后忘我地食用着食饵而变得陶醉,变得陶醉而变得放逸,变得放逸而于猎人的此食饵成为唯命是从者。像这样,彼第一个鹿群没有逃脱猎人的神力、威力。彼第二个鹿群如下缜密思考:'彼第一个鹿群进入猎人所撒的彼食饵范围,忘我地食用食饵,它们进入以后忘我地食用着食饵而变得陶醉,变得陶醉而变得放逸,变得放逸而于猎人的此食饵成为唯命是从者。像这样,彼第一个鹿群没有逃脱猎人的神力、威力。我们避开所有的食饵如何？我们避开食饵的危险,进入森林深处而住。'于是,它们避开所有的食饵,避开食饵的危险,进入森林深处而住。在彼夏季的最后一个月里,因为水、草消亡,身体变得极度消瘦。彼身体变得极度消瘦,气力衰退。因为气力衰退而返回猎人所撒的彼食饵范围。它们进入以后忘我地食用着食饵而变得陶醉,变得陶醉而变得放逸,变得放逸而于猎人的此食饵成为唯命是从者。像这样,彼第二个鹿群也没有逃脱猎人的神力、威力。我们在猎人所撒彼食饵范围的附近栖息如何？这样栖息,就不会进入猎人所撒的彼食饵范围,不会忘我地食用着食饵,不进入、不忘我地食用着食饵就不会变得陶醉,不变得陶醉就不变得放逸,不变得放逸就于猎人的此食饵不成为唯命是从者。"于是,它们在猎人所撒彼食饵的附近栖息。这样栖息,就没有进入猎人所撒的彼食饵范围没有忘我地食用着食饵,不进入、不忘我地食用着食饵就没有变得陶醉,不变得陶醉就不变得放逸,不变得放逸就于猎人的此食饵不成为唯命是从者。于是,猎人和猎人众如下思考："此第三个鹿群狡猾、狡诈。此第三个鹿群具有神通,别于其他。实际上其食用此所撒食饵,我们却不知道它们的来和去。我们在此所撒食饵范围的附近用大网全部围上如何？或许我们能够找到第三个鹿群栖息的根据地。"他们在所撒食饵范围的附近用大网全部围上。于是猎人和猎人众看到了第三个鹿群栖息的根据地。像这样，彼第三个鹿群也没有逃脱猎人的神力、威力。

我们到猎人和猎人众的领域外栖息如何？这样栖息，就不会进入猎人所撒的彼食饵范围，不会忘我地食用着食饵，不进入、不忘我地食用着食饵就不会变得陶醉，不变得陶醉就不变得放逸，不变得放逸就于猎人的此食饵不成为唯命是从者。'

于是，它们在猎人和猎人众的领域外栖息。这样栖息，就没有进入猎人所撒的彼食饵范围，没有忘我地食用着食饵，不进入、不忘我地食用着食饵就没有变得陶醉，不变得陶醉就不变得放逸，不变得放逸就于猎人的此食饵不成为唯命是从者。

于是，诸比丘，猎人和猎人众如下思考：'此第四个鹿群狡猾、狡诈。此第四个鹿群具有神通，别于其他。实际上其食用此所撒食饵，我们却不知道它们的来和去。我们在此所撒食饵范围的附近用大网全部围上如何？或许我们能够找到第四个鹿群栖息的根据地。'他们在所撒食饵范围的附近用大网全部围上。然而，诸比丘，猎人和猎人众没有看到第四个鹿群栖息的根据地。于是，诸比丘，猎人和猎人众如下思考：'如果我们惹怒第四个鹿群，愤怒的它们就会惹怒其他鹿群，愤怒的它们又会惹怒其他鹿群。像这样，全部鹿群就会从此所撒食饵范围逃脱。我们无视第四个鹿群如何？'于是，诸比丘，猎人和猎人众无视第四个鹿群。像这样，彼第四个鹿群逃脱了猎人的神力、威力。"

266　"诸比丘，我为了令意义明晰而做了此譬喻。在此表达这样的含义。诸比丘，食饵，其就是五种妙欲的同义语。诸比丘，猎人，其就是魔罗帕皮摩的同义语。诸比丘，猎人众，其就是魔众的同义语。诸比丘，鹿群，其就是沙门、婆罗门的同义语。"

267　"诸比丘，在此，第一类沙门、婆罗门进入魔罗所撒的彼食饵和彼世间财范围，忘我地食用食饵。他们进入以后忘我地食用着食饵而变得陶醉，变得陶醉而变得放逸，变得放逸而于魔罗的彼食饵和彼世间财成为唯命是从者。像这样，彼第一类沙门、婆罗门没有逃脱魔罗的神力、威力。诸比丘，恰如譬喻中的彼第一个鹿群，我说第一类沙门、婆罗门就是如此。"

268　"诸比丘，在此，第二类沙门、婆罗门如下缜密思考：'彼第一类沙门、婆罗门进入魔罗所撒的彼食饵和彼世间财范围，忘我地食用食饵。他们进入以后忘我地食用着食饵而变得陶醉，变得陶醉而变得放逸，变得放逸而于魔罗的彼食饵和彼世间财成为唯命是从者。像这样，彼第一类沙门、婆罗门没有逃脱魔罗的神力、威力。我们避开所有的食饵和世间财如何？我们避开食饵的危险，进入森林深处而住。'

于是，他们避开所有的食饵和世间财，避开食饵的危险，进入森林深处而住。于是，他们食用野菜，食用稗子，食用玄米，食用稻米，食用苔藓，食用糠，食用米汤，食用芝麻粉，食用草，食用牛粪，食用树根、果实，食用落下的果实。在彼夏季的最后一个月里，因为水、草消亡，身体变得极度消瘦。彼身体变得极度消瘦，气力衰退。因为气力衰退而返回魔罗所撒的彼食饵和彼世间财范围。他们进入以后忘我地食用着食饵而变得陶醉，变得陶醉而变得放逸，变得放逸而于魔罗的彼食饵和彼世间财成为唯命是从者。像这样，彼第二类沙门、婆罗门没有逃脱魔罗的神力、威力。诸比丘，恰如譬喻中的彼第二个鹿群，我说第二类沙门、婆罗门就是如此。"

269 "诸比丘，在此，第三类沙门、婆罗门如下缜密思考：'彼第一类沙门、婆罗门进入魔罗所撒的彼食饵和彼世间财范围，忘我地食用食饵。他们进入以后忘我地食用着食饵而变得陶醉，变得陶醉而变得放逸，变得放逸而于魔罗的彼食饵和彼世间财成为唯命是从者。像这样，彼第一类沙门、婆罗门没有逃脱魔罗的神力、威力。

彼第二类沙门、婆罗门如下缜密思考："彼第一类沙门、婆罗门进入魔罗所撒的彼食饵和彼世间财范围，忘我地食用食饵。他们进入以后忘我地食用着食饵而变得陶醉，变得陶醉而变得放逸，变得放逸而于魔罗的彼食饵和彼世间财成为唯命是从者。像这样，彼第一类沙门、婆罗门没有逃脱魔罗的神力、威力。我们避开所有的食饵和世间财如何？我们避开食饵的危险，进入森林深处而住。"于是，他们避开所有的食饵和世间财，避开食饵的危险，进入森林深处而住。于是，他们食用野菜，食用稗子，食用玄米，食用稻米，食用苔藓，食用糠，食用米汤，食用芝麻粉，食用草，食用牛粪，食用树根、果实，食用落下的果实。在彼夏季的最后一个月里，因为水、草消亡，身体变得极度消瘦。彼身体变得极度消瘦，气力衰退。因为气力衰退而返回魔罗所撒的彼食饵和彼世间财范围。他们进入以后忘我地食用着食饵而变得陶醉，变得陶醉而变得放逸，变得放逸而于魔罗的彼食饵和彼世间财成为唯命是从者。像这样，彼第二类沙门、婆罗门没有逃脱魔罗的神力、威力。

我们在魔罗的彼食饵和彼世间财范围的附近安居如何？这样安居，就不会进入魔罗的彼食饵和彼世间财，不会忘我地食用着食饵，不进入、不忘我地食用着食饵就不会变得陶醉，不变得陶醉就不变得放逸，不变得放逸就于魔罗的彼食饵和彼世间财不成为唯命是从者。'于是，他们在魔罗的彼食饵和彼世间财范围的附近安居，这样安居，就没有进入魔罗的彼食饵和彼世间财范围，没有忘我地食用着食饵，不进入、不忘我地食用着食饵就没有变得陶醉，不变得陶醉就不变得放逸，不变得放逸就于魔罗的彼食饵和彼世间财不成为唯命是从者。

然而，如下之见生起：'世界是常'或'世界非常''世界有限'或'世界无限''灵魂与身体为一'或'灵魂与身体为异''如来死后存在'或'如来死后不存在'或'如来死后既存在又不存在'或'如来死后既非存在又非不存在'。像这样，彼第三类沙门、婆罗门没有逃脱魔罗的神力、威力。诸比丘，恰如譬喻中的彼第三个鹿群，我说第三类沙门、婆罗门就是如此。"

270　"诸比丘，在此，第四类沙门、婆罗门如下缜密思考：'彼第一类沙门、婆罗门进入魔罗所撒的彼食饵和彼世间财范围，忘我地食用食饵。他们进入以后忘我地食用着食饵而变得陶醉，变得陶醉而变得放逸，变得放逸而于魔罗的彼食饵和彼世间财成为唯命是从者。像这样，彼第一类沙门、婆罗门没有逃脱魔罗的神力、威力。

彼第二类沙门、婆罗门如下缜密思考："彼第一类沙门、婆罗门进入魔罗所撒的彼食饵和彼世间财范围，忘我地食用食饵。他们进入以后忘我地食用着食饵而变得陶醉，变得陶醉而变得放逸，变得放逸而于魔罗的彼食饵和彼世间财成为唯命是从者。像这样，彼第一类沙门、婆罗门没有逃脱魔罗的神力、威力。我们避开所有的食饵和世间财如何？我们避开食饵的危险，进入森林深处而住。"于是，他们避开所有的食饵和世间财，避开食饵的危险，进入森林深处而住。于是，他们食用野菜，食用稗子，食用玄米，食用稻米，食用苔藓，食用糠，食用米汤，食用芝麻粉，食用草，食用牛粪，食用树根、果实，食用落下的果实。在彼夏季的最后一个月里，因为水、草消亡，身体变得极度消瘦。彼身体变得极度消瘦，气力衰退。因为气力衰退而返回魔罗所撒的彼食饵和彼世间财范围。他们进入以后忘我地食用着食饵而变得陶醉,变得陶醉而变得放逸,变得放逸而于魔罗的彼食饵和彼世间财成为唯命是从者。像这样,彼第二类沙门、婆罗门没有逃脱魔罗的神力、威力。

第三类沙门、婆罗门如下缜密思考:"彼第一类沙门、婆罗门进入魔罗所撒的彼食饵和彼世间财范围,忘我地食用食饵。他们进入以后忘我地食用着食饵而变得陶醉,变得陶醉而变得放逸,变得放逸而于魔罗的彼食饵和彼世间财成为唯命是从者。像这样,彼第一类沙门、婆罗门没有逃脱魔罗的神力、威力。

彼第二类沙门、婆罗门如下缜密思考:'彼第一类沙门、婆罗门进入魔罗所撒的彼食饵和彼世间财范围,忘我地食用食饵。他们进入以后忘我地食用着食饵而变得陶醉,变得陶醉而变得放逸,变得放逸而于魔罗的彼食饵和彼世间财成为唯命是从者。像这样,彼第一类沙门、婆罗门没有逃脱魔罗的神力、威力。我们避开所有的食饵和世间财如何? 我们避开食饵的危险,进入森林深处而住。'于是,他们避开所有的食饵和世间财,避开食饵的危险,进入森林深处而住。于是,他们食用野菜,食用稗子,食用玄米,食用稻米,食用苔藓,食用糠,食用米汤,食用芝麻粉,食用草,食用牛粪,食用树根、果实,食用落下的果实。在彼夏季的最后一个月里,因为水、草消亡,身体变得极度消瘦。彼身体变得极度消瘦,气力衰退。因为气力衰退而返回魔罗所撒的彼食饵和彼世间财范

围。他们进入以后忘我地食用着食饵而变得陶醉，变得陶醉
而变得放逸，变得放逸而于魔罗的彼食饵和彼世间财成为唯
命是从者。像这样，彼第二类沙门、婆罗门没有逃脱魔罗的
神力、威力。

　　我们在魔罗的彼食饵和彼世间财范围的附近安居如何？
这样安居，就不会进入魔罗的彼食饵和彼世间财，不会忘我
地食用着食饵，不进入、不忘我地食用着食饵就不会变得陶
醉，不变得陶醉就不变得放逸，不变得放逸就于魔罗的彼食
饵和彼世间财不成为唯命是从者。"于是，他们在魔罗的彼食
饵和彼世间财范围的附近安居，这样安居，就没有进入魔罗
的彼食饵和彼世间财范围，没有忘我地食用着食饵，不进入、
不忘我地食用着食饵就没有变得陶醉，不变得陶醉就不变得
放逸，不变得放逸就于魔罗的彼食饵和彼世间财不成为唯命
是从者。然而，如下之见生起："世界是常"或"世界非常"
"世界有限"或"世界无限""灵魂与身体为一"或"灵魂与身
体为异""如来死后存在"或"如来死后不存在"或"如来死后
既存在又不存在"或"如来死后既非存在又非不存在"。像
这样，彼第三类沙门、婆罗门没有逃脱魔罗的神力、威力。

　　我们到魔罗的彼食饵和彼世间财的领域外安居如何？
这样安居，就不会进入魔罗的彼食饵和彼世间财，不会忘我
地食用着食饵，不进入、不忘我地食用着食饵就不会变得陶
醉，不变得陶醉就不变得放逸，不变得放逸就于魔罗的彼食
饵和彼世间财不成为唯命是从者。'

于是，他们在魔罗的彼食饵和彼世间财的领域外安居，这样安居，就没有进入魔罗的彼食饵和彼世间财范围，没有忘我地食用着食饵，不进入、不忘我地食用着食饵就没有变得陶醉，不变得陶醉就不变得放逸，不变得放逸就于魔罗的彼食饵和彼世间财不成为唯命是从者。诸比丘，彼第四类沙门、婆罗门从魔罗的神力、威力获得自由。诸比丘，恰如譬喻中的彼第四个鹿群，我说第四类沙门、婆罗门就是如此。"

271 "诸比丘，哪里是魔罗和魔众的领域外？在此，诸比丘，比丘由于离开诸欲，离开诸不善法，到达并住立于有浅观、有深观、因远离而生喜和乐的初禅。诸比丘，此比丘被称为魔罗所看不见者，踪迹消失，是魔罗帕皮摩的领域外者。

进而，诸比丘，由于浅观和深观的寂灭，比丘到达并住立于内部清净的心一境性，到达无浅观、无深观、具有因定而生喜和乐的第二禅。诸比丘，此比丘被称为魔罗所看不见者，踪迹消失，是魔罗帕皮摩的领域外者。

进而，诸比丘，比丘离开喜，住于舍，具念，具正知，以身体感知乐，到达并住立于圣者所称的'有舍、具念、住于乐'的第三禅。诸比丘，此比丘被称为魔罗所看不见者，踪迹消失，是魔罗帕皮摩的领域外者。

进而，诸比丘，比丘舍弃乐，舍弃苦，以前早已熄灭喜和忧，到达并住立于非苦非乐、舍念遍净的第四禅。诸比丘，此比丘被称为魔罗所看不见者，踪迹消失，是魔罗帕皮摩的领域外者。

进而,诸比丘,比丘完全超越色想,有对想灭尽,不作意种种想,到达并住立于'虚空乃无边'的空无边处。诸比丘,此比丘被称为魔罗所看不见者,踪迹消失,是魔罗帕皮摩的领域外者。

进而,诸比丘,比丘完全超越空无边处,到达并住立于'识乃无边'的识无边处。诸比丘,此比丘被称为魔罗所看不见者,踪迹消失,是魔罗帕皮摩的领域外者。

进而,诸比丘,比丘完全超越识无边处,到达并住立于'乃无所有'的无所有处。诸比丘,此比丘被称为魔罗所看不见者,踪迹消失,是魔罗帕皮摩的领域外者。

进而,诸比丘,比丘完全超越无所有处,到达并住立于非想非非想处。诸比丘,此比丘被称为魔罗所看不见者,踪迹消失,是魔罗帕皮摩的领域外者。

进而,诸比丘,比丘完全超越非想非非想处,到达并住立于想受灭。诸比丘,此比丘被称为魔罗所看不见者,踪迹消失,是魔罗帕皮摩的领域外者,超脱了对世界的执著。"

此为佛陀所说。彼比丘众内心喜悦,欢喜佛陀所说。

(食饵经完)

第六、圈套经(Pāsarāsisuttaṃ)

272　如是我闻。

一次，佛陀住在<u>舍卫城</u>附近的<u>祇陀林给孤独园</u>。当时，佛陀于上午，着衣，持衣钵，进入<u>舍卫城</u>托钵乞食。这时，众多比丘众对尊者<u>阿难陀</u>如下说道："<u>阿难陀</u>尊者，我们已经很久没有在世尊面前听闻法语。<u>阿难陀</u>尊者，如果我们能够在世尊面前听闻法语，将万分荣幸。"

"诸朋友，那么，你们靠近<u>罗曼迦婆罗门园</u>，或许能够在世尊面前听闻法语。"

"好，尊者。"彼比丘众应答尊者<u>阿难陀</u>。

佛陀在<u>舍卫城</u>游化乞食，吃完饭，结束托钵食以后，对尊者<u>阿难陀</u>说道："<u>阿难陀</u>，我们去东园的<u>鹿母讲堂</u>午休。"

"好，尊师。"尊者<u>阿难陀</u>应诺佛陀，于是，佛陀与尊者<u>阿难陀</u>一起走到东园的<u>鹿母讲堂</u>午休。

傍晚，佛陀从禅坐出定，对尊者<u>阿难陀</u>说道："<u>阿难陀</u>，我们去东园沐浴室清洗身体。"

"好，尊师。"尊者<u>阿难陀</u>应诺佛陀。

273　于是，佛陀与尊者<u>阿难陀</u>一起走到东园沐浴室沐浴身体。在东园沐浴室沐浴身体以后出来，搭一件衣，站着晾干身体。尊者阿难陀对佛陀如下说道："尊师,彼罗曼迦婆罗门园在不远处。尊师,罗曼迦婆罗门园令人愉快。尊师,罗曼迦婆罗门园清净。尊师,请世尊慈悲去到罗曼迦婆罗门园。"佛陀默然应允。

于是,佛陀向罗曼迦婆罗门园靠近。此时,众多比丘众正在罗曼迦婆罗门园为了法语而共坐一起。佛陀站在门外等待谈话的结束。当知道谈话结束以后,佛陀轻咳示意,然后叩门。彼比丘众为佛陀打开门。佛陀进入罗曼迦婆罗门园,坐在准备好的坐具上。安坐后,佛陀对比丘众说道："诸比丘,你们现在为了什么话题共坐一起? 你们中断的话题是什么?"

"尊师,我们中断的话题与世尊有关,此时,世尊进来。"

"很好,诸比丘。诸比丘,你们为了法语而共坐一起,此与依信仰而舍家出家的善家子弟相符合。诸比丘,你们共坐一起有两种事情应作:法谈和圣默。"

274 "诸比丘,有两种遍求:圣遍求和非圣遍求。

诸比丘,何为非圣遍求? 在此,诸比丘,有些人,自己是生法却遍求生法,自己是老法却遍求老法,自己是病法却遍求病法,自己是死法却遍求死法,自己是忧法却遍求忧法,自己是杂染法却遍求杂染法。

诸比丘,什么被称为生法? 诸比丘,妻子、孩子是生法;奴婢、奴隶是生法;山羊、绵羊是生法;鸡、猪是生法;象、牛、马、骡是生法;黄金、白银是生法。诸比丘,这些生存所依就是生法。在此，其被束缚，陶醉，忘我，自己是生法却遍求生法。

诸比丘，什么被称为老法？诸比丘，妻子、孩子是老法；奴婢、奴隶是老法；山羊、绵羊是老法；鸡、猪是老法；象、牛、马、骡是老法；黄金、白银是老法。诸比丘，这些生存所依就是老法。在此，其被束缚，陶醉，忘我，自己是老法却遍求老法。

诸比丘，什么被称为病法？诸比丘，妻子、孩子是病法；奴婢、奴隶是病法；山羊、绵羊是病法；鸡、猪是病法；象、牛、马、骡是病法；黄金、白银是病法。诸比丘，这些生存所依就是病法。在此，其被束缚，陶醉，忘我，自己是病法却遍求病法。

诸比丘，什么被称为死法？诸比丘，妻子、孩子是死法；奴婢、奴隶是死法；山羊、绵羊是死法；鸡、猪是死法；象、牛、马、骡是死法；黄金、白银是死法。诸比丘，这些生存所依就是死法。在此，其被束缚，陶醉，忘我，自己是死法却遍求死法。

诸比丘，什么被称为忧法？诸比丘，妻子、孩子是忧法；奴婢、奴隶是忧法；山羊、绵羊是忧法；鸡、猪是忧法；象、牛、马、骡是忧法；黄金、白银是忧法。诸比丘，这些生存所依就是忧法。在此，其被束缚，陶醉，忘我，自己是忧法却遍求忧法。

诸比丘，什么被称为杂染法？诸比丘，妻子、孩子是杂染法；奴婢、奴隶是杂染法；山羊、绵羊是杂染法；鸡、猪是杂染法；象、牛、马、骡是杂染法；黄金、白银是杂染法。诸比丘，这些生存所依就是杂染法。在此，其被束缚，陶醉，忘我，自己是杂染法却遍求杂染法。

诸比丘，此即非圣遍求。"

275　"诸比丘，何为圣遍求？在此，诸比丘，有些人，自己是生法，于生法看到过患，遍求不生、无上、无碍安稳的涅槃。自己是老法，于老法看到过患，遍求不老、无上、无碍安稳的涅槃。自己是病法，于病法看到过患，遍求不病、无上、无碍安稳的涅槃。自己是死法，于死法看到过患，遍求不死、无上、无碍安稳的涅槃。自己是忧法，于忧法看到过患，遍求不忧、无上、无碍安稳的涅槃。自己是杂染法，于杂染法看到过患，遍求无杂染、无上、无碍安稳的涅槃。"

276　"诸比丘，实际上我在未获得正等觉以前，还是未获得正等觉的菩萨的时候，自己是生法却遍求生法，自己是老法却遍求老法，自己是病法却遍求病法，自己是死法却遍求死法，自己是忧法却遍求忧法，自己是杂染法却遍求杂染法。

于是，诸比丘，彼我如下思考：'我究竟为什么自己是生法却遍求生法，自己是老法却遍求老法，自己是病法却遍求病法，自己是死法却遍求死法，自己是忧法却遍求忧法，自己是杂染法却遍求杂染法？我这样做如何？即自己是生法，于生法看到过患，遍求不生、无上、无碍安稳的涅槃。自己是老法，于老法看到过患，遍求不老、无上、无碍安稳的涅槃。自己是病法,于病法看到过患,遍求不病、无上、无碍安稳的涅槃。自己是死法,于死法看到过患,遍求不死、无上、无碍安稳的涅槃。自己是忧法,于忧法看到过患,遍求不忧、无上、无碍安稳的涅槃。自己是杂染法,于杂染法看到过患,遍求无杂染、无上、无碍安稳的涅槃。'"

277　"诸比丘,后来,彼我尽管还很年轻,还是风华正茂、朝气蓬勃的青年,还处在人生的第一阶段,虽然父母不同意,泪流满面,然而却剃除须发,披上僧衣,舍家出家。像这样出家以后,其为了寻求何为善,追求着最上寂静语而接近阿罗罗·伽罗摩所在的地方。靠近以后,对阿罗罗·伽罗摩如下说道:'伽罗摩尊者,我想于此法和律修梵行。'听闻此言,诸比丘,阿罗罗·伽罗摩对我如下说道:'尊者,请住下。这样的法,像您这样的智慧之人很快就能自我证知,证得,具足与自己的导师相同的程度而住。'

诸比丘,彼我不久就迅速地完全掌握了该法。诸比丘,彼我仅动动嘴唇,小声细语就讲出了智慧之论、长老之说。我和其他人都声称:'我知道。我见到。'诸比丘,彼我如下思考:'阿罗罗·伽罗摩教授此法并不是仅仅出于信,而是自我证知,证得,具足而住。阿罗罗·伽罗摩的确是知道、见到此法而住。'

诸比丘,于是,我接近阿罗罗·伽罗摩所在的地方。靠近以后,对阿罗罗·伽罗摩如下说道:'伽罗摩尊者,到了什么程度,您宣称自我证知,证得,具足此法而住?'听闻此言,诸比丘,阿罗罗·伽罗摩告诉了我无所有处。诸比丘,彼我如下思考:'不是只有阿罗罗·伽罗摩有信,我也有信。不是只有阿罗罗·伽罗摩有精进,我也有精进。不是只有阿罗罗·伽罗摩有念,我也有念。不是只有阿罗罗·伽罗摩有定,我也有定。不是只有阿罗罗·伽罗摩有慧,我也有慧。阿罗罗·伽罗摩于彼法自我证知,证得,具足而住,为了证得彼法,我精进如何?'诸比丘,于是,彼我不久就迅速地自我证知,证得,具足彼法而住。

诸比丘,于是,我接近阿罗罗·伽罗摩所在的地方。靠近以后,对阿罗罗·伽罗摩如下说道:'伽罗摩尊者,您所阐述的自我证知,证得,具足而住的彼法就是这些吗?'

'尊者,我所阐述的自我证知,证得,具足而住的彼法就是这些。'

'尊者,我也完全自我证知,证得,具足此法而住。'

'尊者,我们是利得者。尊者,我们是善利得者。我们看到了像尊者这样的同修行者。我自我证知,证得,具足而阐述的法,您也自我证知,证得,具足而阐述彼法。您自我证知,证得,具足而住的彼法,我也自我证知,证得,具足而住于彼法。我知道的法,您也知道彼法。您知道的法,我也知道彼法。我的水平就是您的水平,您的水平就是我的水平。尊者,来,现在我们两个人来率领此众人。'

诸比丘,像这样,阿罗罗·伽罗摩虽然是我的导师,却将学生的我置于与自己相同的地位,以盛大的供养来供养我。

诸比丘,彼我如下思考:'此法不是为了离厌、离贪、灭尽、寂静、证智、觉悟、涅槃而转起,其只是为了再生于无所有处。'诸比丘,彼我不满足彼法,厌弃并离开彼法。"

278 "诸比丘,为了寻求何为善,追求着最上寂静语,彼我接近郁陀罗·罗摩子所在的地方。靠近以后,对郁陀罗·罗摩子如下说道:'罗摩尊者,我想于此法和律修梵行。'听闻此言,诸比丘,郁陀罗·罗摩子对我如下说道:'尊者,请住下。像这样的法,您这样的智慧之人很快就能自我证知,证得,具足与自己的导师相同的程度而住。'

诸比丘,彼我不久就迅速地完全掌握了该法。诸比丘,彼我仅动动嘴唇、小声细语就讲出了智慧之论、长老之说。我和其他人都声称:'我知道。我见到。'诸比丘,彼我如下思考:'郁陀罗·罗摩子教授此法并不是仅仅出于信,而是自我证知,证得,具足而住。郁陀罗·罗摩子的确是知道、见到此法而住。'

诸比丘,于是,我接近郁陀罗·罗摩子所在的地方。靠近以后,对郁陀罗·罗摩子如下说道:'罗摩尊者,到了什么程度,您宣称自我证知,证得,具足此法而住?'听闻此言,诸比丘,郁陀罗·罗摩子告诉了我非想非非想处。诸比丘,彼我如下思考:'不是只有郁陀罗·罗摩子有信,我也有信。不是只有郁陀罗·罗摩子有精进,我也有精进。不是只有郁陀罗·罗摩子有念,我也有念。不是只有郁陀罗·罗摩子有定,我也有定。不是只有郁陀罗·罗摩子有慧,我也有慧。

郁陀罗·罗摩子于彼法自我证知，证得，具足而住，为了证得彼法，我精进如何？'诸比丘，于是，彼我不久就迅速地自我证知，证得，具足彼法而住。

　　诸比丘，于是，我接近郁陀罗·罗摩子所在的地方。靠近以后，对郁陀罗·罗摩子如下说道：'罗摩尊者，您所阐述的自我证知，证得，具足而住的彼法就是这些吗？'

　　'尊者，我所阐述的自我证知，证得，具足而住的彼法就是这些。'

　　'尊者，我也完全自我证知，证得，具足此法而住。'

　　'尊者，我们是利得者。尊者，我们是善利得者。我们看到了像尊者这样的同修行者。我自我证知，证得，具足而阐述的法，您也自我证知，证得，具足而阐述彼法。您自我证知，证得，具足而住的彼法，我也自我证知，证得，具足而住于彼法。我知道的法，您也知道彼法，您知道的法，我也知道彼法。我的水平就是您的水平，您的水平就是我的水平。尊者，来，现在您来率领此众人。'

　　诸比丘，像这样，郁陀罗·罗摩子虽然是我的同修行者，却将我置于导师的地位，以盛大的供养来供养我。诸比丘，彼我如下思考：'此法不是为了离厌、离贪、灭尽、寂静、证智、觉悟、涅槃而转起，其只是为了再生于非想非非想处。'诸比丘，彼我不满足彼法，厌弃并离开彼法。"

　　279　"诸比丘，为了寻求何为善，追求着最上寂静语，彼我在摩羯陀国次第游化，进入到优楼比罗城的斯那镇。在那里看到愉悦的大地，清净的密林，水量充沛的河流，清洁、快乐的浅滩，各处适合近行的村庄。诸比丘，彼我如下思考：‘啊，实际上这是愉悦的大地，清净的密林，水量充沛的河流，清洁、快乐的浅滩，各处适合近行的村庄。这是适合想要精勤的善家子弟的精勤处。’诸比丘，于是彼我在那里坐下：‘此处适合精勤。’”

280 “诸比丘，彼我知道自己是生法，于生法看到过患，遍求不生、无上、无碍安稳的涅槃，而到达不生、无上、无碍安稳的涅槃。知道自己是老法，于老法看到过患，遍求不老、无上、无碍安稳的涅槃，而到达不老、无上、无碍安稳的涅槃。知道自己是病法，于病法看到过患，遍求不病、无上、无碍安稳的涅槃，而到达不病、无上、无碍安稳的涅槃。知道自己是死法，于死法看到过患，遍求不死、无上、无碍安稳的涅槃，而到达不死、无上、无碍安稳的涅槃。知道自己是忧法，于忧法看到过患，遍求不忧、无上、无碍安稳的涅槃，而到达不忧、无上、无碍安稳的涅槃。知道自己是杂染法，于杂染法看到过患，遍求无杂染、无上、无碍安稳的涅槃，而到达无杂染、无上、无碍安稳的涅槃。智见于我生起：‘我的解脱不动摇，此是最后生，今后没有再生。’”

281 “诸比丘，彼我如下思考：‘我所证得的此法甚深、难见、难解、寂静、殊妙、深奥、微妙，唯智者可感受。然而，此人类欢喜爱著，欢愉爱著，喜悦爱著。对于这些欢喜爱著、欢愉爱著、喜悦爱著的人类，此道理是难见的缘起和缘起法，此道理也是难见的一切行的止息、一切生存所依的离舍、渴爱的灭尽、离贪、灭尽、涅槃。如果我说法，他人不能充分理解我，这将成为我的疲劳，这将成为我的苦恼。'于是，诸比丘，于我生起了前所未闻的不可思议的如下诗偈：

'尽管历经苦难，如今我已到达，
现无阐述必要，因贪嗔者难觉。

逆流而行殊妙，甚深难见微细，
贪染著者不见，因被黑暗笼罩。'"

282　"诸比丘，实际上，我深思精察，心倾向于无为，不意欲说法。诸比丘，于是，梵天主萨罕帕提知道我心之所念，如下思考：'啊，实际上世界就要灭亡！实际上世界就要消失！因为如来、阿罗汉、正等觉的心倾向于无为，不意欲说法。'于是，诸比丘，恰似一个强有力之人伸直弯曲的手臂，弯曲伸直的手臂，像这样，梵天主萨罕帕提从梵天界消失，出现在我面前。诸比丘，梵天主萨罕帕提偏袒一肩，右膝着地，向我合掌，对我如下说道：'尊师，请世尊说法，请善逝说法。有尘染少的众生。不顺从法者将损失，将会有法的了悟者。'诸比丘，此为梵天主萨罕帕提所说。说完以后，进而如下说道：

'前于摩羯陀出现，因垢思念不净法；
请打开不死之门，听后觉悟离垢法。

恰似站在岩山顶，俯瞰一切诸众生，
法所成之善巧者，登楼阁之普眼者，

度脱悲苦离悲苦，审察败于生老者。

勇猛战士应奋起，无债商主游世界，
恭请佛陀教示法，将会出现开悟者。'"

283　"于是，诸比丘，我得知梵天主<u>萨罕帕提</u>的请求，出于对众生的慈悲而以佛眼审视世界。诸比丘，我以佛眼审视世界，看到众生中有薄尘者、多尘者，有利根者、钝根者，有善行相者、恶行相者，有易教者、难教者，一类众生看到彼世罪过的恐怖而住，一类众生没有看到彼世罪过的恐怖而住。恰似青莲池、红莲池、白莲池中，一部分青莲、红莲、白莲生于水中，在水中成长，随顺着水，浸没在水下生长。一部分青莲、红莲、白莲生于水中，在水中成长，浮在水面。一部分青莲、红莲、白莲生于水中，在水中成长，跃出水面，不取著于水而住。像这样，诸比丘，我以佛眼审视世界，看到众生中有薄尘者、多尘者，有利根者、钝根者，有善行相者、恶行相者，有易教者、难教者，一类众生看到彼世罪过的恐怖而住，一类众生没有看到彼世罪过的恐怖而住。于是，诸比丘，我以诗偈对梵天主<u>萨罕帕提</u>说道：

'为彼打开不死门，闻者摒弃前所信，
人梵之中妙胜法，害想之人非说者。'

诸比丘，梵天主<u>萨罕帕提</u>确知'机会已经成熟，世尊将要说法'以后，礼拜我，然后右转，随即消失。"

284　"诸比丘，彼我如下思考：'我首先向谁说法？谁可敏速了知此法？'诸比丘,彼我如下思考:'阿罗罗·伽罗摩博学、聪明、智慧,属于长久以来薄尘一类。我首先向阿罗罗·伽罗摩说法如何？他能够敏速了知此法。'这时,诸比丘,诸天神靠近彼我如下说道:'尊师,阿罗罗·伽罗摩已经于七天前逝世。'智见亦于我生起:'阿罗罗·伽罗摩已经于七天前逝世。'诸比丘,彼我如下思考:'阿罗罗·伽罗摩损失巨大。其如果听闻此法,可以敏速了知。'

诸比丘,彼我如下思考:'我首先向谁说法？谁可敏速了知此法？'诸比丘,彼我如下思考:'郁陀罗·罗摩子博学、聪明、智慧,属于长久以来薄尘一类。我首先向郁陀罗·罗摩子说法如何？他能够敏速了知此法。'这时,诸比丘,诸天神靠近彼我如下说道:'尊师,郁陀罗·罗摩子已经于前夜逝世。'智见亦于我生起:'郁陀罗·罗摩子已经于前夜逝世。'诸比丘,彼我如下思考:'郁陀罗·罗摩子损失巨大。其如果听闻此法,可以敏速了知。'

诸比丘,彼我如下思考:'我首先向谁说法？谁可敏速了知此法？'诸比丘,彼我如下思考:'五众比丘是我的护持者,曾护持我的精进努力。我首先向五众比丘说法如何？'诸比丘,彼我如下思考:'五众比丘现住在何处？'诸比丘,我以清净、非凡的天眼看到五众比丘住在波罗奈附近的仙人堕处的鹿野苑。于是,诸比丘,我在优楼比罗城随意而住,然后朝着波罗奈游化而行。"

285 "诸比丘,裸行者优陀正走在伽耶城与菩提树之间的路上。看到我以后如下说道：'尊者,您的诸根清净,肤色清纯洁白。尊者,您跟谁出家？您的导师是谁？您受持什么法？'听闻此言,诸比丘,我以诗偈对裸行者优陀说道：

'我是全胜者全知者,对所有法都不执取；
舍尽爱尽的解脱者,自我证知何须导师？

我没有导师,于我无有如此者；
在此有神界,无有与我比肩者。

我是世间应供者,我是无上之导师；
我是唯一正等觉,我是清净寂灭者。

为了转法轮,我去伽耶城；
于昏暗世界,击不死大鼓。'

'尊者,若如您所说,那么,您就是无量的胜者。'

'恰如我已经达到,彼胜者诸漏灭尽；
我已经战胜邪法,优陀我是最胜者。'

诸比丘,听闻此言,裸行者优陀说着'尊者,或许是吧',摇着脑袋,取边道离开。"

286 "诸比丘,我次第游化,向波罗奈附近的仙人堕处鹿野苑五众比丘所在的地方接近。诸比丘,五众比丘看到我从远处过来。看到以后,相互约定：'朋友,此奢侈、放弃精进、堕于奢侈的沙门乔达摩过来了。他不应该受到礼敬,不应该得到起立迎接,不应该被接过衣钵。然而,此处应该有坐具，如果他希望，那么他可以坐。'然而，诸比丘，随着我的靠近，五众比丘逐渐不能守住自己的约定。有人起立迎接，接过我的衣钵，有人准备坐具，有人准备洗脚水。尽管如此，对我依然以名字或朋友之言称呼。

听闻此言，诸比丘，我对五众比丘如下说道：'诸比丘，对如来不应以名字或朋友之言称呼。诸比丘，如来是阿罗汉、正等觉者。诸比丘，你们要倾听，不死已经被了达。我来教诫，我来说法。如教修行者，恰如为了该目的而正确地舍家出家的善家子弟，不久就会达到其顶端，于现世自我证知，证得，具足梵行的终结而住。'

听闻此言，诸比丘，五众比丘对我如下说道：'朋友乔达摩，你以那样的威仪，那样的行道，那样的难行苦行都没有了达超人法的最胜智见的特质，你现在奢侈，放弃精进，堕于奢侈，怎么能了达超人法的最胜智见的特质？'

听闻此言，诸比丘，我对五众比丘如下说道：'诸比丘，如来没有奢侈，没有放弃精进，没有堕于奢侈。诸比丘，如来是阿罗汉、正等觉者。诸比丘，你们要倾听，不死已经被了达。我来教诫，我来说法。如教修行者，恰如为了该目的而正确地舍家出家的善家子弟，不久就会达到其顶端，于现世自我证知，证得，具足梵行的终结而住。'

诸比丘，五众比丘第二次对我如下说道：'朋友乔达摩，你以那样的威仪，那样的行道，那样的难行苦行都没有了达超人法的最胜智见的特质，你现在奢侈，放弃精进，堕于奢

侈,怎么能了达超人法的最胜智见的特质?'

诸比丘,我第二次对五众比丘如下说道:'诸比丘,如来没有奢侈,没有放弃精进,没有堕于奢侈。诸比丘,如来是阿罗汉、正等觉者。诸比丘,你们要倾听,不死已经被了达。我来教诫,我来说法。如教修行者,恰如为了该目的而正确地舍家出家的善家子弟,不久就会达到其顶端,于现世自我证知,证得,具足梵行的终结而住。'

诸比丘,五众比丘第三次对我如下说道:'朋友乔达摩,你以那样的威仪,那样的行道,那样的难行苦行都没有了达超人法的最胜智见的特质,你现在奢侈,放弃精进,堕于奢侈,怎么能了达超人法的最胜智见的特质?'

听闻此言,诸比丘,我对五众比丘如下说道:'诸比丘,我曾经向你们如此说明我已自证了吗?'

'没有,尊者。'

'诸比丘,如来是阿罗汉、正等觉者。诸比丘,你们要倾听,不死已经被了达。我来教诫,我来说法。如教修行者,恰如为了该目的而正确地舍家出家的善家子弟,不久就会达到其顶端,于现世自我证知,证得,具足梵行的终结而住。'

诸比丘,我令五众比丘信服。诸比丘,我教导二位比丘时,那么,三位比丘去托钵乞食。三位比丘托钵回来的东西,六个人依此维持生命。诸比丘,我教导三位比丘时,那么,二位比丘去托钵乞食。二位比丘托钵回来的东西,六个人依此维持生命。

像这样，诸比丘，五众比丘得到我的如此教导，如此教诫，知道自己是生法，于生法看到过患，遍求不生、无上、无碍安稳的涅槃，从而到达不生、无上、无碍安稳的涅槃。知道自己是老法，于老法看到过患，遍求不老、无上、无碍安稳的涅槃，从而到达不老、无上、无碍安稳的涅槃。知道自己是病法，于病法看到过患，遍求不病、无上、无碍安稳的涅槃，从而到达不病、无上、无碍安稳的涅槃。知道自己是死法，于死法看到过患，遍求不死、无上、无碍安稳的涅槃，从而到达不死、无上、无碍安稳的涅槃。知道自己是忧法，于忧法看到过患，遍求不忧、无上、无碍安稳的涅槃，从而到达不忧、无上、无碍安稳的涅槃。知道自己是杂染法，于杂染法看到过患，遍求无杂染、无上、无碍安稳的涅槃，从而到达无杂染、无上、无碍安稳的涅槃。智见于他们生起：‘我们的解脱不动摇，此是最后生，今后没有再生。’”

287 “诸比丘，有五妙欲。哪五种？欢喜、可爱、可意、喜爱、伴随欲、贪所染的眼所识色；欢喜、可爱、可意、喜爱、伴随欲、贪所染的耳所识声；欢喜、可爱、可意、喜爱、伴随欲、贪所染的鼻所识香；欢喜、可爱、可意、喜爱、伴随欲、贪所染的舌所识味；欢喜、可爱、可意、喜爱、伴随欲、贪所染的身所识触。诸比丘，此就是五妙欲。诸比丘，任何沙门、婆罗门，如果对此五妙欲执著、迷恋、被束缚、不见过患、无出离慧地受用，其必定如此经历：‘陷入不幸，陷入灾厄，为恶魔所随意掌控。’例如，诸比丘，住于森林的执著的鹿为圈套所困。其必定如此经历：'陷入不幸，陷入灾厄，为猎人所随意掌控。对于继而前来的猎人不能自我逃脱。'像这样，诸比丘，任何沙门、婆罗门，如果对此五妙欲执著、迷恋、被束缚、不见过患、无出离慧地受用，其必定如此经历：'陷入不幸，陷入灾厄，为恶魔所随意掌控。'

然而，诸比丘，任何沙门、婆罗门，如果对此五妙欲不执著、不迷恋、不被束缚、见过患、有出离慧地受用，其必定如此经历：'不陷入不幸，不陷入灾厄，不为恶魔所随意掌控。'例如，诸比丘，住于森林的不执著的鹿没有为圈套所困。其必定如此经历：'不陷入不幸，不陷入灾厄，不为猎人所随意掌控。对于继而前来的猎人能够随意逃脱。'像这样，诸比丘，任何沙门、婆罗门，如果对此五妙欲不执著、不迷恋、不被束缚、见过患、有出离慧地受用，其必定如此经历：'不陷入不幸，不陷入灾厄，不为恶魔所随意掌控。'

诸比丘，例如，住于森林的鹿于森林或树林间游走，安心地行走，安心地站立，安心地静坐，安心地躺卧。此为何故？诸比丘，因为其离开了猎人的领域。像这样，诸比丘，比丘由于离开诸欲，离开诸不善法，到达并住立于有浅观、有深观、因远离而生喜和乐的初禅。诸比丘，此比丘被称为魔罗所看不见者，踪迹消失，是魔罗帕皮摩的领域外者。

进而，诸比丘，由于浅观和深观的寂灭，比丘到达并住立于内部清净的心一境性，到达无浅观、无深观、具有因定而生喜和乐的第二禅。诸比丘，此比丘被称为魔罗所看不见者，踪迹消失,是魔罗帕皮摩的领域外者。

进而,诸比丘,比丘离开喜,住于舍,具念,具正知,以身体感知乐,到达并住立于圣者所称的'有舍、具念、住于乐'的第三禅。诸比丘,此比丘被称为魔罗所看不见者,踪迹消失,是魔罗帕皮摩的领域外者。

进而,诸比丘,比丘舍弃乐,舍弃苦,以前早已熄灭喜和忧,到达并住立于非苦非乐、舍念遍净的第四禅。诸比丘,此比丘被称为魔罗所看不见者,踪迹消失,是魔罗帕皮摩的领域外者。

进而,诸比丘,比丘完全超越色想,有对想灭尽,不作意种种想,到达并住立于'虚空乃无边'的空无边处。诸比丘,此比丘被称为魔罗所看不见者,踪迹消失,是魔罗帕皮摩的领域外者。

进而,诸比丘,比丘完全超越空无边处,到达并住立于'识乃无边'的识无边处。诸比丘,此比丘被称为魔罗所看不见者,踪迹消失,是魔罗帕皮摩的领域外者。

进而,诸比丘,比丘完全超越识无边处,到达并住立于'乃无所有'的无所有处。诸比丘,此比丘被称为魔罗所看不见者,踪迹消失,是魔罗帕皮摩的领域外者。

进而,诸比丘,比丘完全超越无所有处,到达并住立于非想非非想处。诸比丘,此比丘被称为魔罗所看不见者,踪迹消失,是魔罗帕皮摩的领域外者。

进而,诸比丘,比丘完全超越非想非非想处,到达并住立于想受灭,以慧观诸烦恼的灭尽。诸比丘,此比丘被称为魔罗所看不见者,踪迹消失,是魔罗帕皮摩的领域外者,超脱了对世界的执著。超越对世间的执著,安心地行走,安心地站立,安心地静坐,安心地躺卧。此为何故? 诸比丘,因为其离开了魔罗帕皮摩的领域。"

此为佛陀所说。彼比丘众内心喜悦,欢喜佛陀所说。

（圈套经完）

第七、小象足迹譬喻经
(Cūḷahatthipadopamasuttaṃ)

288　如是我闻。

一次,佛陀住在舍卫城附近的祇陀林给孤独园。当时,婆罗门加努索尼乘坐白色骡马车于正中午出舍卫城。婆罗门加努索尼看到遍历行者毕洛提迦从远处过来。看到以后对遍历行者毕洛提迦如下说道:"喂,婆察亚诺尊者正中午从哪里过来?"

"尊者,实际上我从沙门乔达摩那里来。"

"婆察亚诺尊者,你如何认为,关于沙门乔达摩的智慧、辩才? 你认为其是智者吗?"

"尊者,我是谁啊? 我怎么可以知道沙门乔达摩的智慧、辩才？恐怕只有像沙门乔达摩那样的人才可以知道他的智慧、辩才。"

"婆察亚诺尊者实际上是在极大地称赞沙门乔达摩啊。"

"尊者，我是谁啊？我怎么可以称赞沙门乔达摩？彼乔达摩尊者才是被称赞的天人众中的最上称赞者。"

"那么，根据什么理由，婆察亚诺尊者对沙门乔达摩具有如此的净信？"

"尊者，例如，善巧的捕象师进入象林。他在象林中看见巨大的象的足迹，依据步伐的长度、扩展的宽度，他得出结论：'啊，实际上这是一头大象。'像这样，尊者，我看到沙门乔达摩的四个足迹而得出结论：'佛陀是正等觉者，法为佛陀所善阐述，佛陀的弟子众是善行者。'"

289 "哪四个？尊者，在此，我看到某些刹帝利贤者，聪明，善于论辩，语言犀利，他们依据所具有的慧为了打破诸邪见而游走。他们听说：'尊者，实际上沙门乔达摩将要进入某某村庄、某某城镇。'他们寻找问题：'我们接近沙门乔达摩提出这个问题。其对于我们的提问如果这样解答，我们则这样论破他。其对于我们的提问如果那样解答，我们则那样论破他。'他们听说：'尊者，实际上沙门乔达摩已经进入某某村庄、某某城镇。'他们接近沙门乔达摩所在的地方。沙门乔达摩以法语教示、教诫、鼓励他们，令他们欢喜。得到沙门乔达摩以法语教示、教诫、鼓励，获得欢喜的他们没有向沙门乔达摩提出问题,更不要说论破,他们必定成为沙门乔达摩的弟子。尊者,我看到沙门乔达摩的此第一个足迹而得出结论:'佛陀是正等觉者,法为佛陀所善阐述,佛陀的弟子众是善行者。'

进而,尊者,我看到某些婆罗门贤者,聪明,善于论辩,语言犀利,他们依据所具有的慧为了打破诸邪见而游走。他们听说:'尊者,实际上沙门乔达摩将要进入某某村庄、某某城镇。'他们寻找问题:'我们接近沙门乔达摩提出这个问题。其对于我们的提问如果这样解答,我们则这样论破他。其对于我们的提问如果那样解答,我们则那样论破他。'他们听说:'尊者,实际上沙门乔达摩已经进入某某村庄、某某城镇。'他们接近沙门乔达摩所在的地方。沙门乔达摩以法语教示、教诫、鼓励他们,令他们欢喜。得到沙门乔达摩以法语教示、教诫、鼓励,获得欢喜的他们没有向沙门乔达摩提出问题,更不要说论破,他们必定成为沙门乔达摩的弟子。尊者,我看到沙门乔达摩的此第二个足迹而得出结论:'佛陀是正等觉者,法为佛陀所善阐述,佛陀的弟子众是善行者。'

进而,尊者,我看到某些居家贤者,聪明,善于论辩,语言犀利,他们依据所具有的慧为了打破诸邪见而游走。他们听说:'尊者,实际上沙门乔达摩将要进入某某村庄、某某城镇。'他们寻找问题:'我们接近沙门乔达摩提出这个问题。其对于我们的提问如果这样解答,我们则这样论破他。其对于我们的提问如果那样解答,我们则那样论破他。'他们听说：'尊者，实际上沙门乔达摩已经进入某某村庄、某某城镇。'他们接近沙门乔达摩所在的地方。沙门乔达摩以法语教示、教诫、鼓励他们，令他们欢喜。得到沙门乔达摩以法语教示、教诫、鼓励，获得欢喜的他们没有向沙门乔达摩提出问题，更不要说论破，他们必定成为沙门乔达摩的弟子。尊者，我看到沙门乔达摩的此第三个足迹而得出结论：'佛陀是正等觉者，法为佛陀所善阐述，佛陀的弟子众是善行者。'

进而，尊者，我看到某些沙门贤者，聪明，善于论辩，语言犀利，他们依据所具有的慧为了打破诸邪见而游走。他们听说：'尊者，实际上沙门乔达摩将要进入某某村庄、某某城镇。'他们寻找问题：'我们接近沙门乔达摩提出这个问题。其对于我们的提问如果这样解答，我们则这样论破他。其对于我们的提问如果那样解答，我们则那样论破他。'他们听说：'尊者，实际上沙门乔达摩已经进入某某村庄、某某城镇。'他们接近沙门乔达摩所在的地方。沙门乔达摩以法语教示、教诫、鼓励他们，令他们欢喜。得到沙门乔达摩以法语教示、教诫、鼓励，获得欢喜的他们没有向沙门乔达摩提出问题，更不要说论破，他们必定向沙门乔达摩乞求舍家出家的机会。沙门乔达摩让他们得以出家。他们出家以后，远离，不放逸、正勤、精进而住。恰如为了该目的而正确地舍家出家的善家子弟，不久就会达到其顶端，于现世自我证知，证得，具足梵行的终结而住。他们如下宣称：'尊者，实际上我们险些灭亡。尊者，实际上我们险些毁灭。因为以前的我们不是沙门却自称是沙门，不是婆罗门却自称是婆罗门，不是阿罗汉却自称是阿罗汉。然而，现在我们是沙门，我们是婆罗门，我们是阿罗汉。'尊者，我看到沙门乔达摩的此第四个足迹而得出结论：'佛陀是正等觉者，法为佛陀所善阐述，佛陀的弟子众是善行者。'

尊者，我看到了沙门乔达摩的此四个足迹才得出结论：'佛陀是正等觉者，法为佛陀所善阐述，佛陀的弟子众是善行者。'"

290　听闻此言，婆罗门加努索尼从白色骡马车下来，一肩搭衣，朝着佛陀所在的方向合掌，三次发出感叹之言："南无彼佛陀、阿罗汉、正等觉者！南无彼佛陀、阿罗汉、正等觉者！南无彼佛陀、阿罗汉、正等觉者！如果某个时候我们能够见到尊者乔达摩该有多好！如果能够进行交谈该有多好！"于是，婆罗门加努索尼接近佛陀所在的地方，靠近以后与佛陀互致问候，互致令人欢喜、值得铭记之言以后坐于一旁。坐于一旁的婆罗门加努索尼将与遍历行者毕洛提迦所交谈之内容全部讲述给佛陀。

听闻此言，佛陀对婆罗门加努索尼如下说道："婆罗门，仅仅那种详细程度的象足迹比喻还不完全。婆罗门，你来听更加详细的象足迹比喻，充分作意。我来说。"

"好，尊师。"婆罗门加努索尼应诺佛陀。

佛陀如下说道：

291　"婆罗门，例如，捕象师进入象林。他在象林中看见巨大的象的足迹,依据步伐的长度、扩展的宽度。仅仅如此,善巧的捕象师没有得出结论:'啊,实际上这是一头大象。'此为何故?婆罗门,因为象林里有一种矮象也具有巨大的象足,此为它的足迹。

他进一步察看。进一步察看以后,在象林中看见巨大的象的足迹,依据步伐的长度、扩展的宽度、摩擦痕迹的高度。仅仅如此,善巧的捕象师没有得出结论:'啊,实际上这是一头大象。'此为何故?婆罗门,因为象林里有一种高个子的瘤象也具有巨大的象足,此为它的足迹。

他进一步察看。进一步察看以后,在象林中看见巨大的象的足迹,依据步伐的长度、扩展的宽度、摩擦痕迹的高度、被牙切断处的高度。仅仅如此,善巧的捕象师没有得出结论:'啊,实际上这是一头大象。'此为何故?婆罗门,因为象林里有一种高个子的幼象也具有巨大的象足,此为它的足迹。

他进一步察看。进一步察看以后,在象林中看见巨大的象的足迹,依据步伐的长度、扩展的宽度、摩擦痕迹的高度、被牙切断处的高度、树枝被破坏的高度。于是,善巧的捕象师得出结论:'啊,实际上这才是一头大象。'

像这样,婆罗门,如来之阿罗汉、正等觉、明行足、善逝、世间解、无上士、调御丈夫、天人师、佛、世尊生于世上。他自我彻知、证得并阐述了包含天、魔、梵、沙门、婆罗门、众人、人天在内的此世界。他教导了初善、中善、后善、有内容、有形式、完整圆满、清净的法，令梵行明晰。某居家者或其孩子或其他阶层的人听闻此法。听闻此法后，其对如来具足信仰。具足信仰的他如下思考：'家庭生活障碍重重，如同行走在泥泞土路上，出家则似空旷露地。居家生活很难像贝磨珍珠般进行完全圆满、完全遍净的梵行。我剃除须发，披上僧衣，舍家出家如何？'此后，他舍弃或多或少的财产，舍弃或多或少的亲戚，剃除须发，披上僧衣，舍家出家。"

292 "像这样，出家以后，其具足比丘的学和戒，舍弃杀生，是杀生的远离者，是舍弃刀者，是舍弃剑者，具足惭愧，具足怜悯，心怀对一切生命的同情而住。

舍弃不与取，是不与取的远离者，是所施与者，是等待施与者，自己住于不与取的清净。

舍弃秽行，是梵行者，是淫法、秽法的远离者、慎行者。

舍弃妄语，是远离妄语者，是实语者、真语者、信语者、诚语者、无欺诈世界者。

舍弃离间语，是远离离间语者。不会为了离间而将此处所闻讲与彼处，不会为了离间而将彼处所闻讲与此处。像这样，令不和合者融合，令和合者满足，意乐和合，欢喜和合，愉悦和合，讲述带来和合的话语。

舍弃粗恶语，是远离粗恶语者。讲述悦耳、柔和、充满爱意、令人愉快、高雅、众所喜闻、众所欢喜之言。

舍弃杂秽语，是远离杂秽语者，适时发话，讲述真实，表达意义，讲法说律，适时发表合理有度、令人铭记、意味深长的话语。"

293 "他远离对草木的破坏。是一食者，不吃夜食，是非时食的远离者。是观看欣赏舞蹈、歌曲、说书、演艺的远离者。是以装饰粉饰为目的受持花、香、油的远离者。是高广大床的远离者。是受持黄金、白银的远离者。是受持生谷物的远离者。是受持生肉的远离者。是受持妇女、女童的远离者。是受持女奴、男奴的远离者。是受持山羊、绵羊的远离者。是受持鸡、猪的远离者。是受持象、牛、马、骡的远离者。是受持田地、宅地的远离者。是从事遣使工作的远离者。是买卖的远离者。是短斤少两、使用伪币、藏尺掖寸的远离者。是贿赂、欺瞒、欺诈等蒙骗行为的远离者。是拦劫、杀害、绑架、埋伏、掠夺等暴力行为的远离者。"

294 "他满足于蔽体的僧衣和果腹的托钵食。恰如有翅膀的鸟无论飞往哪里，都仅仅携带着翅膀飞翔。像这样，比丘满足于蔽体的僧衣和果腹的托钵食，无论走到哪里都受持而行。他因具足此圣戒蕴，所以内感无害之乐。"

295 "他以眼观色时，不取相，不取随相。如果不守护眼根而住，其结果是贪求、忧郁等恶不善法就会流入。其依律仪而行，守护眼根，对眼根加以防护。

以耳闻声时，不取相，不取随相。如果不守护耳根而住，其结果是贪求、忧郁等恶不善法就会流入。其依律仪而行，守护耳根，对耳根加以防护。

以鼻嗅香时，不取相，不取随相。如果不守护鼻根而住，其结果是贪求、忧郁等恶不善法就会流入。其依律仪而行，守护鼻根，对鼻根加以防护。

以舌品味时，不取相，不取随相。如果不守护舌根而住，其结果是贪求、忧郁等恶不善法就会流入。其依律仪而行，守护舌根，对舌根加以防护。

以身接触所触时，不取相，不取随相。如果不守护身根而住，其结果是贪求、忧郁等恶不善法就会流入。其依律仪而行，守护身根，对身根加以防护。

以意知法时，不取相，不取随相。如果不守护意根而住，其结果是贪求、忧郁等恶不善法就会流入。其依律仪而行，守护意根，对意根加以防护。他因具足诸根守护，所以内感无害之乐。

他前进、后退时，皆是正知行者。前视、后视时，皆是正知行者。曲臂、伸臂时，皆是正知行者。受持僧伽梨衣、钵、衣时，皆是正知行者。吃、喝、咀嚼、品尝时，皆是正知行者。行大便、小便时，皆是正知行者。行走、站立、就座、睡眠、清醒、言语、沉默时，皆是正知行者。"

296 "他亦是这些圣戒蕴的具足者，亦是这些圣根守护的具足者，亦是这些圣念和正知的具足者。他亲近阿兰若、树下、山岳、溪谷、洞窟、冢间、丛林、野外、草堆等寂静的坐卧处。结束托钵食后，他结跏趺而坐，保持身体正直，于面前起念。

其舍弃对世界的贪欲，住于无贪欲之心。因为无贪欲，故心得到净化。其舍弃嗔恚,住于无嗔恚之心。哀愍一切有情,因为无嗔恚,故心得到净化。其舍弃昏沉、睡眠,远离昏沉、睡眠而住,是具有光明想者,是具有正念者,心从昏沉、睡眠得到净化。其舍弃掉举、后悔,平静而住,内心寂静,舍弃掉举、后悔,心得到净化。其舍弃疑惑,超越疑惑而住。对善法无疑,舍弃疑惑,心得到净化。"

297 "其舍弃此五盖,了知削弱自心的随烦恼,由于离开诸欲,离开诸不善法,到达并住立于有浅观、有深观、因远离而生喜和乐的初禅。婆罗门,此亦被称为如来的足迹、如来的摩擦痕迹、如来的斩断处,然而,仅仅如此,圣弟子还不能得出结论:'佛陀是正等觉者,法为佛陀所善阐述,佛陀的弟子众是善行者。'

进而,婆罗门,由于浅观和深观的寂灭,比丘到达并住立于内部清净的心一境性,到达无浅观、无深观、具有因定而生喜和乐的第二禅。婆罗门,此亦被称为如来的足迹、如来的摩擦痕迹、如来的斩断处,然而,仅仅如此,圣弟子还不能得出结论:'佛陀是正等觉者,法为佛陀所善阐述,佛陀的弟子众是善行者。'

进而,婆罗门,比丘离开喜,住于舍,具念,具正知,以身体感知乐,到达并住立于圣者所称的'有舍、具念、住于乐'的第三禅。婆罗门,此亦被称为如来的足迹、如来的摩擦痕迹、如来的斩断处,然而,仅仅如此,圣弟子还不能得出结论:'佛陀是正等觉者,法为佛陀所善阐述,佛陀的弟子众是善行

者。'

进而,婆罗门,比丘舍弃乐,舍弃苦,以前早已熄灭喜和忧,到达并住立于非苦非乐、舍念遍净的第四禅。婆罗门,此亦被称为如来的足迹、如来的摩擦痕迹、如来的斩断处,然而,仅仅如此,圣弟子还不能得出结论:'佛陀是正等觉者,法为佛陀所善阐述,佛陀的弟子众是善行者。'

298　进而,婆罗门,比丘以如此入定、遍净、净白、无秽、离随烦恼、柔软、堪任、住立、已达不动之心,将心转向宿住随念智。例如,一生、二生、三生、四生、五生、十生、二十生、三十生、四十生、五十生、一百生、一千生、十万生,多个坏劫生、多个成劫生、多个坏成劫生。'在那里,我具有这样的名、这样的姓、这样的种姓、这样的食物、这样的乐苦经历、这样的寿命,从那里死后,我再生在那里。在那里,我具有这样的名、这样的姓、这样的种姓、这样的食物、这样的乐苦经历、这样的寿命。从那里死后,我再生到这里。'像这样,他随念着具有行相、具有境况的多种宿住。婆罗门,此亦被称为如来的足迹、如来的摩擦痕迹、如来的斩断处,然而,仅仅如此,圣弟子还不能得出结论:'佛陀是正等觉者,法为佛陀所善阐述,佛陀的弟子众是善行者。'

他以如此入定、遍净、净白、无秽、离随烦恼、柔软、堪任、住立、已达不动之心,将心转向众有情的死生智。他以清净、非凡的天眼观察卑贱、高贵、美丽、丑陋、善趣、恶趣的众有情的死亡、再生,了知众有情随业而行。'事实上,这些受人尊敬的有情因为具足身恶业，具足语恶业，具足意恶业，诽谤圣人，是邪见者，是邪见业的受持者。他们的身体破灭，死后将再生于苦处、恶处、难处的地狱。然而，那些受人尊敬的有情因为具足身善业，具足语善业，具足意善业，不诽谤圣人，是正见者，是正见业的受持者。他们的身体破灭，死后将再生于善道的天界。'像这样，其以清净、非凡的天眼观察卑贱、高贵、美丽、丑陋、善趣、恶趣的众有情的死亡、再生，了知众有情随业而行。婆罗门，此亦被称为如来的足迹、如来的摩擦痕迹、如来的斩断处，然而，仅仅如此，圣弟子还不能得出结论：'佛陀是正等觉者，法为佛陀所善阐述，佛陀的弟子众是善行者。'"

299　"他以如此入定、遍净、净白、无秽、离随烦恼、柔软、堪任、住立、已达不动之心，将心转向诸烦恼的灭尽智。其如实了知'此是苦'，如实了知'此是苦的生起'，如实了知'此是苦的灭尽'，如实了知'此是通往苦灭尽的行道'。如实了知'这些是烦恼'，如实了知'此是烦恼的生起'，如实了知'此是烦恼的灭尽'，如实了知'此是通往烦恼灭尽的行道'。婆罗门，此亦被称为如来的足迹、如来的摩擦痕迹、如来的斩断处，然而，仅仅如此，圣弟子还不能得出结论：'佛陀是正等觉者，法为佛陀所善阐述，佛陀的弟子众是善行者。'

如此了知、如此见者，其心从欲的烦恼中解脱出来，从存在的烦恼中解脱出来，从无明的烦恼中解脱出来，于解脱生起'获得解脱'之智。了知'生命已尽，梵行已毕，应作已作，无有再生'。婆罗门，此亦被称为如来的足迹、如来的摩擦痕迹、如来的斩断处。婆罗门，此时，圣弟子才能得出结论：'佛陀是正等觉者，法为佛陀所善阐述，佛陀的弟子众是善行者。'婆罗门，这才是象足迹譬喻的详细说明。"

听闻此言，婆罗门加努索尼对佛陀如下说道："乔达摩尊者，实在是殊胜！乔达摩尊者，实在是殊胜！乔达摩尊者，恰似扶起跌倒者，打开覆盖物，给迷路之人指明道路，为了让有眼之人看到诸色而在黑暗中点亮灯火。正像这样，乔达摩尊者采用多种方法阐明了法。在此，请允许我皈依乔达摩尊者，归依法，归依比丘僧团。此后，请乔达摩尊者接受我成为优婆塞，做我一生的皈依处。"

（小象足迹譬喻经完）

第八、大象足迹譬喻经
（Mahāhatthipadopamasuttaṃ）

300　　如是我闻。

一次，佛陀住在舍卫城附近的祇陀林给孤独园。当时，尊者舍利弗对比丘众说道："诸朋友。"

"尊者。"彼比丘众应答尊者舍利弗。

尊者舍利弗如下说道："诸朋友，例如，森林中任何有情的足迹,其全部都为象的足迹所统摄,象的足迹在其大小方面被称为最大。正像这样,诸朋友,任何善法,其全部都为四圣谛所统摄。为哪四谛?即苦圣谛、苦集圣谛、苦灭圣谛、引导苦灭尽的行道圣谛。"

301 "诸朋友,何为苦圣谛?生亦是苦,老亦是苦,死亦是苦,愁、悲、苦、忧、恼亦是苦,彼所求不得亦是苦,五取蕴亦是苦。

那么,诸朋友,何为五取蕴?即色取蕴、受取蕴、想取蕴、行取蕴、识取蕴。

那么,诸朋友,何为色取蕴?四大要素以及四大要素所造色。

那么,诸朋友,何为四大要素?地要素、水要素、火要素、风要素。"

302 "那么,诸朋友,何为地要素?地要素有内部者,有外部者。诸朋友,何为内部地要素?各自内部的粗、硬、所执取者,例如,头发、体毛、指甲、牙齿、皮肤、肉、筋、骨、骨髓、肾脏、心脏、肝脏、胸膜、脾脏、肺脏、肠子、肠间膜、胃中物、大便,以及其他任何各自内部的粗、硬、所执取者。诸朋友,此即被称为内部地要素。内部地要素以及外部地要素,其就是地要素。'此不是我的,此不是我,此不是我的我。'像这样,这些应该如实地以正慧去观。像这样;如实地以正慧去观,地要素被厌恶,让心于地要素离贪。

诸朋友,有这样的时候,外部地要素发怒。此时,外部地要素消失。诸朋友,因为对于外部地要素,无论多么大,都被了知是无常性,被了知是灭尽法性,被了知是衰坏法性,被了知是变异法性。对于这种暂时存在的渴爱所执取的身体,能说‘是我,是我的,我具有’吗？于此什么都没有。

诸朋友,如果其他人谩骂、诽谤、恼害、痛苦比丘,那么,他如下深知:‘我的耳触所生的此苦受生起。其有缘因,不是无缘因。何缘因？触是缘因。’其看到触无常,看到受无常,想无常,行无常,识无常。其心只对要素所缘关注、净信、确立、确信。

诸朋友,他人以不好、不欢喜、不可意对待彼比丘,通过手的接触,通过土块的接触,通过木棍的接触,通过刀剑的接触。他如下深知:‘此身体就是这样的性质。在这样性质的身体上,发生手的接触,发生土块的接触,发生木棍的接触,发生刀剑的接触。此为世尊在锯譬喻的教导中所述:"诸比丘,当被卑贱的强盗用两面带柄的锯锯断手脚,此时如果心生愤怒,其因此而不是我的教导的实践者。"然而,我的勤精进不动摇,念现前不失念,身体轻安冷静,心统一于一境。现在可以随意于此身体进行手的接触,进行土块的接触,进行木棍的接触,进行刀剑的接触。因为此是在遵循诸佛的教导。’

诸朋友,如果彼比丘是如此佛随念、如此法随念、如此僧随念者,依于善的舍却没有住立,其因此而生起恐惧、惊恐:‘啊,我不是利得者。啊,我无利得。啊,我是恶得。啊,我不

是善利得者。因为虽然我如此佛随念、如此法随念、如此僧随念,依于善的舍却没有住立。'

诸朋友,恰似媳妇见到婆婆而生起恐惧、惊恐。像这样,诸朋友,如果彼比丘是如此佛随念、如此法随念、如此僧随念者,依于善的舍却没有住立,其因此而生起恐惧、惊恐:'啊,我不是利得者。啊,我无利得。啊,我是恶得。啊,我不是善利得者。因为虽然我如此佛随念、如此法随念、如此僧随念,依于善的舍却没有住立。'

然而,诸朋友,彼比丘是如此佛随念、如此法随念、如此僧随念者,依于善的舍住立,那么,其因此而高兴。诸朋友,仅仅如此,比丘就是多为者。"

303　"诸朋友,何为水要素？水要素有内部者,有外部者。诸朋友,何为内部水要素？各自内部的水、水性、所执取者,例如,胆汁、痰、脓、血、汗、脂肪、泪水、脂膏、唾液、鼻涕、关节滑液、小便,以及其他任何各自内部的水、水性、所执取者,诸朋友,此即被称为内部水要素。内部水要素以及外部水要素,其就是水要素。'此不是我的,此不是我,此不是我的我。'像这样,这些应该如实地以正慧去观。像这样,如实地以正慧去观,水要素被厌恶,让心于水要素离贪。

诸朋友,有这样的时候,外部水要素发怒。其摧毁村庄,摧毁城镇,摧毁城市,摧毁田野,摧毁国土。诸朋友,有这样的时候,在大海中,水下降百由旬,水下降二百由旬,水下降三百由旬,水下降四百由旬,水下降五百由旬,水下降六百由旬,水下降七百由旬。诸比丘,有这样的时候,在大海中,水位达到七多罗树深,水位达到六多罗树深,水位达到五多罗树深,水位达到四多罗树深,水位达到三多罗树深,水位达到二多罗树深,水位达到一多罗树高。诸比丘,有这样的时候,在大海中,水位达到七人高,水位达到六人高,水位达到五人高,水位达到四人高,水位达到三人高,水位达到二人高,水位达到一人高。诸比丘,有这样的时候,在大海中,水位达到半人高,水位达到腰部高,水位达到膝盖高,水位达到踝骨高。诸比丘,有这样的时候,在大海中,水深不过脚指高。诸朋友,因为对于外部水要素,无论多么大,都被了知是无常性,被了知是灭尽法性,被了知是衰坏法性,被了知是变异法性。对于这种暂时存在的渴爱所执取的身体,能说‘是我,是我的,我具有’吗? 于此什么都没有。

诸朋友,如果其他人谩骂、诽谤、恼害、痛苦比丘,那么,他如下深知:‘我的耳触所生的此苦受生起。其有缘因,不是无缘因。何缘因? 触是缘因。’其看到触无常,看到受无常,想无常,行无常,识无常。其心只对要素所缘关注、净信、确立、确信。

诸朋友,他人以不好、不欢喜、不可意对待彼比丘,通过手的接触,通过土块的接触,通过木棍的接触,通过刀剑的接触。他如下深知:‘此身体就是这样的性质。在这样性质的身体上,发生手的接触,发生土块的接触,发生木棍的接触,发生刀剑的接触。此为世尊在锯譬喻的教导中所述:“诸比丘,当被卑贱的强盗用两面带柄的锯锯断手脚,此时如果心生愤怒,其因此而不是我的教导的实践者。"然而,我的勤精进不动摇,念现前不失念,身体轻安冷静,心统一于一境。现在可以随意于此身体进行手的接触,进行土块的接触,进行木棍的接触,进行刀剑的接触。因为此是在遵循诸佛的教导。'

诸朋友,如果彼比丘是如此佛随念、如此法随念、如此僧随念者,依于善的舍却没有住立,其因此而生起恐惧、惊恐:'啊,我不是利得者。啊,我无利得。啊,我是恶得。啊,我不是善利得者。因为虽然我如此佛随念、如此法随念、如此僧随念,依于善的舍却没有住立。'

诸朋友,恰似媳妇见到婆婆而生起恐惧、惊恐。像这样,诸朋友,如果彼比丘是如此佛随念、如此法随念、如此僧随念者,依于善的舍却没有住立,其因此而生起恐惧、惊恐:'啊,我不是利得者。啊,我无利得。啊,我是恶得。啊,我不是善利得者。因为虽然我如此佛随念、如此法随念、如此僧随念,依于善的舍却没有住立。'

然而,诸朋友,彼比丘是如此佛随念、如此法随念、如此僧随念者,依于善的舍住立,那么,其因此而高兴。诸朋友,仅仅如此,比丘就是多为者。"

304 "诸朋友,何为火要素? 火要素有内部者,有外部者。诸朋友,何为内部火要素? 各自内部的火、火性、所执取者,例如,依此而加热,依此而老化,依此而烧灼,依此而将所食、所饮、所嚼、所品的东西均等消化，以及其他任何各自内部的火、火性、所执取者，诸朋友，此即被称为内部火要素。内部火要素以及外部火要素，其就是火要素。'此不是我的，此不是我，此不是我的我。'像这样，这些应该如实地以正慧去观。像这样，如实地以正慧去观，火要素被厌恶，让心于火要素离贪。

诸朋友，有这样的时候，外部火要素发怒。其烧毁村庄，烧毁城镇，烧毁城市，烧毁田野，烧毁国土。诸朋友，此时，其由于草地、道路、岩石、水、欢快的广大领域，没有了燃料而消亡。诸朋友，有这样的时候，通过鸡毛或通过皮革屑寻求火。诸朋友，因为对于外部火要素，无论多么大，都被了知是无常性，被了知是灭尽法性，被了知是衰坏法性，被了知是变异法性。对于这种暂时存在的渴爱所执取的身体，能说'是我，是我的，我具有'吗？于此什么都没有。

诸朋友，如果其他人谩骂、诽谤、恼害、痛苦比丘，那么，他如下深知：'我的耳触所生的此苦受生起。其有缘因，不是无缘因。何缘因？触是缘因。'其看到触无常，看到受无常，想无常，行无常，识无常。其心只对要素所缘关注、净信、确立、确信。

诸朋友，他人以不好、不欢喜、不可意对待彼比丘，通过手的接触，通过土块的接触，通过木棍的接触，通过刀剑的接触。他如下深知：'此身体就是这样的性质。在这样性质的身体上，发生手的接触，发生土块的接触，发生木棍的接触，发生刀剑的接触。此为世尊在锯譬喻的教导中所述："诸比丘,当被卑贱的强盗用两面带柄的锯锯断手脚,此时如果心生愤怒,其因此而不是我的教导的实践者。"然而,我的勤精进不动摇,念现前不失念,身体轻安冷静,心统一于一境。现在可以随意于此身体进行手的接触,进行土块的接触,进行木棍的接触,进行刀剑的接触。因为此是在遵循诸佛的教导。'

诸朋友,如果彼比丘是如此佛随念、如此法随念、如此僧随念者,依于善的舍却没有住立,其因此而生起恐惧、惊恐:'啊,我不是利得者。啊,我无利得。啊,我是恶得。啊,我不是善利得者。因为虽然我如此佛随念、如此法随念、如此僧随念,依于善的舍却没有住立。'

诸朋友,恰似媳妇见到婆婆而生起恐惧、惊恐。像这样,诸朋友,如果彼比丘是如此佛随念、如此法随念、如此僧随念者,依于善的舍却没有住立,其因此而生起恐惧、惊恐:'啊,我不是利得者。啊,我无利得。啊,我是恶得。啊,我不是善利得者。因为虽然我如此佛随念、如此法随念、如此僧随念,依于善的舍却没有住立。'

然而,诸朋友,彼比丘是如此佛随念、如此法随念、如此僧随念者,依于善的舍住立,那么,其因此而高兴。诸朋友,仅仅如此,比丘就是多为者。"

305 "诸朋友,何为风要素?风要素有内部者,有外部者。诸朋友,何为内部风要素?各自内部的风、风性、所执取者，例如，上行风、下行风、腔内风、腔外风、各肢体上的随行风、入息、出息，这些各自内部的风、风性、所执取者。诸朋友，此即被称为内部风要素。内部风要素以及外部风要素，其就是风要素。'此不是我的，此不是我，此不是我的我。'像这样，这些应该如实地以正慧去观。像这样，如实地以正慧去观，风要素被厌恶，让心于风要素离贪。

诸朋友，有这样的时候，外部风要素发怒。其吹毁村庄，吹毁城镇，吹毁城市，吹毁田野，吹毁国土。诸朋友，有这样的时候，在夏季的最后一个月里，人们以芭蕉扇、团扇求风，在覆盖处连草都不想要。诸朋友，因为对于外部风要素，无论多么大，都被了知是无常性，被了知是灭尽法性，被了知是衰坏法性，被了知是变异法性。对于这种暂时存在的渴爱所执取的身体，能说'是我，是我的，我具有'吗？于此什么都没有。

诸朋友，如果其他人谩骂、诽谤、恼害、痛苦比丘，那么，他如下深知：'我的耳触所生的此苦受生起。其有缘因，不是无缘因。何缘因？触是缘因。'其看到触无常，看到受无常，想无常，行无常，识无常。其心只对要素所缘关注、净信、确立、确信。

诸朋友，他人以不好、不欢喜、不可意对待彼比丘，通过手的接触，通过土块的接触，通过木棍的接触，通过刀剑的接触。他如下深知：'此身体就是这样的性质。在这样性质的身体上，发生手的接触，发生土块的接触，发生木棍的接触，发生刀剑的接触。此为世尊在锯譬喻的教导中所述："诸比丘，当被卑贱的强盗用两面带柄的锯锯断手脚，此时如果心生愤怒，其因此而不是我的教导的实践者。"然而，我的勤精进不动摇，念现前不失念，身体轻安冷静，心统一于一境。现在可以随意于此身体进行手的接触，进行土块的接触，进行木棍的接触，进行刀剑的接触。因为此是在遵循诸佛的教导。'

诸朋友，如果彼比丘是如此佛随念、如此法随念、如此僧随念者，依于善的舍却没有住立，其因此而生起恐惧、惊恐：'啊，我不是利得者。啊，我无利得。啊，我是恶得。啊，我不是善利得者。因为虽然我如此佛随念、如此法随念、如此僧随念，依于善的舍却没有住立。'

诸朋友，恰似媳妇见到婆婆而生起恐惧、惊恐。像这样，诸朋友，如果彼比丘是如此佛随念、如此法随念、如此僧随念者，依于善的舍却没有住立，其因此而生起恐惧、惊恐：'啊，我不是利得者。啊，我无利得。啊，我是恶得。啊，我不是善利得者。因为虽然我如此佛随念、如此法随念、如此僧随念，依于善的舍却没有住立。'

然而，诸朋友，彼比丘是如此佛随念、如此法随念、如此僧随念者，依于善的舍住立，那么，其因此而高兴。诸朋友，仅仅如此，比丘就是多为者。"

306 "诸朋友，例如，以木板、以蔓草、以草、以泥土围起的空间被称为房子，像这样，诸朋友，以骨、以筋、以肉、以皮肤围起的空间被称为色。诸朋友，内部的眼不被彻底破坏，外部的色不进入视觉领域，没有与之相应的注意，相应的识的部分就不会出现。诸朋友，内部的眼不被彻底破坏，外部的色进入视觉领域，没有与之相应的注意，相应的识的部分就不会出现。诸朋友，内部的眼不被彻底破坏，外部的色进入视觉领域，有与之相应的注意，像这样，相应的识的部分就会出现。这样的色被彼色取蕴所统摄，这样的受被彼受取蕴所统摄，这样的想被彼想取蕴所统摄，这样的行被彼行取蕴所统摄，这样的识被彼识取蕴所统摄。

他如此了知：'实际上因为此五取蕴而统摄、结集、结合。此正是世尊所说："见缘起者见法，见法者见缘起。"缘起，其就是此五取蕴。于此五取蕴而具有的意欲、爱着、亲密、取著，其就是苦集。于此五取蕴调服欲贪，舍弃欲贪，其就是苦灭。'诸朋友，仅仅如此，比丘就是多为者。

诸朋友，内部的耳不被彻底破坏，外部的声不进入听觉领域，没有与之相应的注意，相应的识的部分就不会出现。诸朋友，内部的耳不被彻底破坏，外部的声进入听觉领域，没有与之相应的注意，相应的识的部分就不会出现。诸朋友，内部的耳不被彻底破坏，外部的声进入听觉领域，有与之相应的注意，像这样，相应的识的部分就会出现。这样的色被彼色取蕴所统摄，这样的受被彼受取蕴所统摄，这样的想被彼想取蕴所统摄，这样的行被彼行取蕴所统摄，这样的识被彼识取蕴所统摄。

他如此了知：'实际上因为此五取蕴而统摄、结集、结合。此正是世尊所说："见缘起者见法，见法者见缘起。"缘起，其就是此五取蕴。于此五取蕴而具有的意欲、爱着、亲密、取著，其就是苦集。于此五取蕴调服欲贪，舍弃欲贪，其就是苦灭。'诸朋友，仅仅如此，比丘就是多为者。

诸朋友，内部的鼻不被彻底破坏，外部的香不进入嗅觉领域，没有与之相应的注意，相应的识的部分就不会出现。诸朋友，内部的鼻不被彻底破坏，外部的香进入嗅觉领域，没有与之相应的注意，相应的识的部分就不会出现。诸朋友，内部的鼻不被彻底破坏，外部的香进入嗅觉领域，有与之相应的注意，像这样，相应的识的部分就会出现。这样的色被彼色取蕴所统摄，这样的受被彼受取蕴所统摄，这样的想被彼想取蕴所统摄，这样的行被彼行取蕴所统摄，这样的识被彼识取蕴所统摄。

他如此了知：'实际上因为此五取蕴而统摄、结集、结合。此正是世尊所说："见缘起者见法，见法者见缘起。"缘起，其就是此五取蕴。于此五取蕴而具有的意欲、爱着、亲密、取著，其就是苦集。于此五取蕴调服欲贪，舍弃欲贪，其就是苦灭。'诸朋友，仅仅如此，比丘就是多为者。

诸朋友，内部的舌不被彻底破坏，外部的味不进入味觉领域，没有与之相应的注意，相应的识的部分就不会出现。诸朋友，内部的舌不被彻底破坏，外部的味进入味觉领域，没有与之相应的注意，相应的识的部分就不会出现。诸朋友，内部的舌不被彻底破坏,外部的味进入味觉领域,有与之相应的注意,像这样,相应的识的部分就会出现。这样的色被彼色取蕴所统摄,这样的受被彼受取蕴所统摄,这样的想被彼想取蕴所统摄,这样的行被彼行取蕴所统摄,这样的识被彼识取蕴所统摄。

他如此了知:'实际上因为此五取蕴而统摄、结集、结合。此正是世尊所说:"见缘起者见法,见法者见缘起。"缘起,其就是此五取蕴。于此五取蕴而具有的意欲、爱着、亲密、取著,其就是苦集。于此五取蕴调服欲贪,舍弃欲贪,其就是苦灭。'诸朋友,仅仅如此,比丘就是多为者。

诸朋友,内部的身不被彻底破坏,外部的触不进入接触领域,没有与之相应的注意,相应的识的部分就不会出现。诸朋友,内部的身不被彻底破坏,外部的触进入接触领域,没有与之相应的注意,相应的识的部分就不会出现。诸朋友,内部的身不被彻底破坏,外部的触进入接触领域,有与之相应的注意,像这样,相应的识的部分就会出现。这样的色被彼色取蕴所统摄,这样的受被彼受取蕴所统摄,这样的想被彼想取蕴所统摄,这样的行被彼行取蕴所统摄,这样的识被彼识取蕴所统摄。

他如此了知:'实际上因为此五取蕴而统摄、结集、结合。此正是世尊所说:"见缘起者见法,见法者见缘起。"缘起,其就是此五取蕴。于此五取蕴而具有的意欲、爱着、亲密、取著,其就是苦集。于此五取蕴调服欲贪,舍弃欲贪,其就是苦灭。'诸朋友,仅仅如此,比丘就是多为者。

诸朋友,内部的意不被彻底破坏,外部的法不进入认识领域,没有与之相应的注意,相应的识的部分就不会出现。诸朋友,内部的意不被彻底破坏,外部的法进入认识领域,没有与之相应的注意,相应的识的部分就不会出现。诸朋友,内部的意不被彻底破坏,外部的法进入认识领域,有与之相应的注意,像这样,相应的识的部分就会出现。这样的色被彼色取蕴所统摄,这样的受被彼受取蕴所统摄,这样的想被彼想取蕴所统摄,这样的行被彼行取蕴所统摄,这样的识被彼识取蕴所统摄。

他如此了知:'实际上因为此五取蕴而统摄、结集、结合。此正是世尊所说:"见缘起者见法,见法者见缘起。"缘起,其就是此五取蕴。于此五取蕴而具有的意欲、爱着、亲密、取著,其就是苦集。于此五取蕴调服欲贪,舍弃欲贪,其就是苦灭。'诸朋友,仅仅如此,比丘就是多为者。"

此为尊者舍利弗所说。彼比丘众内心喜悦,欢喜尊者舍利弗所说。

(大象足迹譬喻经完)

第九、大心材譬喻经（Mahāsāropamasuttaṃ）

307   如是我闻。

一次，佛陀住在王舍城附近的灵鹫山，提婆达多刚脱离而去不久。

在此，佛陀针对提婆达多对比丘众说道："诸比丘，在此，某善家子弟依信仰而舍家出家，成为出家人：'我为生、老、病、愁、悲、苦、忧、恼所苦恼，为苦所苦恼，被苦所战胜。或许能够获知此苦蕴的全部灭尽。'像这样，他出家以后，利得、恭敬、名声生起。他因为彼利得、恭敬、名声而欢喜，感觉满意。他因为彼利得、恭敬、名声而自赞毁他：'我具有利得、恭敬、名声，然而，其他比丘不为人知、无能。'他因为彼利得、恭敬、名声而变得陶醉，变得忘乎所以，陷入放逸，变得放逸而住于苦。

诸比丘，例如，有人寻找心材，追求心材，为了获得心材而到处行走。然而，其越过了具有心材的矗立的大树，越过心材，越过肤材，越过皮材，越过外皮，切割并带走枝叶，认为'这就是心材'。有眼之人看到以后将如下说道：'此尊贵之人的确不知道心材，不知道肤材，不知道皮材，不知道外皮，不知道枝叶。因为此尊贵之人寻找心材，追求心材，为了获得心材而到处行走，却越过了具有心材的矗立的大树，越过心材，越过肤材，越过皮材，越过外皮，切割并带走枝叶，认为"这就是心材"。对于使用心材，发挥心材作用的利益，其不会感受到。'

正是像这样，诸比丘，某善家子弟依信仰而舍家出家，成为出家人：'我为生、老、病、愁、悲、苦、忧、恼所苦恼，为苦所苦恼，被苦所战胜。或许能够获知此苦蕴的全部灭尽。'像这样，他出家以后，利得、恭敬、名声生起。他因为彼利得、恭敬、名声而欢喜，感觉满意。他因为彼利得、恭敬、名声而自赞毁他：'我具有利得、恭敬、名声，然而，其他比丘不为人知、无能。'他因为彼利得、恭敬、名声而变得陶醉，变得忘乎所以，陷入放逸，变得放逸而住于苦。诸比丘，此被称为获得了梵行的枝叶，至此而完结。"

308 "诸比丘，在此，某善家子弟依信仰而舍家出家，成为出家人：'我为生、老、病、愁、悲、苦、忧、恼所苦恼，为苦所苦恼，被苦所战胜。或许能够获知此苦蕴的全部灭尽。'像这样，他出家以后，利得、恭敬、名声生起。他不因为彼利得、恭敬、名声而欢喜，不感觉满意。他不因为彼利得、恭敬、名声而自赞毁他。他不因为彼利得、恭敬、名声而变得陶醉，不变得忘乎所以，不陷入放逸。不变得放逸而到达戒具足。他因为彼戒具足而欢喜，感觉满意。他因为彼戒具足而自赞毁他：'我是有戒，是善法，然而，其他比丘是恶戒，是恶法。'他因为彼戒具足而变得陶醉,变得忘乎所以,陷入放逸,变得放逸而住于苦。

诸比丘,例如,有人寻找心材,追求心材,为了获得心材而到处行走。然而,其越过了具有心材的矗立的大树,越过心材,越过肤材,越过皮材,切割并带走皮材,认为'这就是心材'。有眼之人看到以后将如下说道:'此尊贵之人的确不知道心材,不知道肤材,不知道皮材,不知道外皮,不知道枝叶。因为此尊贵之人寻找心材,追求心材,为了获得心材而到处行走,却越过了具有心材的矗立的大树,越过心材,越过肤材,越过皮材,切割并带走外皮,认为"这就是心材"。对于使用心材,发挥心材作用的利益,其不会感受到。'

正是像这样,诸比丘,某善家子弟依信仰而舍家出家,成为出家人:'我为生、老、病、愁、悲、苦、忧、恼所苦恼,为苦所苦恼,被苦所战胜。或许能够获知此苦蕴的全部灭尽。'像这样,他出家以后,利得、恭敬、名声生起。他不因为彼利得、恭敬、名声而欢喜,不感觉满意。他不因为彼利得、恭敬、名声而自赞毁他。他不因为彼利得、恭敬、名声而变得陶醉,不变得忘乎所以,不陷入放逸。不变得放逸而到达戒具足。他因为彼戒具足而欢喜,感觉满意。他因为彼戒具足而自赞毁他:'我是有戒,是善法,然而,其他比丘是恶戒,是恶法。'他因为彼戒具足而变得陶醉,变得忘乎所以,陷入放逸,变得放逸而住于苦。诸比丘,此被称为获得了梵行的外皮,至此而完结。"

309　"诸比丘,在此,某善家子弟依信仰而舍家出家,成为出家人:'我为生、老、病、愁、悲、苦、忧、恼所苦恼,为苦所苦恼,被苦所战胜。或许能够获知此苦蕴的全部灭尽。'像这样,他出家以后,利得、恭敬、名声生起。他不因为彼利得、恭敬、名声而欢喜,不感觉满意。他不因为彼利得、恭敬、名声而自赞毁他。他不因为彼利得、恭敬、名声而变得陶醉,不变得忘乎所以,不陷入放逸。不变得放逸而到达戒具足。他因为彼戒具足而欢喜,但是不感觉满意。他不因为彼戒具足而自赞毁他。他不因为彼戒具足而变得陶醉,不变得忘乎所以,不陷入放逸。不变得放逸而到达定具足。他因为彼定具足而欢喜,感觉满意。他因为彼定具足而自赞毁他:'我有定,心是一境,然而,其他比丘无定,心散乱。'他因为彼定具足而变得陶醉,变得忘乎所以,陷入放逸,变得放逸而住于苦。

诸比丘,例如,有人寻找心材,追求心材,为了获得心材而到处行走。然而,其越过了具有心材的矗立的大树,越过心材,越过肤材,切割并带走皮材,认为'这就是心材'。有眼之人看到以后将如下说道:'此尊贵之人的确不知道心材,不知道肤材,不知道皮材,不知道外皮,不知道枝叶。因为此尊贵之人寻找心材,追求心材,为了获得心材而到处行走,却越过了具有心材的矗立的大树,越过心材,越过肤材,切割并带走皮材,认为"这就是心材"。对于使用心材,发挥心材作用的利益,其不会感受到。'

正是像这样，诸比丘，某善家子弟依信仰而舍家出家，成为出家人：'我为生、老、病、愁、悲、苦、忧、恼所苦恼，为苦所苦恼，被苦所战胜。或许能够获知此苦蕴的全部灭尽。'像这样，他出家以后，利得、恭敬、名声生起。他不因为彼利得、恭敬、名声而欢喜，不感觉满意。他不因为彼利得、恭敬、名声而自赞毁他。他不因为彼利得、恭敬、名声而变得陶醉，不变得忘乎所以，不陷入放逸。不变得放逸而到达戒具足。他因为彼戒具足而欢喜，但是不感觉满意。他不因为彼戒具足而自赞毁他。他不因为彼戒具足而变得陶醉，不变得忘乎所以，不陷入放逸。不变得放逸而到达定具足。他因为彼定具足而欢喜，感觉满意。他因为彼定具足而自赞毁他：'我有定，心是一境，然而，其他比丘无定，心散乱。'他因为彼定具足而变得陶醉，变得忘乎所以，陷入放逸，变得放逸而住于苦。诸比丘，此被称为获得了梵行的皮材，至此而完结。"

310 "诸比丘，在此，某善家子弟依信仰而舍家出家，成为出家人：'我为生、老、病、愁、悲、苦、忧、恼所苦恼，为苦所苦恼，被苦所战胜。或许能够获知此苦蕴的全部灭尽。'像这样，他出家以后，利得、恭敬、名声生起。他不因为彼利得、恭敬、名声而欢喜，不感觉满意。他不因为彼利得、恭敬、名声而自赞毁他。他不因为彼利得、恭敬、名声而变得陶醉，不变得忘乎所以，不陷入放逸。不变得放逸而到达戒具足。他因为彼戒具足而欢喜，但是不感觉满意。他不因为彼戒具足而自赞毁他。他不因为彼戒具足而变得陶醉，不变得忘乎所以,不陷入放逸。不变得放逸而到达定具足。他因为彼定具足而欢喜,但是不感觉满意。他不因为彼定具足而自赞毁他。他不因为彼定具足而变得陶醉,不变得忘乎所以,不陷入放逸。不变得放逸而获得智见。他因为彼智见而欢喜,感觉满意。他因为彼智见而自赞毁他:'我作为知者、见者而住。然而,其他比丘作为不知者、不见者而住'。他因为彼智见而变得陶醉,变得忘乎所以,陷入放逸,变得放逸而住于苦。

诸比丘,例如,有人寻找心材,追求心材,为了获得心材而到处行走。然而,其越过了具有心材的矗立的大树,越过心材,切割并带走肤材,认为'这就是心材'。有眼之人看到以后将如下说道:'此尊贵之人的确不知道心材,不知道肤材,不知道皮材,不知道外皮,不知道枝叶。因为此尊贵之人寻找心材,追求心材,为了获得心材而到处行走,却越过了具有心材的矗立的大树,越过心材,切割并带走肤材,认为"这就是心材"。对于使用心材,发挥心材作用的利益,其不会感受到。'

正是像这样,诸比丘,某善家子弟依信仰而舍家出家,成为出家人:'我为生、老、病、愁、悲、苦、忧、恼所苦恼,为苦所苦恼,被苦所战胜。或许能够获知此苦蕴的全部灭尽。'像这样,他出家以后,利得、恭敬、名声生起。他不因为彼利得、恭敬、名声而欢喜,不感觉满意。他不因为彼利得、恭敬、名声而自赞毁他。他不因为彼利得、恭敬、名声而变得陶醉,不变得忘乎所以，不陷入放逸。不变得放逸而到达戒具足。他因为彼戒具足而欢喜，但是不感觉满意。他不因为彼戒具足而自赞毁他。他不因为彼戒具足而变得陶醉，不变得忘乎所以，不陷入放逸。不变得放逸而到达定具足。他因为彼定具足而欢喜，但是不感觉满意。他不因为彼定具足而自赞毁他。他不因为彼定具足而变得陶醉，不变得忘乎所以，不陷入放逸。不变得放逸而获得智见。他因为彼智见而欢喜，感觉满意。他因为彼智见而自赞毁他：'我作为知者、见者而住。然而，其他比丘作为不知者、不见者而住'。他因为彼智见而变得陶醉，变得忘乎所以，陷入放逸，变得放逸而住于苦。诸比丘，此被称为获得了梵行的肤材，至此而完结。"

311 "诸比丘，在此，某善家子弟依信仰而舍家出家，成为出家人：'我为生、老、病、愁、悲、苦、忧、恼所苦恼，为苦所苦恼，被苦所战胜。或许能够获知此苦蕴的全部灭尽。'像这样，他出家以后，利得、恭敬、名声生起。他不因为彼利得、恭敬、名声而欢喜，不感觉满意。他不因为彼利得、恭敬、名声而自赞毁他。他不因为彼利得、恭敬、名声而变得陶醉，不变得忘乎所以，不陷入放逸。不变得放逸而到达戒具足。他因为彼戒具足而欢喜，但是不感觉满意。他不因为彼戒具足而自赞毁他。他不因为彼戒具足而变得陶醉，不变得忘乎所以，不陷入放逸。不变得放逸而到达定具足。他因为彼定具足而欢喜，但是不感觉满意。他不因为彼定具足而自赞毁他。他不因为彼定具足而变得陶醉，不变得忘乎所以，不陷入放逸。不变得放逸而获得智见。他因为彼智见而欢喜,但是不感觉满意。他不因为彼智见而变得陶醉,不变得忘乎所以,不陷入放逸。不变得放逸而获得不时解脱。诸比丘,所谓该比丘从彼不时解脱衰退,没有这样的道理,没有这样的机会。

诸比丘,例如,有人寻找心材,追求心材,为了获得心材而到处行走,其仅仅切割并带走具有心材的矗立的大树的心材,知道'这就是心材。'有眼之人看到以后将如下说道:'此尊贵之人的确知道心材,知道肤材,知道皮材,知道外皮,知道枝叶。因为此尊贵之人寻找心材,追求心材,为了获得心材而到处行走,其仅仅切割并带走具有心材的矗立的大树的心材,知道"这就是心材。"对于使用心材,发挥心材作用的利益,其会感受到。'

正是像这样,诸比丘,某善家子弟依信仰而舍家出家,成为出家人:'我为生、老、病、愁、悲、苦、忧、恼所苦恼,为苦所苦恼,被苦所战胜。或许能够获知此苦蕴的全部灭尽。'像这样,他出家以后,利得、恭敬、名声生起。他不因为彼利得、恭敬、名声而欢喜,不感觉满意。他不因为彼利得、恭敬、名声而自赞毁他。他不因为彼利得、恭敬、名声而变得陶醉,不变得忘乎所以,不陷入放逸。不变得放逸而到达戒具足。他因为彼戒具足而欢喜,但是不感觉满意。他不因为彼戒具足而自赞毁他。他不因为彼戒具足而变得陶醉,不变得忘乎所以,不陷入放逸。不变得放逸而到达定具足。他因为彼定具足而欢喜,但是不感觉满意。他不因为彼定具足而自赞毁他。他不因为彼定具足而变得陶醉,不变得忘乎所以,不陷入放逸。不变得放逸而获得智见。他因为彼智见而欢喜,但是不感觉满意。他不因为彼智见而变得陶醉,不变得忘乎所以,不陷入放逸。不变得放逸而获得不时解脱。诸比丘,所谓该比丘从彼不时解脱衰退,没有这样的道理,没有这样的机会。

如上所示,诸比丘,此梵行不是以利得、恭敬、名声为利益,不是以戒具足为利益,不是以定具足为利益,不是以智见为利益。诸比丘,此不动的心解脱,诸比丘,此才是此梵行的意义,此才是心材,此才是完结。"

此为佛陀所说。彼比丘众内心喜悦,欢喜佛陀所说。

(大心材譬喻经完)

第十、小心材譬喻经(Cūḷasāropamasuttaṃ)

312　如是我闻。

一次,佛陀住在舍卫城附近的祇陀林给孤独园。当时,婆罗门频迦洛拘阐接近佛陀所在的地方,靠近以后与佛陀互致问候,互致令人欢喜、值得铭记之言以后坐于一旁。

坐于一旁的婆罗门频迦洛拘阐对佛陀如下说道:"乔达摩尊者,此沙门、婆罗门率领僧团,拥有大众,为众人师,名声显赫,德高望重,为教团主,广受尊敬。例如,富兰·迦叶、末迦利·瞿舍罗、阿夷多·翅舍钦婆罗、迦据陀·迦旃延、散若夷·毗罗梨沸、尼干陀·若提子。他们是全部已经证明了自己的主张,还是全部没有证明自己的主张?还是一部分已经证明,一部分没有证明?"

"婆罗门,把那种提问放下。所谓他们是全部已经证明了自己的主张,还是全部没有证明自己的主张,还是一部分已经证明,一部分没有证明。婆罗门,我来为你说法,你仔细听,充分作意。我来说。"

"好,尊者。"婆罗门频迦洛拘阐应诺佛陀。

佛陀如下说道:

313 "婆罗门,例如,有人寻找心材,追求心材,为了获得心材而到处行走。然而,其越过了具有心材的矗立的大树,越过心材,越过肤材,越过皮材,越过外皮,切割并带走枝叶,认为'这就是心材'。有眼之人看到以后将如下说道:'此尊贵之人的确不知道心材,不知道肤材,不知道皮材,不知道外皮,不知道枝叶。因为此尊贵之人寻找心材,追求心材,为了获得心材而到处行走,却越过了具有心材的矗立的大树,越过心材,越过肤材,越过皮材,越过外皮,切割并带走枝叶,认为"这就是心材"。对于使用心材,发挥心材作用的利益,其不会感受到。'"

314 "进而,婆罗门,例如,有人寻找心材,追求心材,为
了获得心材而到处行走。然而,其越过了具有心材的矗立的
大树,越过心材,越过肤材,越过皮材,切割并带走外皮,认为
'这就是心材'。有眼之人看到以后将如下说道:'此尊贵之
人的确不知道心材,不知道肤材,不知道皮材,不知道外皮,
不知道枝叶。因为此尊贵之人寻找心材,追求心材,为了获
得心材而到处行走,却越过了具有心材的矗立的大树,越过
心材,越过肤材,越过皮材,切割并带走外皮,认为"这就是心
材"。对于使用心材,发挥心材作用的利益,其不会感受
到。'"

315 "进而,婆罗门,例如,有人寻找心材,追求心材,为
了获得心材而到处行走。然而,其越过了具有心材的矗立的
大树,越过心材,越过肤材,切割并带走皮材,认为'这就是心
材'。有眼之人看到以后将如下说道:'此尊贵之人的确不
知道心材,不知道肤材,不知道皮材,不知道外皮,不知道枝
叶。因为此尊贵之人寻找心材,追求心材,为了获得心材而
到处行走,却越过了具有心材的矗立的大树,越过心材,越过
肤材,切割并带走皮材,认为"这就是心材"。对于使用心
材,发挥心材作用的利益,其不会感受到。'"

316 "进而,婆罗门,例如,有人寻找心材,追求心材,为
了获得心材而到处行走。然而,其越过了具有心材的矗立的
大树,越过心材,切割并带走肤材,认为'这就是心材'。有
眼之人看到以后将如下说道:'此尊贵之人的确不知道心材,

不知道肤材,不知道皮材,不知道外皮,不知道枝叶。因为此尊贵之人寻找心材,追求心材,为了获得心材而到处行走,却越过了具有心材的矗立的大树,越过心材,切割并带走肤材,认为"这就是心材"。对于使用心材,发挥心材作用的利益,其不会感受到。'"

317 "进而,婆罗门,例如,有人寻找心材,追求心材,为了获得心材而到处行走,其仅仅切割并带走具有心材的矗立的大树的心材,知道'这就是心材。'有眼之人看到以后将如下说道:'此尊贵之人的确知道心材,知道肤材,知道皮材,知道外皮,知道枝叶。因为此尊贵之人寻找心材,追求心材,为了获得心材而到处行走。其仅仅切割并带走具有心材的矗立的大树的心材,知道"这就是心材。"对于使用心材,发挥心材作用的利益,其会感受到。'"

318 "像这样,婆罗门,在此,某善家子弟依信仰而舍家出家,成为出家人:'我为生、老、病、愁、悲、苦、忧、恼所苦恼,为苦所苦恼,被苦所战胜。或许能够获知此苦蕴的全部灭尽。'像这样,他出家以后,利得、恭敬、名声生起。他因为彼利得、恭敬、名声而欢喜,感觉满意。他因为彼利得、恭敬、名声而自赞毁他:'我具有利得、恭敬、名声,然而,其他比丘不为人知、无能。'不为了证明比利得、恭敬、名声更殊胜、更殊妙的法而生起意欲,不努力,执著于生活,变得怠慢。

婆罗门,此正像那个人寻找心材,追求心材,为了获得心材而到处行走,然而,却越过了具有心材的矗立的大树,越过心材，越过肤材，越过皮材，越过外皮，切割并带走枝叶，认为'这就是心材'。对于使用心材，发挥心材作用的利益，其不会感受到。婆罗门，我依据此譬喻说的就是这种人。"

319 "进而，婆罗门，在此，某善家子弟依信仰而舍家出家，成为出家人：'我为生、老、病、愁、悲、苦、忧、恼所苦恼，为苦所苦恼，被苦所战胜。或许能够获知此苦蕴的全部灭尽。'像这样，他出家以后，利得、恭敬、名声生起。他不因为彼利得、恭敬、名声而欢喜，不感觉满意。他不因为彼利得、恭敬、名声而自赞毁他。为了证明比利得、恭敬、名声更殊胜、更殊妙的法而生起意欲，努力，不执著于生活，不变得怠慢。其到达戒具足。他因为彼戒具足而欢喜，感觉满意。他因为彼戒具足而自赞毁他：'我是有戒，是善法，然而，其他比丘是恶戒，是恶法。'不为了证明比戒具足更殊胜、更殊妙的法而生起意欲，不努力，执著于生活，变得怠慢。

婆罗门，此正像那个人寻找心材，追求心材，为了获得心材而到处行走。然而，却越过了具有心材的矗立的大树，越过心材，越过肤材，越过皮材，切割并带走外皮，认为'这就是心材'。对于使用心材，发挥心材作用的利益，其不会感受到。婆罗门，我依据此譬喻说的就是这种人。"

320 "进而，婆罗门，在此，某善家子弟依信仰而舍家出家，成为出家人：'我为生、老、病、愁、悲、苦、忧、恼所苦恼，为苦所苦恼，被苦所战胜。或许能够获知此苦蕴的全部灭尽。'像这样，他出家以后，利得、恭敬、名声生起。他不因为彼利得、恭敬、名声而欢喜，不感觉满意。他不因为彼利得、恭敬、名声而自赞毁他。为了证明比利得、恭敬、名声更殊胜、更殊妙的法而生起意欲，努力，不执著于生活，不变得怠慢。其到达戒具足。他因为彼戒具足而欢喜，但是不感觉满意。他不因为彼戒具足而自赞毁他。为了证明比戒具足更殊胜、更殊妙的法而生起意欲，努力，不执著于生活，不变得怠慢。其到达定具足。他因为彼定具足而欢喜，感觉满意。他因为彼定具足而自赞毁他：'我有定，心是一境，然而，其他比丘无定，心散乱。'不为了证明比定具足更殊胜、更殊妙的法而生起意欲，不努力，执著于生活，变得怠慢。

婆罗门，此正像那个人寻找心材，追求心材，为了获得心材而到处行走。然而，却越过了具有心材的矗立的大树，越过心材，越过肤材，切割并带走外皮，认为'这就是心材'。对于使用心材，发挥心材作用的利益，其不会感受到。婆罗门，我依据此譬喻说的就是这种人。"

321 "进而，婆罗门，在此，某善家子弟依信仰而舍家出家，成为出家人：'我为生、老、病、愁、悲、苦、忧、恼所苦恼，为苦所苦恼，被苦所战胜。或许能够获知此苦蕴的全部灭尽。'像这样，他出家以后，利得、恭敬、名声生起。他不因为彼利得、恭敬、名声而欢喜，不感觉满意。他不因为彼利得、恭敬、名声而自赞毁他。为了证明比利得、恭敬、名声更殊胜、更殊妙的法而生起意欲，努力，不执著于生活，不变得怠慢。其到达戒具足。他因为彼戒具足而欢喜，但是不感觉满意。他不因为彼戒具足而自赞毁他。为了证明比戒具足更殊胜、更殊妙的法而生起意欲，努力，不执著于生活，不变得怠慢。其到达定具足。他因为彼定具足而欢喜，但是不感觉满意。他不因为彼定具足而自赞毁他。为了证明比定具足更殊胜、更殊妙的法而生起意欲，努力，不执著于生活，不变得怠慢。其获得智见。他因为彼智见而欢喜，感觉满意。他因为彼智见而自赞毁他：'我作为知者、见者而住。然而，其他比丘作为不知者、不见者而住'。不为了证明比彼智见更殊胜、更殊妙的法而生起意欲，不努力，执著于生活，变得怠慢。

婆罗门，此正像那个人寻找心材，追求心材，为了获得心材而到处行走。然而，却越过了具有心材的矗立的大树，越过心材，切割并带走肤材，认为'这就是心材'。对于使用心材，发挥心材作用的利益，其不会感受到。婆罗门，我依据此譬喻说的就是这种人。"

322 "进而，婆罗门，在此，某善家子弟依信仰而舍家出家，成为出家人：'我为生、老、病、愁、悲、苦、忧、恼所苦恼，为苦所苦恼，被苦所战胜。或许能够获知此苦蕴的全部灭尽。'像这样，他出家以后，利得、恭敬、名声生起。他不因为彼利得、恭敬、名声而欢喜，不感觉满意。他不因为彼利得、恭敬、名声而自赞毁他。

为了证明比利得、恭敬、名声更殊胜、更殊妙的法而生起意欲，努力，不执著于生活，不变得怠慢。其到达戒具足。他因为彼戒具足而欢喜，但是不感觉满意。他不因为彼戒具足而自赞毁他。

为了证明比戒具足更殊胜、更殊妙的法而生起意欲,努力,不执著于生活,不变得怠慢。其到达定具足。他因为彼定具足而欢喜,但是不感觉满意。他不因为彼定具足而自赞毁他。

为了证明比定具足更殊胜、更殊妙的法而生起意欲,努力,不执著于生活,不变得怠慢。其获得智见。他因为彼智见而欢喜,但是不感觉满意。他不因为彼智见而自赞毁他。

为了证明比智见更殊胜、更殊妙的法而生起意欲,努力,不执著于生活,不变得怠慢。"

323 "婆罗门,哪些是比智见更殊胜、更殊妙的法?在此,婆罗门,比丘由于离开诸欲,离开诸不善法,到达并住立于有浅观、有深观、因远离而生喜和乐的初禅。婆罗门,此亦是比智见更殊胜、更殊妙的法。

进而,婆罗门,由于浅观和深观的寂灭,比丘到达并住立于内部清净的心一境性,到达无浅观、无深观、具有因定而生喜和乐的第二禅。婆罗门,此亦是比智见更殊胜、更殊妙的法。

进而,婆罗门,比丘离开喜,住于舍,具念,具正知,以身体感知乐,到达并住立于圣者所称的'有舍、具念、住于乐'的第三禅。婆罗门,此亦是比智见更殊胜、更殊妙的法。

进而,婆罗门,比丘舍弃乐,舍弃苦,以前早已熄灭喜和忧,到达并住立于非苦非乐、舍念遍净的第四禅。婆罗门,此亦是比智见更殊胜、更殊妙的法。

进而，婆罗门，比丘因为超越所有色想，有对想灭尽，不作意种种想，故而到达并住立于'虚空乃无边'的空无边处。婆罗门，此亦是比智见更殊胜、更殊妙的法。

进而，婆罗门，比丘因为超越所有空无边处，故而到达并住立于'识乃无边'的识无边处。婆罗门，此亦是比智见更殊胜、更殊妙的法。

进而，婆罗门，比丘因为超越所有识无边处，故而到达并住立于'乃无所有'的无所有处。婆罗门，此亦是比智见更殊胜、更殊妙的法。

进而，婆罗门，比丘因为完全超越无所有处，故而到达并住立于非想非非想处。婆罗门，此亦是比智见更殊胜、更殊妙的法。

进而，婆罗门，比丘完全超越非想非非想处，到达并住立于想受灭，以慧观诸烦恼的灭尽。婆罗门，此亦是比智见更殊胜、更殊妙的法。"

324 "婆罗门，此正像那个人寻找心材，追求心材，为了获得心材而到处行走，其仅仅切割并带走具有心材的矗立的大树的心材，知道'这就是心材。'对于使用心材，发挥心材作用的利益，其会感受到。婆罗门，我依据此譬喻说的就是这种人。

如上所示，婆罗门，此梵行不是以利得、恭敬、名声为利益，不是以戒具足为利益，不是以定具足为利益，不是以智见为利益。婆罗门,此不动的心解脱,婆罗门,此才是此梵行的意义,此才是心材,此才是完结。"

听闻此言,婆罗门频迦洛拘阐对佛陀如下说道:"乔达摩尊者,实在是殊胜! 乔达摩尊者,实在是殊胜! 乔达摩尊者,恰似扶起跌倒者,打开覆盖物,给迷路之人指明道路,为了让有眼之人看到诸色而在黑暗中点亮灯火。正像这样,乔达摩尊者采用多种方法阐明了法。在此,请允许我皈依乔达摩尊者,归依法,归依比丘僧团。此后,请乔达摩尊者接受我成为优婆塞,做我一生的皈依处。"

(小心材譬喻经完)

四、大对集（Mahāyamakavaggo）

内容简介

《大对集》共包括十部经，分别为《小牛角经》《大牛角经》《大牧牛者经》《小牧牛者经》《小萨遮迦经》《大萨遮迦经》《小渴爱灭尽经》《大渴爱灭尽经》《大马邑经》和《小马邑经》。

第一部《小牛角经》中，佛陀通过与阿那律尊者的对话，指出共住的比丘应该如何和合、友好、无诤、融洽，以欢喜之眼彼此相看而住，如何不放逸、精进、自我努力而住，从而可以到达并乐住于不同层面的超人法的最圣智见。

第二部《大牛角经》中，阿难陀尊者、离婆多尊者、摩诃目犍连尊者、摩诃迦叶尊者、阿那律尊者、舍利弗尊者分别如理解答了什么样的比丘可以令比丘居住的园林放光。最后，佛陀指出，除此之外，精勤禅定，誓从诸烦恼中获得心解脱的比丘亦是令比丘居住的园林放光者。

第三部《大牧牛者经》中，佛陀以牧牛者为例，指出为了于此法和律获得繁荣、增长、扩大，比丘应该知色，擅长特相，驱除虫卵，包扎伤口，放烟，知道浅滩，知道饮用水，知道道路，熟悉牧场，有余榨取乳汁，给与长老、耆宿、出家已久、僧团之父、僧团指导者的比丘足够的恭敬。

第四部《小牧牛者经》中，佛陀指出，比丘对此世善巧，对彼世善巧；对魔王领域善巧，对非魔王领域善巧；对死神领域善巧，对非死神领域善巧，则能够横渡魔王的河流，平安地到达彼岸，获得长久的利益和安乐。

第五部《小萨遮迦经》中，围绕五蕴无常、五蕴无我、诸行无常，诸法无我之教导，佛陀与擅长辩论的尼干陀门徒之子萨遮迦进行辩论并将其驳倒。在本经的最后，佛陀指出，虽然布施者未离贪、未离嗔、未离痴，但是其布施将具有功德和大功德，因为被供养者离贪、离嗔、离痴。

第六部《大萨遮迦经》中，佛陀指出存在着非身修习和非心修习，也存在着身修习和心修习。在所有修行中，如来是最高者。如来已经舍断杂染、可再生、有怖畏、结苦果、将带来生老死的烦恼，将来不会再生。

第七部《小渴爱灭尽经》中，应帝释天之请求，佛陀指出了渴爱灭尽解脱者、终极究竟者、终极无碍安稳者、终极梵行者、终极完结者、天人中之最上者的比丘所具有的特质。摩诃目犍连尊者到天庭询问帝释天，看帝释天是否真正理解。在摩诃目犍连尊者的大神通威力下，放逸的帝释天重复了佛陀所说。

第八部《大渴爱灭尽经》中，针对渔民之子萨帝比丘生起的识为常之邪见，佛陀再次开示了此有故彼有，此生故彼生，此无故彼无，此灭故彼灭的缘起观。

第九部《大马邑经》中，佛陀教导比丘为了与自己的称呼相符合，与自称相符合，应该受持沙门、婆罗门法，心从欲的烦恼、存在的烦恼、无明的烦恼中解脱出来，于解脱生起已解脱之智。这样的比丘则是沙门、婆罗门、洗浴者、明智者、洗净者、圣人、阿罗汉。

第十部《小马邑经》中，佛陀则从另一个角度教导比丘为了与自己的称呼相符合，与自称相符合，实践沙门的如理行道。指出从任何家庭舍家出家之人，其根据如来所教导的法和律，修习慈悲喜舍而获得内在的寂静，这样的内部寂静者就是实践沙门如理行道者。从任何家庭舍家出家之人，由于诸烦恼的灭尽而于现世自我证知、证得、成就无烦恼的心解脱、慧解脱而住，因为诸烦恼灭尽而成为沙门。

第一、小牛角经(Cūḷagosiṅgasuttaṃ)

325　如是我闻。

一次,佛陀住在那提迦城附近的牛角娑罗树林。当时,尊者阿那律、尊者难提、尊者金毗罗住在牛角娑罗树林。

傍晚,佛陀从禅坐出定,接近牛角娑罗树林。守园人看到佛陀从远处走来。看到以后,便对佛陀如下说道:"沙门,请不要进入此园林。有三位善家子弟为了证得自我而住在这里。请不要打扰他们。"

尊者阿那律听到守园人对佛陀的讲话。听到以后,对守园人如下说道:"守园人朋友,不要妨碍世尊。是我们的导师世尊到来了。"

于是,尊者阿那律接近尊者难提、尊者金毗罗,靠近以后对尊者难提、尊者金毗罗如下说道:"朋友,来。朋友,来。我们的导师世尊来了。"

于是,尊者阿那律、尊者难提、尊者金毗罗去见佛陀,一人接过佛陀的衣钵,一人准备坐具,一人准备洗脚水。佛陀坐在准备好的坐具上。坐下以后,佛陀洗了脚。彼三位尊者顶礼佛陀,然后坐于一旁。佛陀对坐于一旁的尊者阿那律如下说道:

326 "阿那律,你们是否堪忍?是否生活无忧?是否不疲于托钵食?"

"尊师,我们堪忍。尊师,我们生活无忧。尊师,我们不疲于托钵食。"

"那么,阿那律,你们是否和合、友好、无诤、融洽,以欢喜之眼彼此相看而住?"

"尊师,我们的确和合、友好、无诤、融洽,以欢喜之眼彼此相看而住。"

"那么,阿那律,你们如何和合、友好、无诤、融洽,以欢喜之眼彼此相看而住?"

"尊师,在此,我这样思考:'实际上我是利得者。实际上我是善利得者。因为我与这样的同修行者共住一处。'为此,尊师,我对于此诸尊者或当面或背后均示现慈身业,或当面或背后均示现慈语业,或当面或背后均示现慈意业。为此,尊师,我这样思考:'我舍弃自己的心,跟随此诸尊者的心如何?'尊师,彼我舍弃自己的心,跟随此诸尊者的心。尊师,我们虽然身体不同,却是一条心。"

尊者难提也对佛陀如下说道:"尊师,在此,我也这样思考:'实际上我是利得者。实际上我是善利得者。因为我与这样的同修行者共住一处。'为此,尊师,我对于此诸尊者或当面或背后均示现慈身业,或当面或背后均示现慈语业,或当面或背后均示现慈意业。为此,尊师,我这样思考:'我舍弃自己的心,跟随此诸尊者的心如何?'尊师,彼我舍弃自己的心,跟随此诸尊者的心。尊师,我们虽然身体不同,却是一条心。"

尊者金毗罗也对佛陀如下说道:"尊师,在此,我也这样思考:'实际上我是利得者。实际上我是善利得者。因为我与这样的同修行者共住一处。'为此,尊师,我对于此诸尊者或当面或背后均示现慈身业,或当面或背后均示现慈语业,或当面或背后均示现慈意业。为此,尊师,我这样思考:'我舍弃自己的心,跟随此诸尊者的心如何?'尊师,彼我舍弃自己的心,跟随此诸尊者的心。尊师,我们虽然身体不同,却是一条心。"

"像这样,尊师,我们和合、友好、无诤、融洽,以欢喜之眼彼此相看而住。"

327 "很好,很好,阿那律。那么,阿那律,你们是否不放逸、精进、自我努力而住?"

"尊师,我们的确是不放逸、精进、自我努力而住。"

"那么,阿那律,你们是如何不放逸、精进、自我努力而住?"

"尊师,在此,我们第一个从村子托钵回来者,其准备坐具,准备饮用水和洗净水,准备剩饭器皿。后从村子托钵回来者,如果想吃剩饭,则可以吃,如果不想吃,则将其丢弃在无草的地方或沉到无生物的水里。其收拾坐具,收拾饮用水和洗净水,收拾剩饭器皿,清扫斋堂。看到饮用水瓶、洗净水瓶、便器瓶中缺水或无水之人,其会准备。如果其有做不到的地方，则以手势叫第二个人。尊师，我们以手势商量，不会为此而发出声音。尊师，我们每五日，整晚为法语而共坐。像这样，尊师，我们不放逸、精进、自我努力而住。"

328　"很好，很好，阿那律。那么，阿那律，你们如此不放逸、精进、自我努力而住，是否具有已到达并乐住的超人法的最圣智见？"

"尊师，我们怎么会没有？尊师，在此，我们只要希望，则离开诸欲，离开诸不善法，到达并住立于有浅观、有深观、因远离而生喜和乐的初禅。尊师，此就是我们不放逸、精进、自我努力而住，从而具有的已到达并乐住的超人法的最圣智见。"

"很好，很好，阿那律。那么，阿那律，你们为了此住的超越，为了此住的止息，是否具有已到达并乐住的超人法的最圣智见？"

"尊师，我们怎么会没有？尊师，在此，我们只要希望，则由于浅观和深观的寂灭，到达并住立于内部清净的心一境性，到达无浅观、无深观、具有因定而生喜和乐的第二禅。尊师，此就是为了此住的超越，为了此住的止息，从而具有的已到达并乐住的超人法的最圣智见。"

"很好，很好，阿那律。那么，阿那律，你们为了此住的超越，为了此住的止息，是否具有已到达并乐住的超人法的最圣智见？"

"尊师，我们怎么会没有？尊师，在此，我们只要希望，则离开喜，住于舍，具念，具正知，以身体感知乐，到达并住立于圣者所称的'有舍、具念、住于乐'的第三禅。尊师，此就是为了此住的超越，为了此住的止息，从而具有的已到达并乐住的超人法的最圣智见。"

"很好，很好，阿那律。那么，阿那律，你们为了此住的超越，为了此住的止息；是否具有已到达并乐住的超人法的最圣智见？"

"尊师，我们怎么会没有？尊师，在此，我们只要希望，则舍弃乐，舍弃苦，以前早已熄灭喜和忧，到达并住立于非苦非乐、舍念遍净的第四禅。尊师，此就是为了此住的超越，为了此住的止息，从而具有的已到达并乐住的超人法的最圣智见。"

"很好，很好，阿那律。那么，阿那律，你们为了此住的超越，为了此住的止息，是否具有已到达并乐住的超人法的最圣智见？"

"尊师，我们怎么会没有？尊师，在此，我们只要希望，则完全超越色想，有对想灭尽，不作意种种想，到达'虚空乃无边'的空无边处而住。尊师，此就是为了此住的超越，为了此住的止息，从而具有的已到达并乐住的超人法的最圣智见。"

"很好，很好，阿那律。那么，阿那律，你们为了此住的超越，为了此住的止息，是否具有已到达并乐住的超人法的最圣智见？"

"尊师，我们怎么会没有？尊师，在此，我们只要希望，则完全超越空无边处,到达'识乃无边'的识无边处而住。尊师,此就是为了此住的超越,为了此住的止息,从而具有的已到达并乐住的超人法的最圣智见。"

"很好,很好,阿那律。那么,阿那律,你们为了此住的超越,为了此住的止息,是否具有已到达并乐住的超人法的最圣智见?"

"尊师,我们怎么会没有?尊师,在此,我们只要希望,则完全超越识无边处,到达'乃无所有'的无所有处而住。尊师,此就是为了此住的超越,为了此住的止息,从而具有的已到达并乐住的超人法的最圣智见。"

"很好,很好,阿那律。那么,阿那律,你们为了此住的超越,为了此住的止息,是否具有已到达并乐住的超人法的最圣智见?"

"尊师,我们怎么会没有?尊师,在此,我们只要希望,则完全超越无所有处,到达非想非非想处而住。尊师,此就是为了此住的超越,为了此住的止息,从而具有的已到达并乐住的超人法的最圣智见。"

329 "很好,很好,阿那律。那么,阿那律,你们为了此住的超越,为了此住的止息,是否具有已到达并乐住的超人法的最圣智见?"

"尊师,我们怎么会没有?尊师,在此,我们只要希望,则完全超越非想非非想处,到达并住立于想受灭,以慧观诸烦恼的灭尽。尊师,此就是为了此住的超越,为了此住的止息,从而具有的已到达并乐住的超人法的最圣智见。尊师，没有比此乐住更殊胜、更殊妙的其他乐住。"

"很好，很好，阿那律。没有比此乐住更殊胜、更殊妙的其他乐住。"

330　然后，佛陀以法语对尊者阿那律、尊者难提、尊者金毗罗进行教示、训诫、鼓励，令其欢喜，然后从座位站起，离开。于是，尊者阿那律、尊者难提、尊者金毗罗跟随佛陀一同出去。返回以后，尊者难提、尊者金毗罗向尊者阿那律如下问道："我们是否曾对阿那律尊者这样说过'我们已经获得这些，到达这些住'，从而阿那律尊者在世尊的面前明示了我们的诸烦恼的灭尽？"

"诸尊者并没有向我说过'我们已经获得这些，到达这些住'，然而，我以心知道诸尊者的心：'此诸尊者已经获得这些，到达这些住。'天神也向我说明此意：'此诸尊者已经获得这些，到达这些住。'依此，我对世尊的提问进行了回答。"

331　夜叉迪迦·帕洛佳纳接近佛陀所在的地方，靠近以后顶礼佛陀，然后立于一旁。立于一旁的夜叉迪迦·帕洛佳纳对佛陀如下说道："尊师，跋耆族是利得者。尊师，跋耆人是善利得者。因为如来、阿罗汉、正等觉者住于此，还有此三位善家子弟阿那律尊者、难提尊者、金毗罗尊者。"

土地神听到夜叉迪迦·帕洛佳纳的声音，便发出传扬的声音："朋友，实际上跋耆族是利得者。跋耆人是善利得者。

因为如来、阿罗汉、正等觉者住于此，还有此三位善家子弟阿那律尊者、难提尊者、金毗罗尊者。"

四大天王听到土地神的声音，便发出传扬的声音："朋友，实际上跋耆族是利得者。跋耆人是善利得者。因为如来、阿罗汉、正等觉者住于此，还有此三位善家子弟阿那律尊者、难提尊者、金毗罗尊者。"

三十三天神听到四大天王的声音，便发出传扬的声音："朋友，实际上跋耆族是利得者。跋耆人是善利得者。因为如来、阿罗汉、正等觉者住于此，还有此三位善家子弟阿那律尊者、难提尊者、金毗罗尊者。"

耶摩天神听到三十三天神的声音，便发出传扬的声音："朋友，实际上跋耆族是利得者。跋耆人是善利得者。因为如来、阿罗汉、正等觉者住于此，还有此三位善家子弟阿那律尊者、难提尊者、金毗罗尊者。"

兜率天神听到耶摩天神的声音，便发出传扬的声音："朋友，实际上跋耆族是利得者。跋耆人是善利得者。因为如来、阿罗汉、正等觉者住于此，还有此三位善家子弟阿那律尊者、难提尊者、金毗罗尊者。"

乐化天神听到兜率天神的声音，便发出传扬的声音："朋友，实际上跋耆族是利得者。跋耆人是善利得者。因为如来、阿罗汉、正等觉者住于此，还有此三位善家子弟阿那律尊者、难提尊者、金毗罗尊者。"

他化自在天神听到乐化天神的声音，便发出传扬的声音："朋友，实际上跋耆族是利得者。跋耆人是善利得者。因为如来、阿罗汉、正等觉者住于此，还有此三位善家子弟阿那律尊者、难提尊者、金毗罗尊者。"

梵天神听到他化自在天神的声音，便发出传扬的声音："朋友，实际上跋耆族是利得者。跋耆人是善利得者。因为如来、阿罗汉、正等觉者住于此，还有此三位善家子弟阿那律尊者、难提尊者、金毗罗尊者。"像这样，彼诸尊者在刹那间，在须臾间名闻整个梵天界。

"的确如此，迪迦。的确如此，迪迦。迪迦，彼三位善家子弟从家庭舍家出家，其家庭对此三位善家子弟随念明净心，其家庭则会获得长久的利益和安乐。

迪迦，此三位善家子弟从家族舍家出家，其家族对此三位善家子弟随念明净心，其家族则会获得长久的利益和安乐。

迪迦，此三位善家子弟从村庄舍家出家，其村庄对此三位善家子弟随念明净心，其村庄则会获得长久的利益和安乐。

迪迦，此三位善家子弟从城镇舍家出家，其城镇对此三位善家子弟随念明净心，其城镇则会获得长久的利益和安乐。

迪迦，此三位善家子弟从都城舍家出家，其都城对此三位善家子弟随念明净心，其都城则会获得长久的利益和安乐。

迪迦，此三位善家子弟从国土舍家出家，其国土对此三位善家子弟随念明净心，其国土则会获得长久的利益和安乐。

迪迦，所有刹帝利对此三位善家子弟随念明净心，所有刹帝利则会获得长久的利益和安乐。

迪迦，所有婆罗门对此三位善家子弟随念明净心，所有婆罗门则会获得长久的利益和安乐。

迪迦，所有吠舍对此三位善家子弟随念明净心，所有吠舍则会获得长久的利益和安乐。

迪迦，所有首陀罗对此三位善家子弟随念明净心，所有首陀罗则会获得长久的利益和安乐。

迪迦，在包括天、包括魔、包括梵天的世界里，在包括沙门、婆罗门、包括人天的众生里，对此三位善家子弟随念明净心，包括天、包括魔、包括梵天的世界和包括沙门、婆罗门、包括人天的众生则会获得长久的利益和安乐。

看，迪迦，此三位善家子弟是为了更多人的利益，为了更多人的安乐，为了对世界的怜悯，为了人天的利益、利得、安乐而行道者。"

此为佛陀所说。彼夜叉迪迦·帕洛佳纳内心喜悦，欢喜佛陀所说。

（小牛角经完）

第二、大牛角经（Mahāgosiṅgasuttaṃ）

332 　如是我闻。

一次，佛陀与诸多众所知识的长老弟子，如尊者舍利弗、尊者摩诃目犍连、尊者摩诃迦叶、尊者阿那律、尊者离婆多、尊者阿难陀以及其他众所知识的长老弟子住在牛角娑罗树林。

傍晚，尊者摩诃目犍连从禅坐出定，接近尊者摩诃迦叶所在的地方，靠近以后对尊者摩诃迦叶如下说道："迦叶尊者，我们为法去靠近舍利弗尊者吧。"

"好，尊者。"尊者摩诃迦叶应答尊者摩诃目犍连。于是，尊者摩诃目犍连与尊者摩诃迦叶、尊者阿那律靠近尊者舍利弗去求法。

尊者阿难陀看到尊者摩诃目犍连、尊者摩诃迦叶、尊者阿那律为法去靠近尊者舍利弗。看到以后便接近尊者离婆多所在的地方，靠近以后对尊者离婆多如下说道："离婆多尊者，此众善人为法去靠近舍利弗尊者。离婆多尊者，我们为法去靠近舍利弗尊者吧。"

"好，尊者。"尊者离婆多应答尊者阿难陀。于是，尊者离婆多和尊者阿难陀为法去靠近尊者舍利弗。

333　尊者舍利弗看到尊者离婆多和尊者阿难陀从远处过来。看到以后对尊者阿难陀如下说道："欢迎阿难陀尊者。欢迎世尊的近身侍者、世尊的随身侍者阿难陀尊者。阿难陀尊者，牛角娑罗树林愉悦，夜晚明亮，娑罗树鲜花盛开，宛若天香飘溢。阿难陀尊者，牛角娑罗树林因为什么样的比丘而放光？"

"舍利弗尊者，在此，比丘是多闻者，是持闻者，是集闻者。对于所阐述的初善、中善、后善、有内容、有形式、完整圆满、清净、令梵行明晰的彼法，其是这样的法的多闻者、受持者、语录者、以意观察者、以正见贯通者。为了随眠的根除，彼以完整、连续的文句对四众讲述法。舍利弗尊者，牛角娑罗树林因为这样的比丘而放光。"

334　听闻此言，尊者舍利弗对尊者离婆多如下说道："离婆多尊者，阿难陀尊者根据自己的理解进行了解答。现在，我们对此来询问离婆多尊者：'离婆多尊者，牛角娑罗树林愉悦，夜晚明亮，娑罗树鲜花盛开，宛若天香飘溢。离婆多尊者，牛角娑罗树林因为什么样的比丘而放光？'"

"舍利弗尊者，在此，比丘是乐于独住者，是欢喜独住者，是内在心止息的实践者，是不忽视禅者，是观具足者，是各空弃房屋的增益者。舍利弗尊者，牛角娑罗树林因为这样的比丘而放光。"

335　听闻此言，尊者舍利弗对尊者阿那律如下说道："阿那律尊者，离婆多尊者根据自己的理解进行了解答。现在,我们对此来询问阿那律尊者:'阿那律尊者,牛角娑罗树林愉悦,夜晚明亮,娑罗树鲜花盛开,宛若天香飘溢。阿那律尊者,牛角娑罗树林因为什么样的比丘而放光?'"

"舍利弗尊者,在此,比丘以清净、非凡的天眼看大千世界。舍利弗尊者,恰似有眼之人登上高楼看千幅圆轮一般。像这样,舍利弗尊者,比丘以清净、非凡的天眼看大千世界。舍利弗尊者,牛角娑罗树林因为这样的比丘而放光。"

336　听闻此言,尊者舍利弗对尊者摩诃迦叶如下说道:"迦叶尊者,阿那律尊者根据自己的理解进行了解答。现在,我们对此来询问摩诃迦叶尊者:'迦叶尊者,牛角娑罗树林愉悦,夜晚明亮,娑罗树鲜花盛开,宛若天香飘溢。迦叶尊者,牛角娑罗树林因为什么样的比丘而放光?'"

"舍利弗尊者,在此,比丘自己是阿兰若住者,也是阿兰若住的称赞者。自己是常乞食者,也是常乞食的称赞者。自己是尘垢行者,也是粪扫衣的称赞者。自己是但三衣者,也是但三衣的称赞者。自己是少欲者,也是少欲的称赞者。自己是知足者,也是知足的称赞者。自己是远离者,也是远离的称赞者。自己是不交际者,也是不交际的称赞者。自己是勤精进者,也是勤精进的称赞者。自己是戒具足者,也是戒具足的称赞者。自己是定具足者,也是定具足的称赞者。自己是慧具足者,也是慧具足的称赞者。自己是解脱具足者,也是解脱具足的称赞者。自己是解脱智见具足者,也是解脱智见具足的称赞者。舍利弗尊者,牛角娑罗树林因为这样的比丘而放光。"

337　听闻此言,尊者舍利弗对尊者摩诃目犍连如下说道:"目犍连尊者,摩诃迦叶尊者根据自己的理解进行了解答。现在,我们对此来询问摩诃目犍连尊者:'目犍连尊者,牛角娑罗树林愉悦,夜晚明亮,娑罗树鲜花盛开,宛若天香飘溢。目犍连尊者,牛角娑罗树林因为什么样的比丘而放光?'"

"舍利弗尊者,在此,二位比丘谈胜法语,他们相互提问,相互对所提的问题加以解答,不回避,成为该法谈的推进者。舍利弗尊者,牛角娑罗树林因为这样的比丘而放光。"

338　尊者摩诃目犍连对尊者舍利弗如下说道:"舍利弗尊者,我们全部根据自己的理解进行了解答。现在,我们对此来询问舍利弗尊者:'舍利弗尊者,牛角娑罗树林愉悦,夜晚明亮,娑罗树鲜花盛开,宛若天香飘溢。舍利弗尊者,牛角娑罗树林因为什么样的比丘而放光?'"

"目犍连尊者,在此,比丘自在转心,而不是比丘被心所转。他如果希望上午住于定,则于上午住于定。如果希望中午住于定,则于中午住于定。如果希望傍晚住于定,则于傍晚住于定。例如,目犍连尊者,国王或大臣拥有装满各色衣服的衣柜。他如果希望上午穿哪一套衣服,则于上午穿那一套衣服。如果希望中午穿哪一套衣服,则于中午穿那一套衣服。如果希望傍晚穿哪一套衣服,则于傍晚穿那一套衣服。像这样,目犍连尊者,比丘自在转心,而不是比丘被心所转。

他如果希望上午住于定，则于上午住于定。如果希望中午住于定，则于中午住于定。如果希望傍晚住于定，则于傍晚住于定。目犍连尊者，牛角婆罗树林因为这样的比丘而放光。"

339　尊者舍利弗对彼诸尊者如下说道："诸尊者，我们全部根据自己的理解进行了解答。那么，我们去接近世尊所在的地方，靠近以后将这些含义告诉世尊，然后按照世尊的解释，对其加以忆持。"

"好，尊者。"彼诸尊者应答尊者舍利弗。于是，彼诸尊者接近佛陀所在的地方，靠近以后顶礼佛陀，然后坐于一旁。

坐于一旁的尊者舍利弗对佛陀如下说道："尊师，我看到离婆多尊者和阿难陀尊者从远处过来。看到以后对阿难陀尊者如下说道：'欢迎阿难陀尊者。欢迎世尊的近身侍者、世尊的随身侍者阿难陀尊者。阿难陀尊者，牛角婆罗树林愉悦，夜晚明亮，婆罗树鲜花盛开，宛若天香飘溢。阿难陀尊者，牛角婆罗树林因为什么样的比丘而放光?'听闻此言，尊师，阿难陀尊者对我如下说道：'舍利弗尊者，在此，比丘是多闻者，是持闻者，是集闻者。对于所阐述的初善、中善、后善、有内容、有形式、完整圆满、清净、令梵行明晰的彼法，是这样的法的多闻者、受持者、语录者、以意观察者、以正见贯通者。为了随眠的根除，彼以完整、连续的文句对四众讲述法。舍利弗尊者，牛角婆罗树林因为这样的比丘而放光。'"

"很好，很好，舍利弗，阿难陀所做的解答是对其正确的解答。舍利弗，因为阿难陀就是多闻者，是持闻者，是集闻者。对于所阐述的初善、中善、后善、有内容、有形式、完整圆满、清净、令梵行明晰的彼法，是这样的法的多闻者、受持者、语录者、以意观察者、以正见贯通者。为了随眠的根除，其以完整、连续的文句对四众讲述法。"

340　"听闻此言，尊师，我对离婆多尊者如下说道：'离婆多尊者，阿难陀尊者根据自己的理解进行了解答。现在，我们对此来询问离婆多尊者："离婆多尊者，牛角娑罗树林愉悦，夜晚明亮，娑罗树鲜花盛开，宛若天香飘溢。离婆多尊者，牛角娑罗树林因为什么样的比丘而放光？"'听闻此言，尊师，离婆多尊者对我如下说道：'舍利弗尊者，在此，比丘是乐于独住者，是欢喜独住者，是内在心止息的实践者，是不忽视禅者，是观具足者，是各空弃房屋的增益者。舍利弗尊者，牛角娑罗树林因为这样的比丘而放光。'"

"很好，很好，舍利弗，离婆多所做的解答是对其正确的解答。舍利弗，因为离婆多就是乐于独住者，是欢喜独住者，是内在心止息的实践者，是不忽视禅者，是观具足者，是各空弃房屋的增益者。"

341　"听闻此言，尊师，我对阿那律尊者如下说道：'阿那律尊者，离婆多尊者根据自己的理解进行了解答。现在，我们对此来询问阿那律尊者："阿那律尊者，牛角娑罗树林愉悦，夜晚明亮，娑罗树鲜花盛开，宛若天香飘溢。阿那律尊者，牛角娑罗树林因为什么样的比丘而放光？"'听闻此言，尊师，阿那律尊者对我如下说道：'舍利弗尊者，在此，比丘以清净、非凡的天眼看大千世界。舍利弗尊者,恰如有眼之人登上高楼看千幅圆轮一般。像这样,舍利弗尊者,比丘以清净、非凡的天眼看大千世界。舍利弗尊者,牛角娑罗树林因为这样的比丘而放光。'"

"很好,很好,舍利弗,阿那律所做的解答是对其正确的解答。舍利弗,因为阿那律就是以清净、非凡的天眼看大千世界。"

342 "听闻此言,尊师,我对摩诃迦叶尊者如下说道:'迦叶尊者,阿那律尊者根据自己的理解进行了解答。现在,我们对此来询问摩诃迦叶尊者:"迦叶尊者,牛角娑罗树林愉悦,夜晚明亮,娑罗树鲜花盛开,宛若天香飘溢。迦叶尊者,牛角娑罗树林因为什么样的比丘而放光?"'听闻此言,尊师,摩诃迦叶尊者对我如下说道:'舍利弗尊者,在此,比丘自己是阿兰若住者,也是阿兰若住的称赞者。自己是常乞食者,也是常乞食的称赞者。自己是尘垢行者,也是粪扫衣的称赞者。自己是但三衣者,也是但三衣的称赞者。自己是少欲者,也是少欲的称赞者。自己是知足者,也是知足的称赞者。自己是远离者,也是远离的称赞者。自己是不交际者,也是不交际的称赞者。自己是勤精进者,也是勤精进的称赞者。自己是戒具足者,也是戒具足的称赞者。自己是定具足者,也是定具足的称赞者。自己是慧具足者,也是慧具足的称赞者。自己是解脱具足者,也是解脱具足的称赞者。自己是解脱智见具足者,也是解脱智见具足的称赞者。舍利弗尊者,牛角娑罗树林因为这样的比丘而放光。'"

"很好,很好,舍利弗,迦叶所做的解答是对其正确的解答。舍利弗,因为迦叶自己是阿兰若住者,也是阿兰若住的称赞者。自己是常乞食者,也是常乞食的称赞者。自己是尘垢行者,也是粪扫衣的称赞者。自己是但三衣者,也是但三衣的称赞者。自己是少欲者,也是少欲的称赞者。自己是知足者,也是知足的称赞者。自己是远离者,也是远离的称赞者。自己是不交际者,也是不交际的称赞者。自己是勤精进者,也是勤精进的称赞者。自己是戒具足者,也是戒具足的称赞者。自己是定具足者,也是定具足的称赞者。自己是慧具足者,也是慧具足的称赞者。自己是解脱具足者,也是解脱具足的称赞者。自己是解脱智见具足者,也是解脱智见具足的称赞者。"

343 "听闻此言,尊师,我对摩诃目犍连尊者如下说道:'目犍连尊者,摩诃迦叶尊者根据自己的理解进行了解答。现在,我们对此来询问摩诃目犍连尊者:"目犍连尊者,牛角娑罗树林愉悦,夜晚明亮,娑罗树鲜花盛开,宛若天香飘溢。目犍连尊者,牛角娑罗树林因为什么样的比丘而放光?"'听闻此言,尊师,摩诃目犍连尊者对我如下说道:'舍利弗尊者,在此,二位比丘谈胜法语,他们相互提问,相互对所提的问题加以解答,不回避,成为该法谈的推进者。舍利弗尊者,牛角娑罗树林因为这样的比丘而放光。'"

"很好,很好,舍利弗,目犍连所做的解答是对其正确的解答。舍利弗，因为目犍连就是法语者。"

344 听闻此言，尊者摩诃目犍连对佛陀如下说道："尊师，于是，我对舍利弗尊者如下说道：'舍利弗尊者，我们全部根据自己的理解进行了解答。现在，我们对此来询问舍利弗尊者："舍利弗尊者，牛角娑罗树林愉悦，夜晚明亮，娑罗树鲜花盛开，宛若天香飘溢。舍利弗尊者，牛角娑罗树林因为什么样的比丘而放光？"'听闻此言，尊师，舍利弗尊者对我如下说道：'目犍连尊者，在此，比丘自在转心，而不是比丘被心所转。他如果希望上午住于定，则于上午住于定。如果希望中午住于定，则于中午住于定。如果希望傍晚住于定，则于傍晚住于定。例如，目犍连尊者，国王或大臣拥有装满各色衣服的衣柜。他如果希望上午穿哪一套衣服，则于上午穿那一套衣服。如果希望中午穿哪一套衣服，则于中午穿那一套衣服。如果希望傍晚穿哪一套衣服，则于傍晚穿那一套衣服。像这样，目犍连尊者，比丘自在转心，而不是比丘被心所转。他如果希望上午住于定，则于上午住于定。如果希望中午住于定，则于中午住于定。如果希望傍晚住于定，则于傍晚住于定。目犍连尊者，牛角娑罗树林因为这样的比丘而放光。'"

"很好，很好，目犍连，舍利弗所做的解答是对其正确的解答。目犍连，因为舍利弗就是自在转心，而不是舍利弗被心所转。他如果希望上午住于定，则于上午住于定。如果希望中午住于定，则于中午住于定。如果希望傍晚住于定，则于傍晚住于定。"

345 听闻此言，尊者舍利弗对佛陀如下说道："尊师，那么，谁说的是正确解答？"

"舍利弗，你们全部都是如理做了正确解答。也听我说，牛角娑罗树林因为这样的比丘而放光。舍利弗，在此，比丘吃完饭，结束托钵食以后，他结跏趺而坐，保持身体正直，于面前起念：'我不能无取著地从诸烦恼中获得心解脱，我就不破此跏趺坐。'舍利弗，牛角娑罗树林因为这样的比丘而放光。"

此为佛陀所说。彼诸尊者内心喜悦，欢喜佛陀所说。

（大牛角经完）

第三、大牧牛者经(Mahāgopālakasuttaṃ)

346 如是我闻。

一次，佛陀住在舍卫城附近的祇陀林给孤独园。在此，佛陀对比丘众说道："诸比丘。"

"尊师。"彼比丘众应诺佛陀。

佛陀如下说道："诸比丘，因为具足此十一个方面，所以牧牛者不可能照顾好牛群，令其增大。哪十一个方面？在此，诸比丘，牧牛者不知色，不擅长特相，不驱除虫卵，不包扎伤口,不放烟,不知道浅滩,不知道饮用水,不知道道路,不熟悉牧场,无余榨取乳汁,彼牛父、牛首领的牛王,对于它们不给与足够的恭敬。诸比丘,因为具足此十一个方面,所以牧牛者不可能照顾好牛群,令其增大。

　　正像这样,诸比丘,因为具足此十一个方面,所以比丘不能于此法和律获得繁荣、增长、扩大。哪十一个方面? 在此,诸比丘,比丘不知色,不擅长特相,不驱除虫卵,不包扎伤口,不放烟,不知道浅滩,不知道饮用水,不知道道路,不熟悉牧场,无余榨取乳汁,对于彼长老、耆宿、出家已久、僧团之父、僧团指导者的比丘,对于他们不给与足够的恭敬。"

　　347 "诸比丘,比丘是如何不知色? 在此,诸比丘,比丘不如实地了知'无论什么色,所有色都是四大要素以及四大要素所造色。'像这样,诸比丘,比丘不知色。

　　诸比丘,比丘是如何不擅长特相? 在此,诸比丘,比丘不如实地了知'愚者业相、贤者业相'。像这样,诸比丘,比丘不擅长特相。

　　诸比丘,比丘是如何不驱除虫卵? 在此,诸比丘,比丘容忍已生起的欲思维,不舍弃,不去除,不终结,不消灭。容忍已生起的嗔思维,不舍弃,不去除,不终结,不消灭。容忍已生起的害思维,不舍弃,不去除,不终结,不消灭。容忍不断生起的恶不善法,不舍弃,不去除,不终结,不消灭。像这样,诸比丘,比丘不驱除虫卵。

　　诸比丘,比丘是如何不包扎伤口? 在此,诸比丘,比丘以眼观色时，取相，取随相。如果不守护眼根而住，其结果是贪求、忧郁等恶不善法就会流入。然而，他却没有为了其防护而采取行动，不守护眼根，对眼根不加以防护。

以耳闻声时，取相，取随相。如果不守护耳根而住，其结果是贪求、忧郁等恶不善法就会流入。然而，他却没有为了其防护而采取行动，不守护耳根，对耳根不加以防护。

以鼻嗅香时，取相，取随相。如果不守护鼻根而住，其结果是贪求、忧郁等恶不善法就会流入。然而，他却没有为了其防护而采取行动，不守护鼻根，对鼻根不加以防护。

以舌品味时，取相，取随相。如果不守护舌根而住，其结果是贪求、忧郁等恶不善法就会流入。然而，他却没有为了其防护而采取行动，不守护舌根，对舌根不加以防护。

以身接触所触时，取相，取随相。如果不守护身根而住，其结果是贪求、忧郁等恶不善法就会流入。然而，他却没有为了其防护而采取行动，不守护身根，对身根不加以防护。

以意知法时，取相，取随相。如果不守护意根而住，其结果是贪求、忧郁等恶不善法就会流入。然而，他却没有为了其防护而采取行动，不守护意根，对意根不加以防护。像这样，诸比丘，比丘不包扎伤口。

诸比丘，比丘是如何不放烟？在此，诸比丘，比丘不能将所闻、所学的法如实地、详细地讲述给他人。像这样，诸比丘，比丘不放烟。

诸比丘，比丘是如何不知道浅滩？在此，诸比丘，对于彼多闻、精通阿含、受持经、受持律、受持戒本的比丘，比丘不时时接近，不请教问题，不广泛询问：'尊者，此是怎样？此为何意？'为此，彼尊者不清楚的地方仍然不清楚，不明白的地方仍然不明白，对于怀有各种疑问的法，没有消解疑问。像这样，诸比丘，比丘不知道浅滩。

诸比丘，比丘是如何不知道饮用水？在此，诸比丘，比丘对于如来所教导、所阐释的法和律，没有获得意的信受，没有获得法的信受，没有获得法所具有的喜悦。像这样，诸比丘，比丘不知道饮用水。

诸比丘，比丘是如何不知道道路？在此，诸比丘，比丘不如实地了知八正道。像这样，诸比丘，比丘不知道道路。

诸比丘，比丘是如何不熟悉牧场？在此，诸比丘，比丘不如实地了知四念处。像这样，诸比丘，比丘不熟悉牧场。

诸比丘，比丘是如何无余榨取乳汁？在此，诸比丘，有信仰的居家者带来衣、食、卧具、医药等资具供养比丘，比丘对其不知量地加以接受。像这样，诸比丘，比丘无余榨取乳汁。

对于彼长老、耆宿、出家已久、僧团之父、僧团指导者的比丘，诸比丘，比丘是如何对于他们不给与足够的恭敬？在此，诸比丘，对于彼长老、耆宿、出家已久、僧团之父、僧团指导者的比丘，比丘对于他们或当面或背后不以慈身业加以恭敬，或当面或背后不以慈语业加以恭敬，或当面或背后不以慈意业加以恭敬。像这样，诸比丘，对于彼长老、耆宿、出家已久、僧团之父、僧团指导者的比丘，比丘对于他们不给与足够的恭敬。

诸比丘，因为具足此十一个方面，所以比丘不能于此法和律获得繁荣、增长、扩大。"

348 "诸比丘，因为具足此十一个方面，所以牧牛者可以照顾好牛群，令其增大。哪十一个方面？在此，诸比丘，牧牛者知色，擅长特相，驱除虫卵，包扎伤口，放烟，知道浅滩，知道饮用水，知道道路，熟悉牧场，有余榨取乳汁，彼牛父、牛首领的牛王，对于它们给与足够的恭敬。

正像这样，诸比丘，因为具足此十一个方面，所以比丘可以于此法和律获得繁荣、增长、扩大。哪十一个方面？在此，诸比丘，比丘知色，擅长特相，驱除虫卵，包扎伤口，放烟，知道浅滩，知道饮用水，知道道路，熟悉牧场，有余榨取乳汁，对于彼长老、耆宿、出家已久、僧团之父、僧团指导者的比丘，对于他们给与足够的恭敬。"

349 "诸比丘，比丘是如何知色？在此，诸比丘，比丘如实地了知'无论什么色，所有色都是四大要素以及四大要素所造色。'像这样，诸比丘，比丘知色。

诸比丘，比丘是如何擅长特相？在此，诸比丘，比丘如实地了知'愚者业相、贤者业相'。像这样，诸比丘，比丘擅长特相。

诸比丘，比丘是如何驱除虫卵？在此，诸比丘，比丘不容忍已生起的欲思维，舍弃，去除，终结，消灭。不容忍已生起的嗔思维，舍弃，去除，终结，消灭。不容忍已生起的害思维，舍弃，去除，终结，消灭。不容忍不断生起的恶不善法，舍弃，去除，终结，消灭。像这样，诸比丘，比丘驱除虫卵。

诸比丘，比丘是如何包扎伤口？在此，诸比丘，比丘以眼观色时，不取相，不取随相。如果不守护眼根而住，其结果是贪求、忧郁等恶不善法就会流入。因此，他为了其防护而采取行动，守护眼根，对眼根加以防护。

以耳闻声时，不取相，不取随相。如果不守护耳根而住，其结果是贪求、忧郁等恶不善法就会流入。因此，他为了其防护而采取行动，守护耳根，对耳根加以防护。

以鼻嗅香时，不取相，不取随相。如果不守护鼻根而住，其结果是贪求、忧郁等恶不善法就会流入。因此，他为了其防护而采取行动，守护鼻根，对鼻根加以防护。

以舌品味时，不取相，不取随相。如果不守护舌根而住，其结果是贪求、忧郁等恶不善法就会流入。因此，他为了其防护而采取行动，守护舌根，对舌根加以防护。

以身接触所触时，不取相，不取随相。如果不守护身根而住，其结果是贪求、忧郁等恶不善法就会流入。因此，他为了其防护而采取行动，守护身根，对身根加以防护。

以意知法时，不取相，不取随相。如果不守护意根而住，其结果是贪求、忧郁等恶不善法就会流入。因此，他为了其防护而采取行动，守护意根，对意根加以防护。像这样，诸比丘，比丘包扎伤口。

诸比丘，比丘是如何放烟？在此，诸比丘，比丘能够将所闻、所学的法如实地、详细地讲述给他人。像这样，诸比丘，比丘放烟。

诸比丘，比丘是如何知道浅滩？在此，诸比丘，对于彼多闻、精通阿含、受持经、受持律、受持戒本的比丘，比丘时时接近，请教问题，广泛询问：'尊者，此是怎样？此为何意？'为此，彼尊者不清楚的地方变得清楚，不明白的地方变得明白，对于怀有各种疑问的法，消解疑问。像这样，诸比丘，比丘知道浅滩。

诸比丘，比丘是如何知道饮用水？在此，诸比丘，比丘对于如来所教导、所阐释的法和律，获得意的信受，获得法的信受，获得法所具有的喜悦。像这样，诸比丘，比丘知道饮用水。

诸比丘，比丘是如何知道道路？在此，诸比丘，比丘如实地了知八正道。像这样，诸比丘，比丘知道道路。

诸比丘，比丘是如何熟悉牧场？在此，诸比丘，比丘如实地了知四念处。像这样，诸比丘，比丘熟悉牧场。

诸比丘，比丘是如何有余榨取乳汁？在此，诸比丘，有信仰的居家者带来衣、食、卧具、医药等资具供养比丘，比丘对其知量地加以接受。像这样，诸比丘，比丘有余榨取乳汁。

对于彼长老、耆宿、出家已久、僧团之父、僧团指导者的比丘，诸比丘，比丘是如何对于他们给与足够的恭敬？在此，诸比丘，对于彼长老、耆宿、出家已久、僧团之父、僧团指导者的比丘，比丘对于他们或当面或背后均以慈身业加以恭敬，或当面或背后均以慈语业加以恭敬,或当面或背后均以慈意业加以恭敬。像这样,诸比丘,对于彼长老、耆宿、出家已久、僧团之父、僧团指导者的比丘,比丘对于他们给与足够的恭敬。

诸比丘,因为具足此十一个方面,所以比丘能够于此法和律获得繁荣、增长、扩大。"

此为佛陀所说。彼比丘众内心喜悦,欢喜佛陀所说。

（大牧牛者经完）

第四、小牧牛者经(Cūḷagopālakasuttaṃ)

350 如是我闻。

一次,佛陀住在跋耆国的郁伽切罗城附近的恒河岸边。在此,佛陀对比丘众说道:"诸比丘。"

"尊师。"彼比丘众应诺佛陀。

佛陀如下说道:"诸比丘,过去,愚笨的摩揭陀牧牛者在雨季的最后一个月,在秋季里,没有观察恒河的此岸,没有观察对岸,在水深处令牛群渡河去到对岸的苏比德哈。诸比丘,于是,牛群在恒河水流的中间被水流纠缠,因此遭遇不幸、灾难。此为何故? 诸比丘,因为其愚笨的摩揭陀牧牛者在雨季的最后一个月,在秋季里,没有观察恒河的此岸,没有观察对岸，在水深处令牛群渡河去到对岸的苏比德哈。

正像这样，诸比丘，任何沙门、婆罗门，如果对此世不善巧，对彼世不善巧；对魔王领域不善巧，对非魔王领域不善巧；对死神领域不善巧，对非死神领域不善巧，如果认为应听他们，应信他们，那么，此对他们将会成为长久的不利和痛苦。"

351 "诸比丘，过去，聪明的摩揭陀牧牛者在雨季的最后一个月，在秋季里，观察恒河的此岸，观察对岸，在水浅处令牛群渡河去到对岸的苏比德哈。他首先让彼牛父、牛首领的牛王渡河。它们横渡恒河，平安地到达对岸。然后他让有力气、被调训的牛渡河。它们也横渡恒河，平安地到达对岸。然后他让年轻的公牛犊、母牛犊渡河。它们也横渡恒河，平安地到达对岸。然后他让力气稍差的牛犊渡河。它们也横渡恒河，平安地到达对岸。诸比丘，过去，幼小牛犊始终跟随在母牛旁边，其也横渡恒河，平安地到达对岸。此为何故？诸比丘，因为其聪明的摩揭陀牧牛者在雨季的最后一个月，在秋季里，观察恒河的此岸，观察对岸，在水浅处令牛群渡河去到对岸的苏比德哈。

正像这样，诸比丘，任何沙门、婆罗门，如果对此世善巧，对彼世善巧；对魔王领域善巧，对非魔王领域善巧；对死神领域善巧，对非死神领域善巧，如果认为应听他们、信他们，那么，此对他们将会成为长久的利益和安乐。"

352 "诸比丘，似彼牛父、牛首领的牛王横渡恒河，平安地到达对岸。像这样，诸比丘，彼比丘是阿罗汉、漏尽者、修行圆满、应作已作、重负已卸、已达己利、有结漏尽、完全了知的解脱者，他们横渡魔王的河流，平安地到达彼岸。

诸比丘，似彼有力气、被调训的牛横渡恒河，平安地到达对岸。像这样，诸比丘，彼比丘由于灭尽了五下分的束缚，其全部成为不还者，在那里成为般涅槃者，不再从彼世界返回，他们也将横渡魔王的河流，平安地到达彼岸。

诸比丘，似彼年轻的公牛犊、母牛犊横渡恒河，平安地到达对岸。像这样，诸比丘，彼比丘由于三种束缚灭尽，贪嗔痴微薄，其全部成为一来者，仅仅一次返回这个世界灭尽全部的苦，他们也将横渡魔王的河流，平安地到达彼岸。

诸比丘，似彼力气稍差的牛也横渡恒河，平安地到达对岸。像这样，诸比丘，彼比丘因为灭尽了三种束缚，其全部成为预流者，成为不退转者，成为决定者，成为可以到达正等觉之人，他们也将横渡魔王的河流，平安地到达彼岸。

诸比丘，似彼始终跟随在母牛旁边的幼小牛犊也横渡恒河，平安地到达对岸。像这样，诸比丘，彼比丘是法随行者、信随行者，他们也将横渡魔王的河流，平安地到达彼岸。

诸比丘，我对此世善巧，对彼世善巧；对魔王领域善巧，对非魔王领域善巧；对死神领域善巧，对非死神领域善巧。因此，诸比丘，如果认为应听我、信我，那么，其对他们将会成为长久的利益和安乐。"

此是佛陀所说。善逝如是说以后，导师进而如下说道：

"智者善说示，此世与彼世；
魔王到达处，及死不达处。

自证全世界，正等觉已知；
不死门已开，平安到涅槃。

魔流被斩断，破坏并粉碎；
成为多喜者，比丘得安稳。"

（小牧牛者经完）

第五、小萨遮迦经（Cūḷasaccakasuttaṃ）

353　如是我闻。

一次，佛陀住在毗舍离附近大林中的重阁讲堂。

当时，喜欢辩论、自称贤者、受到众人尊敬的尼干陀门徒之子萨遮迦住在毗舍离。他在毗舍离的大众中如下宣称："我没有看到彼沙门、婆罗门率领僧团，拥有大众，为众人师，以及自称是阿罗汉、正等觉者，因为我发出的辩论之言而不震动、不大震动、不极大震动者，腋下不出汗者。即使我对无意识的祭坛柱发出声音，其也因为我发出的辩论之言而震动、大震动、极大震动，更何况与人辩论？"

当时，尊者马胜于上午，着衣，持衣钵，进入毗舍离托钵乞食。尼干陀门徒之子萨遮迦在毗舍离散步，漫步，信步而行，看到尊者马胜从远处走来。看到以后便接近尊者马胜，靠近以后与尊者马胜互致问候，互致令人欢喜、值得铭记之言以后立于一旁。立在一旁的尼干陀门徒之子萨遮迦对尊者马胜如下说道："朋友马胜，沙门乔达摩怎样教导弟子？在沙门乔达摩的弟子中哪些内容被更多地教导？"

"阿奇贝萨纳，世尊这样教导弟子，这些内容在世尊的弟子中被更多地教导：'诸比丘，色无常，受无常，想无常，行无常，识无常。诸比丘，色无我，受无我，想无我，行无我，识无我。诸行无常，诸法无我。'阿奇贝萨纳，世尊这样教导弟子，这些内容在世尊的弟子中被更多地教导。"

"朋友马胜，我们真是听到了不堪入耳之言，我们听到沙门乔达摩竟然如此主张。但愿我们某时能够见到彼乔达摩尊者。但愿能够进行谈话。但愿能令其远离彼邪恶见。"

354 当时，有五百离车族人为某些应做之事而共坐在集会所里。尼干陀门徒之子萨遮迦接近彼离车族人，靠近以后对离车族人如下说道："尊敬的离车族人，去！尊敬的离车族人，去！今天我将与沙门乔达摩辩论。如果像著名弟子之一的名叫马胜的比丘对我所主张的那样，沙门乔达摩对我加以主张，那么，恰似强有力之人抓住长毛山羊的毛推、拉、旋转，像这样，我通过辩论将沙门乔达摩推、拉、旋转。恰似强有力的酿酒者将巨大的筛子投入深水池中，抓住边角推、拉、旋转，像这样，我通过辩论将沙门乔达摩推、拉、旋转。恰似强有力的酿酒者抓住酒桶的角按下、提起、敲打,像这样,我通过辩论将沙门乔达摩按下、提起、敲打。恰似六十岁的大象进入甚深的莲池玩嬉水游戏,像这样,我与沙门乔达摩玩嬉水游戏。尊敬的离车族人,去!尊敬的离车族人,去!今天我将与沙门乔达摩辩论。"

于是,有些离车族人如下思考:"沙门乔达摩将如何解答尼干陀门徒之子萨遮迦的论点?或者尼干陀门徒之子萨遮迦将如何解答沙门乔达摩的论点?"

有些离车族人如下思考:"尼干陀门徒之子萨遮迦将通过什么解答佛陀的论点?佛陀将通过什么解答尼干陀门徒之子萨遮迦的论点?"

于是,尼干陀门徒之子萨遮迦在五百离车族人的簇拥下向大林中的重阁讲堂接近。

355　恰逢很多比丘正在空地上经行。于是,尼干陀门徒之子萨遮迦接近彼比丘众,靠近以后向彼比丘众如下问道:"诸朋友,彼乔达摩尊者住在哪里?我们想见彼乔达摩尊者。"

"阿奇贝萨纳,彼世尊进入大林深处,坐在一棵大树下午休。"

于是,尼干陀门徒之子萨遮迦与离车族人一起进入大林深处,向佛陀就座的地方接近,靠近佛陀以后,互致问候,互致令人欢喜、值得铭记之言以后坐于一旁。彼离车族人,有些人顶礼佛陀后坐于一旁,有些人与佛陀互致问候,互致令人欢喜、值得铭记之言后坐于一旁。有些人向佛陀行合掌礼后坐于一旁。有些人向佛陀通报姓名之后坐于一旁。有些人默然坐于一旁。

356　坐于一旁的尼干陀门徒之子萨遮迦对佛陀如下说道："我有些问题想问乔达摩尊者。但愿乔达摩尊者给我机会回答我的问题。"

"请问，阿奇贝萨纳，尽你所愿。"

"沙门乔达摩怎样教导弟子？在沙门乔达摩的弟子中哪些内容被更多地教导？"

"阿奇贝萨纳，我这样教导弟子，这些内容在我的弟子中被更多地教导：'诸比丘，色无常，受无常，想无常，行无常，识无常。诸比丘，色无我，受无我，想无我，行无我，识无我。诸行无常，诸法无我。'阿奇贝萨纳，我这样教导弟子，这些内容在我的弟子中被更多地教导。"

"乔达摩尊者，我有个譬喻。"

"阿奇贝萨纳，请说。"佛陀回答。

"乔达摩尊者，例如，各种草木繁荣、增长、扩大，其全部依靠于大地，依附于大地。像这样，各种草木获得繁荣、增长、扩大。另外，乔达摩尊者，例如，各种需要力量的业得到完成，其全部依靠于大地，依附于大地。像这样，各种需要力量的业得到完成。像这样，乔达摩尊者，此以色为我的人依于色而生出功德和非功德。此以受为我的人依于受而生出功德和非功德。此以想为我的人依于想而生出功德和非功德。此以行为我的人依于行而生出功德和非功德。此以识为我的人依于识而生出功德和非功德。"

"阿奇贝萨纳，你是在说：'色是我的我，受是我的我，想是我的我，行是我的我，识是我的我'吗？"

"乔达摩尊者，我是在说：'色是我的我，受是我的我，想是我的我，行是我的我，识是我的我。'此是大家的共识。"

"阿奇贝萨纳，彼大家的共识与你有何相干？来，阿奇贝萨纳，你用自己的语言加以说明。"

"乔达摩尊者，我这样说：'色是我的我，受是我的我，想是我的我，行是我的我，识是我的我。'"

357　"那么，阿奇贝萨纳，据此，我来反问，你如果可以，那么请回答。阿奇贝萨纳，对此如何思考？刹帝利灌顶王在自己的领地上行使权力：'杀掉该杀者，没收该没收者，流放该流放者，像拘萨罗国的波斯匿王那样，像摩揭陀国的韦提希妃之子阿阇世王那样。'"

"乔达摩尊者，刹帝利灌顶王在自己的领地上行使权力：'杀掉该杀者，没收该没收者，流放该流放者，像拘萨罗国的波斯匿王那样，像摩揭陀国的韦提希妃之子阿阇世王那样。'乔达摩尊者，因为这些人，如跋耆人、末罗人也在自己的领地上行使权力：'杀掉该杀者，没收该没收者，流放该流放者，像拘萨罗国的波斯匿王那样，像摩揭陀国的韦提希妃之子阿阇世王那样。'更何况是像拘萨罗国的波斯匿王那样，像摩揭陀国的韦提希妃之子阿阇世王那样的刹帝利灌顶王？乔达摩尊者,大家可以行使权力。"

"阿奇贝萨纳,对此如何思考? 你这样说:'色是我的我。'你能于彼色行使权力'我的色成为这样。我的色不成为这样'吗?"听闻此言,尼干陀门徒之子萨遮迦沉默不语。

第二次,佛陀对尼干陀门徒之子萨遮迦如下说道:"阿奇贝萨纳,对此如何思考? 你这样说:'色是我的我。'你能于彼色行使权力'我的色成为这样。我的色不成为这样'吗?"第二次,尼干陀门徒之子萨遮迦仍沉默不语。

于是,佛陀对尼干陀门徒之子萨遮迦如下说道:"阿奇贝萨纳,你要回答。现在不是你沉默的时候。阿奇贝萨纳,如果被如来如法询问三次却不作回答,那么,你的头颅将会立即七裂。"

这时,金刚手夜叉手持炽热、燃烧、耀眼的大铁锤立于尼干陀门徒之子萨遮迦的头顶上空。他想:"如果这个尼干陀门徒之子萨遮迦三次被佛陀如法提问却不当场回答,我就令他的头颅七裂。"当然,只有佛陀和尼干陀门徒之子萨遮迦能够看到这个金刚手夜叉。尼干陀门徒之子萨遮迦恐惧、战栗、浑身发抖,只能求助佛陀的保护,只能求助佛陀的庇护,只能求助佛陀的救护,便对佛陀如下说道:"请乔达摩尊者问我。我来回答。"

358 "阿奇贝萨纳,对此如何思考? 你这样说:'色是我的我。'你能于彼色行使权力'我的色成为这样。我的色不成为这样'吗?"

"此不能,乔达摩尊者。"

"阿奇贝萨纳,请认真思考。阿奇贝萨纳,认真思考以后再解答。你不要用前面否定后面,不要用后面否定前面。阿奇贝萨纳,对此如何思考? 你这样说:'受是我的我。'你能于彼受行使权力'我的受成为这样。我的受不成为这样'吗?"

"此不能,乔达摩尊者。"

"阿奇贝萨纳,请认真思考。阿奇贝萨纳,认真思考以后再解答。你不要用前面否定后面,不要用后面否定前面。阿奇贝萨纳,对此如何思考? 你这样说:'想是我的我。'你能于彼想行使权力'我的想成为这样。我的想不成为这样'吗?"

"此不能,乔达摩尊者。"

"阿奇贝萨纳,请认真思考。阿奇贝萨纳,认真思考以后再解答。你不要用前面否定后面,不要用后面否定前面。阿奇贝萨纳,对此如何思考? 你这样说:'行是我的我。'你能于彼行行使权力'我的行成为这样。我的行不成为这样'吗?"

"此不能,乔达摩尊者。"

"阿奇贝萨纳,请认真思考。阿奇贝萨纳,认真思考以后再解答。你不要用前面否定后面,不要用后面否定前面。阿奇贝萨纳,对此如何思考? 你这样说:'识是我的我。'你能于彼识行使权力'我的识成为这样。我的识不成为这样'

吗?"

"此不能,乔达摩尊者。"

"阿奇贝萨纳,请认真思考。阿奇贝萨纳,认真思考以后再解答。你不要用前面否定后面,不要用后面否定前面。阿奇贝萨纳,对此如何思考? 色是常还是无常?"

"是无常,乔达摩尊者。"

"阿奇贝萨纳,无常者是苦还是乐?"

"是苦,乔达摩尊者。"

"阿奇贝萨纳,无常、苦、变异者,认为'此是我的。此是我。此是我的我。'此是恰当还是不恰当?"

"不恰当,乔达摩尊者。"

"阿奇贝萨纳,对此如何思考? 受是常还是无常? 同样,想是常还是无常? 行是常还是无常? 识是常还是无常?"

"是无常,乔达摩尊者。"

"阿奇贝萨纳,无常者是苦还是乐?"

"是苦,乔达摩尊者。"

"阿奇贝萨纳,无常、苦、变异者,认为'此是我的。此是我。此是我的我。'此是恰当还是不恰当?"

"不恰当,乔达摩尊者。"

"阿奇贝萨纳,对此如何思考? 执著苦,亲近苦,固执苦者,认为苦'此是我的。此是我。此是我的我。'其能否自我彻底了知苦,彻底灭尽苦而住?"

"乔达摩尊者,此怎么可能? 此不可能,乔达摩尊者。"

"阿奇贝萨纳,对此如何思考? 你是否像这样执著苦,亲近苦,固执苦者,认为苦'此是我的。此是我。此是我的我'?"

"乔达摩尊者,怎么不是呢? 正像这样,乔达摩尊者。"

359 "阿奇贝萨纳,恰似有人寻找心材,追求心材,为了获得心材而到处行走,拿着锋利的斧头进入树林。其看到一棵巨大、笔直、新长出的、极高的芭蕉树干。于是,其切断其根,切断根以后切断头,切断头以后剔除周边的叶子,其剔除周边的叶子却连表皮都没有达到,怎么能到心材? 像这样,阿奇贝萨纳,你针对自己的论点被我们责难、追问、呵责而变得空虚、空无、无法解答。

阿奇贝萨纳,你在毗舍离众人中如下宣称:'我没有看到彼沙门、婆罗门率领僧团,拥有大众,为众人师,以及自称是阿罗汉、正等觉者,因为我发出的辩论之言而不震动、不大震动、不极大震动者,腋下不出汗者。即使我对无意识的祭坛柱发出声音,其也因为我发出的辩论之言而震动、大震动、极大震动者。更何况与人辩论?'然而,阿奇贝萨纳,你的前额流下汗水,透过衣服落到地上。然而,阿奇贝萨纳,我的身体现在没有汗。"佛陀于众人中展示金色身躯。听闻此言,尼干陀门徒之子萨遮迦坐在那里沉默,面红,落魄,低头,悲忧,无法应答。

360 这时,离车族人杜姆卡看到尼干陀门徒之子萨遮迦坐在那里沉默,面红,落魄,低头,悲忧,无法应答,便对佛陀如下说道：“尊师，我们有一个譬喻。”

“请说，杜姆卡。”佛陀应答道。

“尊师，例如，村子或城镇附近有一个莲池，里面有螃蟹。尊师，很多青年男子或青年女子离开他们的村子或城镇，接近彼莲池。靠近以后进入彼莲池，把螃蟹从水中捞出放到陆地上。尊师，如果彼螃蟹伸出蟹钳，青年男子或青年女子则用木棍或小石头将其斩断，打碎，破坏。像这样，尊师，彼螃蟹的所有蟹钳被斩断，被打碎，被破坏，不可能再像以前那样进入莲池。像这样，尊师，尼干陀门徒之子萨遮迦的歪曲，狡辩，偏执，其全部为世尊所斩断，打碎，破坏，尊师，尼干陀门徒之子萨遮迦不可能欲想辩论而再次接近世尊。”

听闻此言，尼干陀门徒之子萨遮迦对离车族人杜姆卡如下说道：“杜姆卡，你让开。杜姆卡，你让开。我们不和你交谈，我们和乔达摩尊者在此交谈。”

361 “乔达摩尊者，我们把其他沙门、婆罗门的言论搁置一边。我认为那是语言游戏。那么，乔达摩尊者的弟子是如何成为教导的实践者、教法的趋向者，舍弃疑惑，超越疑惑，在导师的教导中获得自信，不缘他者而住？”

“在此，阿奇贝萨纳，我的弟子对于过去、将来、现在的任何色，或内或外，或粗或细，或劣或优，或远或近，一切色‘此不是我的。此不是我。此不是我的我。’像这样，如实地以正慧加以观察。

同样，对于过去、将来、现在的任何受，或内或外，或粗或细，或劣或优，或远或近，一切受'此不是我的。此不是我。此不是我的我。'像这样，如实地以正慧加以观察。

对于过去、将来、现在的任何想，或内或外，或粗或细，或劣或优，或远或近，一切想'此不是我的。此不是我。此不是我的我。'像这样，如实地以正慧加以观察。

对于过去、将来、现在的任何行，或内或外，或粗或细，或劣或优，或远或近，一切行'此不是我的。此不是我。此不是我的我。'像这样，如实地以正慧加以观察。

对于过去、将来、现在的任何识，或内或外，或粗或细，或劣或优，或远或近，一切识'此不是我的。此不是我。此不是我的我。'像这样，如实地以正慧加以观察。

只有这样，阿奇贝萨纳，我的弟子成为教导的实践者、教法的趋向者，舍弃疑惑，超越疑惑，在导师的教导中获得自信，不缘他者而住。"

"那么，乔达摩尊者，比丘是如何成为阿罗汉、漏尽者、修行圆满、应作已作、重负已卸、已达己利、有结漏尽、完全了知的解脱者？"

"在此，阿奇贝萨纳，比丘对于过去、将来、现在的任何色，或内或外，或粗或细，或劣或优，或远或近，一切色'此不是我的。此不是我。此不是我的我。'像这样，如实地以正慧加以观察，无取著地成为解脱者。

同样，对于过去、将来、现在的任何受，或内或外，或粗或细，或劣或优，或远或近，一切受'此不是我的。此不是我。

此不是我的我。'像这样,如实地以正慧加以观察,无取著地成为解脱者。

对于过去、将来、现在的任何想,或内或外,或粗或细,或劣或优,或远或近,一切想'此不是我的。此不是我。此不是我的我。'像这样,如实地以正慧加以观察,无取著地成为解脱者。

对于过去、将来、现在的任何行,或内或外,或粗或细,或劣或优,或远或近,一切行'此不是我的。此不是我。此不是我的我。'像这样,如实地以正慧加以观察,无取著地成为解脱者。

对于过去、将来、现在的任何识,或内或外,或粗或细,或劣或优,或远或近,一切识'此不是我的。此不是我。此不是我的我。'像这样,如实地以正慧加以观察,无取著地成为解脱者。

仅仅这样,阿奇贝萨纳,比丘就成为阿罗汉、漏尽者、修行圆满、应作已作、重负已卸、已达己利、有结漏尽、完全了知的解脱者。

阿奇贝萨纳,如此心解脱的比丘具足三无上,即见无上、行道无上、解脱无上。阿奇贝萨纳,如此心解脱的比丘尊敬、尊重、恭敬、供养如来:'彼世尊是觉悟者,为了觉悟而阐述法。彼世尊是调服者,为了调服而阐述法。彼世尊是寂静者,为了寂静而阐述法。彼世尊是度脱者,为了度脱而阐述法。彼世尊是寂灭者,为了寂灭而阐述法。'"

363　听闻此言，尼干陀门徒之子萨遮迦对佛陀如下说道："乔达摩尊者，我们真是厚颜之人，我们真是傲慢之人，我竟然想用自己的论点与乔达摩尊者辩论。乔达摩尊者，人们攻击发情的大象也能获得平安，然而人们攻击乔达摩尊者则不能获得平安。乔达摩尊者，人们攻击燃烧的火堆也能获得平安，然而人们攻击乔达摩尊者则不能获得平安。乔达摩尊者，人们攻击剧毒的蛇也能获得平安，然而人们攻击乔达摩尊者则不能获得平安。乔达摩尊者，我们真是厚颜之人，我们真是傲慢之人，我竟然想用自己的论点与乔达摩尊者辩论。请乔达摩尊者明天和比丘僧团一起来接受我的供斋。"佛陀默然应允。

363　尼干陀门徒之子萨遮迦得知佛陀应允后对彼离车族人如下说道："尊敬的离车族人，请听我说。沙门乔达摩明天和比丘僧团一起接受我的供斋。请为我运来与之相应的东西。"于是，过了当天夜晚，彼离车族人为尼干陀门徒之子萨遮迦运来五百份乳粥用于供斋。于是，尼干陀门徒之子萨遮迦在自己的园林里令人准备了殊胜的硬食和软食以后，命人向佛陀禀报时间："乔达摩尊者，时间已到。斋饭已经准备就绪。"

于是，佛陀于上午，着衣，持衣钵，与比丘僧团一起走向尼干陀门徒之子萨遮迦的园林。走到以后坐在准备好的坐具上。这时，尼干陀门徒之子萨遮迦亲手为以佛陀为中心的比丘僧团供养令人满意的殊胜的硬食和软食。当佛陀吃完饭，手离开钵以后，尼干陀门徒之子萨遮迦取一低坐具坐于一旁。坐于一旁的尼干陀门徒之子萨遮迦对佛陀如下说道："乔达摩尊者，愿此布施具有的功德、大功德成为其布施者的快乐。"

"阿奇贝萨纳，如你这样未离贪、未离嗔、未离痴的布施者，对于这样的布施者，其也将会有快乐。阿奇贝萨纳，因为如我这样离贪、离嗔、离痴的被供养者，对于你这样的布施者，其也将会有快乐。"

（小萨遮迦经完）

第六、大萨遮迦经 (Mahāsaccakasuttaṃ)

364 如是我闻。

一次，佛陀住在毗舍离附近大林中的重阁讲堂。

佛陀于上午，着衣，持衣钵，准备进入毗舍离托钵乞食。当时，尼干陀门徒之子萨遮迦在散步，漫步，信步而行，逐渐向大林中的重阁讲堂接近。

尊者阿难陀看到尼干陀门徒之子萨遮迦从远处走来。看到以后对佛陀如下说道："尊师，喜欢辩论、自称贤者、受到众人尊敬的此尼干陀门徒之子萨遮迦正在走来。尊师，他是想诽谤佛，想诽谤法，想诽谤僧。尊师，请世尊慈悲暂坐一会。"佛陀坐在准备好的坐具上。

尼干陀门徒之子萨遮迦接近佛陀所在的地方,靠近以后与佛陀互致问候,互致令人欢喜、值得铭记之言以后坐于一旁。坐于一旁的尼干陀门徒之子萨遮迦对佛陀如下说道:

365 "乔达摩尊者,某些沙门、婆罗门致力于身修习的修行而住,不是心修习。乔达摩尊者,因为他们体会身体的苦受。乔达摩尊者,对于过去体会身体苦受者,肯定也将会出现惊恐,也将会心脏破碎,热血也将从口里喷出,也将会变得疯狂、精神错乱。乔达摩尊者,因为其心跟随其身体,因为身体的力量而转动。此为何故?因为没有修习心。

另外,乔达摩尊者,某些沙门、婆罗门致力于心修习的修行而住,不是身修习。乔达摩尊者,因为他们体会心的苦受。乔达摩尊者,对于过去体会心苦受者,肯定也将会出现惊恐,也将会心脏破碎,热血也将从口里喷出,也将会变得疯狂、精神错乱。乔达摩尊者,因为其身体跟随其心,因为心的力量而转起。此为何故?因为没有修习身。

乔达摩尊者,我如下思考:'乔达摩尊者的弟子就是致力于心修习的修行而住,不是身修习。'"

366 "那么,阿奇贝萨纳,你所听到的身修习是怎么样的?"

"例如,难陀·婆磋、耆萨·僧耆迦、末迦利·瞿舍罗,乔达摩尊者,他们是裸行者、便溺随意行者、舔手者、不接受供养者、被叫站住也不站住者。其不受用运来的食物、不接受别请、不接受招待。其不从瓶口接受、不从锅口接受,不在围院里、不在鞭杖间、不在棍棒间、不在二人进食时、不从孕妇、不从哺乳妇女、不从与男性有过交往的女性、不对特别募集的食物、不对供养的食物予以接受,不在苍蝇群聚处接受。其不受鱼、不受肉、不喝米酒、不喝果酒、不喝酸粥。其为一户一口食者、二户二口食者,乃至七户七口食者。其接受一钵供养,亦接受二钵供养,乃至亦接受七钵供养。其隔一日进食,亦隔二日进食,乃至亦隔七日进食,像这样,亦从事并实践着半月定期进食而住。”

“阿奇贝萨纳,他们是否仅仅如此生活?”

“乔达摩尊者,不是。乔达摩尊者,他们有时候咀嚼美味的硬食,食用美味的软食,品尝美味的食物,饮用美味的饮品。因此,他们令身体实际上增加了力气,实际上变得强壮,实际上变得肥胖。”

“阿奇贝萨纳,他们是先舍弃而后聚集,像这样增减此身体。那么,阿奇贝萨纳,你所听到的心修习是怎么样的?”被佛陀询问心修习的尼干陀门徒之子萨遮迦无法回答。

367 于是,佛陀对尼干陀门徒之子萨遮迦如下说道:“阿奇贝萨纳,你前面所说的身修习,其于圣律中并不是如法的身修习。阿奇贝萨纳,你连身修习都不知道,你怎么会知道心修习?阿奇贝萨纳,其实有非身修习和非心修习,也有身修习和心修习。你仔细听,充分作意。我来说。”

“好,尊师。”尼干陀门徒之子萨遮迦应诺佛陀。佛陀如下说道：

368 "阿奇贝萨纳,如何是非身修习和非心修习？在此,阿奇贝萨纳,于无闻的凡夫生起乐受。其因为接触乐受而成为对乐有贪欲者,变得对乐有贪欲。于其,彼乐受消失。因为乐受的消失而苦受生起。其接触苦受而悲伤、疲惫、哭泣、哭嚎、精神错乱。阿奇贝萨纳,那些于其已生起的乐受,亦因为不修习身,所以心散乱而住,已生起的苦受,亦因为不修习心,所以心散乱而住。阿奇贝萨纳,任何人对于如此两个方面,对于已生起的乐受因为不修习身,所以心散乱而住,对于已生起的苦受,因为不修习心,所以心散乱而住,像这样,阿奇贝萨纳,此就成为非身修习和非心修习。"

369 "阿奇贝萨纳,如何是身修习和心修习？在此,阿奇贝萨纳,于多闻的圣弟子生起乐受。其虽然接触乐受却不成为对乐有贪欲者,不变得对乐有贪欲。于其,彼乐受消失。因为乐受的消失而苦受生起。其接触苦受而不悲伤、不疲惫、不哭泣、不哭嚎、不精神错乱。阿奇贝萨纳,那些于其已生起的乐受,亦因为修习身,所以心不散乱而住,已生起的苦受,亦因为修习心,所以心不散乱而住。阿奇贝萨纳,任何人对于如此两个方面,对于已生起的乐受,因为修习身,所以心不散乱而住,对于已生起的苦受,因为修习心,所以心不散乱而住,像这样,阿奇贝萨纳,此就成为身修习和心修习。"

370 "我对乔达摩尊者是如此有净信！因为乔达摩尊者就是身修习者和心修习者。"

"阿奇贝萨纳，你所阐述的的确是你斥责、排斥的观点，那么，我来为你解说。阿奇贝萨纳，此我剃除须发，披上袈裟，舍家出家以后，于彼我，没有这样的时候，即对于已生起的乐受，心散乱而住，对于已生起的苦受，心散乱而住。"

"的确于乔达摩尊者，虽然已生起乐受，但是对于已生起的那样的乐受，心不散乱而住。的确于乔达摩尊者，虽然已生起苦受，但是对于已生起的那样的苦受，心不散乱而住。"

371　"阿奇贝萨纳，怎么会不是呢？阿奇贝萨纳，实际上我在未获得正等觉以前，还是未获得正等觉的菩萨的时候，我这样思考：'家庭生活障碍重重，如同行走在泥泞土路上，出家则似空旷露地。居家生活很难像贝磨珍珠般进行完全圆满、完全遍净的梵行。我剃除须发，披上僧衣，舍家出家如何？'阿奇贝萨纳，后来，彼我尽管还很年轻，还是风华正茂、朝气蓬勃的青年，还处在人生的第一阶段，虽然父母不同意，泪流满面，却剃除须发，披上僧衣，舍家出家。像这样出家以后，其为了寻求何为善，追求着最上寂静语而接近阿罗罗·伽罗摩所在的地方。靠近以后，对阿罗罗·伽罗摩如下说道：'伽罗摩尊者，我想于此法和律修梵行。'听闻此言，阿奇贝萨纳，阿罗罗·伽罗摩对我如下说道：'尊者，请住下。这样的法，像您这样的智慧之人很快就能自我证知，证得，具足与自己的导师相同的程度而住。'阿奇贝萨纳，彼我不久就迅速地完全掌握了该法。阿奇贝萨纳，彼我仅动动嘴唇、小声细语就讲出了智慧之论、长老之说。我和其他人都声称：

'我知道。我见到。'阿奇贝萨纳，彼我如下思考：'阿罗罗·伽罗摩教授此法并不是仅仅出于信，而是自我证知，证得，具足而住。阿罗罗·伽罗摩的确是知道、见到此法而住。'

阿奇贝萨纳，于是，我接近阿罗罗·伽罗摩所在的地方。靠近以后，对阿罗罗·伽罗摩如下说道：'伽罗摩尊者，到了什么程度，您宣称自我证知，证得，具足此法而住？'听闻此言，阿奇贝萨纳，阿罗罗·伽罗摩告诉了我无所有处。阿奇贝萨纳，彼我如下思考：'不是只有阿罗罗·伽罗摩有信，我也有信。不是只有阿罗罗·伽罗摩有精进，我也有精进。不是只有阿罗罗·伽罗摩有念，我也有念。不是只有阿罗罗·伽罗摩有定，我也有定。不是只有阿罗罗·伽罗摩有慧，我也有慧。阿罗罗·伽罗摩于彼法自我证知，证得，具足而住，为了证得彼法，我精进如何？'阿奇贝萨纳，于是，彼我不久就迅速地自我证知，证得，具足彼法而住。

阿奇贝萨纳，于是，我接近阿罗罗·伽罗摩所在的地方。靠近以后，对阿罗罗·伽罗摩如下说道：'伽罗摩尊者，您所阐述的自我证知，证得，具足而住的彼法就是这些吗？'

'尊者，我所阐述的自我证知，证得，具足而住的彼法就是这些。'

'尊者，我也完全自我证知，证得，具足此法而住。'

'尊者，我们是利得者。尊者，我们是善利得者。我们看到了像尊者这样的同修行者。我自我证知，证得，具足而阐述的法，您也自我证知，证得，具足而住于彼法。您自我证知,证得,具足而住的彼法,我也自我证知,证得,具足而阐述彼法。我知道的法,您也知道彼法,您知道的法,我也知道彼法。我的水平就是您的水平,您的水平就是我的水平。尊者,来,现在我们两个人来率领此众人。'阿奇贝萨纳,像这样,阿罗罗·伽罗摩虽然是我的导师,却将学生的我置于与自己相同的地位,以盛大的供养来供养我。阿奇贝萨纳,彼我如下思考:'此法不是为了离厌、离贪、灭尽、寂静、证智、觉悟、涅槃而转起,其只是为了再生于无所有处。'阿奇贝萨纳,彼我不满足彼法,厌弃并离开彼法。"

372 "阿奇贝萨纳,为了寻求何为善,追求着最上寂静语,彼我接近郁陀罗·罗摩子所在的地方。靠近以后,对郁陀罗·罗摩子如下说道:'罗摩尊者,我想于此法和律修梵行。'听闻此言,阿奇贝萨纳,郁陀罗·罗摩子对我如下说道:'尊者,请住下。像这样的法,您这样的智慧之人很快就能自我证知,证得,具足与自己的导师相同的程度而住。'阿奇贝萨纳,彼我不久就迅速地完全掌握了该法。阿奇贝萨纳,彼我仅动动嘴唇、小声细语就讲出了智慧之论、长老之说。我和其他人都声称:'我知道。我见到。'阿奇贝萨纳,彼我如下思考:'郁陀罗·罗摩子教授此法并不是仅仅出于信,而是自我证知,证得,具足而住。郁陀罗·罗摩子的确是知道、见到此法而住。'

阿奇贝萨纳,于是,我接近郁陀罗·罗摩子所在的地方。靠近以后,对郁陀罗·罗摩子如下说道:'罗摩尊者,到了什么程度，您宣称自我证知，证得，具足此法而住？'听闻此言，阿奇贝萨纳，郁陀罗·罗摩子告诉了我非想非非想处。阿奇贝萨纳，彼我如下思考：'不是只有郁陀罗·罗摩子有信，我也有信。不是只有郁陀罗·罗摩子有精进，我也有精进。不是只有郁陀罗·罗摩子有念，我也有念。不是只有郁陀罗·罗摩子有定，我也有定。不是只有郁陀罗·罗摩子有慧，我也有慧。郁陀罗·罗摩子于彼法自我证知，证得，具足而住，为了证得彼法，我精进如何？'阿奇贝萨纳，于是，彼我不久就迅速地自我证知，证得，具足彼法而住。

阿奇贝萨纳，于是，我接近郁陀罗·罗摩子所在的地方。靠近以后，对郁陀罗·罗摩子如下说道：'罗摩尊者，您所阐述的自我证知，证得，具足而住的彼法就是这些吗？'

'尊者，我所阐述的自我证知，证得，具足而住的彼法就是这些。'

'尊者，我也完全自我证知，证得，具足此法而住。'

'尊者，我们是利得者。尊者，我们是善利得者。我们看到了像尊者这样的同修行者。我自我证知，证得，具足而阐述的法，您也自我证知，证得，具足而住于彼法。您自我证知，证得，具足而住的彼法，我也自我证知，证得，具足而阐述彼法。我知道的法，您也知道彼法，您知道的法，我也知道彼法。我的水平就是您的水平，您的水平就是我的水平。尊者，来，现在您来率领此众人。'阿奇贝萨纳，像这样，虽然是我的同修行者，郁陀罗·罗摩子却将我置于导师的地位，以盛大的供养来供养我。阿奇贝萨纳,彼我如下思考:'此法不是为了离厌、离贪、灭尽、寂静、证智、觉悟、涅槃而转起,其只是为了再生于非想非非想处。'阿奇贝萨纳,彼我不满足彼法,厌弃并离开彼法。"

373　"阿奇贝萨纳,为了寻求何为善,追求着最上寂静语,彼我在摩羯陀国次第游化,进入到优楼比罗城的斯那镇。在那里看到愉悦的大地,清净的密林,水量充沛的河流,清洁、快乐的浅滩,各处适合近行的村庄。阿奇贝萨纳,彼我如下思考:'啊,实际上这是愉悦的大地,清净的密林,水量充沛的河流,清洁、快乐的浅滩,各处适合近行的村庄。这是适合想要精勤的善家子弟的精勤处。'阿奇贝萨纳,于是彼我在那里坐下:'此处适合精勤。'"

374　"阿奇贝萨纳,于我出现了三个不可思议的前所未闻的比喻。阿奇贝萨纳,例如,有潮湿、湿润、被浸放在水里的木片。有人带着钻木的上半截而来,想生起火,想点燃火。阿奇贝萨纳,对此如何思考?该人能否用钻木的上半截在潮湿、湿润、被浸放在水里的木片上摩擦生起火,点燃火?"

"乔达摩尊者,此不可能。"

"此为何故?"

"乔达摩尊者,因为该木片潮湿、湿润,而且还被浸放在水里。彼人徒有疲惫、恼乱。"

"正像这样,阿奇贝萨纳,任何沙门、婆罗门,身心没有远离诸欲而住,于彼诸欲贪着爱欲、执著爱欲、痴迷爱欲、渴望爱欲、热衷爱欲，其是于内未善舍断者，未善止息者，当彼令人尊敬的沙门、婆罗门感受到强烈、激烈、剧烈、残酷的苦受时，其不可能指向智见、无上正等觉。当彼令人尊敬的沙门、婆罗门没有感受到强烈、激烈、剧烈、残酷的苦受时，其也不可能指向智见、无上正等觉。阿奇贝萨纳，此是于我出现的第一个不可思议的前所未闻的比喻。"

375 "进而，阿奇贝萨纳，于我出现了第二个不可思议的前所未闻的比喻。阿奇贝萨纳，例如，有潮湿、湿润、离开水、被放在陆地上的木片。有人带着钻木的上半截而来，想生起火，想点燃火。阿奇贝萨纳，对此如何思考？该人能否用钻木的上半截在潮湿、湿润、离开水、被放在陆地上的木片上摩擦生起火，点燃火？"

"乔达摩尊者，此不可能。"

"此为何故？"

"乔达摩尊者，因为该木片潮湿、湿润，尽管离开水，被放在陆地上。彼人徒有疲惫、恼乱。"

"正像这样，阿奇贝萨纳，任何沙门、婆罗门，虽然身心远离诸欲而住，但是于彼诸欲贪着爱欲、执著爱欲、痴迷爱欲、渴望爱欲、热衷爱欲，其是于内未善舍断者，未善止息者，当彼令人尊敬的沙门、婆罗门感受到强烈、激烈、剧烈、残酷的苦受时，其不可能指向智见、无上正等觉。当彼令人尊敬的沙门、婆罗门没有感受到强烈、激烈、剧烈、残酷的苦受时，其也不可能指向智见、无上正等觉。阿奇贝萨纳，此是于我出现的第二个不可思议的前所未闻的比喻。"

376 "进而，阿奇贝萨纳，于我出现了第三个不可思议的前所未闻的比喻。阿奇贝萨纳，例如，有干燥、干透、离开水、被放在陆地上的木片。有人带着钻木的上半截而来，想生起火，想点燃火。阿奇贝萨纳，对此如何思考？该人能否用钻木的上半截在干燥、干透、离开水、被放在陆地上的木片上摩擦生起火，点燃火？"

"乔达摩尊者，此可能。"

"此为何故？"

"乔达摩尊者，因为该木片干燥、干透，而且其又离开水，被放在陆地上。"

"正像这样，阿奇贝萨纳，任何沙门、婆罗门，身心远离诸欲而住，不于彼诸欲贪着爱欲、执著爱欲、痴迷爱欲、渴望爱欲、热衷爱欲，其是于内善舍断者，善止息者，当彼令人尊敬的沙门、婆罗门感受到强烈、激烈、剧烈、残酷的苦受时，其会指向智见、无上正等觉。当彼令人尊敬的沙门、婆罗门没有感受到强烈、激烈、剧烈、残酷的苦受时，其也会指向智见、无上正等觉。阿奇贝萨纳，此是于我出现的第三个不可思议的前所未闻的比喻。阿奇贝萨纳，此是于我出现的三个不可思议的前所未闻的比喻。"

377 "阿奇贝萨纳，于是，彼我如下思考：'我用牙齿咬住牙齿，用舌头顶住上颚，用意念控制、抑制、击毁心如何？'于是，阿奇贝萨纳，彼我用牙齿咬住牙齿，用舌头顶住上颚，用意念控制、抑制、击毁心。阿奇贝萨纳，当彼我用牙齿咬住牙齿，用舌头顶住上颚，用意念控制、抑制、击毁心时，肋下流出汗水。阿奇贝萨纳，恰似强有力之人抓住无力之人的头或手臂将其控制、抑制、击毁，像这样，阿奇贝萨纳，当彼我用牙齿咬住牙齿，用舌头顶住上颚，用意念控制、抑制、击毁心时，肋下流出汗水。阿奇贝萨纳，尽管如此，我的精进已经开始，不退转，念现前而不失念，然而，因为苦精进而精进被抑制，精进的我，身体躁动，没有安息。尽管如此，对于于我所生起的苦受，心不散乱而住。"

378 "阿奇贝萨纳，于是，彼我如下思考：'我修行止息禅如何？'于是，阿奇贝萨纳，彼我从口、从鼻抑制呼吸。阿奇贝萨纳，当彼我从口、从鼻抑制呼吸时，风从耳孔出来，发出巨大的声音。恰似锻造工的风箱被吹动发出巨大的声音。像这样，阿奇贝萨纳，当彼我从口、从鼻抑制呼吸时，风从耳孔出来，发出巨大的声音。阿奇贝萨纳，尽管如此，我的精进已经开始，不退转，念现前而不失念，然而，因为苦精进而精进被抑制，精进的我，身体躁动，没有安息。尽管如此，对于于我所生起的苦受，心不散乱而住。

阿奇贝萨纳，于是，彼我如下思考：'我修行止息禅如何？'于是，阿奇贝萨纳，彼我从口、从鼻、从耳抑制呼吸。阿奇贝萨纳，当彼我从口、从鼻、从耳抑制呼吸时，巨大的风从头顶涌出。阿奇贝萨纳，恰似强有力之人用锐利的刀刃割开头颅，像这样，阿奇贝萨纳，当彼我从口、从鼻、从耳抑制呼吸时,巨大的风从头顶涌出。阿奇贝萨纳,尽管如此,我的精进已经开始,不退转,念现前而不失念,然而,因为苦精进而精进被抑制,精进的我,身体躁动,没有安息。尽管如此,对于于我所生起的苦受,心不散乱而住。

阿奇贝萨纳,于是,彼我如下思考:'我修行止息禅如何?'于是,阿奇贝萨纳,彼我从口、从鼻、从耳抑制呼吸。阿奇贝萨纳,当彼我从口、从鼻、从耳抑制呼吸时,头部剧烈疼痛。阿奇贝萨纳,恰似强有力之人用坚硬的皮带把头紧紧勒住。像这样,阿奇贝萨纳,当彼我从口、从鼻、从耳抑制呼吸时,头部剧烈疼痛。阿奇贝萨纳,尽管如此,我的精进已经开始,不退转,念现前而不失念,然而,因为苦精进而精进被抑制,精进的我,身体躁动,没有安息。尽管如此,对于于我所生起的苦受,心不散乱而住。

阿奇贝萨纳,于是,彼我如下思考:'我修行止息禅如何?'于是,阿奇贝萨纳,彼我从口、从鼻、从耳抑制呼吸。阿奇贝萨纳,当彼我从口、从鼻、从耳抑制呼吸时,巨大的风穿过腹部。阿奇贝萨纳,恰似娴熟的屠牛夫或屠牛夫的弟子用锐利的牛刀切开腹部,像这样,阿奇贝萨纳,当彼我从口、从鼻、从耳抑制呼吸时,巨大的风穿过腹部。阿奇贝萨纳,尽管如此,我的精进已经开始,不退转,念现前而不失念,然而,因为苦精进而精进被抑制,精进的我,身体躁动,没有安息。尽管如此,对于于我所生起的苦受,心不散乱而住。

阿奇贝萨纳,于是,彼我如下思考:'我修行止息禅如何？'于是，阿奇贝萨纳，彼我从口、从鼻、从耳抑制呼吸。阿奇贝萨纳，当彼我从口、从鼻、从耳抑制呼吸时，身上生起巨大的热量。阿奇贝萨纳，恰似两个强有力之人分别抓住无力之人的手臂在火坑上加热、烧烤，像这样，阿奇贝萨纳，当彼我从口、从鼻、从耳抑制呼吸时，身上生起巨大的热量。阿奇贝萨纳，尽管如此，我的精进已经开始，不退转，念现前而不失念，然而，因为苦精进而精进被抑制，精进的我，身体躁动，没有安息。尽管如此，对于于我所生起的苦受，心不散乱而住。

阿奇贝萨纳，有天神看见我之后如下说道：'沙门乔达摩已死。'其他天神如下说道：'沙门乔达摩没有死，但是在等死。'其他天神如下说道：'沙门乔达摩没有死，也不会死。沙门乔达摩是阿罗汉，彼阿罗汉就是住于如此状态。'"

379　"阿奇贝萨纳，彼我如下思考：'我拒绝一切食物如何？'这时，有一天神靠近我之后如下说道：'尊者，你不要拒绝一切食物。尊者，如果你拒绝一切食物，那么，我们会将天滋养素通过你的毛孔提供给你，你将因此而生存。'阿奇贝萨纳，彼我如下思考：'我如果强行拒绝一切食物，此天神就会将天滋养素通过我的毛孔提供给我，我将因此而生存，那么，这将构成我的妄语。'于是彼我拒绝彼天神：'不必再说。'"

380　"阿奇贝萨纳，彼我如下思考：'我一点点地、一小掬地食用绿豆汁或黑豆汁或大豆汁或豌豆汁如何？'于是，阿奇贝萨纳，彼我一点点地、一小掬地食用绿豆汁或黑豆汁或大豆汁或豌豆汁。阿奇贝萨纳，因为彼我一点点地、一小掬地食用绿豆汁或黑豆汁或大豆汁或豌豆汁，身体变得极度消瘦。因为那样极少的食物，我的四肢变得恰似节骨草。因为那样极少的食物，我的臀部变得恰似骆驼蹄。因为那样极少的食物，我的脊椎骨变得恰似纺锤链般凹凸。恰似古旧房舍横梁败坏，像那样，因为那样极少的食物，我的肋骨变得败坏。恰似深井水中的星星看起来又深又低，像那样，因为那样极少的食物，在我的眼窝中，眼珠看起来又深又低。恰似未成熟就被摘下的苦瓜被风吹日晒而蔫萎，像那样，因为那样极少的食物，我的头皮蔫萎。

阿奇贝萨纳，彼我想'我用手摸肚皮'，结果触到了脊椎骨。'我用手摸脊椎骨'，结果触到了肚皮。像这样，阿奇贝萨纳，因为那样极少的食物，我的肚皮和脊椎骨依附在一起。阿奇贝萨纳，彼我想'我去大小便'，因为那样极少的食物，结果就地跌倒。阿奇贝萨纳，彼我对于彼身体想'用手顺次按摩四肢'，阿奇贝萨纳，因为那样极少的食物，对于用手顺次按摩四肢的我，根部腐烂的汗毛从身体脱落。

阿奇贝萨纳，人们看到我以后如下说道：'沙门乔达摩已死。'其他人如下说道：'沙门乔达摩没有死，沙门乔达摩是黑色。'其他人如下说道：'沙门乔达摩没有死，也不是黑色，沙门乔达摩是黄色。'阿奇贝萨纳，因为那样极少的食物，我极其纯净、洁白的皮肤颜色受到损害。"

381 　"阿奇贝萨纳，彼我如下思考：'过去任何沙门、婆罗门所感受到的强烈、激烈、剧烈、残酷的苦受，此是最上，没有比此更高者。将来任何沙门、婆罗门将感受到的强烈、激烈、剧烈、残酷的苦受，此是最上，没有比此更高者。现在任何沙门、婆罗门所感受到的强烈、激烈、剧烈、残酷的苦受，此是最上，没有比此更高者。然而，依此激烈的难行苦行，我并没有达到超人法的最胜智见。难道还有其他的菩提之道吗？'

阿奇贝萨纳，彼我如下思考：'我记得在释迦族的父亲处理事务时自己曾坐在阴凉的阎浮树荫下，离开诸欲，离开诸不善法，到达并住立于有浅观、有深观、因远离而生喜和乐的初禅。或许那才是菩提之道？'阿奇贝萨纳，彼我随即生起正意念：'那才是菩提之道。'

阿奇贝萨纳，彼我如下思考：'为何我对彼乐感到恐惧？彼乐是离开诸欲，离开诸不善法吗？'阿奇贝萨纳，彼我如下思考：'我对彼乐不感到恐惧，彼乐离开诸欲，离开诸不善法。'"

382 　"阿奇贝萨纳，彼我如下思考：'其不是依此极度消瘦的身体而轻易获得的乐，我食用米饭、粥等简单的食物如何？'于是，阿奇贝萨纳，彼我食用米饭、粥等简单的食物。

阿奇贝萨纳，当时为我做护持的五众比丘曾经认为：'沙门乔达摩将证得法，将其讲述给我们。'阿奇贝萨纳，当我食用米饭、粥等简单的食物，彼五众比丘因我而受到伤害，故离开：'沙门乔达摩奢侈，放弃精进，堕于奢侈。'"

383　"阿奇贝萨纳，彼我食用了简单的食物，恢复体力以后，离开诸欲，离开诸不善法，到达并住立于有浅观、有深观、因远离而生喜和乐的初禅。阿奇贝萨纳，即便如此，于我所生起的乐受，心不散乱而住。

由于浅观和深观的寂灭，到达并住立于内部清净的心一境性，到达无浅观、无深观、具有因定而生喜和乐的第二禅。阿奇贝萨纳，即便如此，于我所生起的乐受，心不散乱而住。

离开喜，住于舍，具念，具正知，以身体感知乐，到达并住立于圣者所称的'有舍、具念、住于乐'的第三禅。阿奇贝萨纳，即便如此，于我所生起的乐受，心不散乱而住。

舍弃乐，舍弃苦，以前早已熄灭喜和忧，到达并住立于非苦非乐、舍念遍净的第四禅。阿奇贝萨纳，即便如此，于我所生起的乐受，心不散乱而住。"

384　"其以如此入定、遍净、净白、无秽、离随烦恼、柔软、堪任、住立、已达不动之心，引领心转向宿住随念智。彼我随念多种宿住。例如，一生、二生、三生、四生、五生、十生、二十生、三十生、四十生、五十生、一百生、一千生、十万生，多个坏劫生、多个成劫生、多个坏成劫生。'在那里，我具有这样的名、这样的姓、这样的种姓、这样的食物，感受这样的乐和苦，具有这样的寿命。在那里死去，再生到那里。在那里，我具有这样的名、这样的姓、这样的种姓、这样的食物，感受这样的乐和苦，具有这样的寿命。在那里死去，再生到这里。'像这样，随念着具有行相、具有境况的多种宿住。阿奇贝萨纳，这是我于初夜分到达的第一明。无明被打破，明生起。黑暗被打破，光明生起，正如彼以不放逸、精进、自我努力而住者。阿奇贝萨纳，即便如此，于我所生起的乐受，心不散乱而住。"

385 "其以如此安定、遍净、净白、无秽、离随烦恼、柔软、堪任、住立、已达不动之心，将心转向众有情的死生智。其以清净、非凡的天眼观察卑贱、高贵、美丽、丑陋、善趣、恶趣的众有情的死亡、再生，了知众有情随业而行。'事实上，这些受人尊敬的有情因为具足身恶业，具足语恶业，具足意恶业，诽谤圣人，是邪见者，是邪见业的受持者。他们的身体破灭，死后将再生于苦处、恶处、难处的地狱。然而，那些受人尊敬的有情因为具足身善业，具足语善业，具足意善业，不诽谤圣人，是正见者，是正见业的受持者。他们的身体破灭，死后将再生于善道的天界。'像这样，以清净、非凡的天眼观察卑贱、高贵、美丽、丑陋、善趣、恶趣的众有情的死亡、再生，了知众有情随业而行。阿奇贝萨纳，这是我于中夜分到达的第二明。无明被打破，明生起。黑暗被打破，光明生起，正如彼以不放逸、精进、自我努力而住者。阿奇贝萨纳，即便如此，于我所生起的乐受，心不散乱而住。"

386 "其以如此安定、遍净、净白、无秽、离随烦恼、柔软、堪任、住立、已达不动之心，引领心转向诸烦恼的灭尽智。其如实了知'此是苦'，如实了知'此是苦的生起'，如实了知

'此是苦的灭尽'，如实了知'此是通往苦灭尽的行道'。如实了知'这些是烦恼'，如实了知'此是烦恼的生起'，如实了知'此是烦恼的灭尽'，如实了知'此是通往烦恼灭尽的行道'。如此了知、如此见的我，心从欲的烦恼中解脱出来，从存在的烦恼中解脱出来，从无明的烦恼中解脱出来，于解脱生起'获得解脱'之智。了知'生命已尽，梵行已毕，应作已作，无有再生'。阿奇贝萨纳，这是我于后夜分到达的第三明。无明被打破，明生起。黑暗被打破，光明生起，正如彼以不放逸、精进、自我努力而住者。阿奇贝萨纳，即便如此，于我所生起的乐受，心不散乱而住。"

387 "阿奇贝萨纳，我记得曾为数百人众说法。每个人对于我或许都是这样认为：'沙门乔达摩只对我说法。'阿奇贝萨纳，其不应该这样认为。仅仅是为了令知，如来才对他人说法。阿奇贝萨纳，彼我说完彼法，于最初的定相，把心只定于内，令其静止、专一、统一，因此而常住。"

"对于沙门乔达摩，此是可以信赖，就如同对于彼阿罗汉、正等觉者。那么，乔达摩尊者记得自己日中睡眠吗？"

"阿奇贝萨纳，我记得我在夏季的最后一个月，吃完饭，结束托钵食以后，将大衣四折叠起，然后，具念，具正知，右胁进入睡眠。"

"乔达摩尊者，某些沙门、婆罗门认为此是住于昏沉者。"

"阿奇贝萨纳，仅仅如此并不成为昏沉者或不昏沉者。

那么，阿奇贝萨纳，怎样成为昏沉者或不昏沉者？你仔细听，充分作意。我来说。"

"好，尊师。"尼干陀门徒之子萨遮迦应诺佛陀。佛陀如下说道：

388 "阿奇贝萨纳，无论是谁，如果没有舍断杂染、可再生、有怖畏、结苦果、将带来生老死的烦恼，那么，我称其为昏沉者。阿奇贝萨纳，因为诸烦恼未被舍断而成为昏沉者。阿奇贝萨纳，无论是谁，如果舍断杂染、可再生、有怖畏、结苦果、将带来生老死的烦恼，那么，我称其为不昏沉者。阿奇贝萨纳，因为诸烦恼被舍断而成为不昏沉者。

阿奇贝萨纳，如来已经舍断杂染、可再生、有怖畏、结苦果、将带来生老死的烦恼，如同被从根部切断，失去根基的多罗树已经不存在，将来不会再生。阿奇贝萨纳，恰似被斩断顶部的多罗树不可能再生长，像这样，如来已经舍断杂染、可再生、有怖畏、结苦果、将带来生老死的烦恼，如同被从根部切断，失去根基的多罗树已经不存在，将来不会再生。"

389 听闻此言，尼干陀门徒之子萨遮迦对佛陀如下说道："乔达摩尊者，实在是稀有！乔达摩尊者，实在是不可思议！乔达摩尊者被这样一步一步地以诽谤之言加以攻击，却依然皮肤洁净，面容明朗，如彼阿罗汉、正等觉者。乔达摩尊者，我记得我曾向富兰·迦叶提出辩论。对于我们的论点，他言辞闪烁，所答非所问，显露出愤恨、嗔恚、不满。然而，乔达摩尊者被这样一步一步地以诽谤之言加以攻击，却依然皮肤洁净,面容明朗,如彼阿罗汉、正等觉者。

乔达摩尊者,我记得我曾向末迦利·瞿舍罗提出辩论。对于我们的论点,他也言辞闪烁,所答非所问,显露出愤恨、嗔恚、不满。然而,乔达摩尊者被这样一步一步地以诽谤之言加以攻击,却依然皮肤洁净,面容明朗,如彼阿罗汉、正等觉者。

乔达摩尊者,我记得我曾向阿夷多·翅舍钦婆罗提出辩论。对于我们的论点,他也言辞闪烁,所答非所问,显露出愤恨、嗔恚、不满。然而,乔达摩尊者被这样一步一步地以诽谤之言加以攻击,却依然皮肤洁净,面容明朗,如彼阿罗汉、正等觉者。

乔达摩尊者,我记得我曾向迦据陀·迦旃延提出辩论。对于我们的论点,他也言辞闪烁,所答非所问,显露出愤恨、嗔恚、不满。然而,乔达摩尊者被这样一步一步地以诽谤之言加以攻击,却依然皮肤洁净,面容明朗,如彼阿罗汉、正等觉者。

乔达摩尊者,我记得我曾向散若夷·毗罗梨沸提出辩论。对于我们的论点,他也言辞闪烁,所答非所问,显露出愤恨、嗔恚、不满。然而,乔达摩尊者被这样一步一步地以诽谤之言加以攻击,却依然皮肤洁净,面容明朗,如彼阿罗汉、正等觉者。

乔达摩尊者,我记得我曾向尼干陀·若提子提出辩论。对于我们的论点,他也言辞闪烁,所答非所问,显露出愤恨、嗔恚、不满。然而，乔达摩尊者被这样一步一步地以诽谤之言加以攻击，却依然皮肤洁净，面容明朗，如彼阿罗汉、正等觉者。乔达摩尊者，现在我们要回去了。我们还有很多事情需要做。"

"阿奇贝萨纳，请随意。"

尼干陀门徒之子萨遮迦欢喜、随喜佛陀所说，从座而起，顶礼佛陀，右转而出。

（大萨遮迦经完）

第七、小渴爱灭尽经

（Cūḷataṇhāsaṅkhayasuttaṃ）

390　如是我闻。

一次，佛陀住在舍卫城附近的东园鹿母讲堂。

这时，天神之主帝释天接近佛陀所在的地方，靠近以后顶礼佛陀，然后立于一旁。立于一旁的天神之主帝释天对佛陀如下说道："尊师，怎样的比丘可以简言之为渴爱灭尽解脱者、终极究竟者、终极无碍安稳者、终极梵行者、终极完结者、天人中之最上者？"

"天神之主，在此，比丘听闻：'一切法都不应执持。'天神之主，像这样，比丘听闻：'一切法都不应执持。'其证知一切法，证知一切法以后遍知一切法，遍知一切法以后感受或乐或苦或非苦非乐等任何感受而住。其于彼感受随观无常而住，随观离贪而住，随观灭尽而住，随观定舍而住。其于彼感受随观无常而住，随观离贪而住，随观灭尽而住，随观定舍而住，对于世间的任何都不执取，不执取则无恐惧，无恐惧则各自寂灭，了知'生命已尽，梵行已毕，应作已作，无有再生'。天神之主，仅仅如此，比丘可以简言之为渴爱灭尽解脱者、终极究竟者、终极无碍安稳者、终极梵行者、终极完结者、天人中之最上者。"

天神之主帝释天欢喜、随喜佛陀所说，顶礼佛陀，然后右转，瞬间消失。

391 当时，尊者摩诃目犍连坐在佛陀的不远处。尊者摩诃目犍连如下思考："彼夜叉是理解了世尊所说而随喜，还是没有？我去了解彼夜叉如何？看看彼夜叉是理解了世尊所说而随喜，还是没有。"于是，恰似一个强有力之人伸直弯曲的手臂、弯曲伸直的手臂，像这样，尊者摩诃目犍连从东园鹿母讲堂中消失，出现在三十三天。

此时，天神之主帝释天正在一白莲花园里以五百天庭乐器充分享受，充分娱乐，受到侍奉。天神之主帝释天看到尊者摩诃目犍连从远处走来。看到以后离开彼五百天庭乐器，向尊者摩诃目犍连接近，靠近以后对尊者摩诃目犍连如下说道："欢迎目犍连尊者。欢迎目犍连尊者。目犍连尊者已经很久没有为我们提供机会，已经很久没有来了。目犍连尊者，请坐。这里有准备好的坐具。"尊者摩诃目犍连坐在准备好的坐具上。天神之主帝释天则取一较低的座位坐于一旁。

尊者摩诃目犍连对坐于一旁的天神之主帝释天如下说道："拘尸耶，世尊是如何简略地讲述了渴爱灭尽的解脱？我们如果也能够分享你之所闻则甚好。"

392　"目犍连尊者，我们很忙，有很多事情需要做，不仅因自己的事请，还有三十三天神的工作。而且，目犍连尊者，我充分听闻、充分把握、充分作意、充分思考的内容，不会立即消失。目犍连尊者，往昔，天神与阿修罗之间发生决战。在决战中，天神获胜，阿修罗战败。目犍连尊者，彼我取得决战胜利，成为战胜者，返回以后建立了名为最胜殿的宫殿。目犍连尊者，最胜殿有一百座尖塔，每座尖塔有七百座阁楼。每座阁楼有七百位天女，每位天女有七百位侍女。目犍连尊者，你是否想看最胜殿的殊胜处？"尊者摩诃目犍连默然应允。

393　于是，天神之主帝释天和多闻天大王跟在尊者摩诃目犍连的后面向最胜殿靠近。天神之主帝释天的侍女们看到尊者摩诃目犍连从远处走来，看到以后惭愧、羞愧地各自回到各自的房间。恰似媳妇见到婆婆而生起惭愧、羞愧。像这样，天神之主帝释天的侍女们看到尊者摩诃目犍连从远处走来，看到以后惭愧、羞愧地各自回到各自的房间。

于是，天神之主帝释天和多闻天大王陪着尊者摩诃目犍连一起在最胜殿散步，信步而行："目犍连尊者，看，此也是最胜殿的殊胜处。目犍连尊者，看，此也是最胜殿的殊胜处。"

"这是拘尸耶尊者发出的光明，此为你过去所做的功德。人类看到某一殊胜处都会如下思考：'实际上是三十三天神发出的光明。'这是拘尸耶尊者发出的光明，此为你过去所做的功德。"

尊者摩诃目犍连如下思考道："此夜叉极度放逸而住。我令此夜叉生起恐惧如何？"于是，尊者摩诃目犍连运用与之相应的神通，用脚拇趾摇动、摇晃最胜殿，令其剧烈摇摆。天神之主帝释天和多闻天大王以及三十三天神皆生起稀有、未曾有之心："朋友，此沙门的大神力、大威力实在是稀有！朋友，实在是未曾有！竟然用脚拇趾摇动、摇晃最胜殿，令其剧烈摇摆。"

于是，尊者摩诃目犍连看到天神之主帝释天惊恐、汗毛竖立，便对天神之主帝释天如下说道："拘尸耶，世尊是如何简略地讲述了渴爱灭尽的解脱？我们如果也能够分享你之所闻则甚好。"

394 "目犍连尊者，我接近世尊所在的地方，靠近以后顶礼世尊，然后立于一旁。立于一旁的我对世尊如下说道：'尊师，怎样的比丘可以简言之为渴爱灭尽解脱者、终极究竟者、终极无碍安稳者、终极梵行者、终极完结者、天人中之最上者？'

听闻此言，目犍连尊者，世尊对我如下说道：'天神之主，在此，比丘听闻："一切法都不应执持。"天神之主，像这样，

比丘听闻："一切法都不应执持。"其证知一切法，证知一切
法以后遍知一切法，遍知一切法以后感受或乐或苦或非苦非
乐等任何感受而住。其于彼感受随观无常而住，随观离贪而
住，随观灭尽而住，随观定舍而住。其于彼感受随观无常而
住，随观离贪而住，随观灭尽而住，随观定舍而住，对于世间
的任何都不执取，不执取则无恐惧，无恐惧则各自寂灭，了知
"生命已尽，梵行已毕，应作已作，无有再生。"天神之主，仅
仅如此，比丘可以简言之为渴爱灭尽解脱者、终极究竟者、终
极无碍安稳者、终极梵行者、终极完结者、天人中之最上者。'
像这样，目犍连尊者，世尊对我简略地讲述了渴爱灭尽的解
脱。"

于是，尊者摩诃目犍连欢喜、随喜天神之主帝释天所说，
恰似一个强有力之人伸直弯曲的手臂、弯曲伸直的手臂，像
这样，尊者摩诃目犍连从三十三天中消失，出现在东园鹿母
讲堂。

在尊者摩诃目犍连离开后不久，天神之主帝释天的侍女
们对天神之主帝释天如下问道："吉祥天主，此是您的导师即
彼佛陀吗？"

"诸位，他不是我的导师即彼佛陀。他是我的同修行者
摩诃目犍连尊者。"

"吉祥天主，您真是利得者，彼同修行者都具有如此大神
力、如此大威力，更何况您的导师即彼佛陀。"

395 尊者摩诃目犍连接近佛陀所在的地方，靠近以后

顶礼佛陀,然后坐于一旁。坐于一旁的尊者摩诃目犍连对佛陀如下说道:"尊师,世尊是否还记得对某大夜叉简略地讲述了渴爱灭尽的解脱?"

"目犍连,我记得。在此,天神之主帝释天接近我所在的地方,靠近以后顶礼我,然后立于一旁。立于一旁的天神之主帝释天对我如下说道:'尊师,怎样的比丘可以简言之为渴爱灭尽解脱者、终极究竟者、终极无碍安稳者、终极梵行者、终极完结者、天人中之最上者?'

听闻此言,目犍连,我对天神之主帝释天如下说道:'天神之主,在此,比丘听闻:"一切法都不应执持。"天神之主,像这样,比丘听闻:"一切法都不应执持。"其证知一切法,证知一切法以后遍知一切法,遍知一切法以后感受或乐或苦或非苦非乐等任何感受而住。其于彼感受随观无常而住,随观离贪而住,随观灭尽而住,随观定舍而住。其于彼感受随观无常而住,随观离贪而住,随观灭尽而住,随观定舍而住,对于世间的任何都不执取,不执取则无恐惧,无恐惧则各自寂灭,了知"生命已尽,梵行已毕,应作已作,无有再生。"天神之主,仅仅如此,比丘可以简言之为渴爱灭尽解脱者、终极究竟者、终极无碍安稳者、终极梵行者、终极完结者、天人中之最上者。'像这样,目犍连,我记得这样对天神之主帝释天简略地讲述了渴爱灭尽的解脱。"

此为佛陀所说。尊者摩诃目犍连内心喜悦,欢喜佛陀所说。

(小渴爱灭尽经完)

第八、大渴爱灭尽经

（Mahātaṇhāsaṅkhayasuttaṃ）

396　如是我闻。

一次，佛陀住在舍卫城附近的祇陀林给孤独园。在此，有位渔民之子名叫萨帝的比丘生起以下邪见解："我这样理解世尊所讲之法，即此识流转、轮转，非不同。"

众多比丘听说："实际上有位渔民之子名叫萨帝的比丘生起以下邪见解：'我这样理解世尊所讲之法，即此识流转、轮转，非不同。'"于是，彼比丘众接近渔民之子萨帝比丘所在的地方，靠近以后向渔民之子萨帝比丘如下问道："朋友萨帝，听说你生起以下邪见解：'我这样理解世尊所讲之法，即此识流转、轮转，非不同。'这是真的吗？"

"朋友，我的确是这样理解世尊所讲之法，即此识流转、轮转，非不同。"

于是，彼比丘众为了让渔民之子萨帝比丘离开此邪见解而进行难诘、追问、劝谏："朋友萨帝，不许那样说！不许诽谤世尊！因为诽谤世尊实在不好。因为世尊没有那样说过。朋友萨帝，世尊以多种方式说示了因缘而生的识。没有缘则没有识的生起。"

渔民之子萨帝比丘尽管像这样被彼比丘众难诘、追问、劝谏，仍然固执地执持、取著其邪见解而声称："朋友，我的确是这样理解世尊所讲之法，即此识流转、轮转，非不同。'"

397 彼比丘众无法让渔民之子萨帝比丘离开此邪见解，于是，彼比丘众接近佛陀所在的地方，靠近以后顶礼佛陀，然后坐于一旁。

坐于一旁的彼比丘众对佛陀如下说道："尊师，有位渔民之子名叫萨帝的比丘生起以下邪见解：'我这样理解世尊所讲之法，即此识流转、轮转，非不同。'尊师，我们听说：'实际上有位渔民之子名叫萨帝的比丘生起以下邪见解："我这样理解世尊所讲之法，即此识流转、轮转，非不同。"'于是，尊师，我们接近渔民之子萨帝比丘所在的地方，靠近以后向渔民之子萨帝比丘如下问道：'朋友萨帝，听说你生起以下邪见解："我这样理解世尊所讲之法，即此识流转、轮转，非不同。"这是真的吗?'尊师，渔民之子萨帝比丘如下回答我们：'朋友，我的确是这样理解世尊所讲之法，即此识流转、轮转，非不同。'于是，尊师，我们为了让渔民之子萨帝比丘离开此邪见解而进行难诘、追问、劝谏：'朋友萨帝，不许那样说！不许诽谤世尊！因为诽谤世尊实在不好。因为世尊没有那样说过。朋友萨帝，世尊以多种方式说示了因缘而生的识。没有缘则没有识的生起。'

尊师，渔民之子萨帝比丘尽管像这样被我们难诘、追问、劝谏，仍然固执地执持、取著其邪见解而声称：'朋友，我的确

是这样理解世尊所讲之法，即此识流转、轮转，非不同。'

尊师，因为我们无法让渔民之子萨帝比丘离开此邪见解，所以我们向世尊禀明此事。"

398　于是，佛陀对另一位比丘说道："比丘，去，你以我之言对渔民之子萨帝比丘说：'朋友萨帝，导师有话对你说。'"

"好，尊师。"该比丘应诺佛陀以后向渔民之子萨帝比丘所在的地方接近。靠近以后，对渔民之子萨帝比丘如下说道："朋友萨帝，导师有话对你说。"

"好的，朋友。"渔民之子萨帝比丘应答该比丘以后走到佛陀那里，走到以后顶礼佛陀，然后坐于一旁。佛陀对坐于一旁的渔民之子萨帝比丘如下说道："萨帝，听说你生起以下邪见解：'我这样理解世尊所讲之法，即此识流转、轮转，非不同。'这是真的吗？"

"尊师，我的确是这样理解世尊所讲之法，即此识流转、轮转，非不同。"

"萨帝，那个识是哪个？"

"尊师，此是话语者、感受者，于各处感受着各善恶业的果报。"

"愚痴之人，你究竟为了谁如此理解我所讲的法？愚痴之人，我不是以多种方式说示了因缘而生的识，没有缘则没有识的生起吗？愚痴之人，你因为自己的错误理解而诽谤了我们，亦伤害了自己，制造了大量的非福，因此，愚痴之人，其将成为你长久的不利和痛苦。"

399　于是，佛陀对比丘众说道："诸比丘，对此如何思考？此渔民之子萨帝比丘于此法、此律是否热心？"

"尊师，此怎么可能？尊师，其不是。"如此被说，渔民之子萨帝比丘坐在那里沉默，面红，落魄，低头，悲忧，无法应答。

佛陀知道渔民之子萨帝比丘沉默，面红，落魄，低头，悲忧，无法应答，便对渔民之子萨帝比丘如下说道："愚痴之人，你因为自己的此邪见解而被周知。在此，我来询问比丘众。"

于是，佛陀对比丘众说道："诸比丘，渔民之子萨帝比丘因为自己的错误理解而诽谤了我们，亦伤害了自己，制造了大量的非福，你们也认为我说了那样的法吗？"

"不是，尊师，世尊以多种方式说示了因缘而生的识。没有缘则没有识的生起。"

"很好，诸比丘，很好。你们这样理解我所说之法，很好。诸比丘，我以多种方式说示了因缘而生的识。没有缘则没有识的生起。此渔民之子萨帝比丘因为自己的错误理解而诽谤了我们，亦伤害了自己，制造了大量的非福，因此，其将成为愚痴之人长久的不利和痛苦。"

400　"诸比丘，依不同的缘而识生起，于是才有各种名称。依眼和色而识生起，才有眼识的名称。依耳和声而识生起，才有耳识的名称。依鼻和香而识生起，才有鼻识的名称。依舌和味道而识生起，才有舌识的名称。依身和接触而识生起,才有身识的名称。依意和法而识生起,才有意识的名称。

诸比丘,恰似依不同的缘而火燃烧,于是才有各种名称。依薪材而火燃烧,才有薪火的名称。依木片而火燃烧,才有木片火的名称。依草而火燃烧,才有草火的名称。依牛粪而火燃烧,才有牛粪火的名称。依麸而火燃烧,才有麸火的名称。依垃圾而火燃烧,才有垃圾火的名称。

像这样,诸比丘,依不同的缘而识生起,于是才有各种名称。依眼和色而识生起,才有眼识的名称。依耳和声而识生起,才有耳识的名称。依鼻和香而识生起,才有鼻识的名称。依舌和味道而识生起,才有舌识的名称。依身和接触而识生起,才有身识的名称。依意和法而识生起,才有意识的名称。"

401 "诸比丘,你们看见'此是存在'吗?"

"是的,尊师。"

"诸比丘,你们看见'其依食物而生起'吗?"

"是的,尊师。"

"诸比丘,你们看见'此存在当食物灭尽时,其必然灭尽'吗?"

"是的,尊师。"

"诸比丘,因'是否存在此是存在'之疑惑而生起疑惑吗?"

"是的,尊师。"

"诸比丘,因'是否存在其依食物而生起'之疑惑而生起疑惑吗?"

"是的,尊师。"

"诸比丘,因'是否存在此存在当食物灭尽时,其必然灭尽'之疑惑而生起疑惑吗?"

"是的,尊师。"

"诸比丘,'此是存在',如实地以正慧观察者,其疑惑被舍弃吗?"

"是的,尊师。"

"诸比丘,'其依食物而生起',如实地以正慧观察者,其疑惑被舍弃吗?"

"是的,尊师。"

"诸比丘,'此是存在',在此,你们也是无疑的吗?"

"是的,尊师。"

"诸比丘,'其依食物而生起',在此,你们也是无疑的吗?"

"是的,尊师。"

"诸比丘,'此存在当食物灭尽时,其必然灭尽',在此,你们也是无疑的吗?"

"是的,尊师。"

"诸比丘,'此是存在',如实地以正慧充分看到了吗?"

"是的,尊师。"

"诸比丘,'其依食物而生起',如实地以正慧充分看到了吗?"

"是的，尊师。"

"诸比丘，'此存在当食物灭尽时，其必然灭尽'，如实地以正慧充分看到了吗？"

"是的，尊师。"

"诸比丘，如果你们执著、希求、追求、我执如此遍净、如此净化的此见，那么，诸比丘，你们是否充分理解我所说的筏喻法，其是为了渡水，不是为了抓取？"

"此不是，尊师。"

"诸比丘，如果你们不执著、不希求、不追求、不我执如此遍净、如此净化的此见，那么，诸比丘，你们是否充分理解我所说的筏喻法，其是为了渡水，不是为了抓取？"

"是的，尊师。"

402 "诸比丘，有四种食利于存在有情的存立，利于求生者的摄取。哪四种？第一或粗或细的段食、第二触食、第三意思食、第四识食。诸比丘，此四食以何为因，以何为起因，因何而生，以何为根源？"

"此四食以渴爱为因，以渴爱为起因，因渴爱而生，以渴爱为根源。"

"诸比丘，此渴爱以何为因，以何为起因，因何而生，以何为根源？"

"渴爱以感受为因，以感受为起因，因感受而生，以感受为根源。"

"诸比丘，此感受以何为因，以何为起因，因何而生，以何为根源?"

"感受以接触为因,以接触为起因,因接触而生,以接触为根源。"

"诸比丘,此接触以何为因,以何为起因,因何而生,以何为根源?"

"接触以六处为因,以六处为起因,因六处而生,以六处为根源。"

"诸比丘,此六处以何为因,以何为起因,因何而生,以何为根源?"

"六处以名色为因,以名色为起因,因名色而生,以名色为根源。"

"诸比丘,此名色以何为因,以何为起因,因何而生,以何为根源?"

"名色以识为因,以识为起因,因识而生,以识为根源。"

"诸比丘,此识以何为因,以何为起因,因何而生,以何为根源?"

"识以行为因,以行为起因,因行而生,以行为根源。"

"诸比丘,此行以何为因,以何为起因,因何而生,以何为根源?"

"行以无明为因,以无明为起因,因无明而生,以无明为根源。"

"像这样,诸比丘,缘无明而有行,缘行而有识,缘识而有名色,缘名色而有六处,缘六处而有接触,缘接触而有感受,缘感受而有渴爱，缘渴爱而有取著，缘取著而有存在，缘存在而有生，缘生而有老、死、愁、悲、苦、忧、恼。像这样而有所有这些苦蕴的生起。"

403 "像这样所谓'缘生而有老死。'诸比丘，是因为生而有老死，或不是，在此你们怎样认为？"

"尊师，缘生而有老死，像这样，在此我们就是这样认为，即缘生而有老死。"

"像这样所谓'缘存在而有生。'诸比丘，是因为有存在而有生，或不是，在此你们怎样认为？"

"尊师，缘存在而有生，像这样，在此我们就是这样认为，即缘存在而有生。"

"像这样所谓'缘取著而有存在。'诸比丘，是因为有取著而有存在，或不是，在此你们怎样认为？"

"尊师，缘取著而有存在，像这样，在此我们就是这样认为，即缘取著而有存在。"

"像这样所谓'缘渴爱而有取著。'诸比丘，是因为有渴爱而有取著，或不是，在此你们怎样认为？"

"尊师，缘渴爱而有取著，像这样，在此我们就是这样认为，即缘渴爱而有取著。"

"像这样所谓'缘感受而有渴爱。'诸比丘，是因为有感受而有渴爱，或不是，在此你们怎样认为？"

"尊师，缘感受而有渴爱，像这样，在此我们就是这样认为，即缘感受而有渴爱。"

"像这样所谓'缘接触而有感受。'诸比丘，是因为有接触而有感受，或不是，在此你们怎样认为？"

"尊师，缘接触而有感受，像这样，在此我们就是这样认为，即缘接触而有感受。"

"像这样所谓'缘六处而有接触。'诸比丘，是因为有六处而有接触，或不是，在此你们怎样认为？"

"尊师，缘六处而有接触，像这样，在此我们就是这样认为，即缘六处而有接触。"

"像这样所谓'缘名色而有六处。'诸比丘，是因为有名色而有六处，或不是，在此你们怎样认为？"

"尊师，缘名色而有六处，像这样，在此我们就是这样认为，即缘名色而有六处。"

"像这样所谓'缘识而有名色。'诸比丘，是因为有识而有名色，或不是，在此你们怎样认为？"

"尊师，缘识而有名色，像这样，在此我们就是这样认为，即缘识而有名色。"

"像这样所谓'缘行而有识。'诸比丘，是因为有行而有识，或不是，在此你们怎样认为？"

"尊师，缘行而有识，像这样，在此我们就是这样认为，即缘行而有识。"

"像这样所谓'缘无明而有行。'诸比丘，是因为有无明而有行，或不是，在此你们怎样认为？"

"尊师，缘无明而有行，像这样，在此我们就是这样认为，即缘无明而有行。"

404 "很好，诸比丘。像这样，诸比丘，你们这样说，我也这样说：'有此时有彼。此生起时彼生起。'即缘无明而有行，缘行而有识，缘识而有名色，缘名色而有六处，缘六处而有接触，缘接触而有感受，缘感受而有渴爱，缘渴爱而有取著，缘取著而有存在，缘存在而有生，缘生而有老、死、愁、悲、苦、忧、恼。像这样而有所有这些苦蕴的生起。

由于无明因远离而彻底灭尽，故行灭尽；由于行因远离而彻底灭尽，故识灭尽；由于识因远离而彻底灭尽，故名色灭尽；由于名色因远离而彻底灭尽，故六处灭尽；由于六处因远离而彻底灭尽，故接触灭尽；由于接触因远离而彻底灭尽，故感受灭尽；由于感受因远离而彻底灭尽，故渴爱灭尽；由于渴爱因远离而彻底灭尽，故取著灭尽；由于取著因远离而彻底灭尽，故存在灭尽；由于存在因远离而彻底灭尽，故生灭尽；由于生因远离而彻底灭尽，故老、死、愁、悲、苦、忧、恼灭尽。像这样而有所有这些苦蕴的灭尽。"

405 "像这样所谓'生灭尽而老死灭尽。'诸比丘，是因为生灭尽而老死灭尽，或不是，在此你们怎样认为？"

"尊师，生灭尽而老死灭尽，像这样，在此我们就是这样认为，即生灭尽而老死灭尽。"

"像这样所谓'存在灭尽而生灭尽。'诸比丘，是因为存在灭尽而生灭尽，或不是，在此你们怎样认为？"

"尊师，存在灭尽而生灭尽，像这样，在此我们就是这样认为，即存在灭尽而生灭尽。"

"像这样所谓'取著灭尽而存在灭尽。'诸比丘，是因为取著灭尽而存在灭尽，或不是，在此你们怎样认为？"

"尊师，取著灭尽而存在灭尽，像这样，在此我们就是这样认为，即取著灭尽而存在灭尽。"

"像这样所谓'渴爱灭尽而取著灭尽。'诸比丘，是因为渴爱灭尽而取著灭尽，或不是，在此你们怎样认为？"

"尊师，渴爱灭尽而取著灭尽，像这样，在此我们就是这样认为，即渴爱灭尽而取著灭尽。"

"像这样所谓'感受灭尽而渴爱灭尽。'诸比丘，是因为感受灭尽而渴爱灭尽，或不是，在此你们怎样认为？"

"尊师，感受灭尽而渴爱灭尽，像这样，在此我们就是这样认为，即感受灭尽而渴爱灭尽。"

"像这样所谓'接触灭尽而感受灭尽。'诸比丘，是因为接触灭尽而感受灭尽，或不是，在此你们怎样认为？"

"尊师，接触灭尽而感受灭尽，像这样，在此我们就是这样认为，即接触灭尽而感受灭尽。"

"像这样所谓'六处灭尽而接触灭尽。'诸比丘，是因为六处灭尽而接触灭尽，或不是，在此你们怎样认为？"

"尊师，六处灭尽而接触灭尽，像这样，在此我们就是这样认为，即六处灭尽而接触灭尽。"

"像这样所谓'名色灭尽而六处灭尽。'诸比丘，是因为名色灭尽而六处灭尽，或不是，在此你们怎样认为？"

"尊师，名色灭尽而六处灭尽，像这样，在此我们就是这样认为，即名色灭尽而六处灭尽。"

"像这样所谓'识灭尽而名色灭尽。'诸比丘，是因为识灭尽而名色灭尽，或不是，在此你们怎样认为？"

"尊师，识灭尽而名色灭尽，像这样，在此我们就是这样认为，即识灭尽而名色灭尽。"

"像这样所谓'行灭尽而识灭尽。'诸比丘，是因为行灭尽而识灭尽，或不是，在此你们怎样认为？"

"尊师，行灭尽而识灭尽，像这样，在此我们就是这样认为，即行灭尽而识灭尽。"

"像这样所谓'无明灭尽而行灭尽。'诸比丘，是因为无明灭尽而行灭尽，或不是，在此你们怎样认为？"

"尊师，无明灭尽而行灭尽，像这样，在此我们就是这样认为，即无明灭尽而行灭尽。"

406 "很好，诸比丘。像这样，诸比丘，你们这样说，我也这样说：'无此时无彼。此灭尽时彼灭尽。'即由于无明灭尽而行灭尽，由于行灭尽而识灭尽，由于识灭尽而名色灭尽，由于名色灭尽而六处灭尽，由于六处灭尽而接触灭尽，由于接触灭尽而感受灭尽，由于感受灭尽而渴爱灭尽，由于渴爱灭尽而取著灭尽，由于取著灭尽而存在灭尽，由于存在灭尽而生灭尽，由于生灭尽而老、死、愁、悲、苦、忧、恼灭尽。像这样而有所有这些苦蕴的灭尽。"

407 "诸比丘，如此知者、如此见者的你们是否纠结过去:'过去我是存在吗？过去我不存在吗？过去我是什么？
过去我怎样存在？过去我是什么,之后成为什么？'"

"此不会,尊师。"

"诸比丘,如此知者、如此见者的你们是否纠结未来:
'未来我将存在吗？未来我将不存在吗？未来我将是什么？
未来我怎样存在？未来我是什么,之后将成为什么？'"

"此不会,尊师。"

"诸比丘,如此知者、如此见者的你们是否纠结现在:
'现在我存在吗？现在我不存在吗？现在我是什么？现在我
怎样存在？现在我是什么,之后将成为什么？'"

"此不会,尊师。"

"诸比丘,如此知者、如此见者的你们是否这样说:'我
们尊敬导师。因为尊敬导师,所以我们这样说。'"

"此不会,尊师。"

"诸比丘,如此知者、如此见者的你们是否这样说:'沙
门这样说。因为沙门这样说,所以我们这样说。'"

"此不会,尊师。"

"诸比丘,如此知者、如此见者的你们是否会指定其他导
师？"

"此不会,尊师。"

"诸比丘,如此知者、如此见者的你们是否认为多数沙
门、婆罗门的祭祀、瑞相是真实的从而返回到他们那里？"

"此不会,尊师。"

"诸比丘，你们是自我理解，自我见到，自我发现，故而你们如此说的吗？"

"是的，尊师。"

"很好，诸比丘。你们因我而获得结果，诸比丘，因为此法自我可见、即时、应来见、应被引导、智者可各自感受。诸比丘，自我可见、即时、应来见、应被引导、智者可各自感受的此法像这样被阐述，此即以此为缘而说。"

408 "诸比丘，有三种结合的受孕。在此，父母结合，然而母亲非受孕期，神识未现起，此时不能受孕。在此，父母结合，母亲处于受孕期，然而神识未现起，此时不能受孕。诸比丘，只有当父母结合，母亲处于受孕期，神识现起时，像这样三种结合才能受孕。诸比丘，其母亲在九个月或十个月的时间里极为小心地用子宫呵护着重负般的胎儿。诸比丘，其母亲经过九个月或十个月的时间以后极为小心地生出重负。生出以后就用自己的血来喂养。诸比丘，因为其血，依照圣人律，其就是母亲的乳汁。

诸比丘，随着该孩童逐渐长大，诸根逐渐圆熟，其玩各种不同的玩具，例如，玩小铲、耍木棍、倒立、放风筝、踢毽子、驾车、玩弹弓。

诸比丘，随着该孩童逐渐长大，诸根逐渐圆熟，其被赋予、具足五欲而自娱，即欢喜、可爱、可意、喜爱、伴随欲、贪所染的眼所识色；欢喜、可爱、可意、喜爱、伴随欲、贪所染的耳所识声；欢喜、可爱、可意、喜爱、伴随欲、贪所染的鼻所识香；

欢喜、可爱、可意、喜爱、伴随欲、贪所染的舌所识味；欢喜、可爱、可意、喜爱、伴随欲、贪所染的身所识触。"

409 "其以眼观色，贪著可喜之色，嗔恼不喜之色，身念不现前，心劣小而住。其不能如实了知心解脱和慧解脱之彼恶不善法被无余地灭尽。其感受着乐、苦、非苦非乐等各种感受，到达如此的满意和不满意，其极大欢喜、欢迎、执著该感受而住。极大欢喜、欢迎、执著该感受而住者生起欢喜。对于感受的欢喜，其就是取著，因为彼取著而有存在，因为存在而有生，因为生而生起老、死、愁、悲、苦、忧、恼。像这样，全部的苦蕴生起。

以耳闻声，贪著可喜之声，嗔恼不喜之声，身念不现前，心劣小而住。其不能如实了知心解脱和慧解脱之彼恶不善法被无余地灭尽。其感受着乐、苦、非苦非乐等各种感受，到达如此的满意和不满意，其极大欢喜、欢迎、执著该感受而住。极大欢喜、欢迎、执著该感受而住者生起欢喜。对于感受的欢喜，其就是取著，因为彼取著而有存在，因为存在而有生，因为生而生起老、死、愁、悲、苦、忧、恼。像这样，全部的苦蕴生起。

以鼻嗅香，贪著可喜之香，嗔恼不喜之香，身念不现前，心劣小而住。其不能如实了知心解脱和慧解脱之彼恶不善法被无余地灭尽。其感受着乐、苦、非苦非乐等各种感受，到达如此的满意和不满意，其极大欢喜、欢迎、执著该感受而住。极大欢喜、欢迎、执著该感受而住者生起欢喜。对于感受的欢喜，其就是取著，因为彼取著而有存在，因为存在而有生，因为生而生起老、死、愁、悲、苦、忧、恼。像这样，全部的苦蕴生起。

以舌品味，贪著可喜之味，嗔恼不喜之味，身念不现前，心劣小而住。其不能如实了知心解脱和慧解脱之彼恶不善法被无余地灭尽。其感受着乐、苦、非苦非乐等各种感受，到达如此的满意和不满意，其极大欢喜、欢迎、执著该感受而住。极大欢喜、欢迎、执著该感受而住者生起欢喜。对于感受的欢喜，其就是取著，因为彼取著而有存在，因为存在而有生，因为生而生起老、死、愁、悲、苦、忧、恼。像这样，全部的苦蕴生起。

以身接触所触，贪著可喜之所触，嗔恼不喜之所触，身念不现前，心劣小而住。其不能如实了知心解脱和慧解脱之彼恶不善法被无余地灭尽。其感受着乐、苦、非苦非乐等各种感受，到达如此的满意和不满意，其极大欢喜、欢迎、执著该感受而住。极大欢喜、欢迎、执著该感受而住者生起欢喜。对于感受的欢喜，其就是取著，因为彼取著而有存在，因为存在而有生，因为生而生起老、死、愁、悲、苦、忧、恼。像这样，全部的苦蕴生起。

以意知法，贪著可喜之法，嗔恼不喜之法，身念不现前，心劣小而住。其不能如实了知心解脱和慧解脱之彼恶不善法被无余地灭尽。其感受着乐、苦、非苦非乐等各种感受，到达如此的满意和不满意，其极大欢喜、欢迎、执著该感受而住。极大欢喜、欢迎、执著该感受而住者生起欢喜。对于感受的欢喜，其就是取著，因为彼取著而有存在，因为存在而有生，因为生而生起老、死、愁、悲、苦、忧、恼。像这样，全部的苦蕴生起。"

410 "在此，诸比丘，如来之阿罗汉、正等觉、明行足、善逝、世间解、无上士、调御丈夫、天人师、佛、世尊生于世上。其自我彻知、证得并阐述了包含天、魔、梵、沙门、婆罗门、众人、人天在内的此世界。其教导了初善、中善、后善、有内容、有形式、完整圆满、清净的法，令梵行明晰。

某居家者或其孩子或其他阶层的人听闻此法。听闻此法后，其对如来具足信仰。具足信仰的他如下思考：'家庭生活障碍重重，如同行走在泥泞土路上，出家则似空旷露地。居家生活很难像贝磨珍珠般进行完全圆满、完全遍净的梵行。我剃除须发，披上僧衣，舍家出家如何？'此后，他舍弃或多或少的财产，舍弃或多或少的亲戚，剃除须发，披上僧衣，舍家出家。"

411 "出家以后，其具足比丘的学和戒，舍弃杀生，是杀生的远离者，是舍弃刀者，是舍弃剑者，具足惭愧，具足怜悯，对一切生命怀有同情而住。舍弃不与取，是不与取的远离者，是所施与者，是等待施与者，自己住于不与取的清净。舍弃秽行，是梵行者，是淫法、秽法的远离者、慎行者。

舍弃妄语，是远离妄语者，是实语者、真语者、信语者、诚语者、对世界无欺诈者。舍弃离间语，是远离离间语者。不会为了离间而将此处所闻讲与彼处，不会为了离间而将彼处所闻讲与此处。像这样，令不和合者融合，令和合者满足，意乐和合，欢喜和合，愉悦和合，讲述带来和合的话语。舍弃粗恶语，是远离粗恶语者。讲述悦耳、柔和、充满爱意、令人愉快、高雅、众所喜闻、众所欢喜之言。舍弃杂秽语，是远离杂秽语者，适时发话，讲述真实，表达意义，讲法说律，适时发表合理有度、令人铭记、意味深长的话语。

其远离对草木的破坏。是一食者，不吃夜食，是非时食的远离者。是观看欣赏舞蹈、歌曲、说书、演艺的远离者。是以装饰粉饰为目的受持花、香、油的远离者。是高广大床的远离者。是受持黄金、白银的远离者。是受持生谷物的远离者。是受持生肉的远离者。是受持妇女、女童的远离者。是受持女奴、男奴的远离者。是受持山羊、绵羊的远离者。是受持鸡、猪的远离者。是受持象、牛、马、骡的远离者。是受持田地、宅地的远离者。是从事遣使工作的远离者。是买卖的远离者。是短斤少两、使用伪币、藏尺掖寸的远离者。是贿赂、欺瞒、欺诈等蒙骗行为的远离者。是拦劫、杀害、绑架、埋伏、掠夺等暴力行为的远离者。

其满足于蔽体的僧衣和果腹的乞食，无论走到哪里都受持而行，恰如有翅膀的鸟无论飞往哪里，都仅仅携带着翅膀飞翔。像这样，比丘满足于蔽体的僧衣和果腹的乞食，无论走到哪里都受持而行。

其以眼观色时，不取相，不取随相。如果不守护眼根而住，其结果是贪求、忧郁等恶不善法就会流入。其依律仪而行，守护眼根，对眼根加以防护。

以耳闻声时，不取相，不取随相。如果不守护耳根而住，其结果是贪求、忧郁等恶不善法就会流入。其依律仪而行，守护耳根，对耳根加以防护。

以鼻嗅香时，不取相，不取随相。如果不守护鼻根而住，其结果是贪求、忧郁等恶不善法就会流入。其依律仪而行，守护鼻根，对鼻根加以防护。

以舌品味时，不取相，不取随相。如果不守护舌根而住，其结果是贪求、忧郁等恶不善法就会流入。其依律仪而行，守护舌根，对舌根加以防护。

以身接触所触时，不取相，不取随相。如果不守护身根而住，其结果是贪求、忧郁等恶不善法就会流入。其依律仪而行，守护身根，对身根加以防护。

以意知法时，不取相，不取随相。如果不守护意根而住，其结果是贪求、忧郁等恶不善法就会流入。其依律仪而行，守护意根，对意根加以防护。其因守护诸根而具足，内感无害之乐。

其前进、后退时，是正知行者。前视、后视时，是正知行者。曲臂、伸臂时，是正知行者。受持僧伽梨衣、钵、衣时，是正知行者。吃、喝、咀嚼、品尝时，是正知行者。行大便、小便时，是正知行者。行走、站立、就座、睡眠、清醒、言语、沉默时，是正知行者。"

412　"其亦是此圣戒蕴的具足者,亦是此圣满足的具足者,亦是此圣根防护的具足者,亦是此圣念和正知的具足者。其亲近阿兰若、树下、山岳、溪谷、洞窟、冢间、丛林、野外、草堆等远离的坐卧处。吃完饭,结束托钵食以后,其结跏趺而坐,保持身体正直,于面前起念。

其舍弃对世界的贪欲,住于无贪欲之心。因为无贪欲,故心得到净化。舍弃嗔恚,住于无嗔恚之心。哀愍一切有情,因为无嗔恚,故心得到净化。舍弃昏沉、睡眠,远离昏沉、睡眠而住,是具有光明想者,是具有正念者,心从昏沉、睡眠得到净化。舍弃掉举、后悔,平静而住,内心寂静,舍弃掉举、后悔,心得到净化。舍弃疑惑,超越疑惑而住。对善法无疑,舍弃疑惑,心得到净化。"

413　"其断除此五盖,断除令慧弱化的心的随烦恼,离开诸欲,离开诸不善法,到达并住立于有浅观、有深观、因远离而生喜和乐的初禅。进而,诸比丘,由于浅观和深观的寂灭,比丘到达并住立于内部清净的心一境性,到达无浅观、无深观、具有因定而生喜和乐的第二禅。离开喜,住于舍,具念,具正知,以身体感知乐,到达并住立于圣者所称的'有舍、具念、住于乐'的第三禅。舍弃乐,舍弃苦,以前早已熄灭喜和忧,到达并住立于非苦非乐、舍念遍净的第四禅。"

414　"其以眼观色,不贪著可喜之色,不嗔恼不喜之色,身念现前,心无量而住。其如实了知心解脱和慧解脱之彼恶不善法被无余地灭尽。其感受着乐、苦、非苦非乐等各种感受,到达如此的满意和不满意,其不极大欢喜、不欢迎、不执著该感受而住。不极大欢喜、不欢迎、不执著该感受而住者于感受欢喜灭尽。由于欢喜的灭尽而取著灭尽,因为取著灭尽而存在灭尽,因为存在灭尽而生灭尽,因为生灭尽而老、死、愁、悲、苦、忧、恼灭尽。像这样,全部的苦蕴灭尽。

以耳闻声,不贪著可喜之声,不嗔恼不喜之声,身念现前,心无量而住。其如实了知心解脱和慧解脱之彼恶不善法被无余地灭尽。其感受着乐、苦、非苦非乐等各种感受,到达如此的满意和不满意,其不极大欢喜、不欢迎、不执著该感受而住。不极大欢喜、不欢迎、不执著该感受而住者于感受欢喜灭尽。由于欢喜的灭尽而取著灭尽,因为取著灭尽而存在灭尽,因为存在灭尽而生灭尽,因为生灭尽而老、死、愁、悲、苦、忧、恼灭尽。像这样,全部的苦蕴灭尽。

以鼻嗅香,不贪著可喜之香,不嗔恼不喜之香,身念现前,心无量而住。其如实了知心解脱和慧解脱之彼恶不善法被无余地灭尽。其感受着乐、苦、非苦非乐等各种感受,到达如此的满意和不满意,其不极大欢喜、不欢迎、不执著该感受而住。不极大欢喜、不欢迎、不执著该感受而住者于感受欢喜灭尽。由于欢喜的灭尽而取著灭尽,因为取著灭尽而存在灭尽,因为存在灭尽而生灭尽,因为生灭尽而老、死、愁、悲、苦、忧、恼灭尽。像这样,全部的苦蕴灭尽。

以舌品味,不贪著可喜之味,不嗔恼不喜之味,身念现前,心无量而住。其如实了知心解脱和慧解脱之彼恶不善法被无余地灭尽。其感受着乐、苦、非苦非乐等各种感受，到达如此的满意和不满意，其不极大欢喜、不欢迎、不执著该感受而住。不极大欢喜、不欢迎、不执著该感受而住者于感受欢喜灭尽。由于欢喜的灭尽而取著灭尽，因为取著灭尽而存在灭尽，因为存在灭尽而生灭尽，因为生灭尽而老、死、愁、悲、苦、忧、恼灭尽。像这样，全部的苦蕴灭尽。

以身接触所触，不贪著可喜之所触，不嗔恼不喜之所触，身念现前，心无量而住。其如实了知心解脱和慧解脱之彼恶不善法被无余地灭尽。其感受着乐、苦、非苦非乐等各种感受，到达如此的满意和不满意，其不极大欢喜、不欢迎、不执著该感受而住。不极大欢喜、不欢迎、不执著该感受而住者于感受欢喜灭尽。由于欢喜的灭尽而取著灭尽，因为取著灭尽而存在灭尽，因为存在灭尽而生灭尽，因为生灭尽而老、死、愁、悲、苦、忧、恼灭尽。像这样，全部的苦蕴灭尽。

以意知法，不贪著可喜之法，不嗔恼不喜之法，身念现前，心无量而住。其如实了知心解脱和慧解脱之彼恶不善法被无余地灭尽。其感受着乐、苦、非苦非乐等各种感受，到达如此的满意和不满意，其不极大欢喜、不欢迎、不执著该感受而住。不极大欢喜、不欢迎、不执著该感受而住者于感受欢喜灭尽。由于欢喜的灭尽而取著灭尽，因为取著灭尽而存在灭尽，因为存在灭尽而生灭尽，因为生灭尽而老、死、愁、悲、苦、忧、恼灭尽。像这样，全部的苦蕴灭尽。

诸比丘，你们要受持我简略讲述的渴爱灭尽解脱法，然而渔民之子萨帝比丘却为渴爱大网、渴爱枷锁所捆缚。"

此为佛陀所说。彼比丘众内心喜悦，欢喜佛陀所说。

（大渴爱灭尽经完）

第九、大马邑经(Mahā-assapurasuttaṃ)

415　如是我闻。

一次，佛陀住在鸯伽国一座名为马邑的鸯伽人的城市附近。在此，佛陀对比丘众说道："诸比丘。"

"尊师。"彼比丘众应诺佛陀。

佛陀如下说道："诸比丘，人们称呼你们为'沙门''沙门。'你们被询问'你们是谁'时，也自称'我们是沙门。'因此，诸比丘，你们对于如此的称呼，如此的自称，应该'有成为沙门，成为婆罗门的法，我们要受持该法而行动，像这样，我们要与我们的此称呼相符合，与此自称相符合。为此，我们受用衣、食、卧具、医药等资具，布施者于我们将会获得大果报、大功德，我们的此出家也功不唐捐，会有果报，有结果。'诸比丘，你们应该像这样学习。"

416　"那么，诸比丘，成为沙门，成为婆罗门的法是什么？

'具足惭愧。'诸比丘，你们应该像这样学习。然而，诸比丘，你们或许认为：'我们具足惭愧，仅仅做到如此就已经足够，我们就已经达成沙门的目的，我们没有任何于此之上应做之事'，仅仅满足于此。诸比丘，我对你们说，我告诉你们，诸比丘，你们不要停留在那种沙门的目的上，令沙门的目的衰退，在此之上还有应做之事。"

417　"那么，诸比丘，在此之上的应做之事是什么？

'我们的身行清净，明了开放，无缺陷，无遮覆。因为身行清净而不自赞毁他。'诸比丘，你们应该像这样学习。然而，诸比丘，你们或许认为：'我们具足惭愧，我们的身行清净，仅仅做到如此就已经足够，我们就已经达成沙门的目的，我们没有任何于此之上应做之事'，仅仅满足于此。诸比丘，我对你们说，我告诉你们，诸比丘，你们不要停留在那种沙门的目的上，令沙门的目的衰退，在此之上还有应做之事。"

418　"那么，诸比丘，在此之上的应做之事是什么？

'我们的语行清净，明了开放，无缺陷，无遮覆。因为语行清净而不自赞毁他。'诸比丘，你们应该像这样学习。然而，诸比丘，你们或许认为：'我们具足惭愧，我们的身行清净，语行清净，仅仅做到如此就已经足够，我们就已经达成沙门的目的，我们没有任何于此之上应做之事'，仅仅满足于此。诸比丘，我对你们说，我告诉你们，诸比丘，你们不要停留在那种沙门的目的上，令沙门的目的衰退，在此之上还有应做之事。"

419　"那么，诸比丘，在此之上的应做之事是什么？

'我们的意行清净,明了开放,无缺陷,无遮覆。因为意行清净而不自赞毁他。'诸比丘,你们应该像这样学习。然而,诸比丘,你们或许认为:'我们具足惭愧,我们的身行清净,语行清净,意行清净,仅仅做到如此就已经足够,我们就已经达成沙门的目的,我们没有任何于此之上应做之事',仅仅满足于此。诸比丘,我对你们说,我告诉你们,诸比丘,你们不要停留在那种沙门的目的上,令沙门的目的衰退,在此之上还有应做之事。"

420 "那么,诸比丘,在此之上的应做之事是什么?

'我们的活命清净,明了开放,无缺陷,无遮覆。因为活命清净而不自赞毁他。'诸比丘,你们应该像这样学习。然而,诸比丘,你们或许认为:'我们具足惭愧,我们的身行清净,语行清净,意行清净,活命清净,仅仅做到如此就已经足够,我们就已经达成沙门的目的,我们没有任何于此之上应做之事',仅仅满足于此。诸比丘,我对你们说,我告诉你们,诸比丘,你们不要停留在那种沙门的目的上,令沙门的目的衰退,在此之上还有应做之事。"

421 "那么,诸比丘,在此之上的应做之事是什么?

'我们守护诸根门。以眼观色时,不取相,不取随相。如果不守护眼根而住,其结果是贪求、忧郁等恶不善法就会流入。我们为了其摄护而行,守护眼根,对眼根加以防护。以耳闻声时,不取相,不取随相。如果不守护耳根而住,其结果是贪求、忧郁等恶不善法就会流入。我们为了其摄护而行,守护耳根，对耳根加以防护。以鼻嗅香时，不取相，不取随相。如果不守护鼻根而住，其结果是贪求、忧郁等恶不善法就会流入。我们为了其摄护而行，守护鼻根，对鼻根加以防护。以舌品味时，不取相，不取随相。如果不守护舌根而住，其结果是贪求、忧郁等恶不善法就会流入。我们为了其摄护而行，守护舌根，对舌根加以防护。以身接触所触时，不取相，不取随相。如果不守护身根而住，其结果是贪求、忧郁等恶不善法就会流入。我们为了其摄护而行，守护身根，对身根加以防护。以意知法时，不取相，不取随相。如果不守护意根而住，其结果是贪求、忧郁等恶不善法就会流入。我们为了其摄护而行，守护意根，对意根加以防护。'诸比丘，你们应该像这样学习。然而，诸比丘，你们或许认为：'我们具足惭愧，我们的身行清净，语行清净，意行清净，活命清净，守护诸根门，仅仅做到如此就已经足够，我们就已经达成沙门的目的，我们没有任何于此之上应做之事'，仅仅满足于此。诸比丘，我对你们说，我告诉你们，诸比丘，你们不要停留在那种沙门的目的上，令沙门的目的衰退，在此之上还有应做之事。"

422 "那么，诸比丘，在此之上的应做之事是什么？

'我们饮食知量，如理观察，食用食物，不是为了嬉戏，不是为了慢心，不是为了养颜，不是为了庄严，其仅仅是为了此身体的存续和存活，为了止息恼害，为了资益梵行，如此这样，击退旧的苦受，不再生起新的苦受，我们将会无罪、安乐而住。'诸比丘，你们应该像这样学习。然而，诸比丘，你们或许认为：'我们具足惭愧，我们的身行清净，语行清净，意行清净，活命清净，守护诸根门，饮食知量，仅仅做到如此就已经足够，我们就已经达成沙门的目的，我们没有任何于此之上应做之事'，仅仅满足于此。诸比丘，我对你们说，我告诉你们，诸比丘，你们不要停留在那种沙门的目的上，令沙门的目的衰退，在此之上还有应做之事。"

423 "那么，诸比丘，在此之上的应做之事是什么？

'我们要策励不眠。白天通过经行和禅坐从诸障碍法中净心。初夜分通过经行和禅坐从诸障碍法中净心。中夜分右胁如狮子卧，一只脚放在另一只脚上，具念，具正知，作意起身之念。后夜分通过经行和禅坐从诸障碍法中净心。'诸比丘，你们应该像这样学习。然而，诸比丘，你们或许认为：'我们具足惭愧，我们的身行清净，语行清净，意行清净，活命清净，守护诸根门，饮食知量，策励不眠，仅仅做到如此就已经足够，我们就已经达成沙门的目的，我们没有任何于此之上应做之事'，仅仅满足于此。诸比丘，我对你们说，我告诉你们，诸比丘，你们不要停留在那种沙门的目的上，令沙门的目的衰退，在此之上还有应做之事。"

424 "那么，诸比丘，在此之上的应做之事是什么？

'我们应是念和正知的具足者。前进、后退时，是正知行者。前视、后视时，是正知行者。曲臂、伸臂时，是正知行者。受持僧伽梨衣、钵、衣时，是正知行者。吃、喝、咀嚼、品尝时，是正知行者。行大便、小便时，是正知行者。行走、站立、就座、睡眠、清醒、言语、沉默时，是正知行者。'诸比丘，你们应该像这样学习。然而，诸比丘，你们或许认为：'我们具足惭愧，我们的身行清净，语行清净，意行清净，活命清净，守护诸根门，饮食知量，策励不眠，是念和正知的具足者，仅仅做到如此就已经足够，我们就已经达成沙门的目的，我们没有任何于此之上应做之事'，仅仅满足于此。诸比丘，我对你们说，我告诉你们，诸比丘，你们不要停留在那种沙门的目的上，令沙门的目的衰退，在此之上还有应做之事。"

425　"那么，诸比丘，在此之上的应做之事是什么？

在此，诸比丘，比丘亲近远离的坐卧处，如阿兰若、树下、山岳、溪谷、洞窟、冢间、丛林、野外、草堆等。吃完饭，结束托钵食以后，其结跏趺而坐，保持身体正直，于面前起念。其舍弃对世界的贪欲，住于无贪欲之心。因为无贪欲，故心得到净化。舍弃嗔恚，住于无嗔恚之心。哀愍一切有情，因为无嗔恚，故心得到净化。舍弃昏沉、睡眠，远离昏沉、睡眠而住，是具有光明想者，是具有正念者，心从昏沉、睡眠得到净化。舍弃掉举、后悔，平静而住，内心寂静，舍弃掉举、后悔，心得到净化。舍弃疑惑，超越疑惑而住。对善法无疑，舍弃疑惑，心得到净化。"

426　"诸比丘，例如，有人借债从事各种事业。这些事业成功，他还清了以往所借的债务款项，除此之外还有剩余可以用于养活妻子。这时他想：'我以前借债从事各种事业。

这些事业成功,我还清了以往所借的债务款项,除此之外还有剩余可以用于养活妻子。'因此,他获得喜悦,到达欢喜。

例如,有人患病,是苦于疾病的重患病人,食欲不振,身体虚弱。后来,他摆脱病魔,食欲大增,体力恢复。这时他想:'我以前患病,是苦于疾病的重患病人,食欲不振,身体虚弱。然而现在,我摆脱病魔,食欲大增,体力恢复。'因此,他获得喜悦,到达欢喜。

例如,有人身陷囹圄。后来,他出狱获得自由,他的财产也没有失去。这时他想:'我以前身陷囹圄。然而现在,我出狱获得自由,我的财产也没有失去。'因此,他获得喜悦,到达欢喜。

例如,有人身为奴隶,无法自主,依附他人,不能去想去的地方。后来,他摆脱奴隶之身,成为自主而不依附他人的自由人,能去想去的地方。这时他想:'我以前身为奴隶,无法自主,依附他人,不能去想去的地方。然而现在,我摆脱了奴隶之身,成为自主而不依附他人的自由人,能去想去的地方。'因此,他获得喜悦,到达欢喜。

例如,有一持巨财的富人走在险途上,饥饿、恐惧。后来他穿过险途到达安稳的村边,安稳、无惧。这时他想:'我以前是一持巨财的富人走在险途上,饥饿、恐惧。然而现在,我穿过险途到达安稳的村边,安稳、无惧。'因此,他获得喜悦,到达欢喜。

像这样,诸比丘,比丘像考察负债、疾病、牢狱、奴隶境地、险途一样于自身看到此未断的五盖。

像这样，诸比丘，比丘像考察无债、无病、摆脱牢狱、自由人、平稳境地一样于自身看到此已断的五盖。"

427 "其舍弃此五盖，了知削弱自心的随烦恼，由于离开诸欲，离开诸不善法，到达并住立于有浅观、有深观、因远离而生喜和乐的初禅。其身体为远离所生的喜和乐所充满、圆满、完满、遍满，整个身体没有远离所生的喜和乐所接触不到的地方。诸比丘，例如，熟练的洗浴工或其弟子在铜盆内放入洗浴粉，然后不断注入水，使之溶解。该洗浴粉的颗粒完全湿润，完全溶化，完全融于整盆水中，没有泄漏。像这样，诸比丘，比丘的身体为远离所生的喜和乐所充满、圆满、完满、遍满，整个身体没有远离所生的喜和乐所接触不到的地方。"

428 "进而，诸比丘，由于浅观和深观的寂灭，比丘到达并住立于内部清净的心一境性，到达无浅观、无深观、具有因定而生喜和乐的第二禅。其身体为定所生的喜和乐所充满、圆满、完满、遍满，整个身体没有为定所生的喜和乐所接触不到的地方。诸比丘，例如，有个具有甚深泉眼的湖，其东方没有水的入口，其南方没有水的入口，其西方没有水的入口，其北方没有水的入口，天亦没有时时下雨。此时，泉中涌出冷水，充满、圆满、完满、遍满整个湖。整个湖里没有不被冷水接触的地方。像这样，诸比丘，比丘的身体为定所生的喜和乐所充满、圆满、完满、遍满，整个身体没有为定所生的喜和乐所接触不到的地方。"

429 "进而,诸比丘,比丘离开喜,住于舍,具念,具正知,以身体感知乐,到达并住立于圣者所称的'有舍、具念、住于乐'的第三禅。其身体为无喜的乐所充满、圆满、完满、遍满,整个身体没有无喜的乐所接触不到的地方。诸比丘,例如,青莲池或红莲池或白莲池里生长着青莲、红莲、白莲,生于水内,在水里开放,到达水面,没于水中,它们从根到顶被冷水完全浸透,完全遍满,整个莲池里的青莲、红莲、白莲没有不被冷水接触的地方。像这样,诸比丘,比丘的身体为无喜的乐所充满、圆满、完满、遍满,整个身体没有无喜的乐所接触不到的地方。"

430 "进而,诸比丘,比丘舍弃乐,舍弃苦,以前早已熄灭喜和忧,到达并住立于非苦非乐、舍念遍净的第四禅。其身体坐在那里,为清净的心所遍满,整个身体没有清净遍净的心所接触不到的地方。诸比丘,例如,一个人坐在那里,从头往下披上一件白衣,整个身体没有白衣所覆盖不到的地方。像这样,诸比丘,比丘的身体坐在那里,为清净的心所遍满,整个身体没有清净遍净的心所接触不到的地方。"

431 "其以如此入定、遍净、净白、无秽、离随烦恼、柔软、堪任、住立、已达不动之心,引领心转向宿住随念智。其随念着多种宿住。例如,一生、二生、三生、四生、五生、十生、二十生、三十生、四十生、五十生、一百生、一千生、十万生,多个坏劫生、多个成劫生、多个坏成劫生。'在那里,我具有这样的名、这样的姓、这样的种姓、这样的食物,感受这样的乐和苦,具有这样的寿命。在那里死去,再生到那里。在那里,我具有这样的名、这样的姓、这样的种姓、这样的食物,感受这样的乐和苦,具有这样的寿命。在那里死去,再生到这里。'像这样,其随念着具有行相、具有境况的多种宿住。

诸比丘,例如,有人从自己的村庄到其他村庄,又从那个村庄到其他村庄。后来,他从那个村庄返回自己的村庄。于是,他这样想:'我从自己的村庄到其他村庄。在那里,我这样站立,这样就座,这样言语,这样沉默。我从那个村庄到其他村庄。在那里,我这样站立,这样就座,这样言语,这样沉默。后来,我从那个村庄返回自己的村庄。'像这样,诸比丘,比丘随念着多种宿住。例如,一生、二生、三生、四生、五生、十生、二十生、三十生、四十生、五十生、一百生、一千生、十万生,多个坏劫生、多个成劫生、多个坏成劫生。'在那里,我具有这样的名、这样的姓、这样的种姓、这样的食物,感受这样的乐和苦,具有这样的寿命。在那里死去,再生到那里。在那里,我具有这样的名、这样的姓、这样的种姓、这样的食物,感受这样的乐和苦,具有这样的寿命。在那里死去,再生到这里。'像这样,其随念着具有行相、具有境况的多种宿住。"

432　"其以如此入定、遍净、净白、无秽、离随烦恼、柔软、堪任、住立、已达不动之心,引领心转向众有情的死生智。其以清净、非凡的天眼观察卑贱、高贵、美丽、丑陋、善趣、恶趣的众有情的死亡、再生,了知众有情随业而行。'事实上,这些受人尊敬的有情因为具足身恶业,具足语恶业,具足意恶业,诽谤圣人,是邪见者,是邪见业的受持者。他们的身体破灭,死后将再生于苦处、恶处、难处、地狱。然而,那些受人尊敬的有情因为具足身善业,具足语善业,具足意善业,不诽谤圣人,是正见者,是正见业的受持者。他们的身体破灭,死后将再生于善处、天界。'像这样,比丘以清净、非凡的天眼观察卑贱、高贵、美丽、丑陋、善趣、恶趣的众有情的死亡、再生,了知众有情随业而行。

诸比丘,例如,有两座有门的房子。有眼之人站在中间观看人们从房子里或进或出,或散步或信步。像这样,诸比丘,比丘以清净、非凡的天眼观察卑贱、高贵、美丽、丑陋、善趣、恶趣的众有情的死亡、再生,了知众有情随业而行。'事实上,这些受人尊敬的有情因为具足身恶业,具足语恶业,具足意恶业,诽谤圣人,是邪见者,是邪见业的受持者。他们的身体破灭,死后将再生于苦处、恶处、难处、地狱。然而,那些受人尊敬的有情因为具足身善业,具足语善业,具足意善业,不诽谤圣人,是正见者,是正见业的受持者。他们的身体破灭,死后将再生于善处、天界。'像这样,比丘以清净、非凡的天眼观察卑贱、高贵、美丽、丑陋、善趣、恶趣的众有情的死亡、再生,了知众有情随业而行。"

433 "其以如此入定、遍净、净白、无秽、离随烦恼、柔软、堪任、住立、已达不动之心,引领心转向诸烦恼的灭尽智。其如实了知'此是苦',如实了知'此是苦的生起',如实了知

'此是苦的灭尽'，如实了知'此是通往苦灭尽的行道'。如实了知'这些是烦恼'，如实了知'此是烦恼的生起'，如实了知'此是烦恼的灭尽'，如实了知'此是通往烦恼灭尽的行道'。如此知者、如此见者，心从欲的烦恼中解脱出来，从存在的烦恼中解脱出来，从无明的烦恼中解脱出来，于解脱生起已解脱之智。了知'生命已尽，梵行已毕，应作已作，无有再生'。

诸比丘，例如，高山上有一个清澄、清净、清澈的湖。在那里，一位有眼之人站在岸边看到牡蛎、贝壳、砂砾、石子、鱼群或走或停。于是，他这样想：'这是一个清澄、清净、清澈的湖。里面有牡蛎、贝壳、砂砾、石子、鱼群或走或停。'像这样，诸比丘，比丘如实了知'此是苦'，如实了知'此是苦的生起'，如实了知'此是苦的灭尽'，如实了知'此是通往苦灭尽的行道'。如实了知'这些是烦恼'，如实了知'此是烦恼的生起'，如实了知'此是烦恼的灭尽'，如实了知'此是通往烦恼灭尽的行道'。如此了知、如此见者心从欲的烦恼中解脱出来，从存在的烦恼中解脱出来，从无明的烦恼中解脱出来，于解脱生起'获得解脱'之智。了知'生命已尽，梵行已毕，应作已作，无有再生'。"

434 "诸比丘，此比丘亦被称为'沙门'，亦被称为'婆罗门'，亦被称为'洗浴者'，亦被称为'明智者'，亦被称为'洗净者'，亦被称为'圣人'，亦被称为'阿罗汉'。

诸比丘，比丘如何成为沙门？因为杂染、再生、不幸、苦果、将来带来生老死的恶不善法于其已经寂止。像这样,诸比丘,比丘成为沙门。

诸比丘,比丘如何成为婆罗门?因为杂染、再生、不幸、苦果、将来带来生老死的恶不善法于其已经被拒绝。像这样,诸比丘,比丘成为婆罗门。

诸比丘,比丘如何成为洗浴者?因为杂染、再生、不幸、苦果、将来带来生老死的恶不善法于其已经被洗涤。像这样,诸比丘,比丘成为洗浴者。

诸比丘,比丘如何成为明智者?因为杂染、再生、不幸、苦果、将来带来生老死的恶不善法于其已经被了知。像这样,诸比丘,比丘成为明智者。

诸比丘,比丘如何成为洗净者?因为杂染、再生、不幸、苦果、将来带来生老死的恶不善法于其已经消失。像这样,诸比丘,比丘成为洗净者。

诸比丘,比丘如何成为圣人?因为杂染、再生、不幸、苦果、将来带来生老死的恶不善法于其已经远离。像这样,诸比丘,比丘成为圣人。

诸比丘,比丘如何成为阿罗汉?因为杂染、再生、不幸、苦果、将来带来生老死的恶不善法于其已经远离。像这样,诸比丘,比丘成为阿罗汉。"

此为佛陀所说。彼比丘众内心喜悦,欢喜佛陀所说。

(大马邑经完)

第十、小马邑经(Cūḷaassapurasuttaṃ)

435 如是我闻。

一次,佛陀住在鸯伽国一座名为马邑的鸯伽人的城市附近。在此,佛陀对比丘众说道:"诸比丘。"

"尊师。"彼比丘众应诺佛陀。

佛陀如下说道:"诸比丘,人们称呼你们为'沙门''沙门。'你们被询问'你们是谁'时,也自称'我们是沙门。'因此,诸比丘,你们对于如此的称呼,如此的自称,'我们要实践沙门的如理行道,像这样,我们要与我们的此称呼相符合,与此自称相符合。为此,我们受用衣、食、卧具、医药等资具,布施者于我们将会获得大果报、大功德,我们的此出家也功不唐捐,会有果报,有结果。'诸比丘,你们应该像这样学习。"

436 "那么,诸比丘,比丘如何是非实践沙门如理行道者?

诸比丘,任何比丘有贪求却没有舍弃贪求,有嗔心却没有舍弃嗔恚,有愤怒却没有舍弃愤怒,有怨恨却没有舍弃怨恨,有虚伪却没有舍弃虚伪,有欺瞒却没有舍弃欺瞒,有嫉妒却没有舍弃嫉妒,有悭吝却没有舍弃悭吝,有奸诈却没有舍弃奸诈,有诳惑却没有舍弃诳惑,有邪欲却没有舍弃邪欲,有邪见却没有舍弃邪见。诸比丘,因为这些沙门垢秽、沙门过失、沙门过患、恶趣所依、恶趣感受未被舍弃，我称其是非实践沙门如理行道者。例如，诸比丘，两面锋利的名为<u>马塔加</u>的武器，其被僧衣所覆盖、所裹缠。诸比丘，我说该比丘就是这样的出家。"

437 "诸比丘，我不称受持僧衣者仅仅因为受持僧衣便是沙门。诸比丘，我不称裸形者仅仅因为裸形便是沙门。诸比丘，我不称尘垢行者仅仅因为穿尘垢衣便是沙门。诸比丘，我不称每日三次浴水行者仅仅因为每日三次浴水便是沙门。诸比丘，我不称树下坐者仅仅因为树下坐便是沙门。诸比丘，我不称露地住者仅仅因为露地住便是沙门。诸比丘，我不称常立行者仅仅因为常立行便是沙门。诸比丘，我不称定期食者仅仅因为定期食便是沙门。诸比丘，我不称诵咒者仅仅因为诵咒便是沙门。诸比丘，我不称结发行者仅仅因为受持结发便是沙门。

诸比丘，如果受持僧衣者仅仅因为受持僧衣，便能有贪求者舍弃贪求，有嗔心者舍弃嗔恚，有愤怒者舍弃愤怒，有怨恨者舍弃怨恨，有虚伪者舍弃虚伪，有欺瞒者舍弃欺瞒，有嫉妒者舍弃嫉妒，有悭吝者舍弃悭吝，有奸诈者舍弃奸诈，有诳惑者舍弃诳惑，有邪欲者舍弃邪欲，有邪见者舍弃邪见，那么，朋友、友人、亲属、亲戚便会让刚出生的人受持僧衣，劝其仅仅做受持僧衣者：'吉祥之人，你来，成为受持僧衣者。你仅仅因为受持僧衣，便能有贪求者舍弃贪求，有嗔心者舍弃嗔恚，有愤怒者舍弃愤怒，有怨恨者舍弃怨恨，有虚伪者舍弃虚伪,有欺瞒者舍弃欺瞒,有嫉妒者舍弃嫉妒,有悭吝者舍弃悭吝,有奸诈者舍弃奸诈,有诳惑者舍弃诳惑,有邪欲者舍弃邪欲,有邪见者舍弃邪见。'然而,诸比丘,在受持僧衣者中也有一些人是有贪求者、有嗔心者、有愤怒者、有怨恨者、有虚伪者、有欺瞒者、有嫉妒者、有悭吝者、有奸诈者、有诳惑者、有邪欲者、有邪见者,因此,我不称受持僧衣者仅仅因为受持僧衣便是沙门。

诸比丘,同样道理,裸形者、尘垢行者、每日三次浴水行者、树下坐者、露地住者、常立行者、定期食者、诵咒者亦然。

诸比丘,如果结发行者仅仅因为受持结发,便能有贪求者舍弃贪求,有嗔心者舍弃嗔恚,有愤怒者舍弃愤怒,有怨恨者舍弃怨恨,有虚伪者舍弃虚伪,有欺瞒者舍弃欺瞒,有嫉妒者舍弃嫉妒,有悭吝者舍弃悭吝,有奸诈者舍弃奸诈,有诳惑者舍弃诳惑,有邪欲者舍弃邪欲,有邪见者舍弃邪见,那么,朋友、友人、亲属、亲戚便会让刚出生的人做结发行者,劝其仅仅做结发行者:'吉祥之人,你来,成为结发行者。你仅仅因为成为结发行者,便能有贪求者舍弃贪求,有嗔心者舍弃嗔恚,有愤怒者舍弃愤怒,有怨恨者舍弃怨恨,有虚伪者舍弃虚伪,有欺瞒者舍弃欺瞒,有嫉妒者舍弃嫉妒,有悭吝者舍弃悭吝,有奸诈者舍弃奸诈,有诳惑者舍弃诳惑,有邪欲者舍弃邪欲,有邪见者舍弃邪见。'然而,诸比丘,在结发行者中也有一些人是有贪求者、有嗔心者、有愤怒者、有怨恨者、有虚伪者、有欺瞒者、有嫉妒者、有悭吝者、有奸诈者、有诳惑者、有邪欲者、有邪见者，因此，我不称结发行者仅仅因为结发行便是沙门。"

438 "那么，诸比丘，比丘如何是实践沙门如理行道者？诸比丘，任何比丘有贪求者舍弃贪求，有嗔心者舍弃嗔恚，有愤怒者舍弃愤怒，有怨恨者舍弃怨恨，有虚伪者舍弃虚伪，有欺瞒者舍弃欺瞒，有嫉妒者舍弃嫉妒，有悭吝者舍弃悭吝，有奸诈者舍弃奸诈，有诳惑者舍弃诳惑，有邪欲者舍弃邪欲，有邪见者舍弃邪见。诸比丘，因为这些沙门垢秽、沙门过失、沙门过患、恶趣所依、恶趣感受被舍弃，我称其是实践沙门如理行道者。

其看到从所有此恶不善法自我清净。看到从所有此恶不善法的自我清净者生起欢喜。因为欢喜而喜悦生起，因为喜悦而身体轻安。轻安的身体感知到乐，有乐的心进入禅定。

其以慈俱在之心遍满一个方向而住，同样，第二个方向、第三个方向、第四个方向遍满而住。像这样，于上下四维，于一切处，把一切作为自己，对于涵盖一切的世界，以广大、巨大、无量、无怨恨、无嗔恚的慈俱在之心遍满而住。

以悲俱在之心遍满一个方向而住，同样，第二个方向、第三个方向、第四个方向遍满而住。像这样，于上下四维，于一切处，把一切作为自己，对于涵盖一切的世界，以广大、巨大、无量、无怨恨、无嗔恚的悲俱在之心遍满而住。

以喜俱在之心遍满一个方向而住，同样，第二个方向、第三个方向、第四个方向遍满而住。像这样，于上下四维，于一切处，把一切作为自己，对于涵盖一切的世界，以广大、巨大、无量、无怨恨、无嗔恚的喜俱在之心遍满而住。

以舍俱在之心遍满一个方向而住，同样，第二个方向、第三个方向、第四个方向遍满而住。像这样，于上下四维，于一切处，把一切作为自己，对于涵盖一切的世界，以广大、巨大、无量、无怨恨、无嗔恚的舍俱在之心遍满而住。

例如，诸比丘，在此有莲池，池水清澈、甜美、清凉、洁净、充沛、快乐。东方来的人为炎热所困，为炎热所恼，疲惫，脱水，干渴。其来到莲池，饮水摆脱了干渴，降服了炎热的苦恼。同样，西方来的人、北方来的人亦然。南方来的人为炎热所困，为炎热所恼，疲惫，脱水，干渴。其来到莲池，饮水摆脱了干渴，降服了炎热的苦恼。任何方向来的人为炎热所困，为炎热所恼，疲惫，脱水，干渴。其来到莲池，饮水摆脱了干渴，降服了炎热的苦恼。

像这样，诸比丘，从刹帝利家庭舍家出家，其根据如来所教导的法和律，像这样修习慈悲喜舍而获得内在的寂静。因为是内部寂静者，所以我称其是实践沙门如理行道者。

从婆罗门家庭舍家出家，其根据如来所教导的法和律，像这样修习慈悲喜舍而获得内在的寂静。因为是内部寂静者，所以我称其是实践沙门如理行道者。

从吠舍家庭舍家出家，其根据如来所教导的法和律，像这样修习慈悲喜舍而获得内在的寂静。因为是内部寂静者，所以我称其是实践沙门如理行道者。

从首陀罗家庭舍家出家，其根据如来所教导的法和律，像这样修习慈悲喜舍而获得内在的寂静。因为是内部寂静者，所以我称其是实践沙门如理行道者。

从任何家庭舍家出家，其根据如来所教导的法和律，像这样修习慈悲喜舍而获得内在的寂静。因为是内部寂静者，所以我称其是实践沙门如理行道者。

从刹帝利家庭舍家出家，由于诸烦恼的灭尽，其成为无漏者、心解脱者、慧解脱者，于现世自我了知、现证、成就而住。其因为诸烦恼灭尽而成为沙门。

从婆罗门家庭舍家出家，由于诸烦恼的灭尽，其成为无漏者、心解脱者、慧解脱者，于现世自我了知、现证、成就而住。其因为诸烦恼灭尽而成为沙门。

从吠舍家庭舍家出家，由于诸烦恼的灭尽，其成为无漏者、心解脱者、慧解脱者，于现世自我了知、现证、成就而住。其因为诸烦恼灭尽而成为沙门。

从首陀罗家庭舍家出家，由于诸烦恼的灭尽，其成为无漏者、心解脱者、慧解脱者，于现世自我了知、现证、成就而住。其因为诸烦恼灭尽而成为沙门。

从任何家庭舍家出家，由于诸烦恼的灭尽，其成为无漏者、心解脱者、慧解脱者，于现世自我了知、现证、成就而住。其因为诸烦恼灭尽而成为沙门。"

此为佛陀所说。彼比丘众内心喜悦，欢喜佛陀所说。

（小马邑经完）

五、小对集(Cūḷayamakavaggo)

内容简介

《小对集》共包括十部经,分别为《萨罗婆罗门经》《鞞兰若经》《大方广经》《小方广经》《小法受持经》《大法受持经》《观察经》《憍赏弥经》《梵天招待经》和《降魔经》。

第一部《萨罗婆罗门经》中,佛陀指出是否法行、正行,将直接影响其行为者身体破灭,死后再生于苦处、恶处、难处的地狱或再生于善道的天界。

第二部《鞞兰若经》与第一部《萨罗婆罗门经》的内容基本相同,只是向佛陀求法的对象不同。

第三部《大方广经》中,舍利弗尊者针对摩诃俱来来絺罗尊者的提问,对无慧、有慧、慧、识、受、想、有、初禅及禅支、五根乃至无量心解脱、无所有心解脱、空性心解脱、无相心解脱等诸法进行了解释。

第四部《小方广经》中,获得三果的优婆塞毗萨卡为了验证自己过去的妻子即法施比丘尼的修行达到什么程度,针对有身、有身生起、有身灭尽、通往有身灭尽的行道、取著与五取蕴的关系、有身见者、八正道、八正道与戒定慧的关系、定、定相、定资具、定修习、想受灭乃至解脱与涅槃的关系等诸法进行提问。已经证得阿罗汉果的法施比丘尼对其提问逐一加以解答，其解答得到佛陀的认可。

第五部《小法受持经》中，佛陀针对现在为乐、将来有苦果的法受持，现在为苦、将来亦有苦果的法受持，现在为苦、将来有乐果的法受持，现在为乐、将来亦有乐果的法受持进行了详细阐释。

第六部《大法受持经》中，佛陀揭示了对于无智、无慧、对法受持非如实了知者为何不喜好、不可爱、不可意的诸法增长，喜好、可爱、可意的诸法减损，对于有智、有慧、对法受持如实了知者不喜好、不可爱、不可意的诸法减损，喜好、可爱、可意的诸法增长，并针对四法受进行了详细阐述。

第七部《观察经》中，佛陀告诫诸比丘通过逐步观察，可以坚定对如来的信仰，是坚固者，不为沙门、婆罗门、天、魔、梵以及世上任何所动摇。

第八部《憍赏弥经》中，佛陀针对比丘中间生起的争论、口角、辩论，教授比丘六应记忆法，并阐明了圣出离的见，以及与凡夫不共通的圣出世间的七种智，指出具足七种智的圣弟子就可以现证预流果。

第九部《梵天招待经》中，针对梵天婆伽生起的常见，佛陀以神通力加以指正和调教。面对魔罗帕皮摩的阻挠，佛陀指出魔罗的目的就是为了防止沙门、婆罗门通过魔罗的领地。佛陀进而指出，对于如来来说，有漏、导致再生、恐怖、有苦果、带来生老死的诸烦恼已被断除，已被根绝。

第十部《降魔经》中，魔罗帕皮摩欲干扰禅定中的摩诃目犍连尊者。摩诃目犍连尊者训斥魔罗帕皮摩以后，讲述了自己和魔罗帕皮摩的前世。拘留孙佛时期，摩诃目犍连尊者也曾为魔罗，因犯下令比丘出血的罪过，堕入大地狱，在大地狱中饱受了数千年乃至在小增地狱中一万多年的罪报苦受。

第一、萨罗婆罗门经(Sāleyyakasuttaṃ)

439 如是我闻。

一次,佛陀与大比丘僧众一起在拘萨罗国游化,进入拘萨罗国一个名为萨罗的婆罗门村。

萨罗的婆罗门居家者们听说:"朋友,实际上释迦族出家的释迦子弟沙门乔达摩与大比丘僧众在拘萨罗国游化,已经到达萨罗。而且,针对彼乔达摩尊者具有如下赞誉之声:'据此,彼佛陀乃是阿罗汉、正等觉、明行足、善逝、世间解、无上士、调御丈夫、天人师、佛、世尊。其自我彻知、证得并阐述了包含天、魔、梵、沙门、婆罗门、众人、人天在内的此世界。其教导了初善、中善、后善、有内容、有形式、完整圆满、清净的法,令梵行明晰。'得见这样的阿罗汉实乃幸事。"

于是,萨罗的婆罗门居家者们接近佛陀所在的地方,靠近以后,有些人顶礼佛陀后坐于一旁,有些人与佛陀互致问候,互致令人欢喜、值得铭记之言后坐于一旁。有些人向佛陀行合掌礼后坐于一旁。有些人向佛陀通报姓名之后坐于一旁。有些人默然坐于一旁。坐于一旁的萨罗的婆罗门居家者们对佛陀如下说道:"乔达摩尊者,是什么因,是什么缘,在此,有些有情身体破灭,死后再生于苦处、恶处、难处的地狱？然而，乔达摩尊者，是什么因，是什么缘，在此，有些有情身体破灭，死后再生于善道的天界？"

"居家者们，因为非法行、非正行，所以，有些有情身体破灭，死后再生于苦处、恶处、难处的地狱。居家者们，因为法行、正行，所以，有些有情身体破灭，死后再生于善道的天界。"

"乔达摩尊者为我们简略地进行了说示，没有详尽地解释含义，因此我们没有详细地了解含义。请乔达摩尊者为我们解释该法，乔达摩尊者为我们简略地进行了说示，没有详尽地解释含义，我们想详细地了解含义。"

"既然如此，那么，居家者们，你们仔细听，充分作意。我来说。"

"好，尊者。"萨罗的婆罗门居家者们应诺佛陀。

佛陀如下说道：

440 "居家者们，有三种身非法行、非正行，四种语非法行、非正行，三种意非法行、非正行。

居家者们，有哪三种身非法行、非正行？

居家者们，在此，有人成为杀生者。凶暴、残暴，双手沾满血，执著于杀戮，对生命没有怜悯。

成为不与取者。对于他人所具有的财产、资具，无论是放在村庄还是放在阿兰若，都不与取地偷盗、获取。

成为邪淫者。对于为母亲保护、为父亲保护、为父母保护、为兄弟保护、为姊妹保护、为亲戚保护、为家族保护、为法保护、已婚、为刑律保护者,即使仅仅是头插缨簪稍加打扮者,也与这样的女性交往。

像这样,居家者们,有此三种身非法行、非正行。

居家者们,有哪四种语非法行、非正行?

居家者们,在此,有人成为妄语者。无论在集会中,还是在大众中,抑或在亲戚中、集体中、法庭中,被作为证人加以提问:'证人,说出你所知道的。'其不知道却说'我知道',知道却说'我不知道'。没有看见却说'我看见',看见却说'我没有看见'。像这样,为了自己,或为了他人,或为了蝇头小利而故意说妄语。

成为离间语者。为了离间而将此处所闻讲与彼处,为了离间而将彼处所闻讲与此处。像这样,令和合者分裂,令分裂者加剧,讲乐于分裂、喜欢分裂、欢喜不合、乐于不合之言。

成为粗恶语者。讲粗暴、粗野、刺激他人、令他人厌恶、令他人愤怒、导致不安定之言,成为讲如此话语之人。

成为杂秽语者。讲非时语、不真实语、无意义语、非法语、非律语。讲无内涵、不依教法、不依理由、无有限制、不伴随意义之言。

像这样,居家者们,有此四种语非法行、非正行。

居家者们,有哪三种意非法行、非正行?

居家者们,在此,有人成为贪求者。对于他人的财产、资具,其成为贪求者:'啊,愿他人的所有为我所有!'

成为嗔心者,是思维憎恨者:'让这些有情被杀掉! 被杀

死！被灭绝！消失！不存在！'

成为邪见者，是颠倒想者：'没有布施，没有供养，没有祭品，没有善恶业的果报异熟，没有此世，没有彼世，没有母亲，没有父亲，没有化生有情。世上没有正行、正实践的沙门和婆罗门自证、觉悟、阐述此世和彼世。'

像这样，居家者们，有此三种意非法行、非正行。

像这样，居家者们，因为非法行、非正行，所以，有些有情身体破灭，死后再生于苦处、恶处、难处的地狱。"

441 "居家者们，有三种身法行、正行，四种语法行、正行，三种意法行、正行。

居家者们，有哪三种身法行、正行？

居家者们，在此，有人舍弃杀生，是杀生的远离者，是舍弃刀者，是舍弃剑者，具足惭愧，具足怜悯，心怀对一切生命的同情而住。

舍弃不与取，是不与取的远离者。对于他人所具有的财产、资具，无论是放在村庄还是放在阿兰若，都不会不与取地偷盗、获取。

舍弃秽行，是淫法的远离者。对于为母亲保护、为父亲保护、为父母保护、为兄弟保护、为姊妹保护、为亲戚保护、为家族保护、为法保护、已婚、为刑律保护者，即使仅仅是头插缨簪稍加打扮者，也不与这样的女性交往。

像这样，居家者们，有此三种身法行、正行。

居家者们，有哪四种语法行、正行？

居家者们，在此，有人舍弃妄语，是远离妄语者。无论在集会中，还是在大众中，抑或在亲戚中、集体中、法庭中，被作为证人加以提问：'证人，说出你所知道的。'其不知道就说'我不知道'，知道就说'我知道'。没有看见就说'我没有看见'，看见就说'我看见'。像这样，不为了自己，或为了他人，或为了蝇头小利而故意说妄语。

舍弃离间语，是远离离间语者。不会为了离间而将此处所闻讲与彼处，不会为了离间而将彼处所闻讲与此处。像这样，令不和合者融合，令和合者满足，意乐和合，欢喜和合，愉悦和合，讲述带来和合的话语。

舍弃粗恶语，是远离粗恶语者。讲述悦耳、柔和、充满爱意、令人愉快、高雅、众所喜闻、众所欢喜之言。

舍弃杂秽语，是远离杂秽语者。适时发话，讲述真实，表达意义，讲法说律，适时发表合理有度、令人铭记、意味深长的话语。

像这样，居家者们，有此四种语法行、正行。

居家者们，有哪三种意法行、正行？

居家者们，在此，有人成为无贪求者。对于他人的财产、资具，其不成为贪求者：'啊，愿他人的所有为我所有！'

成为无嗔心者，是不思维憎恨者，所谓'让这些有情被杀掉！被杀死！被灭绝！消失！不存在！'

成为正见者，是不颠倒想者：'有布施，有供养，有祭品，有善恶业的果报异熟，有此世，有彼世，有母亲，有父亲，有化

生有情。世上有正行、正实践的沙门和婆罗门自证、觉悟、阐述此世和彼世。'

像这样，居家者们，有此三种意法行、正行。

像这样，居家者们，因为法行、正行，所以，有些有情身体破灭，死后再生于善道的天界。"

442　"居家者们，如果法行者、正行者希望：'啊，但愿我的身体坏灭，死后再生，与刹帝利大富豪共住。'必有此理，其身体坏灭，死后再生，与刹帝利大富豪共住。此为何故？因为其是那样的法行者、正行者。

居家者们，如果法行者、正行者希望：'啊，但愿我的身体坏灭，死后再生，与婆罗门大富豪共住。'必有此理，其身体坏灭，死后再生，与婆罗门大富豪共住。此为何故？因为其是那样的法行者、正行者。

居家者们，如果法行者、正行者希望：'啊，但愿我的身体坏灭，死后再生，与居家者大富豪共住。'必有此理，其身体坏灭，死后再生，与居家者大富豪共住。此为何故？因为其是那样的法行者、正行者。

居家者们，如果法行者、正行者希望：'啊，但愿我的身体坏灭，死后再生，与四大天王神众共住。'必有此理，其身体坏灭，死后再生，与四大天王神众共住。此为何故？因为其是那样的法行者、正行者。

居家者们，如果法行者、正行者希望：'啊，但愿我的身体坏灭，死后再生，与三十三天神众共住，与耶摩天神众共住，与兜率天神众共住，与乐化天神众共住，与他化自在天神众共住。'必有此理，其身体坏灭，死后再生，与各诸天神众共住。此为何故？因为其是那样的法行者、正行者。"

居家者们，如果法行者、正行者希望：'啊，但愿我的身体坏灭，死后再生，与光天神众共住。'必有此理，其身体坏灭，死后再生，与光天神众共住。此为何故？因为其是那样的法行者、正行者。

居家者们，如果法行者、正行者希望：'啊，但愿我的身体坏灭，死后再生，与少光天神众共住。'必有此理，其身体坏灭，死后再生，与少光天神众共住。此为何故？因为其是那样的法行者、正行者。

居家者们，如果法行者、正行者希望：'啊，但愿我的身体坏灭，死后再生，与无量光天神众共住，与光音天神众共住，与少净天神众共住，与无量净天神众共住，与遍净天神众共住，与广果天神众共住，与无烦天神众共住，与无热天神众共住，与善现天神众共住，与善见天神众共住，与色究竟天神众共住，与空无边处天神众共住，与识无边处天神众共住，与无所有处天神众共住，与非想非非想处天神众共住。'必有此理，其身体坏灭，死后再生，与各诸天神众共住。此为何故？因为其是那样的法行者、正行者。

居家者们，如果法行者、正行者希望：'啊，但愿我由于诸烦恼的灭尽而于现世自我证知、证得、成就无烦恼的心解脱、慧解脱而住。'必有此理,其由于诸烦恼的灭尽而于现世自我证知、证得、成就无烦恼的心解脱、慧解脱而住。此为何故?因为其是那样的法行者、正行者。"

443　听闻此言,萨罗的婆罗门居家者们对佛陀如下说道:"乔达摩尊者,实在是殊胜! 乔达摩尊者,实在是殊胜!乔达摩尊者,恰似扶起跌倒者,打开覆盖物,给迷路之人指明道路,为了让有眼之人看到诸色而在黑暗中点亮灯火,像这样,乔达摩尊者采用多种方法明示了法。乔达摩尊者,从今以后,我们皈依乔达摩尊者、法、比丘僧团。请乔达摩尊者接受我们成为优婆塞,作我们一生的皈依处。"

（萨罗婆罗门经完）

第二、鞞兰若经(Verañjakasuttaṃ)

444　如是我闻。

一次,佛陀住在舍卫城附近的祇陀林给孤独园。

当时,鞞兰若村的婆罗门居家者们为某些应做之事而住在舍卫城。鞞兰若村的婆罗门居家者们听说:"朋友,实际上释迦族出家的释迦子弟沙门乔达摩住在舍卫城附近的祇陀林给孤独园。而且,针对彼乔达摩尊者具有如下赞誉之声:'据此,彼佛陀乃是阿罗汉、正等觉、明行足、善逝、世间解、无上士、调御丈夫、天人师、佛、世尊。其自我彻知、证得并阐述了包含天、魔、梵、沙门、婆罗门、众人、人天在内的此世界。其教导了初善、中善、后善、有内容、有形式、完整圆满、清净的法,令梵行明晰。'得见这样的阿罗汉实乃幸事。"

于是,鞞兰若村的婆罗门居家者们接近佛陀所在的地方,靠近以后,有些人顶礼佛陀后坐于一旁,有些人与佛陀互致问候,互致令人欢喜、值得铭记之言后坐于一旁。有些人向佛陀行合掌礼后坐于一旁。有些人向佛陀通报姓名之后坐于一旁。有些人默然坐于一旁。坐于一旁的鞞兰若村的婆罗门居家者们对佛陀如下说道:"乔达摩尊者,是什么因,是什么缘,在此,有些有情身体破灭,死后再生于苦处、恶处、难处的地狱? 然而,乔达摩尊者,是什么因,是什么缘,在此,有些有情身体破灭,死后再生于善道的天界?"

"居家者们,因为非法行、非正行,所以,有些有情身体破灭,死后再生于苦处、恶处、难处的地狱。居家者们,因为法行、正行,所以,有些有情身体破灭,死后再生于善道的天界。"

"乔达摩尊者为我们简略地进行了说示,没有详尽地解释含义,因此我们没有详细地了解含义。请乔达摩尊者为我们解释该法,乔达摩尊者为我们简略地进行了说示,没有详尽地解释含义,我们想详细地了解含义。"

"既然如此,那么,居家者们,你们仔细听,充分作意。我来说。"

"好，尊者。"鞞兰若村的婆罗门居家者们应诺佛陀。佛陀如下说道：

445 "居家者们，有三种身非法行、非正行，四种语非法行、非正行，三种意非法行、非正行。

居家者们，有哪三种身非法行、非正行？

居家者们，在此，有人成为杀生者。凶暴、残暴，双手沾满血，执著于杀戮，对生命没有怜悯。

成为不与取者。对于他人所具有的财产、资具，无论是放在村庄还是放在阿兰若，都不与取地偷盗、获取。

成为邪淫者。对于为母亲保护、为父亲保护、为父母保护、为兄弟保护、为姊妹保护、为亲戚保护、为家族保护、为法保护、已婚、为刑律保护者，即使仅仅是头插缨簪稍加打扮者，也与这样的女性交往。

像这样，居家者们，有此三种身非法行、非正行。

居家者们，有哪四种语非法行、非正行？

居家者们，在此，有人成为妄语者。无论在集会中，还是在大众中，抑或在亲戚中、集体中、法庭中，被作为证人加以提问：'证人，说出你所知道的。'其不知道却说'我知道'，知道却说'我不知道'。没有看见却说'我看见'，看见却说'我没有看见'。像这样，为了自己，或为了他人，或为了蝇头小利而故意说妄语。

成为离间语者。为了离间而将此处所闻讲与彼处，为了离间而将彼处所闻讲与此处。像这样，令和合者分裂，令分裂者加剧,讲乐于分裂、喜欢分裂、欢喜不合、乐于不合之言。

成为粗恶语者。讲粗暴、粗野、刺激他人、令他人厌恶、令他人愤怒、导致不安定之言,成为讲如此话语之人。

成为杂秽语者。讲非时语、不真实语、无意义语、非法语、非律语。讲无内涵、不依教法、不依理由、无有限制、不伴随意义之言。像这样,居家者们,有此四种语非法行、非正行。

居家者们,有哪三种意非法行、非正行?

居家者们,在此,有人成为贪求者。对于他人的财产、资具,其成为贪求者:'啊,愿他人的所有为我所有!'

成为嗔心者,成为思维憎恨者:'让这些有情被杀掉!被杀死!被灭绝!消失!不存在!'

成为邪见者,成为颠倒想者:'没有布施,没有供养,没有祭品,没有善恶业的果报异熟,没有此世,没有彼世,没有母亲,没有父亲,没有化生有情。世上没有正行、正实践的沙门和婆罗门自证、觉悟、阐述此世和彼世。'

像这样,居家者们,有此三种意非法行、非正行。

像这样,居家者们,因为非法行、非正行,所以,有些有情身体破灭,死后再生于苦处、恶处、难处的地狱。"

446 "居家者们,有三种身法行、正行,四种语法行、正行,三种意法行、正行。

居家者们,有哪三种身法行、正行?

居家者们,在此,有人舍弃杀生,是杀生的远离者,是舍弃刀者，是舍弃剑者，具足惭愧，具足怜悯，心怀对一切生命的同情而住。

舍弃不与取，是不与取的远离者。对于他人所具有的财产、资具，无论是放在村庄还是放在阿兰若，都不会不与取地偷盗、获取。

舍弃秽行，是淫法的远离者。对于为母亲保护、为父亲保护、为父母保护、为兄弟保护、为姊妹保护、为亲戚保护、为家族保护、为法保护、已婚、为刑律保护者，即使仅仅是头插缨簪稍加打扮者，也不与这样的女性交往。

像这样，居家者们，有此三种身法行、正行。

居家者们，有哪四种语法行、正行？

居家者们，在此，有人舍弃妄语，是远离妄语者。无论在集会中，还是在大众中，抑或在亲戚中、集体中、法庭中，被作为证人加以提问：'证人，说出你所知道的。'其不知道就说'我不知道'，知道就说'我知道'。没有看见就说'我没有看见'，看见就说'我看见'。像这样，不为了自己，或为了他人，或为了蝇头小利而故意说妄语。

舍弃离间语，是远离离间语者。不会为了离间而将此处所闻讲与彼处，不会为了离间而将彼处所闻讲与此处。像这样，令不和合者融合，令和合者满足，意乐和合，欢喜和合，愉悦和合，讲述带来和合的话语。

舍弃粗恶语，是远离粗恶语者。讲述悦耳、柔和、充满爱意、令人愉快、高雅、众所喜闻、众所欢喜之言。

舍弃杂秽语,是远离杂秽语者。适时发话,讲述真实,表达意义,讲法说律,适时发表合理有度、令人铭记、意味深长的话语。

像这样,居家者们,有此四种语法行、正行。

居家者们,有哪三种意法行、正行?

居家者们,在此,有人成为无贪求者。对于他人的财产、资具,其不成为贪求者:'啊,愿他人的所有为我所有!'

成为无嗔心者,是不思维憎恨者,所谓'让这些有情被杀掉!被杀死!被灭绝!消失!不存在!'

成为正见者,是不颠倒想者:'有布施,有供养,有祭品,有善恶业的果报异熟,有此世,有彼世,有母亲,有父亲,有化生有情。世上有正行、正实践的沙门和婆罗门自证、觉悟、阐述此世和彼世。'

像这样,居家者们,有此三种意法行、正行。

像这样,居家者们,因为法行、正行,所以,有些有情身体破灭,死后再生于善道的天界。"

447 "居家者们,如果法行者、正行者希望:'啊,但愿我的身体坏灭,死后再生,与刹帝利大富豪共住。'必有此理,其身体坏灭,死后再生,与刹帝利大富豪共住。此为何故?因为其是那样的法行者、正行者。

居家者们,如果法行者、正行者希望:'啊,但愿我的身体坏灭,死后再生,与婆罗门大富豪共住。'必有此理,其身体坏灭,死后再生,与婆罗门大富豪共住。此为何故?因为其是那样的法行者、正行者。

居家者们，如果法行者、正行者希望：'啊，但愿我的身体坏灭，死后再生，与居家者大富豪共住。'必有此理，其身体坏灭，死后再生，与居家者大富豪共住。此为何故？因为其是那样的法行者、正行者。

居家者们，如果法行者、正行者希望：'啊，但愿我的身体坏灭，死后再生，与四大天王神众共住。'必有此理，其身体坏灭，死后再生，与四大天王神众共住。此为何故？因为其是那样的法行者、正行者。

居家者们，如果法行者、正行者希望：'啊，但愿我的身体坏灭，死后再生，与三十三天神众共住，与耶摩天神众共住，与兜率天神众共住，与乐化天神众共住，与他化自在天神众共住，与梵身天神众共住。'必有此理，其身体坏灭，死后再生，与各诸天神众共住。此为何故？因为其是那样的法行者、正行者。"

居家者们，如果法行者、正行者希望：'啊，但愿我的身体坏灭，死后再生，与光天神众共住。'必有此理，其身体坏灭，死后再生，与光天神众共住。此为何故？因为其是那样的法行者、正行者。

居家者们，如果法行者、正行者希望：'啊，但愿我的身体坏灭，死后再生，与少光天神众共住。'必有此理，其身体坏灭，死后再生，与少光天神众共住。此为何故？因为其是那样的法行者、正行者。

居家者们，如果法行者、正行者希望：'啊，但愿我的身体坏灭，死后再生，与无量光天神众共住，与光音天神众共住，与少净天神众共住，与无量净天神众共住，与遍净天神众共住，与广果天神众共住，与无烦天神众共住，与无热天神众共住，与善现天神众共住，与善见天神众共住，与色究竟天神众共住，与空无边处天神众共住，与识无边处天神众共住，与无所有处天神众共住，与非想非非想处天神众共住。'必有此理，其身体坏灭，死后再生，与各诸天神众共住。此为何故？因为其是那样的法行者、正行者。

居家者们，如果法行者、正行者希望：'啊，但愿我由于诸烦恼的灭尽而于现世自我证知、证得、成就无烦恼的心解脱、慧解脱而住。'必有此理，其由于诸烦恼的灭尽而于现世自我证知、证得、成就无烦恼的心解脱、慧解脱而住。此为何故？因为其是那样的法行者、正行者。"

448 听闻此言，鞞兰若村的婆罗门居家者们对佛陀如下说道："乔达摩尊者，实在是殊胜！乔达摩尊者，实在是殊胜！乔达摩尊者，恰似扶起跌倒者，打开覆盖物，给迷路之人指明道路，为了让有眼之人看到诸色而在黑暗中点亮灯火，像这样，乔达摩尊者采用多种方法明示了法。乔达摩尊者，从今以后，我们皈依乔达摩尊者、法、比丘僧团。请乔达摩尊者接受我们成为优婆塞，作我们一生的皈依处。"

（鞞兰若经完）

第三、大方广经(Mahāvedallasuttaṃ)

449　如是我闻。

一次,佛陀住在舍卫城附近的祇陀林给孤独园。

傍晚,尊者摩诃俱絺罗从禅坐出定,接近尊者舍利弗所在的地方,靠近以后与尊者舍利弗互致问候,互致令人欢喜、值得铭记之言以后坐于一旁。

坐于一旁的尊者摩诃俱絺罗对尊者舍利弗如下说道:"朋友,所谓'无慧''无慧'。那么,朋友,因为什么而被称为'无慧'?"

"'不了知''不了知',朋友,因此而被称为'无慧'。那么,不了知什么? 不了知'此是苦'。不了知'此是苦的生起'。不了知'此是苦的灭尽'。不了知'此是通往苦灭尽的行道'。'不了知''不了知',朋友,因此而被称为'无慧'。"

"朋友,太好了。"尊者摩诃俱絺罗欢喜、随喜尊者舍利弗所说,然后向尊者舍利弗进一步提出询问:"朋友,所谓'有慧''有慧'。那么,朋友,因为什么而被称为'有慧'?"

"'了知''了知',朋友,因此而被称为'有慧'。了知什么? 了知'此是苦'。了知'此是苦的生起'。了知'此是苦的灭尽'。了知'此是通往苦灭尽的行道'。'了知''了知',

朋友，因此而被称为‘有慧’。”

"朋友，所谓‘识’‘识’。那么，朋友，根据什么而被称为‘识’？"

"‘了别’‘了别’，朋友，据此而被称为‘识’。了别什么？了别乐，了别苦，了别非苦非乐。‘了别’‘了别’，朋友，据此而被称为‘识’。"

"朋友，‘慧’和‘识’，这些法是联系在一起的，还是毫无关系？这些法能否彼此剥离而了解其不同？"

"朋友，‘慧’和‘识’，这些法是联系在一起的，不是毫无关系。这些法不能彼此剥离而了解其不同。因为，朋友，‘了知’就是‘了别’，‘了别’就是‘了知’。因此，这些法是联系在一起的，不是毫无关系。这些法不能彼此剥离而了解其不同。"

"朋友，‘慧’和‘识’，这些法是联系在一起的，不是毫无关系，那么有何不同？"

"朋友，‘慧’和‘识’，这些法是联系在一起的，不是毫无关系，然而，‘慧’是须修习者，‘识’是须遍知者。此是它们的不同。"

450 "朋友，所谓‘受’‘受’。那么，朋友，根据什么而被称为‘受’？"

"‘感受’‘感受’，朋友，据此而被称为‘受’。感受什么？感受乐，感受苦，感受非苦非乐。‘感受’‘感受’，朋友，据此而被称为‘受’。"

"朋友,所谓'想''想'。那么,朋友,根据什么而被称为
'想'?"

"'觉知''觉知',朋友,据此而被称为'想'。觉知什么?
觉知青色,觉知黄色,觉知红色,觉知白色。'觉知''觉知',
朋友,据此而被称为'想'。"

"朋友,'受''想'和'识',这些法是联系在一起的,还是
毫无关系? 这些法能否彼此剥离而了解其不同?"

"朋友,'受''想'和'识',这些法是联系在一起的,不是
毫无关系。这些法不能彼此剥离而了解其不同。因为,朋
友,'感受'就是'觉知','觉知'就是'了别'。因此,这些法
是联系在一起的,不是毫无关系。这些法不能彼此剥离而了
解其不同。"

451 "那么,朋友,通过五根被舍弃的遍净意识可以到
达哪里?"

"朋友,通过五根被舍弃的遍净意识可以到达'虚空乃
无边'的空无边处,可以到达'识乃无边'的识无边处,可以
到达'乃无所有'的无所有处。"

"那么,朋友,可以到达的法通过什么了知?"

"朋友,可以到达的法通过慧眼了知。"

"那么,朋友,慧以何为目的?"

"朋友,慧以证智为目的,以遍知为目的,以舍离为目
的。"

452 "那么,朋友,为了正见的生起而有多少缘?"

"朋友,为了正见的生起而有二缘:来自外部的评价和如理作意。朋友,为了正见的生起而有此二缘。"

"那么,朋友,正见因被多少支摄护而具有心解脱的果,具有心解脱果的功德,具有慧解脱的果,具有慧解脱果的功德?"

"朋友,正见因被五支摄护而具有心解脱的果,具有心解脱果的功德,具有慧解脱的果,具有慧解脱果的功德。朋友,在此,正见被戒摄护,被闻摄护,被议论摄护,被止摄护,被观摄护。朋友,正见因被此五支摄护而具有心解脱的果,具有心解脱果的功德,具有慧解脱的果,具有慧解脱果的功德。"

453 "那么,朋友,有多少有?"

"朋友,有三有,欲有、色有、无色有。"

"那么,朋友,如何成为未来再生起者?"

"朋友,为无明所覆盖、为渴爱所束缚的有情,随处欢喜,像这样,成为未来再生起者。"

"那么,朋友,如何成为未来不再生起者?"

"朋友,离无明,明生起,渴爱灭尽,像这样,成为未来不再生起者。"

454 "那么,朋友,什么是初禅?"

"朋友,在此,比丘离开诸欲,离开诸不善法,到达并住立于有浅观、有深观、因远离而生喜和乐的初禅。朋友,此即被称为初禅。"

"那么,朋友,初禅有多少支?"

"朋友，初禅有五支。在此，朋友，到达初禅的比丘具有浅观、深观、喜、乐、心一境性。朋友，初禅有此五支。"

"那么，朋友，于初禅，多少支被舍弃，多少支具足？"

"朋友，于初禅，五支被舍弃，五支具足。在此，朋友，到达初禅的比丘，贪欲被舍弃，嗔恚被舍弃，昏沉、睡眠被舍弃，掉举、后悔被舍弃，疑惑被舍弃。具有浅观、深观、喜、乐、心一境性。朋友，于初禅，此五支被舍弃，此五支具足。"

455 "朋友，五根即眼根、耳根、鼻根、舌根、身根，其领域不同，行处相异，不能经验相互之间的领域和行处。朋友，对于此五根，领域不同，行处相异，不能经验相互之间的领域和行处，那么，什么是所依？是什么经验其领域和行处？"

"朋友，五根即眼根、耳根、鼻根、舌根、身根，其领域不同，行处相异，不能经验相互之间的领域和行处。朋友，对于此五根，领域不同，行处相异，不能经验相互之间的领域和行处，那么，意是所依，是意经验其领域和行处。"

456 "朋友，五根即眼根、耳根、鼻根、舌根、身根，朋友，此五根依何而住立？"

"朋友，五根即眼根、耳根、鼻根、舌根、身根，朋友，此五根依寿命而住立。"

"那么，朋友，寿命依何而住立？"

"朋友，寿命依热而住立。"

"那么，朋友，热依何而住立？"

"朋友，热依寿命而住立。"

"朋友,在此我这样理解舍利弗尊者所言:'寿命依热而住立。'朋友,在此我这样理解舍利弗尊者所言:'热依寿命而住立。'朋友,如何把握此所言之含义呢?"

"朋友,我为你作譬喻。智慧之人也通过譬喻把握所言之含义。朋友,例如,燃烧的油灯依火焰而知道光,依光而知道火焰。像这样,朋友,寿命依热而住立,热依寿命而住立。"

457 "朋友,彼寿行,其就是被感受之法,还是彼寿行不是被感受之法?"

"朋友,彼寿行不是被感受之法。朋友,如果彼寿行就是被感受之法,那么对于入定于想受灭的比丘就没有出定。因此,朋友,彼寿行不是被感受之法,所以,对于入定于想受灭的比丘就有出定。"

"朋友,那么,此时有多少法舍弃此身体?此时,此身体被舍弃、被丢弃,如同无有思想的木柴般横卧。"

"朋友,此时有寿、热、识三法舍弃此身体,此时,此身体被舍弃、被丢弃,如同无有思想的木柴般横卧。"

"朋友,此死去的死者与此到达想受灭的比丘之间,他们有不同吗?"

"朋友,此死去的死者,其身行停止、止灭,语行停止、止灭,意行停止、止灭,寿命消尽,热寂灭,诸根被破坏。然而,到达想受灭的比丘,其身行停止、止灭,语行停止、止灭,意行停止、止灭,但是,寿命没有消尽,热没有寂灭,诸根清净。朋友,此死去的死者与此到达想受灭的比丘之间,此即是他们的不同。"

458　"那么,朋友,为了到达非苦非乐的心解脱而有多少缘?"

"朋友,为了到达非苦非乐的心解脱而有四缘。在此,朋友,比丘舍弃乐,舍弃苦,以前早已熄灭喜和忧,到达并住立于非苦非乐、舍念遍净的第四禅。朋友,为了到达非苦非乐的心解脱而有此四缘。"

"那么,朋友,为了到达无相心解脱而有多少缘?"

"朋友,为了到达无相心解脱而有二缘,即不作意一切相、作意无相界。朋友,为了到达无相心解脱而有此二缘。"

"那么,朋友,为了无相心解脱的住立而有多少缘?"

"朋友,为了无相心解脱的住立而有三缘,即不作意一切相、作意无相界、过去所为。朋友,为了无相心解脱的住立而有此三缘。"

"那么,朋友,为了无相心解脱的出定而有多少缘?"

"朋友,为了无相心解脱的出定而有二缘,即作意一切相、不作意无相界。朋友,为了无相心解脱的出定而有此二缘。"

459　"朋友,有此无量心解脱、无所有心解脱、空性心解脱、无相心解脱,此诸法是含义不同、形式不同,还是含义相同、形式不同?"

"朋友,有此无量心解脱、无所有心解脱、空性心解脱、无相心解脱,朋友,有依据,根据依据,则此诸法含义不同、形式不同。朋友，有依据，根据依据，则此诸法含义相同、形式不同。"

"朋友，是什么样的依据，根据这样的依据，则此诸法含义不同、形式不同？"

"朋友，在此，以慈俱在之心遍满一个方向而住，同样，第二个方向、第三个方向、第四个方向遍满而住。像这样，于上下四维，于一切处，把一切作为自己，对于涵盖一切的世界，以广大、巨大、无量、无怨恨、无嗔恚的慈俱在之心遍满而住。

以悲俱在之心遍满一个方向而住，同样，第二个方向、第三个方向、第四个方向遍满而住。像这样，于上下四维，于一切处，把一切作为自己，对于涵盖一切的世界，以广大、巨大、无量、无怨恨、无嗔恚的悲俱在之心遍满而住。

以喜俱在之心遍满一个方向而住，同样，第二个方向、第三个方向、第四个方向遍满而住。像这样，于上下四维，于一切处，把一切作为自己，对于涵盖一切的世界，以广大、巨大、无量、无怨恨、无嗔恚的喜俱在之心遍满而住。

以舍俱在之心遍满一个方向而住，同样，第二个方向、第三个方向、第四个方向遍满而住。像这样，于上下四维，于一切处，把一切作为自己，对于涵盖一切的世界，以广大、巨大、无量、无怨恨、无嗔恚的舍俱在之心遍满而住。朋友，此即所谓的无量心解脱。"

"那么，朋友，如何是无所有心解脱？"

"朋友，在此，比丘完全超越无所有处，到达并安住于

'乃无所有'的无所有处。朋友,此即所谓的无所有心解脱。"

"那么,朋友,如何是空性心解脱?"

"朋友,在此,比丘进入阿兰若或来到树下或进入空弃房屋进行如下深虑:'此是空,或因我或因我所。'朋友,此即所谓的空性心解脱。"

"那么,朋友,如何是无相心解脱?"

"朋友,在此,比丘不作意所有相,到达并安住于无相心定。朋友,此即所谓的无相心解脱。朋友,是此依据,根据这样的依据,则此诸法含义不同、形式不同。"

"朋友,是什么样的依据,根据这样的依据,则此诸法含义相同、形式不同?"

"朋友,贪是量因,嗔是量因,痴是量因,其为烦恼灭尽的比丘所舍弃,如同被从根部切断,失去根基的多罗树已经不存在,将来不会再生。朋友,这样的无量心解脱不动,是诸心解脱中的顶点。其不动心解脱没有贪,没有嗔,没有痴。

朋友,贪是障碍,嗔是障碍,痴是障碍,其为烦恼灭尽的比丘所舍弃,如同被从根部切断,失去根基的多罗树已经不存在,将来不会再生。朋友,这样的无量心解脱不动,是诸心解脱中的顶点。其不动心解脱没有贪,没有嗔,没有痴。

朋友,贪是相因,嗔是相因,痴是相因。其为烦恼灭尽的比丘所舍弃,如同被从根部切断,失去根基的多罗树已经不存在,将来不会再生。朋友,这样的无量心解脱不动,是诸心解脱中的顶点。其不动心解脱没有贪，没有嗔，没有痴。朋友，是此依据，根据这样的依据，则此诸法含义相同、形式不同。"

此为尊者舍利弗所说。尊者摩诃俱絺罗内心喜悦，欢喜尊者舍利弗所说。

（大方广经完）

第四、小方广经（Cūḷavedallasuttaṃ）

460　如是我闻。

一次，佛陀住在王舍城附近的竹林精舍。优婆塞毗萨卡接近法施比丘尼所在的地方，靠近以后顶礼法施比丘尼，然后坐于一旁。

坐于一旁的优婆塞毗萨卡对法施比丘尼如下说道："尼师父，所谓'有身''有身'，那么，尼师父，世尊将什么称为'有身'？"

"毗萨卡居士，世尊将此五取蕴，即色取蕴、受取蕴、想取蕴、行取蕴、识取蕴称为'有身'。毗萨卡居士，世尊将此五取蕴称为'有身'。"

"很好，尼师父。"优婆塞毗萨卡欢喜、随喜法施比丘尼所说，然后向法施比丘尼进一步提出询问："尼师父，所谓

'有身生起''有身生起'，那么，尼师父，世尊将什么称为'有身生起'？"

"毗萨卡居士，此导致再生、具有喜贪、随处欢喜的渴爱，即欲爱、有爱、无有爱，毗萨卡居士，世尊将此称为'有身生起'。"

"尼师父，所谓'有身灭尽''有身灭尽'，那么，尼师父，世尊将什么称为'有身灭尽'？"

"毗萨卡居士，对于此渴爱的无余彻底的灭尽，舍弃，彻底舍弃，解脱，无执著，毗萨卡居士，世尊将此称为'有身灭尽'。"

"尼师父，所谓'通往有身灭尽的行道''通往有身灭尽的行道'，那么，尼师父，世尊将什么称为'通往有身灭尽的行道'？"

"毗萨卡居士，此八正道就是世尊所说的通往有身灭尽的行道，即正见、正思、正语、正业、正命、正精进、正念、正定。"

"那么，尼师父，彼取著就是五取蕴，还是取著与五取蕴不同？"

"毗萨卡居士，彼取著不是五取蕴，也不是取著与五取蕴不同。毗萨卡居士，对于五取蕴的欲贪，其就是取著。"

461　"那么，尼师父，如何成为有身见者？"

"在此，毗萨卡居士，无闻的凡夫不见圣人，不熟知圣人法，没有于圣人法得到教导；不见善人，不熟知善人法，没有于善人法得到教导。其认为我是色,我有色,于我有色,于色有我。其认为我是受,我有受,于我有受,于受有我。其认为我是想,我有想,于我有想,于想有我。其认为我是行,我有行,于我有行,于行有我。其认为我是识,我有识,于我有识,于识有我。像这样,毗萨卡居士,成为有身见者。"

"那么,尼师父,如何不成为有身见者?"

"在此,毗萨卡居士,博闻的圣弟子见圣人,熟知圣人法,于圣人法得到教导;见善人,熟知善人法,于善人法得到教导。其不认为我是色,我有色,于我有色,于色有我。其不认为我是受,我有受,于我有受,于受有我。其不认为我是想,我有想,于我有想,于想有我。其不认为我是行,我有行,于我有行,于行有我。其不认为我是识,我有识,于我有识,于识有我。像这样,毗萨卡居士,不成为有身见者。"

462 "那么,尼师父,什么是八正道?"

"毗萨卡居士,其就是八正道,即正见、正思、正语、正业、正命、正精进、正念、正定。"

"那么,尼师父,八正道是有为,还是无为?"

"毗萨卡居士,八正道是有为。"

"那么,尼师父,是三蕴为八正道所统摄,还是八正道为三蕴所统摄?"

"毗萨卡居士,不是三蕴为八正道所统摄。毗萨卡居士,是八正道为三蕴所统摄。毗萨卡居士,正语、正业、正命,此诸法为戒蕴所统摄。正精进、正念、正定,此诸法为定蕴所统摄。正见、正思，此诸法为慧蕴所统摄。"

"那么，尼师父，什么是定？什么法是定相？什么法是定资具？什么是定修习？"

"毗萨卡居士，心的一境性，此就是定。四念处，此就是定相。四正勤，此就是定资具。对于此诸法的熟习、修行、多做，此就是此处的定修习。"

463　"那么，尼师父，有几行？"

"毗萨卡居士，有三行，即身行、语行、心行。"

"那么，尼师父，什么是身行？什么是语行？什么是心行？"

"毗萨卡居士，出入息是身行。浅观和深观是语行。想和受是心行。"

"那么，尼师父，为何出入息是身行？为何浅观和深观是语行？为何想和受是心行？"

"毗萨卡居士，出入息属于身体，此诸法与身体相连结，因此，出入息是身行。毗萨卡居士，先浅观、深观，然后发出语言，因此浅观和深观是语行。想和受属于心，此诸法与心相连结，因此，想和受是心行。"

464　"那么，尼师父，如何到达想受灭？"

"毗萨卡居士，到达想受灭的比丘不这样思考：'我将要到达想受灭。''我到达想受灭。''我已经到达想受灭。'因为其以前如此修心，所以如其所修而到达那里。"

"那么，尼师父，对于到达想受灭的比丘，什么法首先灭尽？是身行,还是语行,抑或是心行？"

"毗萨卡居士,对于到达想受灭的比丘,首先是语行灭尽,然后是身行,然后是心行。"

"那么,尼师父,到达想受灭的比丘如何出定？"

"毗萨卡居士,从想受灭出定的比丘不这样思考:'我将要从想受灭出定。''我从想受灭出定。''我已经从想受灭出定。'因为其以前如此修心,所以如其所修而到达那里。"

"那么,尼师父,对于从想受灭出定的比丘,什么法首先生起？是身行,还是语行,抑或是心行？"

"毗萨卡居士,对于从想受灭出定的比丘,首先是心行生起,然后是身行,然后是语行。"

"那么,尼师父,从想受灭出定的比丘接触多少触？"

"毗萨卡居士,从想受灭出定的比丘接触三触,即空性触、无相触、无愿触。"

"那么,尼师父,对于从想受灭出定的比丘,心向什么低下？向什么倾斜？向什么倾倒？"

"毗萨卡居士,对于从想受灭出定的比丘,心向远离低下,向远离倾斜,向远离倾倒。"

465 "那么,尼师父,有多少受？"

"毗萨卡居士,有三受,即乐受、苦受、非苦非乐受。"

"那么,尼师父,什么是乐受？什么是苦受？什么是非苦非乐受？"

"毗萨卡居士,身体或内心感受到快乐、可意,此就是乐受。毗萨卡居士，身体或内心感受到痛苦、不可意，此就是苦受。毗萨卡居士，身体或内心感受到非可意、非不可意，此就是非苦非乐受。"

"那么，尼师父，乐受以何为乐，以何为苦？苦受以何为乐，以何为苦？非苦非乐受以何为乐，以何为苦？"

"毗萨卡居士，乐受以存续为乐，以变异为苦。苦受以变异为乐，以存续为苦。非苦非乐受以智为乐，以无智为苦。"

"那么，尼师父，乐受中潜藏什么烦恼？苦受中潜藏什么烦恼？非苦非乐受中潜藏什么烦恼？"

"毗萨卡居士，乐受中潜藏贪烦恼。苦受中潜藏嗔烦恼。非苦非乐受中潜藏无明烦恼。"

"尼师父，是否所有乐受中都潜藏贪烦恼？是否所有苦受中都潜藏嗔烦恼？是否所有非苦非乐受中都潜藏无明烦恼？"

"毗萨卡居士，不是所有乐受中都潜藏贪烦恼。不是所有苦受中都潜藏嗔烦恼。不是所有非苦非乐受中都潜藏无明烦恼。"

"那么，尼师父，乐受中什么应被舍弃？苦受中什么应被舍弃？非苦非乐受中什么应被舍弃？"

"毗萨卡居士，乐受中贪烦恼应被舍弃。苦受中嗔烦恼应被舍弃。非苦非乐受中无明烦恼应被舍弃。"

"尼师父，是否所有乐受中贪烦恼应被舍弃，所有苦受中嗔烦恼应被舍弃，所有非苦非乐受中无明烦恼应被舍弃？"

"毗萨卡居士,不是所有乐受中贪烦恼应被舍弃。不是所有苦受中嗔烦恼应被舍弃。不是所有非苦非乐受中无明烦恼应被舍弃。在此,毗萨卡居士,比丘离开诸欲,离开诸不善法,到达并住立于有浅观、有深观、因远离而生喜和乐的初禅。贪因此而被舍弃,此时,贪烦恼不潜藏。在此,毗萨卡居士,比丘如此深刻思考:'我何时达到此处而住,如诸圣人现在到达并安住的处?'像这样,于无上解脱生起羡慕者因为羡慕而生起忧恼,因此而嗔被舍弃,嗔烦恼不潜藏。在此,毗萨卡居士,比丘舍弃乐,舍弃苦,以前早已熄灭喜和忧,到达并住立于非苦非乐、舍念遍净的第四禅。无明因此而被舍弃,此时,无明烦恼不潜藏。"

466 "那么,尼师父,乐受与什么相对应?"

"毗萨卡居士,乐受与苦受相对应。"

"那么,尼师父,苦受与什么相对应?"

"毗萨卡居士,苦受与乐受相对应。"

"那么,尼师父,非苦非乐受与什么相对应?"

"毗萨卡居士,非苦非乐受与无明相对应。"

"那么,尼师父,无明与什么相对应?"

"毗萨卡居士,无明与明相对应。"

"那么,尼师父,明与什么相对应?"

"毗萨卡居士,明与解脱相对应。"

"那么,尼师父,解脱与什么相对应?"

"毗萨卡居士,解脱与涅槃相对应。"

"那么，尼师父，涅槃与什么相对应？"

"毗萨卡居士，问题已经超出界限，你没有把握提问的界限。毗萨卡居士，因为梵行就是深入涅槃，以涅槃为彼岸，以涅槃为终结。毗萨卡居士，你如果希望，那么可以去接近世尊询问该含义，并按照彼世尊的解释对其加以受持。"

467 优婆塞毗萨卡欢喜、随喜法施比丘尼所说以后，便从座位站起，顶礼法施比丘尼，右转向佛陀所在的地方接近，靠近以后，顶礼佛陀，然后坐于一旁。坐于一旁的优婆塞毗萨卡将与法施比丘尼之间的对话全部讲给佛陀。听闻以后，佛陀对优婆塞毗萨卡如下说道："毗萨卡，法施比丘尼是贤者。毗萨卡，法施比丘尼是大智慧者。毗萨卡，如果你向我询问其含义，我也与法施比丘尼所作的解释相同，对其加以相同的解释。这就是其含义。你要对其如此受持。"

此为佛陀所说。优婆塞毗萨卡内心喜悦，欢喜佛陀所说。

（小方广经完）

第五、小法受持经
（Cūḷadhammasamādānasuttaṃ）

468　如是我闻。

一次，佛陀住在舍卫城附近的祇陀林给孤独园。在此，佛陀对比丘众说道："诸比丘。"

"尊师。"彼比丘众应诺佛陀。

佛陀如下说道："诸比丘，有此四法受持。哪四法？诸比丘，有现在为乐、将来有苦果的法受持。诸比丘，有现在为苦、将来亦有苦果的法受持。诸比丘，有现在为苦、将来有乐果的法受持。诸比丘，有现在为乐、将来亦有乐果的法受持。"

469　"诸比丘，什么是现在为乐、将来有苦果的法受持？诸比丘，有某些沙门、婆罗门是如此论者、如此见者：'诸欲中无过失。'他们沉溺于诸欲之中。他们与年轻的女修行者欢娱。他们如此说道：'为何彼受人尊敬的沙门、婆罗门在诸欲中看到未来的怖畏，教导舍断诸欲，告知诸欲的遍知？乐就是对于这些年轻、柔软的女修行者舒展肢体的接触。'他们沉溺于诸欲之中。

他们沉溺于诸欲之中，身体破灭，死后再生于苦处、恶处、难处的地狱。他们在那里感受痛苦、剧烈、粗重、残酷的感受。他们如此说道：'在此，彼受人尊敬的沙门、婆罗门在诸欲中看到未来的怖畏，教导舍断诸欲，告知诸欲的遍知。因为我们感受此痛苦、剧烈、粗重、残酷的感受是由于欲、源于欲。'

诸比丘，例如，在夏天最后的一个月里，蔓草结出带皮的种子。于是，诸比丘，蔓草的种子落在某棵婆罗树根下。于是，诸比丘，有位住在该婆罗树的女神，其恐惧、惊恐、战栗。于是，诸比丘，住在婆罗树的该女神的亲朋好友、亲戚即森林神、树林神、树木神以及住在药草、野草、乔木上的神云集会合，如下安慰她：'女神，不要恐惧。女神，不要恐惧。或许此蔓草种子会被孔雀吞食，被麋鹿吞食，被林火焚烧，被樵夫带走，长出蚂蚁，种子没有成熟而消失。'

然而，诸比丘，彼蔓草种子没有被孔雀吞食，没有被麋鹿吞食，没有被林火焚烧，没有被樵夫带走，没有长出蚂蚁，种子成熟。其因雨云适时降大雨而生根发芽。彼嫩蔓草是新鲜、柔软、舒展的蔓草，其接近彼婆罗树。于是，诸比丘，住在该婆罗树的女神如下思考：'为何彼令人尊敬的亲朋好友、亲戚即森林神、树林神、树木神以及住在药草、野草、乔木上的神于蔓草中看到将来的恐惧而云集会合，如下安慰："女神，不要恐惧。女神，不要恐惧。或许此蔓草种子会被孔雀吞食，被麋鹿吞食，被林火焚烧，被樵夫带走，长出蚂蚁，种子没有成熟而消失"？乐就是对于这些嫩蔓草新鲜、柔软、舒展肢

体的接触。'

　　其缠住彼<u>娑罗树</u>，其缠住彼<u>娑罗树</u>以后攀到上面的枝干上，攀到上面的枝干上以后长出气根。长出气根以后，彼<u>娑罗树</u>有粗大的枝干，其遭到破坏。于是，诸比丘，住在该<u>娑罗树</u>的女神如下思考：'彼令人尊敬的亲朋好友、亲戚即森林神、树林神、树木神以及住在药草、野草、乔木上的神于蔓草中看到将来的恐惧而云集会合，如下安慰："女神，不要恐惧。女神，不要恐惧。或许此蔓草种子会被孔雀吞食，被麋鹿吞食，被林火焚烧，被樵夫带走，长出蚂蚁，种子没有成熟而消失。"的确，我因为蔓草而感受痛苦、剧烈、粗重、残酷的感受。'

　　像这样，诸比丘，有某些沙门、婆罗门是如此论者、如此见者：'诸欲中无过失。'他们沉溺于诸欲之中。他们与年轻的女修行者欢娱。他们如此说道：'为何彼受人尊敬的沙门、婆罗门在诸欲中看到未来的怖畏，教导舍断诸欲，告知诸欲的遍知？乐就是对于这些年轻、柔软的女修行者舒展肢体的接触。'他们沉溺于诸欲之中。他们沉溺于诸欲之中，身体破灭，死后再生于苦处、恶处、难处的地狱。他们在那里感受痛苦、剧烈、粗重、残酷的感受。他们如此说道：'在此，彼受人尊敬的沙门、婆罗门在诸欲中看到未来的怖畏，教导舍断诸欲，告知诸欲的遍知。因为我们感受此痛苦、剧烈、粗重、残酷的感受是由于欲、源于欲。'诸比丘，此就是所谓的现在为乐、将来有苦果的法受持。"

470 "诸比丘，什么是现在为苦、将来亦有苦果的法受持？

诸比丘，有些人成为裸行者、便溺随意行者、舐手者、不接受供养者、被叫站住也不站住者。其不受用运来的食物，不接受别请，不接受招待。其不从瓶口接受，不从锅口接受，不在围院里、不在鞭杖间、不在棍棒间、不在二人进食时、不从孕妇、不从哺乳妇女、不从与男性有过交往的女性、不对特别募集的食物、不对供养的食物予以接受，不在苍蝇群聚处接受。其不接受鱼，不接受肉，不喝米酒，不喝果酒，不喝酸粥。其为一户一口食者、二户二口食者，乃至七户七口食者。其接受一钵供养，亦接受二钵供养，乃至亦接受七钵供养。其隔一日进食，亦隔二日进食，乃至亦隔七日进食，像这样，亦从事并实践着半月定期进食。

其成为以蔬菜为食者、以秕谷为食者、以玄米为食者、以皮革屑为食者、以苔藓为食者、以糠为食者、以米汤为食者、以芝麻粉为食者、以草为食者、以牛粪为食者、以草木根果为食者，吃落下的果实而生存。其穿麻布衣，穿粗麻布衣，穿裹尸布衣，穿粪扫衣，穿树皮衣，穿羊皮衣，穿羊皮的编织衣，穿草衣，穿树叶衣，穿木片衣，穿毛发衣，穿兽毛衣，穿鸟毛衣。其拔须发，成为从事并实践拔除须发者。其是常立者，拒绝坐具。其是跪坐者，长期从事并实践着跪坐。其是卧荆棘者，倚靠在荆棘上。其是住木板者、卧露地者、卧一侧者、卧尘垢者、露地住者、随处住者。其是食腐食者，从事并实践着食腐食等行为。其是断饮者，从事并实践着断饮。其从事并实践着一日三次沐浴。像这样，专心实践于身体方面的多种苦行而住。他们身体破灭，死后再生于苦处、恶处、难处的地狱。诸比丘，此就是所谓的现在为苦、将来亦有苦果的法受持。"

471　"诸比丘，什么是现在为苦、将来有乐果的法受持？诸比丘，在此，有人生来极贪，其时常感受到贪所生之痛苦和忧恼。生来极嗔，其时常感受到嗔所生之痛苦和忧恼。生来极痴，其时常感受到痴所生之痛苦和忧恼。其因为痛苦的俱在和忧恼的俱在，泪流满面地践行完全清净的梵行。其身体破灭，死后再生于善道的天界。诸比丘，此就是所谓的现在为苦、将来有乐果的法受持。"

472　"诸比丘，什么是现在为乐、将来亦有乐果的法受持？诸比丘，在此，有人不是生来极贪，其不时常感受到贪所生之痛苦和忧恼。不是生来极嗔，其不时常感受到嗔所生之痛苦和忧恼。不是生来极痴，其不时常感受到痴所生之痛苦和忧恼。

其离开诸欲，离开诸不善法，到达并住立于有浅观、有深观、因远离而生喜和乐的初禅。由于浅观和深观的寂灭，到达并住立于内部清净的心一境性，到达无浅观、无深观、具有因定而生喜和乐的第二禅。离开喜，住于舍，具念，具正知，以身体感知乐，到达并住立于圣者所称的'有舍、具念、住于乐'的第三禅。舍弃乐，舍弃苦，以前早已熄灭喜和忧，到达并住立于非苦非乐、舍念遍净的第四禅。其身体破灭，死后再生于善道的天界。诸比丘，此就是所谓的现在为乐、将来亦有乐果的法受持。诸比丘，以上就是四法受持。"

此为佛陀所说。彼比丘众内心喜悦，欢喜佛陀所说。

（小法受持经完）

第六、大法受持经
（Mahādhammasamādānasuttaṃ）

473　如是我闻。

一次，佛陀住在舍卫城附近的祇陀林给孤独园。在此，佛陀对比丘众说道："诸比丘。"

"尊师。"彼比丘众应诺佛陀。

佛陀如下说道："诸比丘，通常，诸有情都是如此欲望者、如此意欲者、如此欲求者：'啊，不喜好、不可爱、不可意的诸法减损！喜好、可爱、可意的诸法增长！'然而，诸比丘，对于如此欲望、如此意欲、如此欲求的彼诸有情，不喜好、不可爱、不可意的诸法增长，喜好、可爱、可意的诸法减损。诸比丘，你们知道其是什么原因吗？"

"尊师，我们的法就是以世尊为根本，以世尊为指导者，以世尊为皈依处。尊师，请世尊为我们明示该所说之含义。

听闻世尊的解说,比丘众将受持。"

"那么,诸比丘,你们仔细听,充分作意。我来说。"

"好,尊师。"彼比丘众应诺佛陀。佛陀如下说道:

474 "在此,诸比丘,无闻的凡夫不见圣人,不熟知圣人法,没有于圣人法得到教导;不见善人,不熟知善人法,没有于善人法得到教导。不知道不应该亲近的法,不知道应该亲近的法,不知道不应该奉行的法,不知道应该奉行的法。其不知道不应该亲近的法,不知道应该亲近的法,不知道不应该奉行的法,不知道应该奉行的法,亲近不应该亲近的法,不亲近应该亲近的法,奉行不应该奉行的法,不奉行应该奉行的法。因为其亲近不应该亲近的法,不亲近应该亲近的法,奉行不应该奉行的法,不奉行应该奉行的法,所以不喜好、不可爱、不可意的诸法增长,喜好、可爱、可意的诸法减损。此为何故?诸比丘,这是因为对于无智之人而言,其必然如此。

诸比丘,博闻的圣弟子见圣人,熟知圣人法,于圣人法得到教导;见善人,熟知善人法,于善人法得到教导。知道不应该亲近的法,知道应该亲近的法,知道不应该奉行的法,知道应该奉行的法。其知道不应该亲近的法,知道应该亲近的法,知道不应该奉行的法,知道应该奉行的法,不亲近不应该亲近的法,亲近应该亲近的法,不奉行不应该奉行的法,奉行应该奉行的法。因为不亲近不应该亲近的法,亲近应该亲近的法,不奉行不应该奉行的法,奉行应该奉行的法,所以不喜好、不可爱、不可意的诸法减损,喜好、可爱、可意的诸法增长。此为何故？诸比丘,这是因为对于有智之人而言,其必然如此。”

475 “诸比丘,有四法受持。哪四个？

诸比丘,有现在为苦、将来亦有苦果的法受持。

诸比丘,有现在为乐、将来有苦果的法受持。

诸比丘,有现在为苦、将来有乐果的法受持。

诸比丘,有现在为乐、将来亦有乐果的法受持。”

476 “诸比丘,在此有现在为苦、将来亦有苦果的法受持。无智、无慧者对其非如实了知:‘此是现在为苦、将来亦有苦果的法受持。’无智、无慧、对其非如实了知者对其亲近,对其不回避。因为对其亲近,对其不回避,所以不喜好、不可爱、不可意的诸法增长,喜好、可爱、可意的诸法减损。此为何故？诸比丘,这是因为对于无智之人而言,其必然如此。

诸比丘,在此有现在为乐、将来有苦果的法受持。无智、无慧者对其非如实了知:‘此是现在为乐、将来有苦果的法受持。’无智、无慧、对其非如实了知者对其亲近,对其不回避。因为对其亲近,对其不回避,所以不喜好、不可爱、不可意的诸法增长,喜好、可爱、可意的诸法减损。此为何故？诸比丘,这是因为对于无智之人而言,其必然如此。

诸比丘,在此有现在为苦、将来有乐果的法受持。无智、无慧者对其非如实了知:‘此是现在为苦、将来有乐果的法受持。’无智、无慧、对其非如实了知者对其不亲近,对其回避。因为对其不亲近,对其回避,所以不喜好、不可爱、不可意的诸法增长,喜好、可爱、可意的诸法减损。此为何故？诸比丘,这是因为对于无智之人而言,其必然如此。

诸比丘,在此有现在为乐、将来亦有乐果的法受持。无智、无慧者对其非如实了知:'此是现在为乐、将来亦有乐果的法受持。'无智、无慧、对其非如实了知者对其不亲近,对其回避。因为对其不亲近,对其回避,所以不喜好、不可爱、不可意的诸法增长,喜好、可爱、可意的诸法减损。此为何故?诸比丘,这是因为对于无智之人而言,其必然如此。"

477 "诸比丘,在此有现在为苦、将来亦有苦果的法受持。有智、有慧者对其如实了知:'此是现在为苦、将来亦有苦果的法受持。'有智、有慧、对其如实了知者对其不亲近,对其回避。因为对其不亲近,对其回避,所以不喜好、不可爱、不可意的诸法减损,喜好、可爱、可意的诸法增长。此为何故?诸比丘,这是因为对于有智之人而言,其必然如此。

诸比丘,在此有现在为乐、将来有苦果的法受持。有智、有慧者对其如实了知:'此是现在为乐、将来有苦果的法受持。'有智、有慧、对其如实了知者对其不亲近,对其回避。因为对其不亲近,对其回避,所以不喜好、不可爱、不可意的诸法减损,喜好、可爱、可意的诸法增长。此为何故?诸比丘,这是因为对于有智之人而言,其必然如此。

诸比丘,在此有现在为苦、将来有乐果的法受持。有智、有慧者对其如实了知:'此是现在为苦、将来有乐果的法受持。'有智、有慧、对其如实了知者对其亲近,对其不回避。因为对其亲近,对其不回避,所以不喜好、不可爱、不可意的诸法减损，喜好、可爱、可意的诸法增长。此为何故？诸比丘，这是因为对于有智之人而言，其必然如此。

诸比丘，在此有现在为乐、将来亦有乐果的法受持。有智、有慧者对其如实了知：'此是现在为乐、将来亦有乐果的法受持。'有智、有慧、对其如实了知者对其亲近，对其不回避。因为对其亲近，对其不回避，所以不喜好、不可爱、不可意的诸法减损，喜好、可爱、可意的诸法增长。此为何故？诸比丘，这是因为对于有智之人而言，其必然如此。"

478 "诸比丘，什么是现在为苦、将来亦有苦果的法受持？

在此，诸比丘，某人成为具有苦、具有忧恼的杀生者，因为杀生而感受苦和忧恼。成为具有苦、具有忧恼的不与取者，因为不与取而感受苦和忧恼。成为具有苦、具有忧恼的邪淫者，因为邪淫而感受苦和忧恼。成为具有苦、具有忧恼的妄语者，因为妄语而感受苦和忧恼。成为具有苦、具有忧恼的离间语者，因为离间语而感受苦和忧恼。成为具有苦、具有忧恼的粗恶语者，因为粗恶语而感受苦和忧恼。成为具有苦、具有忧恼的杂秽语者，因为杂秽语而感受苦和忧恼。成为具有苦、具有忧恼的有贪者，因为贪而感受苦和忧恼。成为具有苦、具有忧恼的嗔心者，因为嗔而感受苦和忧恼。成为具有苦、具有忧恼的邪见者，因为邪见而感受苦和忧恼。其身体破灭，死后再生于苦处、恶处、难处的地狱。

诸比丘，此就是所说的现在为苦、将来亦有苦果的法受持。"

479 "诸比丘,什么是现在为乐、将来有苦果的法受持?

在此,诸比丘,某人成为具有乐、具有喜悦的杀生者,因为杀生而感受乐和喜悦。成为具有乐、具有喜悦的不与取者,因为不与取而感受乐和喜悦。成为具有乐、具有喜悦的邪淫者,因为邪淫而感受乐和喜悦。成为具有乐、具有喜悦的妄语者,因为妄语而感受乐和喜悦。成为具有乐、具有喜悦的离间语者,因为离间语而感受乐和喜悦。成为具有乐、具有喜悦的粗恶语者,因为粗恶语而感受乐和喜悦。成为具有乐、具有喜悦的杂秽语者,因为杂秽语而感受乐和喜悦。成为具有乐、具有喜悦的有贪者,因为贪而感受乐和喜悦。成为具有乐、具有喜悦的嗔心者,因为嗔而感受乐和喜悦。成为具有乐、具有喜悦的邪见者,因为邪见而感受乐和喜悦。其身体破灭,死后再生于苦处、恶处、难处的地狱。

诸比丘,此就是所说的现在为乐、将来有苦果的法受持。"

480 "诸比丘,什么是现在为苦、将来有乐果的法受持?

在此,诸比丘,某人成为具有苦、具有忧恼的杀生的远离者,因为远离杀生而感受苦和忧恼。成为具有苦、具有忧恼的不与取的远离者,因为远离不与取而感受苦和忧恼。成为具有苦、具有忧恼的邪淫的远离者,因为远离邪淫而感受苦和忧恼。成为具有苦、具有忧恼的妄语的远离者,因为远离妄语而感受苦和忧恼。成为具有苦、具有忧恼的离间语的远离者,因为远离离间语而感受苦和忧恼。成为具有苦、具有忧恼的粗恶语的远离者,因为远离粗恶语而感受苦和忧恼。成为具有苦、具有忧恼的杂秽语的远离者,因为远离杂秽语而感受苦和忧恼。成为具有苦、具有忧恼的有贪的远离者,因为远离贪而感受苦和忧恼。成为具有苦、具有忧恼的嗔心的远离者,因为远离嗔而感受苦和忧恼。成为具有苦、具有忧恼的正见者,因为正见而感受苦和忧恼。其身体破灭,死后再生于善道的天界。

诸比丘,此就是所说的现在为苦、将来有乐果的法受持。"

481 "诸比丘,什么是现在为乐、将来亦有乐果的法受持?

在此,诸比丘,某人成为具有苦、具有忧恼的杀生的远离者,因为远离杀生而感受乐和喜悦。成为具有苦、具有忧恼的不与取的远离者,因为远离不与取而感受乐和喜悦。成为具有苦、具有忧恼的邪淫的远离者,因为远离邪淫而感受乐和喜悦。成为具有苦、具有忧恼的妄语的远离者,因为远离妄语而感受乐和喜悦。成为具有苦、具有忧恼的离间语的远离者,因为远离离间语而感受乐和喜悦。成为具有苦、具有忧恼的粗恶语的远离者,因为远离粗恶语而感受乐和喜悦。成为具有苦、具有忧恼的杂秽语的远离者,因为远离杂秽语而感受乐和喜悦。成为具有苦、具有忧恼的有贪的远离者,因为远离贪而感受乐和喜悦。成为具有苦、具有忧恼的嗔心的远离者,因为远离嗔而感受乐和喜悦。成为具有苦、具有忧恼的正见者,因为正见而感受乐和喜悦。其身体破灭,死后再生于善道的天界。

诸比丘,此就是所说的现在为乐、将来亦有乐果的法受持。诸比丘,此就是四法受持。"

482 "诸比丘,例如有混入了毒药的苦瓜汁。这时来了一位想要活命,不想死,想要乐,厌恶苦之人。有人对其如下说道:'喂,此是混入了毒药的苦瓜汁。你如果愿意,那么请喝。然而饮用者会不欢喜其色香味,饮用以后将会遭受到死亡或接近死亡的痛苦。'该人没有思考而饮用,没有丢弃。于是,该饮用者不欢喜其色香味,饮用以后遭受到死亡或接近死亡的痛苦。诸比丘,我通过此比喻说明此法受持,即此现在为苦、将来亦有苦果的法受持。"

483 "诸比丘,例如有一铜杯里装着色具足、香具足、味具足的饮品。其混入了毒药。这时来了一位想要活命,不想死,想要乐,厌恶苦之人。有人对其如下说道:'喂,此是色具足、香具足、味具足的饮品。其混入了毒药。你如果愿意,那么请喝。尽管饮用者会因色具足、香具足、味具足而欢喜,但是饮用以后将会遭受到死亡或接近死亡的痛苦。'该人没有思考而饮用,没有丢弃。于是,尽管饮用者因色具足、香具足、味具足而欢喜,但是饮用以后遭受到死亡或接近死亡的痛苦。诸比丘,我通过此比喻说明此法受持,即此现在为乐、将来有苦果的法受持。"

484 "诸比丘,例如有混入各种药的牛尿酵素。这时来了一位患有黄疸病之人。有人对其如下说道：'喂,此是混入各种药的牛尿酵素。你如果愿意,那么请喝。尽管饮用者不欢喜其色香味,然而饮用以后会有乐。'该人对其思考以后而饮用,没有丢弃。于是,尽管该饮用者不欢喜其色香味,然而饮用以后获得乐。诸比丘,我通过此比喻说明此法受持,即此现在为苦、将来有乐果的法受持。"

485 "诸比丘,例如有拌着凝乳、蜂蜜、黄油、砂糖的饮品。这时来了一位患有赤痢之人。有人对其如下说道：'喂,此是拌着凝乳、蜂蜜、黄油、砂糖的饮品。你如果愿意,那么请喝。饮用者因色具足、香具足、味具足而欢喜,饮用以后会有乐。'该人对其思考以后而饮用,没有丢弃。于是,该饮用者因色具足、香具足、味具足而欢喜,饮用以后获得乐。诸比丘,我通过此比喻说明此法受持,即此现在为乐、将来亦有乐果的法受持。"

486 "诸比丘,恰似雨季最后的一个月,在秋季里,天空晴朗,万里无云,太阳高高升起在天空,冲破整个虚空,照耀、耀眼、夺目。像这样,诸比丘,此现在为乐、将来亦有乐果的法受持击破众多沙门、婆罗门的异说,照耀、耀眼、夺目。"

此为佛陀所说。彼比丘众内心喜悦,欢喜佛陀所说。

（大法受持经完）

第七、观察经（Vīmaṃsakasuttaṃ）

487　如是我闻。

一次，佛陀住在舍卫城附近的祇陀林给孤独园。在此，佛陀对比丘众说道："诸比丘。"

"尊师。"彼比丘众应诺佛陀。

佛陀如下说道："诸比丘，通过观察而不能了知他人之心差别的比丘，像这样，能于如来做分别思考：'此是正等觉者，抑或不是'吗？"

"尊师，我们的法就是以世尊为根本，以世尊为指导者，以世尊为皈依处。尊师，请世尊为我们明示该所说之含义。听闻世尊的解说，比丘众将受持。"

"那么，诸比丘，你们仔细听，充分作意。我来说。"

"好，尊师。"彼比丘众应诺佛陀。

佛陀如下说道：

488　"诸比丘，通过观察而不能了知他人之心差别的比丘，应于此二法，即于眼、耳所识法思考如来：'有杂染的眼、耳所识法，于如来，它们是存在，还是不存在？'对其加以不断思考者如下了知：'杂染的眼、耳所识法，于如来，它们不存在。'

当对其加以不断思考者如下了知:'杂染的眼、耳所识法,于如来,它们不存在'时,从而对其进行进一步的思考:'有混合的眼、耳所识法,于如来,它们是存在,还是不存在?'对其加以不断思考者如下了知:'混合的眼、耳所识法,于如来,它们不存在。'

当对其加以不断思考者如下了知:'混合的眼、耳所识法,于如来,它们不存在'时,从而对其进行进一步的思考:'有净白的眼、耳所识法,于如来,它们是存在,还是不存在?'对其加以不断思考者如下了知:'净白的眼、耳所识法,于如来,它们存在。'

当对其加以不断思考者如下了知:'净白的眼、耳所识法,于如来,它们存在'时,从而对其进行进一步的思考:'此尊者是长久到达此善法,还是暂时到达此善法?'对其加以不断思考者如下了知:'此尊者是长久到达此善法,不是暂时到达此善法。'

当对其加以不断思考者如下了知:'此尊者是长久到达此善法,不是暂时到达此善法'时,从而对其进行进一步的思考:'此尊者是已经有名、已经获得名声的比丘,在此,对其存在某些过患吗?'诸比丘,因为,只要比丘没有名、没有获得名声,就不存在某些过患。然而,诸比丘,只要比丘有名、获得名声,于其就会存在某些过患。对其加以不断思考者如下了知:'此尊者是有名、获得名声的比丘,然而,于其不存在某些过患。'

当对其加以不断思考者如下了知:'此尊者是有名、获得名声的比丘，然而，于其不存在某些过患’时，从而对其进行进一步的思考：‘此尊者是无畏的止息吗？此尊者不是有畏的止息吗？因为离贪，因为贪的灭尽而不亲近诸欲吗？’对其加以不断思考者如下了知：‘此尊者是无畏的止息，此尊者不是有畏的止息，因为离贪，因为贪的灭尽而不亲近诸欲。’

　　诸比丘，如果其他人如下询问该比丘：‘那么，尊者，是什么行相？是什么随相？据此尊者称："此尊者是无畏的止息，此尊者不是有畏的止息，因为离贪，因为贪的灭尽而不亲近诸欲。"’诸比丘，正确回答的比丘将如下回答：‘因为此尊者无论是于众中还是独自住，对于如此善行者，对于如此恶行者，对于如此教育众人者，对于某些具有财富者，对于某些不执著财富者，此尊者不因此而贬斥他们。另外，我于世尊面前听闻，当面接受："我是无畏的止息，我不是有畏的止息，因为离贪，因为贪的灭尽而不亲近诸欲。"’’

　　489　"诸比丘，因此如来是被进一步提问者：‘有杂染的眼、耳所识法，于如来，它们是存在，还是不存在？’诸比丘，如来进行回答时会如下回答：‘杂染的眼、耳所识法，于如来，它们不存在。’

　　‘有混合的眼、耳所识法，于如来，它们是存在，还是不存在？’诸比丘，如来进行回答时会如下回答：‘混合的眼、耳所识法，于如来，它们不存在。’

　　‘有净白的眼、耳所识法，于如来，它们是存在，还是不存在？’诸比丘，如来进行回答时会如下回答：‘净白的眼、耳所

识法，于如来，它们存在。我是这样的道路，这样的行处，因此不再到达。'

诸比丘，对于如此回答的阿罗汉导师，弟子靠近求法。于是，导师将殊妙的黑白对偶的法逐次对其加以讲解。诸比丘，比丘得到导师对殊妙的黑白对偶的法逐次讲解，其于该法证知以后，于法到达某些法，于导师具有净信：'佛陀是正等觉者，法为佛陀所善说，佛弟子是正行者。'

诸比丘，假设有其他人询问该比丘：'尊者，是什么行相？是什么随相？据此尊者说："佛陀是正等觉者，法为佛陀所善说，佛弟子是正行者。"'诸比丘，正确解答的比丘将如下解答：'朋友，在此，我靠近世尊求法。世尊将殊妙的黑白对偶的法对我逐次讲解。朋友，我得到导师对殊妙的黑白对偶的法逐次讲解，于是我于该法证知以后，于法到达某些法，于导师具有净信："佛陀是正等觉者，法为佛陀所善说，佛弟子是正行者。"'"

490 "诸比丘，任何人通过此行相，通过此词语，通过此文句对如来坚定信仰，是根本所生者，是确定者。诸比丘，此就是所谓的有行相者，是有信者，是以见为根本者，是坚固者，不为沙门、婆罗门、天、魔、梵以及世上任何所动摇。像这样，诸比丘，成为于如来进行法观察者。像这样，如来是法性的善观察者。"

此为佛陀所说。彼比丘众内心喜悦，欢喜佛陀所说。

（观察经完）

第八、憍赏弥经(Kosambiyasuttaṃ)

491　如是我闻。

一次,佛陀住在憍赏弥附近的高希达精舍。

此时,住在憍赏弥的比丘众发生争论、口角、辩论,彼此唇枪舌战,相互攻击而住。他们相互之间不能信服,不能让对方信服,相互之间不能理解,不能让对方理解。

于是,某一比丘接近佛陀所在的地方,靠近以后顶礼佛陀,然后坐于一旁。坐于一旁的该比丘对佛陀如下说道:"尊师,在此,住在憍赏弥的比丘众发生争论、口角、辩论,彼此唇枪舌战,相互攻击而住。他们相互之间不能信服,不能让对方信服,相互之间不能理解,不能让对方理解。"

于是,佛陀对另一位比丘说道:"比丘,去,你以我之言对彼比丘众说:'导师有话对你们说。'"

"好,尊师。"该比丘应诺佛陀以后向彼比丘众所在的地方接近。靠近以后,对彼比丘众如下说道:"导师有话对你们说。"

"好的,朋友。"彼比丘众应答该比丘以后走到佛陀那里,走到以后顶礼佛陀,然后坐于一旁。佛陀对坐于一旁的彼比丘众如下说道:"诸比丘,听说你们发生争论、口角、辩论,彼此唇枪舌战,相互攻击而住。你们相互之间不能信服,不能让对方信服,相互之间不能理解,不能让对方理解,是真的吗?"

"是的,尊师。"

"诸比丘,对此如何思考?你们在发生争论、口角、辩论,彼此唇枪舌战,相互攻击而住时,此时,你们是否对于同修行者或当面或背后均示现慈身业,或当面或背后均示现慈语业,或当面或背后均示现慈意业?"

"没有,尊师。"

"诸比丘,既然这样,那么你们在发生争论、口角、辩论,彼此唇枪舌战,相互攻击而住时,此时,你们对于同修行者或当面或背后均没有示现慈身业,或当面或背后均没有示现慈语业,或当面或背后均没有示现慈意业。那么,愚痴之人,你们知道什么,看到什么,为此你们发生争论、口角、辩论,彼此唇枪舌战,相互攻击而住,你们相互之间不能信服,不能让对方信服,相互之间不能理解,不能让对方理解?愚痴之人,之所以这样说,是因为其将成为你们长久的不利和痛苦。"

492　于是,佛陀对比丘众说道:"诸比丘,此六法应记忆,其带来喜爱,得到尊重,为了摄护、为了无诤、为了和合、为了一致而转起。哪六法?在此,诸比丘,比丘对于同修行者或当面或背后均示现慈身业。此也是应记忆法,其会带来喜爱,得到尊重,为了摄护、为了无诤、为了和合、为了一致而转起。

　　进而，诸比丘，比丘对于同修行者或当面或背后均示现慈语业。此也是应记忆法，其会带来喜爱，得到尊重，为了摄护、为了无诤、为了和合、为了一致而转起。

　　进而，诸比丘，比丘对于同修行者或当面或背后均示现慈意业。此也是应记忆法，其会带来喜爱，得到尊重，为了摄护、为了无诤、为了和合、为了一致而转起。

　　进而，诸比丘，比丘有如法所得、依法而得的利得乃至自己钵中的仅有物，其将这样的利得与有戒的同修行者共同食用，无差别食用。此也是应记忆法，其会带来喜爱，得到尊重，为了摄护、为了无诤、为了和合、为了一致而转起。

　　进而，诸比丘，有无缺、无暇、无斑点、无污点、自由、为智者所称赞、无执取、令至三摩地的诸戒，于此诸戒，比丘对于同修行者或当面或背后均平等具戒而住。此也是应记忆法，其会带来喜爱，得到尊重，为了摄护、为了无诤、为了和合、为了一致而转起。

　　进而，诸比丘，有圣出离的见，引导其作者正确地灭尽苦，于此见，比丘对于同修行者或当面或背后均平等具见而住。此也是应记忆法，其会带来喜爱，得到尊重，为了摄护、为了无诤、为了和合、为了一致而转起。

　　诸比丘，此六法应记忆，其会带来喜爱，得到尊重，为了摄护、为了无诤、为了和合、为了一致而转起。诸比丘，在此六应记忆法中，此就是最高，此就是总和，此就是总括，此即圣出离的见，其引导其作者正确地灭尽苦。例如，阁楼中有尖顶，其就是最高，其就是总和，其就是总括。像这样，诸比丘，在此六记忆法中，此就是最高，此就是总和，此就是总括，此即圣出离的见，引导其作者正确地灭尽苦。"

493　"那么，诸比丘，什么是圣出离的见，引导其作者正确地灭尽苦？在此，诸比丘，比丘进入阿兰若或来到树下或进入空弃房屋如下深刻思考：'我于内是否存在着尚未被舍弃的此纠缠？因为纠缠，我不能如实知道、不能看到，是心纠结者？'

诸比丘，如果比丘为贪欲所纠缠，那么就是心纠结者。诸比丘，如果比丘为嗔恚所纠缠，那么就是心纠结者。诸比丘，如果比丘为昏沉、睡眠所纠缠，那么就是心纠结者。诸比丘，如果比丘为掉举、后悔所纠缠，那么就是心纠结者。诸比丘，如果比丘为疑惑所纠缠，那么就是心纠结者。诸比丘，如果比丘热衷于此世的思维，那么就是心纠结者。诸比丘，如果比丘热衷于彼世的思维，那么就是心纠结者。诸比丘，如果比丘争论、口角、辩论，彼此唇枪舌战，相互攻击而住，那么就是心纠结者。其如下了知：'我于内不存在着尚未被舍弃的此纠缠，如果纠缠，我就不能如实知道、不能看到，是心纠结者。我的意志倾向于觉悟谛。'此是其到达的与凡夫不共通的圣出世间的第一智。"

494　"进而，诸比丘，圣弟子如下深刻思考：'此见的修习者、修行者、多作者的我是否获得自己的止息？获得自己的寂灭？'其如下了知：'此见的修习者、修行者、多作者的我获得自己的止息,获得自己的寂灭。'此是其到达的与凡夫不共通的圣出世间的第二智。"

495 "进而,诸比丘,圣弟子如下深刻思考:'我所具足的如此见,是否有其他沙门、婆罗门具足如此见?'其如下了知:'我所具足的如此见,没有其他沙门、婆罗门具足如此见。'此是其到达的与凡夫不共通的圣出世间的第三智。"

496 "进而,诸比丘,圣弟子如下深刻思考:'见具足者是如此法性的具足者。我是否也是如此法性的具足者?'诸比丘,见具足者是什么样的法性的具足者? 诸比丘,此就是见具足者的法性:'虽然犯了某罪,然而可以从此罪出离。其立即于导师或智慧的同修行者中将其说明、阐明、发露,说明、阐明、发露,获得将来的防护。'

诸比丘,例如,幼小、无知的婴儿将手或脚靠近炭火以后会立即缩回,像这样,诸比丘,此就是见具足者的法性:'虽然犯了某罪,然而可以从此罪出离。其立即于导师或智慧的同修行者中将其说明、阐明、发露,说明、阐明、发露以后,获得将来的防护。'

其如下了知:'见具足者是如此法性的具足者。我也是如此法性的具足者。'此是其到达的与凡夫不共通的圣出世间的第四智。"

497 "进而,诸比丘,圣弟子如下深刻思考:'见具足者是如此法性的具足者。我是否也是如此法性的具足者?'诸比丘,见具足者是什么样的法性的具足者? 诸比丘,此就是

见具足者的法性：'虽然为了同修行者而努力地作各种应做之事，但是，其仍成为无上戒学、无上心学、无上慧学的强烈希求者。'

诸比丘，例如，与小牛在一起的母牛撞翻柱子，救出小牛。像这样，诸比丘，此就是见具足者的法性：'虽然为了同修行者而努力地作各种应做之事，但是，其仍成为无上戒学、无上心学、无上慧学的强烈希求者。'

其如下了知：'见具足者是如此法性的具足者。我也是如此法性的具足者。'此是其到达的与凡夫不共通的圣出世间的第五智。"

498 "进而，诸比丘，圣弟子如下深刻思考：'见具足者是如此力量的具足者。我是否也是如此力量的具足者？'诸比丘，见具足者是什么样的力量的具足者？诸比丘，此就是见具足者的力量，即如来所说示的法和律被说示时，将其作为中心，加以作意，以全部的心思念、专心听法。其如下了知：'见具足者是如此力量的具足者。我也是如此力量的具足者。'此是其到达的与凡夫不共通的圣出世间的第六智。"

499 "进而，诸比丘，圣弟子如下深刻思考：'见具足者是如此力量的具足者。我是否也是如此力量的具足者？'诸比丘，见具足者是什么样的力量的具足者？诸比丘，此就是见具足者的力量，即如来所说示的法和律被说示时，获得意的信受，获得法的信受，获得法所具有的喜悦。其如下了知：'见具足者是如此力量的具足者。我也是如此力量的具足者。'此是其到达的与凡夫不共通的圣出世间的第七智。"

500 "诸比丘,像这样具足七个方面的圣弟子因为预流果的现证而善住于法性。诸比丘,像这样具足七个方面的圣弟子就是具足预流果者。"

此为佛陀所说。彼比丘众内心喜悦,欢喜佛陀所说。

(憍赏弥经完)

第九、梵天招待经(Brahmanimantanikasuttaṃ)

501 如是我闻。

一次,佛陀住在舍卫城附近的祇陀林给孤独园。当时,佛陀对彼比丘众说道:"诸比丘,"

"尊师。"彼比丘众应答佛陀。

佛陀如下说道:"诸比丘,一次,我住在乌卡塔附近的幸福树林的娑罗王树下。那时,梵天婆伽生起如下邪见:'此是常,此是恒常,此是永久,此是完全,此是不衰坏法。为什么?因为此是不生、不老、不死、不坏、不再生,没有其他更殊胜的出离。'诸比丘,我以心察知梵天婆伽的所想,于是,诸比丘,恰似一个强有力之人伸直弯曲的手臂、弯曲伸直的手臂,像这样,我从乌卡塔附近的幸福树林的娑罗王树下消失,出现在彼梵天界。诸比丘，梵天婆伽看到我从远处走来。看到以后，对我说道：'欢迎，朋友！欢迎，朋友！世尊已经很久没有为我们提供机会，已经很久没有来了。朋友，此是常，此是恒常，此是永久，此是完全，此是不衰坏法。为什么？因为此是不生、不老、不死、不坏、不再生，没有其他更殊胜的出离。'

如此听闻，诸比丘，我对梵天婆伽如下说道：'朋友，实际上，梵天婆伽陷入无明！朋友，实际上，梵天婆伽陷入无明！因为竟然把无常说成常，竟然把非恒常说成恒常，竟然把非永久说成永久，竟然把非完全说成完全，竟然把衰坏法说成不衰坏法。进而，把彼生、老、死、坏、再生，说成是不生、不老、不死、不坏、不再生。进而，把有其他更殊胜的出离说成没有其他更殊胜的出离。'"

502 "诸比丘，此时，魔罗帕皮摩附体于某一梵天众，然后对我如下说道：'比丘！比丘！不要呵责此人！不要呵责此人！因为彼梵天是大梵天，是战胜者，是不被战胜者，是全见者，是全能者，是主宰者，是创造者，是化作者，是最胜者，是给予者，是自在者，是已存在和应存在者之父。

比丘，在你之前，世上曾有沙门、婆罗门是呵责地者，是厌离地者；是呵责水者，是厌离水者；是呵责火者，是厌离火者；是呵责风者，是厌离风者；是呵责生命体者，是厌离生命体者；是呵责天神者，是厌离天神者；是呵责造物主者，是厌离造物主者；是呵责梵天者，是厌离梵天者。他们身体破灭，死后，依低劣之身而住。

　　进而,比丘,在你之前,世上曾有沙门、婆罗门是称赞地者,是欢喜地者;是称赞水者,是欢喜水者;是称赞火者,是欢喜火者;是称赞风者,是欢喜风者;是称赞生命体者,是欢喜生命体者;是称赞天神者,是欢喜天神者;是称赞造物主者,是欢喜造物主者;是称赞梵天者,是欢喜梵天者。他们身体破灭,死后,依殊胜之身而住。

　　因此,比丘,我对你这样说:"你看,朋友! 你一定要按照彼梵天所说去做。你不要超越梵天的语言。"比丘,假如你超越梵天,那么,恰似有人希望以木棍驱赶到来的光明。比丘,或又恰似掉入地狱深渊之人,手、足离开大地。比丘,像这样,你将完全如此具足。"你看,朋友! 你一定要按照彼梵天所说去做。你不要超越梵天的语言。"事实上,比丘,你没有看到被召集的梵天众吗?'诸比丘,像这样,魔罗帕皮摩将我引导至梵天众那里。

　　诸比丘,如此听闻,我对魔罗帕皮摩如下说道:'帕皮摩,我知道你。你不要认为:"他不知道我。"帕皮摩,你是魔罗。帕皮摩,无论是梵天、梵天众,还是梵众天,所有一切都进入到你的手掌里,所有一切都被你控制。你或许这样认为:"此人也进入到我的手掌里,此人也被我控制。"然而,帕皮摩,我决不进入到你的手掌里,决不被你控制。'"

　　503 "诸比丘,如此听闻,梵天婆伽对我如下说道:'朋友,正是因为是常,所以我才说是常。正是因为是恒常,所以我才说是恒常。正是因为是永久,所以我才说是永久。正是因为是完全，所以我才说是完全。正是因为是不衰坏法，所以我才说是不衰坏法。进而，正是因为是不生、不老、不死、不坏、不再生，所以我才说此是不生、不老、不死、不坏、不再生。正是因为没有其他更殊胜的出离，所以我才说没有其他更殊胜的出离。

比丘，在你之前，世上曾有沙门、婆罗门，他们在相当于你全部寿命的时间里只行苦行。他们如此告知："进而，若有其他更殊胜的出离，则有其他更殊胜的出离"，或者，"若没有其他更殊胜的出离，则没有其他更殊胜的出离。"因此，比丘，我对你如下说道："你绝对看不到其他更殊胜的出离，在此之前则只有疲惫、恼乱。"

假如你执著于地，那么就将成为我的贴身侍者、于领地内随意横卧者、随欲所行者、例外者。

假如你执著于水，那么就将成为我的贴身侍者、于领地内随意横卧者、随欲所行者、例外者。

假如你执著于火，那么就将成为我的贴身侍者、于领地内随意横卧者、随欲所行者、例外者。

假如你执著于风，那么就将成为我的贴身侍者、于领地内随意横卧者、随欲所行者、例外者。

假如你执著于生命体，那么就将成为我的贴身侍者、于领地内随意横卧者、随欲所行者、例外者。

假如你执著于天神，那么就将成为我的贴身侍者、于领地内随意横卧者、随欲所行者、例外者。

假如你执著于造物主，那么就将成为我的贴身侍者、于领地内随意横卧者、随欲所行者、例外者。

假如你执著于梵天，那么就将成为我的贴身侍者、于领地内随意横卧者、随欲所行者、例外者。'

'梵天，我也如此了知："假如我执著于地，那么就将成为你的贴身侍者、于领地内随意横卧者、随欲所行者、例外者。假如我执著于水，那么就将成为你的贴身侍者、于领地内随意横卧者、随欲所行者、例外者。假如我执著于火，那么就将成为你的贴身侍者、于领地内随意横卧者、随欲所行者、例外者。假如我执著于风，那么就将成为你的贴身侍者、于领地内随意横卧者、随欲望所行者、例外者。假如我执著于生命体，那么就将成为你的贴身侍者、于领地内随意横卧者、随欲望所行者、例外者。假如我执著于天神，那么就将成为你的贴身侍者、于领地内随意横卧者、随欲所行者、例外者。假如我执著于造物主，那么就将成为你的贴身侍者、于领地内随意横卧者、随欲所行者、例外者。假如我执著于梵天，那么就将成为你的贴身侍者、于领地内随意横卧者、随欲所行者、例外者。"梵天，我也知道你的成就，也知道你的光芒，从而说："婆伽梵天有如此大神力，婆伽梵天有如此大威力，婆伽梵天有如此大势力。"'

'可是，朋友，你如何知道我的成就，知道我的光芒？为什么说"婆伽梵天有如此大神力，婆伽梵天有如此大威力，婆伽梵天有如此大势力？"'

'日月常运转，普遍照诸方；

汝威力于此，遍及千世界。

汝知贪离贪，亦知尊与卑；

于此与于彼，有情之来去。

像这样，梵天，我知道你的成就，知道你的光芒，从而说："婆伽梵天有如此大神力，婆伽梵天有如此大威力，婆伽梵天有如此大势力。"'"

504　"'梵天，有其他的身，你对其不知，不见，而我知其，见其。梵天，有叫做光音天的身，你从那里死去，再生到这里。彼你因为长久而住，故失去彼念。因此，你对其不知，不见，而我知其，见其。梵天，像这样，我在了知方面不会与你等同，怎么可能低劣？我是在你之上。

梵天，有叫做遍净天的身，有叫做广果天的身，有叫做阿毗浮胜天的身，你对其不知，不见，而我知其，见其。梵天，像这样，我在了知方面不会与你等同，怎么可能低劣？我是在你之上。

梵天，我从地了知地，了知从地的地性有所不能了知者，不思考地，不于地思考，不从地思考，不认为地是我的，不欢喜地。梵天，像这样，我在了知方面不会与你等同，怎么可能低劣？我是在你之上。

梵天，我从水了知水，了知从水的水性有所不能了知者，不思考水，不于水思考，不从水思考，不认为水是我的，不欢喜水。梵天，像这样，我在了知方面不会与你等同，怎么可能低劣？我是在你之上。

梵天，我从火了知火，了知从火的火性有所不能了知者，不思考火，不于火思考，不从火思考，不认为火是我的，不欢喜火。梵天，像这样，我在了知方面不会与你等同，怎么可能低劣？我是在你之上。

梵天，从风了知风，了知从风的风性有所不能了知者，不思考风，不于风思考，不从风思考，不认为风是我的，不欢喜风。梵天，像这样，我在了知方面不会与你等同，怎么可能低劣？我是在你之上。

梵天，我从生命体了知生命体，了知从生命体的生命体性有所不能了知者，不思考生命体，不于生命体思考，不从生命体思考，不认为生命体是我的，不欢喜生命体。梵天，像这样，我在了知方面不会与你等同，怎么可能低劣？我是在你之上。

梵天，我从天神了知天神，了知从天神的天神性有所不能了知者，不思考天神，不于天神思考，不从天神思考，不认为天神是我的，不欢喜天神。梵天，像这样，我在了知方面不会与你等同，怎么可能低劣？我是在你之上。

梵天，我从造物主了知造物主，了知从造物主的造物主性有所不能了知者，不思考造物主，不于造物主思考，不从造物主思考，不认为造物主是我的，不欢喜造物主。梵天，像这样，我在了知方面不会与你等同，怎么可能低劣？我是在你之上。

梵天，我从梵天了知梵天，了知从梵天的梵天性有所不能了知者，不思考梵天，不于梵天思考，不从梵天思考，不认为梵天是我的，不欢喜梵天。梵天，像这样，我在了知方面不会与你等同，怎么可能低劣？我是在你之上。

梵天，我从光音天了知光音天，了知从光音天的光音天性有所不能了知者，不思考光音天，不于光音天思考，不从光音天思考，不认为光音天是我的，不欢喜光音天。梵天，像这样，我在了知方面不会与你等同，怎么可能低劣？我是在你之上。

梵天，我从遍净天了知遍净天，了知从遍净天的遍净天性有所不能了知者，不思考遍净天，不于遍净天思考，不从遍净天思考，不认为遍净天是我的，不欢喜遍净天。梵天，像这样，我在了知方面不会与你等同，怎么可能低劣？我是在你之上。

梵天，我从广果天了知广果天，了知从广果天的广果天性有所不能了知者，不思考广果天，不于广果天思考，不从广果天思考，不认为广果天是我的，不欢喜广果天。梵天，像这样，我在了知方面不会与你等同，怎么可能低劣？我是在你之上。

梵天，我从阿毗浮胜天了知阿毗浮胜天，了知从阿毗浮胜天的阿毗浮胜天性有所不能了知者，不思考阿毗浮胜天，不于阿毗浮胜天思考，不从阿毗浮胜天思考，不认为阿毗浮胜天是我的，不欢喜阿毗浮胜天。梵天，像这样，我在了知方面不会与你等同，怎么可能低劣？我是在你之上。

梵天，我从一切了知一切，了知从一切的一切性有所不能了知者，不思考一切，不于一切思考，不从一切思考，不认为一切是我的，不欢喜一切。梵天，像这样，我在了知方面不会与你等同，怎么可能低劣？我是在你之上。'

'朋友，假如存在着从一切的一切性有所不能了知者，对其加以了知，那么，你则不能将其作为空无，不能作为虚无。'

'识非可见亦无边，一切以其为光明。其是从地的地性有所不能了知者，从水的水性有所不能了知者，从火的火性有所不能了知者，从风的风性有所不能了知者，从生命体的生命体性有所不能了知者，从天神的天神性有所不能了知者，从造物主的造物主性有所不能了知者，从梵天的梵天性有所不能了知者，从光音天的光音天性有所不能了知者，从遍净天的遍净天性有所不能了知者，从广果天的广果天性有所不能了知者，从阿毗浮胜天的阿毗浮胜天性有所不能了知者，从一切的一切性有所不能了知者。'

'啊，请走开！朋友，你看，我要从你面前隐没。'

'啊，梵天，从我的面前隐没，假如可能的话，那么从我身边走开。'

然而，诸比丘，梵天婆伽说着'我从沙门乔达摩的面前隐没。我从沙门乔达摩的面前隐没'，却无法从我的面前隐没。

听闻这些，诸比丘，我对梵天婆伽如下说道：'啊，请走开！梵天，我要从你的面前隐没。'

'啊，朋友，从我的面前隐没，假如可能的话，那么从我身边走开。'于是，诸比丘，我示现如此神通力。此等梵天、梵天众、梵众天听到我的声音，却看不见我。隐没的我诵出如下诗偈：

> '我见有的恐怖，及求非有的有；
> 不欢喜任何有，亦不执著欢喜。'

于是，诸比丘，梵天、梵天众、梵众天生起稀有、未曾有之心：'啊，真是稀有！啊，真是未曾有！沙门乔达摩的大神力、大威力！过去未曾见、未曾闻其他沙门或婆罗门具有释迦族出身的释迦子弟沙门乔达摩一般的如此大神力、如此大威力。对于喜欢有、欢喜有、喜悦有、享乐有者，有被连根拔除。'"

505 "诸比丘，此时，魔罗帕皮摩附体于某一梵天众，然后对我如下说道：'朋友，即使你如此知道，即使你如此理解，请不要指导弟子、出家众。请不要向弟子、出家众说法。请不要让弟子、出家众生起渴望。比丘，在你之前世上曾有沙门、婆罗门自称是阿罗汉、正等觉者。他们指导弟子、出家众，向弟子、出家众说法，让弟子、出家众生起渴望。他们指导弟子、出家众后，向弟子、出家众说法后，让弟子、出家众生起渴望心，当身体破灭，死后，依低劣之身而住。

比丘，进而，在你之前世上曾有沙门、婆罗门自称是阿罗汉、正等觉者。他们不指导弟子、出家众，不向弟子、出家众说法，不让弟子、出家众生起渴望，身体破灭，死后，依殊胜之

身而住。我对他们这样说道:"你看,朋友,请无为,请专心于现法乐住而住。朋友,不说为善,请不要教诫其他。"'

如此听闻,诸比丘,我对魔罗帕皮摩如下说道:'帕皮摩,我知道你。你不要认为:"他不知道我。"帕皮摩,你是魔罗!你不是出于怜悯而对我如此说,而是出于非怜悯而对我如此说。帕皮摩,因为你这样认为:"如果沙门乔达摩说法,他将通过我的领地。"帕皮摩,他们是非正等觉者而自称是正等觉者。帕皮摩,我是正等觉者而自称正等觉者。

帕皮摩,我知道你。你不要认为:"他不知道我。"帕皮摩,你是魔罗,帕皮摩,无论是梵天、梵天众,还是梵众天,所有一切都进入到你的手掌里,所有一切都被你控制。你或许这样认为:"此人也进入到我的手掌里,此人也被我控制。"然而,帕皮摩,我决不进入到你的手掌里,决不被你控制。

帕皮摩,如来向弟子说法,也是如此。如来不向弟子说法,也是如此。帕皮摩,如来指导弟子,也是如此。如来不指导弟子,也是如此。此为何故?对于如来而言,有漏、导致再生、恐怖、有苦果、带来生老死的诸烦恼,其已被断除,已被根绝,如同失去树根的多罗树,于未来不再生起。像这样,帕皮摩,如同多罗树被从树冠斩断,不可能再生长。正像这样,帕皮摩,对于如来而言,有漏、导致再生、恐怖、有苦果、带来生老死的诸烦恼,其已被断除,已被根绝,如同失去树根的多罗树,于未来不再生起。'"

以上此解答不是因为魔罗,而是因为梵天招待,因此具有"梵天招待"之名。

（梵天招待经完）

第十、降魔经（Māratajjanīyasuttaṃ）

506　如是我闻。

一次，尊者摩诃目犍连住在跋迦国鳄山城附近的恐怖林鹿苑。当时，尊者摩诃目犍连在露地经行。这时，魔罗帕皮摩进入尊者摩诃目犍连的腹部，到达下腹部。于是，尊者摩诃目犍连如下思考："我的腹部为什么这么重？恰似充满豆子。"于是，尊者摩诃目犍连结束经行，进入精舍，坐在准备好的坐具上。坐下以后，尊者摩诃目犍连自我如理作意。尊者摩诃目犍连看见了进入腹部、到达下腹部的魔罗帕皮摩。看见以后，对魔罗帕皮摩如下说道：'出来，帕皮摩！出来，帕皮摩！不要困扰如来！不要困扰如来的弟子！不要成为你长久的不利和痛苦。'

于是，魔罗帕皮摩如下思考："此沙门不知、不见我，却这样说：'出来，帕皮摩！出来，帕皮摩！不要困扰如来！不要困扰如来的弟子！不要成为你长久的不利和痛苦。'即使其导师也决不能立刻知道我，为什么此弟子知道我？"

于是，尊者摩诃目犍连对魔罗帕皮摩说道："像这样，帕皮摩，我知道你，你不要想：'他不知道我。'帕皮摩，你是魔罗！帕皮摩，你这样想：'此沙门不知、不见我，却这样说："出来，帕皮摩！出来，帕皮摩！不要困扰如来！不要困扰如来的弟子！不要成为你长久的不利和痛苦。"即使其导师也决不能立刻知道我，为什么此弟子知道我？'"

于是，魔罗帕皮摩如下思考："此沙门知我、见我，故如此对我说：'出来，帕皮摩！出来，帕皮摩！不要困扰如来！不要困扰如来的弟子！不要成为你长久的不利和痛苦。'"于是，魔罗帕皮摩上行从尊者摩诃目犍连的口中出来，倚靠于门扉而立。

507　尊者摩诃目犍连看见倚靠于门扉而立的魔罗帕皮摩。看见以后，对魔罗帕皮摩如下说道："即使于此处，我也看见你。你不要想：'他看不见我。'帕皮摩，那个倚靠于门扉而立者就是你。帕皮摩，于往昔，我是名叫杜西的魔罗，彼我有位名叫卡莉的妹妹。你是她的儿子，你是彼我的外甥。

帕皮摩，那时，阿罗汉、正等觉者的拘留孙佛出现于世。阿罗汉、正等觉者的拘留孙佛以名叫比杜拉和散吉跋的两位弟子为二贤首。帕皮摩，阿罗汉、正等觉者拘留孙佛有众多的弟子。在他们中，在说法方面，没有人与比杜拉尊者等同。根据这样的理由，于比杜拉尊者生起'无比肩者'的称呼。

另外，帕皮摩，散吉跋尊者也进入阿兰若，也来到树下，也进入空弃房屋，轻松进入想受灭定。帕皮摩，于往昔，散吉跋尊者坐于某一树下进入想受灭定。帕皮摩，牧牛者、畜牧者、农夫、行路者看见坐于某一树下进入想受灭定的<u>散吉跋</u>尊者。看见后，他们如下思考：'实在是稀有！实在是未曾有！此沙门坐着死去！来，将他荼毗吧。'于是，<u>帕皮摩</u>，那些牧牛者、畜牧者、农夫、行路者收集茅草、木片、牛粪后，堆积到<u>散吉跋</u>尊者身上，点上火后离去。

<u>帕皮摩</u>，经过那个夜晚，<u>散吉跋</u>尊者从禅定中出定，抖动衣，于上午，着衣，持衣钵，进入村庄托钵乞食。彼牧牛者、畜牧者、农夫、行路者看见正在游化的<u>散吉跋</u>尊者。看见后，他们如下思考：'实在是稀有！实在是未曾有！此坐着死去的沙门，自己复活了。'依据这样的理由，于<u>散吉跋</u>尊者生起'复活者'的名称。"

508　"于是，<u>帕皮摩</u>，魔罗<u>杜西</u>如下思考：'我竟不知道这些持戒、有善法的比丘们的来处或去处。我附体于婆罗门居家者如何？"来，你们谩骂、诋毁、惹恼、恐吓这些持戒、有善法的比丘们。或许受到你们谩骂、诋毁、惹恼、恐吓的持戒、有善法的比丘们会有内心的变化。这样的话，魔罗<u>杜西</u>将得到机会。"'

于是，<u>帕皮摩</u>，彼魔罗<u>杜西</u>附体于婆罗门居家者：'来，你们谩骂、诋毁、惹恼、恐吓这些持戒、有善法的比丘们。或许受到你们谩骂、诋毁、惹恼、恐吓的持戒、有善法的比丘们会有内心的变化。这样的话，魔罗<u>杜西</u>将得到机会。'

于是，<u>帕皮摩</u>，被魔罗<u>杜西</u>附体的婆罗门居家者谩骂、诋毁、惹恼、恐吓持戒、有善法的比丘们：'此卑贱、黑色、从梵天脚下生出的秃头伪沙门说着"我们是禅定者。我们是禅定者",却肩膀下垂、脸朝下、懈怠,静虑、静思、深思、沉思。

就像是寻觅老鼠的猫头鹰,在树枝上静虑、静思、深思、沉思。像这样,此卑贱、黑色、从梵天脚下生出的秃头伪沙门说着"我们是禅定者。我们是禅定者",却肩膀下垂、脸朝下、懈怠,静虑、静思、深思、沉思。

就像是寻觅鱼的野狐,在河岸上静虑、静思、深思、沉思。像这样,此卑贱、黑色、从梵天脚下生出的秃头伪沙门说着"我们是禅定者。我们是禅定者",却肩膀下垂、脸朝下、懈怠,静虑、静思、深思、沉思。

就像是寻觅老鼠的猫,在缝隙、水沟、垃圾堆中静虑、静思、深思、沉思。像这样,此卑贱、黑色、从梵天脚下生出的秃头伪沙门说着"我们是禅定者。我们是禅定者",却肩膀下垂、脸朝下、懈怠,静虑、静思、深思、沉思。

就像是卸掉驮运货物的骡马,在缝隙、水沟、垃圾堆中静虑、静思、深思、沉思。像这样,此卑贱、黑色、从梵天脚下生出的秃头伪沙门说着"我们是禅定者。我们是禅定者",却肩膀下垂、脸朝下、懈怠,静虑、静思、深思、沉思。'

于是,帕皮摩,那时死去的多数人,身体破灭,死后再生于苦处、恶处、难处的地狱。"

509 "于是,阿罗汉、正等觉者的拘留孙佛对比丘众说道:'诸比丘,婆罗门居家者受到魔罗杜西的附体:"来,你们谩骂、诋毁、惹恼、恐吓这些持戒、有善法的比丘们。或许受到你们谩骂、诋毁、惹恼、恐吓的持戒、有善法的比丘们会有内心的变化。这样的话，魔罗杜西将得到机会。"

诸比丘，以慈俱在之心遍满一个方向而住，同样，第二个方向、第三个方向、第四个方向遍满而住。像这样，于上下四维，于一切处，把一切作为自己，对于涵盖一切的世界，以广大、巨大、无量、无怨恨、无嗔恚的慈俱在之心遍满而住。

以悲俱在之心遍满一个方向而住，同样，第二个方向、第三个方向、第四个方向遍满而住。像这样，于上下四维，于一切处，把一切作为自己，对于涵盖一切的世界，以广大、巨大、无量、无怨恨、无嗔恚的悲俱在之心遍满而住。

以喜俱在之心遍满一个方向而住，同样，第二个方向、第三个方向、第四个方向遍满而住。像这样，于上下四维，于一切处，把一切作为自己，对于涵盖一切的世界，以广大、巨大、无量、无怨恨、无嗔恚的喜俱在之心遍满而住。

以舍俱在之心遍满一个方向而住，同样，第二个方向、第三个方向、第四个方向遍满而住。像这样，于上下四维，于一切处，把一切作为自己，对于涵盖一切的世界，以广大、巨大、无量、无怨恨、无嗔恚的舍俱在之心遍满而住。'

于是，帕皮摩，得到阿罗汉、正等觉者的拘留孙佛如此教导、如此教诫的比丘众，也进入阿兰若，也来到树下，也进入空弃房屋，以慈俱在之心遍满一个方向而住，同样，第二个方向、第三个方向、第四个方向遍满而住。像这样，于上下四维，于一切处，把一切作为自己，对于涵盖一切的世界，以广大、巨大、无量、无怨恨、无嗔恚的慈俱在之心遍满而住。

以悲俱在之心遍满一个方向而住,同样,第二个方向、第三个方向、第四个方向遍满而住。像这样,于上下四维,于一切处,把一切作为自己,对于涵盖一切的世界,以广大、巨大、无量、无怨恨、无嗔恚的悲俱在之心遍满而住。

以喜俱在之心遍满一个方向而住,同样,第二个方向、第三个方向、第四个方向遍满而住。像这样,于上下四维,于一切处,把一切作为自己,对于涵盖一切的世界,以广大、巨大、无量、无怨恨、无嗔恚的喜俱在之心遍满而住。

以舍俱在之心遍满一个方向而住,同样,第二个方向、第三个方向、第四个方向遍满而住。像这样,于上下四维,于一切处,把一切作为自己,对于涵盖一切的世界,以广大、巨大、无量、无怨恨、无嗔恚的舍俱在之心遍满而住。"

510 "于是,帕皮摩,魔罗杜西这样思考:'即使这样做,我也不知道此等持戒、有善法的比丘众的来处或去处。我附体于婆罗门居家者如何?"来,你们恭敬、尊敬、崇敬、供养此等持戒、有善法的比丘众,或许受到你们恭敬、尊敬、崇敬、供养的比丘们会有内心的变化。这样的话,魔罗杜西将得到机会。"'

于是,帕皮摩,魔罗杜西附体于婆罗门居家者:'来,你们恭敬、尊敬、崇敬、供养此等持戒、有善法的比丘众,或许受到你们恭敬、尊敬、崇敬、供养的比丘们会有内心的变化。这样的话,魔罗杜西将得到机会。'于是,受到魔罗杜西附体的婆罗门居家者恭敬、尊敬、崇敬、供养此等持戒、有善法的比丘们。

于是，帕皮摩，那时死去的多数人，身体破灭，死后再生于善道的天界。"

511 "于是，阿罗汉、正等觉者的拘留孙佛对比丘众说道：'诸比丘，婆罗门居家者受到魔罗杜西的附体："来，你们恭敬、尊敬、崇敬、供养此等持戒、有善法的比丘们。或许受到你们恭敬、尊敬、崇敬、供养的比丘众会有内心的变化。这样的话，魔罗杜西将得到机会。"于是，受到魔罗杜西附体的婆罗门居家者恭敬、尊敬、崇敬、供养此等持戒、有善法的比丘众。诸比丘，你们要于身随观不净，于食物持厌腻想，于一切世界持不喜想，于诸行随观无常。'

于是，得到阿罗汉、正等觉者的拘留孙佛如此教导、如此教诫的比丘众，也进入阿兰若，也来到树下，也进入空弃房屋，于身随观不净，于食物持厌腻想，于一切世界持不喜想，于诸行随观无常。"

512 "于是，帕皮摩，阿罗汉、正等觉者的拘留孙佛于上午，着衣，持衣钵，以比杜拉尊者为随从沙门，进入村庄托钵乞食。此时，帕皮摩，魔罗杜西附体于某一童子，抓起石子打了比杜拉尊者的头顶。他的头被打破。然而，帕皮摩，被打破头、流着血的比杜拉尊者仍跟随在阿罗汉、正等觉者的拘留孙佛的后面。

于是，帕皮摩，阿罗汉、正等觉者的拘留孙佛如大象眺望般眺望而说道：'魔罗杜西不知适可而止。'帕皮摩，魔罗杜西从那里死去，再生于大地狱。

帕皮摩，彼大地狱有三个名称，也叫六触处地狱，也叫木桩打击地狱，也叫各别受苦地狱。这时，帕皮摩，狱卒接近我，如下说道：'朋友，当你的心脏上一个个地钉满木桩时，你将知道："我将在地狱里受苦千年。"'帕皮摩，彼我数年、数百年、数千年，于彼大地狱中受苦。于彼大地狱的小增地狱中，历经万年，感受着一种叫做出起的苦受。帕皮摩，彼我的身体如人一般，头颅却如鱼。"

513

"攻击拘留孙，及比杜拉故。
有何等地狱，杜西往受苦；

攻击拘留孙，及比杜拉故；
有铁桩一百，众苦各别受；
有此等地狱，杜西往受苦。

佛弟子比丘，彼如是了知；
攻击彼比丘，恶魔往受苦。

诸天宫一劫，伫立海中央；
色如毗琉璃，绚烂又光耀；
仙女于此舞，缤纷种种色。

佛弟子比丘，彼如是了知；
攻击彼比丘，恶魔往受苦。

为佛所呵责，于僧众面前；
仅以足指撼，<u>鹿子母讲堂</u>。

佛弟子比丘，彼如是了知；
攻击彼比丘，恶魔往受苦。

仅以足拇指，撼彼<u>最胜殿</u>；
亦凭神通力，摇动诸天神。

佛弟子比丘，彼如是了知；
攻击彼比丘，恶魔往受苦。

于彼<u>最胜殿</u>，询问<u>帝释天</u>；
帝释可知否，爱尽诸解脱？
对彼所询问，帝释如实答。

佛弟子比丘，彼如是了知；
攻击彼比丘，恶魔往受苦。

于<u>善法会堂</u>，询问彼梵天；
往昔所持见，如今依旧否？
于梵天界中，是否见流光？

对彼所询问，梵天如实答；
我于梵天界，看见流光过；
由此今何言，我常我永久。

佛弟子比丘，彼如是了知；
攻击彼比丘，恶魔往受苦。

于大须弥顶，林及东胜身；
及地彼诸人，其依解脱触。

佛弟子比丘，彼如是了知；
攻击彼比丘，恶魔往受苦。

火决不思量，'我要烧愚者'；
愚者触燃火，其唯自被烧。

如是汝魔罗，攻击彼如来；
惹火自烧身，如愚者触火。

攻击彼如来，魔罗生非福；
帕皮摩何思，报恶不现我。

死魔于长夜，所作恶积累；
魔罗远离佛，莫冀望比丘。

于彼恐怖林，比丘降伏魔；
恶意彼夜叉，于彼处消失。"

（降魔经完）